LES DIÉTÉTISTES DU CANADA

Simplement délicieux

Patricia Chuey, M.Sc., Dt.P., Eileen Campbell
et Mary Sue Waisman, M.Sc., Dt.P.

TRÉCARRÉ
Ⓜ QUEBECOR MEDIA

Catalogage avant publication de la Bibliothèque nationale du Canada

Chuey, Patricia, 1967-

   Simplement délicieux

   Traduction de : Simply great food.

   Comprend un index.

   ISBN 978-2-89568-309-4

   1. Cuisine. 2. Nutrition. 3. Cuisine santé. I. Campbell, Eileen, 1946- . II. Waisman, Mary Sue
(Mary Suzanne), 1957-   . III. Titre.

TX714.C4814 2007   641.5'63   C2007-940142-2

L'édition originale de cet ouvrage a paru en anglais sous le titre de *Simply Great Food*, aux éditions Robert Rose Inc.

Design et production : PageWave Graphics Inc.
Édition : Judith Finlayson et Sue Sumeraj
Photographie : Colin Erricson
Stylistes : Kate Bush et Charlene Erricson
Traduction : Nathalie Guillet et Étienne Duhamel
Révision : Anik Charbonneau
Correction d'épreuves : Céline Bouchard
Index : Diane Baril
Couverture : Christian Campana
Mise en pages : Édiscript

Remerciements

Les Éditions du Trécarré reconnaissent l'aide financière du gouvernement du Canada par l'entremise du Programme
d'aide au développement de l'industrie de l'édition (PADIÉ) pour ses activités d'édition. Gouvernement du Québec
– Programme de crédit d'impôt pour l'édition de livres – gestion SODEC.

ISBN : 978-2-89568-309-4
Dépôt légal – Bibliothèque et Archives nationales du Québec, 2007

Imprimé au Canada

Éditions du Trécarré   Robert Rose Inc.
Groupe Librex   120, avenue Eglinton Est
La Tourelle   Bureau 800
1055, boul. René-Lévesque Est   Toronto (Ontario) M4P 1E2
Bureau 800   Tél. : 416 322-6552
Montréal (Québec) H2L 4S5   Téléc. : 416 322-6936
Tél. : 514 849-5259
Téléc. : 514 849-1388

Distribution au Canada
Messageries ADP
2315, rue de la Province
Longueuil (Québec) J4G 1G4
Téléphone : 450 640-1234
Sans frais : 1 800 771-3022

Table des matières

Remerciements

Peu de projets d'envergure s'accomplissent grâce aux efforts d'une seule personne ; la plupart du temps, le succès repose sur un travail d'équipe. Et *Simplement délicieux* ne fait pas exception. Des auteures talentueuses, un personnel dévoué ainsi que de généreux commanditaires ont travaillé avec un comité de révision composé d'experts pour faire de ce livre de cuisine un succès.

Nos remerciements sincères s'adressent aux auteures : Patricia Chuey, Dt.P., pour les textes novateurs sur la nutrition, et Eileen Campbell, chef cuisinière, pour son expertise culinaire et sa participation active au contenu rédactionnel. Chapeau à Donna Bottrell, Dt.P., qui a grandement aidé Eileen à expérimenter et goûter chacune des recettes.

Nous remercions également Caroline Dubeau, directrice Éducation en nutrition et développement régional aux Diététistes du Canada, pour sa créativité et sa vision dans l'élaboration de ce livre, ainsi que ses judicieux conseils ; Mary Sue Waisman, pour avoir su conjuguer les efforts de l'équipe sans perdre de vue les objectifs du projet ; et Helen Haresign, vice-présidente au Développement. Un remerciement spécial va aux membres du comité de révision, pour le temps qu'ils ont consacré bénévolement à vérifier l'exactitude du contenu :

Heather McColl, Colombie-Britannique,
Wendy Shah, Alberta,
Heidi Bates, Alberta,
Carol Schnittjer, Manitoba,
Marcia Cooper, Ontario,
Linda Ross Stringer, Ontario,
Christina Blais, Québec,
Laurie Barker Jackman, Nouvelle-Écosse,
Bonnie Conrad, Nouvelle-Écosse.

Les Diététistes du Canada (DC) remercient les commanditaires officiels du Mois de la Nutrition[MD] 2007 pour leurs généreuses contributions :

Le Groupe Compass Canada,
Les Producteurs laitiers du Canada,
La Corporation General Mills du Canada.

Nos conseils, diffusés par l'entremise des produits et services des Diététistes du Canada, reposent sur de solides données scientifiques ainsi que sur l'expertise et l'expérience professionnelles de nos membres. Le matériel est d'abord produit par des diététistes, puis révisé par d'autres professionnels possédant de l'expérience dans le même champ d'expertise. Les Diététistes du Canada conservent le plein contrôle éditorial du matériel qu'ils publient.

L'organisme s'efforce d'être transparent quant à ses sources de revenus. Ainsi, les noms de leurs commanditaires sont cités sur leur site Internet, lors de l'utilisation de certains outils et ressources éducatives, et lors d'assemblées. Toutefois, cette mention ne constitue pas une recommandation à l'égard des produits et services offerts par les entrepreneurs, commanditaires ou annonceurs. Les diététistes du Canada ne font ni la recommandation ni la promotion de produits ou de services commerciaux.

Nous tenons également à remercier notre éditeur, Robert Rose Inc., et particulièrement Bob Dees et Marian Jarkovich. Merci aux réviseures Judith Finlayson et Sue Sumeraj, pour leur collaboration au contenu rédactionnel ; aux membres de l'équipe de PageWave Graphics – Andrew Smith, Joseph Gisini, Kevin Cockburn et Daniella Zanchetta –, pour leur contribution en matière de conception et de production ; à la styliste culinaire Kate Bush ; à la styliste-accessoiriste Charlene Erricson ; et à Colin Erricson, pour ses magnifiques photos.

Finalement, à tous les Canadiens qui ont généreusement partagé leurs recettes et leurs conseils avec les auteures de ce livre, merci. Sans votre participation, *Simplement délicieux* n'existerait pas !

Les diététistes du Canada

Dietitians of Canada
Les diététistes du Canada

L'organisme Les diététistes du Canada est la voix nationale des diététistes et la source de renseignements la plus fiable sur l'alimentation et la nutrition. Les diététistes du Canada représentent plus de 5 500 diététistes dévoués à l'amélioration de la santé des Canadiens grâce à une saine alimentation.

Les diététistes sont les spécialistes à consulter pour obtenir des conseils nutritionnels judicieux. Si vous désirez obtenir des renseignements sur une saine alimentation, communiquez avec une diététiste professionnelle. Pour trouver les coordonnées d'une diététiste dans votre région, adressez-vous au Centre de santé et de services sociaux le plus près de chez vous. Pour trouver les coordonnées d'une diététiste exerçant dans le secteur privé, consultez le site Internet des Diététistes du Canada au **www.dietetistes.ca/trouvez**, ou appelez le Réseau de diététistes-conseils au 1 888 901-7776.

Le Mois de la Nutrition[MD] encourage la population à manger mieux, c'est meilleur !

Partout au Canada, le mois de mars est le Mois de la Nutrition[MD]. Afin de célébrer les bienfaits d'une saine alimentation, les diététistes d'un océan à l'autre s'unissent pour organiser des événements publics et des activités médiatiques qui ont pour objectif de renforcer le rôle de la nutrition dans le maintien et l'amélioration de la santé et du bien-être. En 2006, le Mois de la Nutrition[MD] fêtait son 25e anniversaire. La campagne a pris une telle ampleur depuis le début des années 80 qu'elle est aujourd'hui l'une des campagnes de marketing social les plus reconnues au Canada.

Le Mois de la Nutrition[MD] encourage la tenue d'activités sur la nutrition d'un bout à l'autre du Canada, afin de vous aider à avoir accès à des diététistes, la source d'information la plus fiable en matière de nutrition.

Pour en savoir plus sur les activités du Mois de la Nutrition[MD], recherchez ce logo dans votre collectivité.

Préface

Il arrive un moment où nous devons tous réfléchir à ce qui importe vraiment dans notre vie. À notre époque, où tout se passe si rapidement, où le temps nous manque constamment, plusieurs d'entre nous avons de la difficulté à bien manger et, plus encore, à trouver la motivation pour cuisiner. Mais il existe d'excellentes raisons de le faire ! En plus de pouvoir être facile et amusant, cuisiner peut stimuler votre créativité et vous inspirer de délicieux mets équilibrés qui sauront plaire et profiter à tous les membres de votre famille.

Simplement délicieux est un recueil de 250 recettes conçues par des diététistes et des consommateurs à la recherche de nouvelles idées de repas sains, faciles, rapides et savoureux. Mais il ne s'agit pas ici seulement d'un livre de recettes ! Outre les recettes qui vous permettront d'apprêter de succulents plats, ce livre renferme les données les plus récentes en matière de nutrition et propose de nombreuses trouvailles pour que gastronomie et saine alimentation s'intègrent à votre vie de tous les jours.

Cette publication est le cinquième livre de cuisine réalisé par Les diététistes du Canada. Après les succès de Manger mieux, c'est meilleur, Le plaisir de mieux manger, Bons mets vite faits et Nos meilleures recettes, Simplement délicieux est destiné à prendre toute la place qui lui revient dans votre foyer. Chaque recette est accompagnée d'une analyse de son apport nutritionnel par portion. Par ailleurs, les recettes ont été étudiées afin que les personnes diabétiques puissent les intégrer dans leur alimentation (p. 328). Des conseils utiles et des suggestions de menus ont également été élaborés par les auteures et des diététistes professionnelles. Chaque page contient des renseignements pratiques qui vous aideront à bien cuisiner et à manger sainement.

Les diététistes représentent une source de renseignements nutritionnels fiables. Il s'agit de professionnelles que l'on retrouve dans différents secteurs tels que la santé, l'industrie agro-alimentaire, le gouvernement et l'éducation. Elles jouent un rôle de premier ordre pour aider la population à opter pour un style de vie équilibré grâce à une saine alimentation. Elles contribuent à influencer le développement et la promotion des biens et services de consommation, et elles gèrent des services nutritionnels de qualité. D'autre part, elles interviennent auprès des décideurs afin de favoriser des choix alimentaires sains dans les endroits où vous habitez, travaillez, jouez et étudiez. Visitez le site Internet des Diététistes du Canada (**www.dietetistes.ca**) pour avoir accès à une foule de renseignements actualisés sur l'alimentation et la nutrition. Vous y trouverez de tout : des trucs pour déchiffrer les étiquettes des produits alimentaires jusqu'aux conseils recommandés si vous souffrez d'une maladie chronique.

Dans Simplement délicieux, Les diététistes du Canada proposent plusieurs solutions aux défis nutritionnels quotidiens. Nous espérons qu'en feuilletant les pages qui suivent, vous réaliserez que :

- préparer des repas équilibrés est facile ;
- cuisiner et manger sainement est amusant, surtout lorsque votre partenaire, vos amis et votre famille participent aux expériences culinaires ;
- prendre le temps de déguster un repas en bonne compagnie est l'un des grands plaisirs de la vie.

Profitez tous les jours de ce livre de cuisine !

Mary Sue Waisman,
Diététiste professionnelle, chef
et passionnée de cuisine

Introduction

Arrêtez-vous un instant et imaginez le scénario suivant. Vous rentrez à la maison après une exigeante journée de travail ou d'activités avec les enfants. Tout le monde a faim, y compris vous. Vous voulez préparer un bon repas équilibré, et le faire vite ! En ouvrant votre réfrigérateur, qui est tout à fait bien organisé, vous souriez, car la veille, vous avez pris soin de laver et de couper des carottes, des concombres ainsi que des poivrons rouge et jaune. Il ne vous reste plus qu'à enlever le couvercle d'une délicieuse trempette, à verser quelques rafraîchissants panachés aux fruits, et toute la famille sera revigorée. La collation vous permet de gagner un peu de temps avant que le souper soit prêt. Puis, tel un grand chef, vous réalisez en un tournemain la Salade de poulet et de mangue (p. 156), les Galettes de poisson (p. 205), ou l'une des nombreuses autres recettes à préparation rapide présentées dans ce livre. Les enfants vous donnent un coup de main et le repas, qui respecte les restrictions du régime hypocholestérolémiant de votre partenaire, est un succès.

Non, ce n'est pas un rêve. C'est possible. Et *Simplement délicieux* est l'outil tout désigné pour vous assister dans l'élaboration de repas et de collations qui, en plus de plaire à toute la famille, s'adapteront parfaitement à votre horaire chargé.

Dans *Simplement délicieux*, nous parcourons d'abord les principes de base d'une saine alimentation, puis nous vous proposons divers moyens pour mettre toutes ces connaissances en pratique. Le livre est divisé en trois sections :

- « On mange ! » Des diététistes professionnelles vous donnent de précieux conseils en nutrition et vous présentent les principes de base d'une saine alimentation.

- « Suggestions pour des repas simples » Des idées pour planifier vos repas et organiser votre cuisine de manière à pouvoir préparer de délicieuses recettes en deux temps, trois mouvements. Vous y trouverez aussi quelques trucs pour faire votre épicerie, des renseignements sur la salubrité des aliments, puis quelques conseils pour faire de la gastronomie une expérience agréable.

- Un recueil de 250 délicieuses recettes faciles à préparer, avec des renseignements utiles sur leur valeur nutritive.

Les indications proposées dans les encadrés répondent aux questions les plus courantes en matière de nutrition et d'alimentation, et proposent des solutions pour manger sainement.

De plus, toutes les recettes ont été analysées selon le système d'échanges « Principes de base : une alimentation saine pour la prévention et le traitement du diabète ». Si vous êtes une personne diabétique, consultez l'information relative aux choix alimentaires de l'Association canadienne du diabète, à la fin de chaque recette.

Finalement, nous avons toutes les raisons de croire que nos recettes vous plairont, car elles ont toutes été expérimentées par des chefs cuisiniers et des familles.

On mange !

Vous êtes-vous senti bien en lisant ces deux mots ? Bien que nous devions nous nourrir pour approvisionner notre corps en énergie et en nutriments, l'alimentation représente pour la plupart des gens une expérience sociale. Nous sortons « casser la croûte » avec les copines, nous invitons des amis à « manger un morceau » le vendredi, après le boulot, nous planifions des repas élaborés pour des occasions spéciales, nous apportons une soupe au poulet pour réconforter nos proches lorsqu'ils ne se sentent pas bien, ou nous préparons des légumes aux formes amusantes pour les enfants. Beaucoup de tendres souvenirs proviennent de repas passés en bonne compagnie.

Manger sainement signifie prêter attention à la qualité et à la quantité des aliments que l'on consomme. D'un point de vue physique, notre organisme a besoin de nourriture pour un certain nombre de raisons. Les aliments nous fournissent de l'énergie (des calories) et des nutriments qui nous aident à maintenir nos os en bonne santé, à tonifier nos muscles et à faire fonctionner nos organes. Une saine alimentation, combinée à l'activité physique, contribue au maintien d'un poids santé et d'un taux de cholestérol sanguin adéquat en plus de réduire les risques de maladies comme le diabète. Manger sainement nous aide aussi à garder notre dynamisme et à profiter d'une vie active !

Le *Guide alimentaire canadien pour manger sainement*

Familiarisez-vous avec le *Guide alimentaire canadien*. Il présente des recommandations basées sur les plus récentes recherches en nutrition. Il fournit des renseignements sur les quatre groupes alimentaires, la taille des portions ainsi que le nombre de portions dont vous avez besoin chaque jour. Les quatre groupes sont :

- **les fruits et légumes ;**
- **les produits céréaliers ;**
- **les produits laitiers ;**
- **les viandes et substituts.**

Les recommandations varient selon l'âge et le sexe, et selon la condition des femmes, qu'elles soient enceintes ou qu'elles allaitent. Grâce à une variété d'aliments provenant des quatre groupes alimentaires, le guide explique comment obtenir tous les nutriments dont votre corps a besoin. Vous pouvez le consulter au www.santecanada.ca/guidealimentaire.

La contribution des aliments à l'apport en nutriments

Notre corps a besoin chaque jour de plus de 50 nutriments différents. Étant donné qu'aucun aliment ne peut nous les fournir tous, mais que chacun possède une valeur alimentaire qui lui est propre, nous devons consommer quotidiennement une variété d'aliments provenant des quatre groupes alimentaires.

Nos cinq conseils pour manger sainement

De nos jours, tout le monde a son opinion sur la façon dont il faut s'alimenter pour rester en santé. Le problème est qu'il existe de nombreuses contradictions et qu'il est difficile de discerner le vrai du faux. Le meilleur moyen de faire un choix éclairé consiste à valoriser ce qui a survécu à l'épreuve du temps. Voici nos cinq conseils les plus importants pour manger sainement.

1. Faites en sorte que manger soit une expérience agréable et satisfaisante.

2. Atteignez un équilibre en choisissant des aliments des quatre groupes alimentaires.

3. Soyez aventureux : mangez une variété d'aliments nouveaux ou apprêtés différemment.

4. Portez une attention particulière à la quantité de nourriture et au nombre de repas et de collations que vous consommez.

5. Choisissez des aliments de qualité.

1. Faites en sorte que manger soit une expérience agréable et satisfaisante

Prenez plaisir à planifier et à préparer vos repas. Le fait de choisir un menu, de faire une liste d'épicerie et de cuisiner des repas nutritifs pour votre famille et vos amis vous procurera un grand sentiment d'accomplissement. Faites participer vos enfants aux différentes tâches qui entourent les repas, pour leur apprendre à cuisiner et pour leur inculquer la coopération et le partage des responsabilités.

Se rassembler en famille autour d'un bon repas est une expérience agréable et apaisante. Il s'agit non seulement d'une occasion privilégiée d'échanger avec les êtres qui vous sont chers, de savoir comment s'est déroulée leur journée et de planifier de futures activités, mais il s'agit également d'être un modèle positif pour vos enfants en faisant des choix alimentaires éclairés et en servant des portions raisonnables. Ces rassemblements vous permettent de connaître les aliments qui plaisent à votre famille et d'identifier les nouveaux choix qui favoriseront de meilleures habitudes alimentaires.

Il existe aussi d'autres bienfaits aux repas en famille…

• Une meilleure nutrition. Les familles qui mangent ensemble fréquemment s'alimentent mieux que celles qui le font moins souvent.

• Une meilleure santé émotionnelle. Les enfants de familles qui mangent ensemble régulièrement sont plus susceptibles de bien réussir à l'école et moins enclins à se livrer à des comportements à risque comme l'abus d'alcool et de drogues.

Relevez le défi des repas familiaux

Autrefois, les familles mangeaient ensemble tous les jours. Si cette pratique ne fait pas partie de votre routine familiale, mettez-vous au défi de rassembler tous les membres de votre famille le plus souvent possible.

2. Atteignez un équilibre en choisissant des aliments des quatre groupes alimentaires

L'équilibre représente une autre des pierres angulaires d'une saine alimentation. Lorsque nous préparons des repas et des collations, nous devons utiliser une variété d'aliments provenant des quatre groupes du *Guide alimentaire canadien*. Nous nous assurons ainsi d'obtenir tous les nutriments dont nous avons besoin.

Essayez d'atteindre cet équilibre en incluant au moins trois des quatre groupes alimentaires à chaque repas. Lorsque vous mangez une collation, choisissez des aliments de deux groupes ou plus. Cette approche vous aidera à fournir à votre corps l'apport quotidien requis en nutriments dont il a besoin. Les exemples suivants démontrent comment de bons choix alimentaires variés peuvent vous aider à atteindre un équilibre dans vos repas.

	Au lieu de...	Pour un meilleur équilibre, essayez...
Petit-déjeuner	½ pamplemousse rôties	½ pamplemousse rôties avec beurre d'arachide un verre de lait
Dîner	salade de légumes grillés sur lit d'épinards avec vinaigrette balsamique	salade de légumes grillés, garnie de cheddar râpé ou de restes de saumon ou de poitrine de poulet tranche de pain multigrain
Souper	spaghettis avec sauce aux légumes languettes de poivrons rouge et vert	spaghettis avec sauce aux légumes et viande ou lentilles, parmesan râpé fruits frais, par exemple des cerises ou des tranches d'orange

Relevez le défi de l'alimentation équilibrée

Notez les aliments que vous avez mangés au cours des trois ou quatre derniers repas. (Si vous avez de la difficulté à vous en souvenir, réfléchissez à l'endroit où vous vous trouviez, avec qui vous étiez, à ce que vous faisiez et à l'heure qu'il était.) Vos repas comprenaient-ils des aliments d'au moins trois des quatre groupes alimentaires ? Si oui, bien joué ! Sinon, pensez aux aliments que vous pourriez ajouter pour parvenir à un meilleur équilibre.

Une question d'équilibre

Manger des aliments des quatre groupes alimentaires ne signifie pas consommer la même quantité de chaque groupe. Privilégiez les légumes, les fruits et les produits céréaliers.

Ce que représente une saine alimentation pour moi

Manger sainement veut dire consommer des aliments des quatre groupes alimentaires et essayer d'éviter de manger trop de bonbons.

– Taylor, élève de troisième année, Alberta

3. Soyez aventureux : mangez une variété d'aliments nouveaux ou apprêtés différemment

Comme le dit si bien l'expression, « La variété est l'épice de la vie ». Lorsqu'il s'agit d'alimentation et de nutrition, diversité d'aliments rime avec diversité de nutriments. Mettez-vous au défi d'essayer de nouveaux aliments et de nouvelles façons de les apprêter. La découverte de saveurs, de textures et d'arômes inédits stimulera vos sens.

Il nous arrive tous de tomber dans une routine et de cuisiner les mêmes plats encore et encore. Très certainement, nous en arrivons vite à nous lasser et à rechercher la nouveauté. Faites un effort pour essayer un nouvel aliment ou une nouvelle recette chaque semaine. Parlez-en à vos enfants, peut-être ont-ils vu un nouvel aliment à l'école ? Demandez-leur d'en apprendre plus sur cette découverte et de vous aider à la préparer à la maison.

Ce que représente une saine alimentation pour moi

Acheter des aliments sains toutes les semaines, faire participer ma famille aux tâches culinaires et prendre le temps de profiter des repas maison.

– Anne, institutrice de deuxième année et maman, Nouvelle-Écosse

Relevez le défi de la variété

Commencez par essayer une nouvelle recette de ce livre chaque semaine, préférablement une qui contient un ingrédient que vous n'avez jamais mangé auparavant. Conviez vos papilles gustatives à un voyage sensoriel en préparant un Poulet au beurre (p. 172), une Salade de quinoa aux légumes (p. 153) ou un Sauté de tofu à la sauce chili (p. 226). Vous aurez bientôt une multitude de nouveaux plats à succès !

Brisons le mythe : manger sainement est onéreux

De nombreux facteurs ont des incidences sur l'accès aux aliments sains. Si l'économie de temps représente l'objectif principal, il est vrai que commander un repas, manger à l'extérieur ou acheter des aliments sains prêts à servir dans un supermarché s'avère généralement plus coûteux. Toutefois, lorsque vous avez le temps de planifier, de nombreux aliments sains comme les grains entiers, les légumineuses en vrac ou en conserve, les œufs, les pâtes, le riz, le lait en poudre et les produits frais de saison sont bon marché. Plusieurs aliments sains, en conserve ou surgelés, sont souvent offerts à rabais. Être au courant des prix réguliers peut vous aider à repérer les bonnes offres. Si vous souhaitez nourrir votre famille à un prix modique, faites de plus grandes quantités lors de la préparation des repas.

4. Portez une attention particulière à la quantité de nourriture et au nombre de repas et de collations que vous consommez

Être attentif à ce que l'on mange signifie prendre conscience de la quantité d'aliments que l'on consomme et de la fréquence de ses repas et collations. Les besoins de chaque personne varient selon l'âge, l'indice de masse corporelle, le sexe et le niveau d'activités.

La meilleure façon de surveiller votre consommation consiste à observer la taille des portions. Si vous souhaitez connaître le niveau de votre consommation alimentaire, consultez l'outil Profil activités et nutrition (ProfilAN) sur le site des Diététistes du Canada, au **www.dietetistes.ca/profilan**. Voici quelques conseils pratiques à ce sujet.

- Résistez à la tentation de remplir votre assiette. Commencez par une petite portion, et si vous avez encore faim, servez-vous de nouveau.
- Laissez les plats de service dans la cuisine et non sur la table. Vous serez moins tenté de vous servir de nouveau s'ils ne sont pas à votre portée.
- Préparez moins de nourriture.
- Lorsque vous utilisez des tasses et des cuillères à mesurer, familiarisez-vous avec chacune des mesures.
- Détendez-vous. Mangez plus lentement et savourez votre repas.
- Cessez de vouloir vider votre assiette et écoutez votre corps. Lorsque vous êtes rassasié, arrêtez de manger.
- Conservez les restes ; ils peuvent servir d'ingrédients de base pour le repas du lendemain.

Relevez le défi FAIM

Nous utilisons parfois les aliments pour assouvir d'autres besoins que la faim. La prochaine fois que vous voudrez manger, prenez un moment pour vous demander si vous avez vraiment faim. Peut-être ressentez-vous des émotions qui font naître en vous le besoin de manger. FAIM veut ici dire « Fatigué, Affamé, Irritable ou Morose ». Pensez-y chaque fois que vous vous apprêtez à casser la croûte. Prenez conscience de votre état d'esprit. Si la sensation qui vous habite n'est pas une faim réelle, la nourriture n'est pas la solution.

Brisons le mythe : je n'ai pas le temps de cuisiner des repas équilibrés

Manger sainement est peut-être plus facile que vous le pensez. Cela demande néanmoins un peu de planification. Utilisez tous les outils et toutes les recettes proposés dans ce livre pour vous faciliter la tâche.

5. Choisissez des aliments de qualité

Choisir des aliments de qualité signifie mettre l'accent sur les choix riches en nutriments, comme les fibres et les grains entiers, et limiter le sel, les matières grasses, le sucre, l'alcool et la caféine, ainsi que les aliments qui ne font partie d'aucun groupe alimentaire, comme les bonbons, les grignotines grasses, les boissons gazeuses et certains types de desserts. Voici quelques conseils qui vous aideront à faire de meilleurs choix.

Légumes et fruits

Frais, surgelés ou en conserve, ils représentent tous des choix de qualité.

- Quand vous achetez des légumes et fruits surgelés, recherchez ceux qui contiennent le moins de sel, de sucre ou de sauce.
- Optez pour des conserves de légumes et de fruits dans l'eau ou dans leur jus, sans sel ou sucre ajoutés.
- Recherchez les légumes et les fruits frais aux couleurs vives (vert foncé ou orange vif).
- Bien que le jus représente un choix sain, il est préférable de manger des légumes et des fruits entiers afin d'obtenir davantage de fibres. Lorsque vous achetez du jus, assurez-vous que l'étiquette porte la mention « pur à 100 % ». Les boissons, cocktails ou boissons aux fruits contiennent souvent du sucre et peu de jus pur.

Produits céréaliers

- Achetez plus souvent du pain et des céréales de grains entiers. Consultez l'étiquette pour vous assurer que l'ingrédient principal est bien du grain entier.
- Optez pour des pâtes et du couscous de blé entier, du riz brun et du riz sauvage, au lieu de produits blancs raffinés.
- Limitez la quantité de tartinade que vous mettez sur votre pain ou tout autre produit de boulangerie.
- Évitez les sauces riches avec vos pâtes.

Produits laitiers (et substituts du lait)

- Vérifiez le pourcentage de matières grasses du lait, du yogourt et des fromages. Préférez les produits faibles en gras.
- Si vous choisissez une boisson de soja, assurez-vous qu'elle soit enrichie.

Viandes et substituts

- Choisissez des coupes de viande maigre comme du poulet, du dindon, du jambon, du bifteck de surlonge de bœuf ou du filet de porc. Enlevez le gras restant.
- Achetez de la viande hachée maigre ou extra-maigre, et retirez l'excédent de gras du poêlon après la cuisson.
- Enlevez la peau du poulet et autres volailles.
- Consommez tous les types de poissons et de fruits de mer, particulièrement les poissons riches en acides gras oméga-3 comme le saumon, le hareng, le maquereau, la truite arc-en-ciel et les sardines. (Pour en savoir plus sur les bienfaits des acides gras oméga-3, consultez la p. 20.)
- Au lieu de la friture, utilisez des méthodes de cuisson faibles en gras, comme la cuisson au gril, à la vapeur ou au four.
- Mangez régulièrement des légumineuses (haricots, pois et lentilles).
- Consommez avec modération les substituts de viande qui sont riches en gras, comme les noix et les graines.
- Limitez votre consommation de viande, de volaille et de poisson panés ou frits.

Autres aliments

- Il existe plusieurs aliments qui n'entrent dans aucun des quatre groupes alimentaires : les grignotines, les pâtisseries riches et sucrées, les confitures, gelées et autres sucreries, les boissons gazeuses, les tartinades et les vinaigrettes. Lorsque vous consommez des aliments à valeur nutritive limitée, faites des choix judicieux en considérant la qualité des produits. Lisez les étiquettes et choisissez des collations plus faibles en sel, en sucre et en gras (surtout faibles en gras trans, en gras hydrogéné et en gras saturé).

Être végétarien

Les gens décident de devenir végétariens pour différentes raisons. Être végétarien signifie plus que simplement exclure la viande de son alimentation. Il existe plusieurs types de végétarismes. Certaines personnes sont semi-végétariennes et se permettent de manger de la viande de temps en temps. Les lacto-ovo-végétariens mangent des produits laitiers et des œufs, alors que les lacto-végétariens consomment des produits laitiers, mais excluent les œufs. Les végétaliens ne se nourrissent d'aucun produit d'origine animale.

Plus vous limiterez votre alimentation à certains types d'aliments, meilleure devra être votre planification, afin de vous assurer d'obtenir tous les nutriments indispensables à votre santé. Si vous renoncez à consommer certains aliments d'origine animale (des sources de protéines de haute qualité), vous devrez les remplacer par des aliments d'origine végétale qui sont de bonnes sources de protéines, comme les légumineuses, les noix, les graines et les produits à base de soja comme le tofu. Les nutriments qu'il pourrait vous manquer comprennent le fer, le zinc, le calcium, les acides gras essentiels et la vitamine B_{12}. Il vous faudra trouver d'autres sources de ces nutriments. Pour les types de végétarisme plus restrictifs (surtout le végétalisme), il peut être nécessaire de compléter l'alimentation avec un supplément de vitamines et de minéraux, de vitamine B_{12} notamment. À moins qu'il soit enrichi, aucun aliment végétal ne contient une quantité suffisante de vitamine B_{12}.

Comme pour toute approche, si vous choisissez le végétarisme, suivez « Nos cinq conseils pour manger sainement » (p. 9). Pour de plus amples renseignements, consultez notre *Guide alimentaire végétarien*, au www.dietetistes.ca/news/downloads/guide_vege (FR). pdf.

Alimentation et énergie

La nourriture fournit notre corps en énergie (ou en calories). C'est le carburant qui nous permet de fonctionner. Le nombre de calories nécessaires à l'organisme varie selon l'âge, l'indice de masse corporelle, le sexe et le niveau d'activités des personnes. Les nourrissons, les enfants et les adolescents en phase de croissance active ont des besoins caloriques par kilogramme de poids corporel plus élevés que les adultes. Chez l'adulte, l'énergie dont le corps a besoin diminue avec l'âge. C'est la raison pour laquelle les gens âgés de 50 ans et plus qui n'ont jamais changé leurs habitudes alimentaires peuvent commencer à prendre du poids bien malgré eux.

Lorsque votre énergie commence à baisser, votre corps vous envoie des signaux pour vous encourager à manger. La faim est un puissant incitatif qui ne disparaît pas lorsque ignoré. Une faim féroce peut perturber les meilleures intentions pour une saine alimentation. Si vous avez trop faim, vous pourriez être tenté de manger à l'excès ou de manger n'importe quoi. Pour éviter d'avoir une faim démesurée :

- maintenez votre niveau d'énergie – mangez toutes les trois ou quatre heures pour approvisionner régulièrement votre corps en carburant ;
- consommez de plus petites portions, plus souvent – il s'agit d'une bonne habitude à adopter pour manger plus sainement, car il s'avère presque impossible de combler tous nos besoins en nutriments avec seulement un ou deux repas par jour ;
- ne sautez pas de repas ou de collations – si vous le faites, vous serez plus enclin à avoir plus tard une faim féroce et à trop manger ;
- demandez-vous si vous avez réellement faim – essayez de faire une distinction entre vouloir manger quelque chose parce que c'est appétissant ou parce que vous vous ennuyez et manger quelque chose parce que vous avez vraiment faim.

Maintenir un poids santé

Si vous consommez trop de calories et ne faites pas suffisamment d'activités physiques, vous gagnerez du poids. En adoptant de saines habitudes alimentaires et en faisant de l'exercice tout au long de votre vie, vous serez non seulement en mesure de mieux contrôler votre poids, mais vous en retirerez beaucoup d'autres bienfaits. Faites que votre santé, et non votre apparence, soit votre principal objectif de contrôle de poids. Trouvez des activités physiques que vous serez en mesure de pratiquer régulièrement, comme la marche, la danse ou des jeux avec vos enfants. Être actif vous aidera à brûler tout le surplus d'énergie consommé en calories et vous permettra de garder votre vitalité. Vous serez fier de vous et donnerez l'exemple à vos enfants. Le *Guide d'activité physique canadien pour une vie active saine* (**www.phac-aspc. gc.ca/pau-uap/guideap/index.html**) fournit des directives précises quant à la fréquence et à la nature des exercices qui s'avèrent idéaux pour votre santé.

Deux mesures – l'indice de masse corporelle (IMC) et le tour de taille – peuvent vous être utiles. Elles vous permettront notamment de déterminer si vous avez un poids santé, et vous aideront à évaluer vos risques de développer des problèmes de santé associés à un surplus de poids ou à un poids insuffisant. Pour plus de renseignements, visitez le **www.hc-sc.gc.ca/fn-an/nutrition/ weights-poids/guide-ld-adult/qa-qr-pub_f. html**.

Si votre poids vous préoccupe, consultez une diététiste professionnelle afin d'obtenir des conseils pour améliorer vos habitudes alimentaires. (Pour trouver une diététiste dans votre région, reportez-vous à la p. 5.)

Brisons le mythe : je déteste faire l'épicerie

Tout le monde finit par se lasser de faire l'épicerie. Pour être moins frustré, apportez une liste et allez au supermarché lorsqu'il y a moins de monde et que vous avez l'estomac plein ! Pensez à toute l'économie de temps que représente une cuisine bien garnie ! Vous épargnerez aussi en cuisinant vous-même plutôt qu'en mangeant au restaurant. Pour joindre l'utile à l'agréable, essayez de faire vos courses au marché public de votre région.

Ce que représente une saine alimentation pour moi

Il est difficile de définir ce qu'est une saine alimentation. Je suppose qu'il y a un lien avec le fait de manger beaucoup de fruits et de légumes. J'essaie aussi de lire les étiquettes et d'acheter des aliments faibles en gras et en sel. Je trouve que boire beaucoup d'eau m'aide également à me sentir mieux.

– Caroline, étudiante en coiffure, Ontario

ProfilAN a tout ce qu'il vous faut

Maintenant que vous en savez un peu plus sur l'alimentation saine, il est temps d'évaluer vos habitudes. Êtes-vous sur la bonne voie avec vos choix d'aliments et d'activités physiques ? Utilisez l'outil ProfilAN présenté sur le site des Diététistes du Canada (**www.dietetistes.ca/profilan**) pour obtenir un rapport personnalisé concernant votre apport total en calories et en éléments nutritifs essentiels, ainsi que votre consommation d'aliments selon le *Guide alimentaire canadien*.

Les nutriments

Les aliments contiennent plusieurs types de nutriments qui nous approvisionnent en énergie et qui permettent à notre organisme de bien fonctionner.

- Les macronutriments (glucides, protéines et matières grasses) sont aussi appelés « nutriments énergétiques », car ils fournissent de l'énergie (sous forme de calories).
- Les micronutriments (vitamines et minéraux), en plus de favoriser la croissance et le développement normaux, contribuent à libérer l'énergie des aliments. Ils nous gardent en santé en combattant les infections et en protégeant les cellules.

Les macronutriments : glucides, protéines et matières grasses

Les glucides, les protéines et les matières grasses, tout comme l'alcool, représentent des sources de calories pour notre organisme. Gramme pour gramme, les matières grasses fournissent plus de calories que les protéines ou les glucides :

- les glucides fournissent 4 calories par gramme ;
- les protéines fournissent 4 calories par gramme ;
- les matières grasses fournissent 9 calories par gramme.

Le rapport sur les apports nutritionnels de référence (ANREF) publié par l'Institut américain de médecine de l'Académie nationale des sciences recommande que les apports en calories provenant des différentes sources soient distribués selon les pourcentages suivants :

- **protéines** : de 10 à 35 % de l'apport total en calories ;
- **matières grasses** : de 20 % à 35 % de l'apport total en calories (pour les adultes de plus de 18 ans) ;
- **glucides** : de 45 à 65 % de l'apport total en calories.

Utilisez ProfilAN (**www.dietetistes.ca/profilan**) pour calculer vos apports en calories.

Les glucides

Les glucides constituent la principale source de carburant de l'organisme. Les aliments riches en glucides devraient fournir au moins 50 % de l'énergie dont le corps a besoin. Les aliments composés de glucides comprennent les féculents (pommes de terre, riz, pain, pâtes) et les sucres. Certains sucres se trouvent à l'état naturel dans des aliments comme le miel, la mélasse, les fruits, les légumes et le lait. Ils peuvent aussi être raffinés, comme les sirops, les confitures, les gelées, les boissons gazeuses, les bonbons et les desserts. Les glucides riches en nutriments (qui fournissent une abondance de vitamines, de minéraux et de fibres alimentaires, en plus des calories) proviennent principalement des produits céréaliers, des légumes, des fruits et des légumineuses. Ces aliments représentent aussi les meilleures sources de phytonutriments, des composés dont les scientifiques commencent tout juste à étudier les bienfaits (voir p. 26). Les glucides constituent donc la base d'une saine alimentation.

Les fibres alimentaires

De nombreux aliments riches en glucides (grains entiers, légumineuses, fruits, légumes, noix et graines) procurent, en plus des nutriments, des fibres alimentaires. Les fibres, qui ne se trouvent que dans les végétaux, jouent un rôle important dans le maintien de la santé. Le corps ne peut digérer les fibres et, étrangement, c'est pour cette raison qu'elles nous sont bénéfiques. Les experts cherchent encore la meilleure manière de décrire les différents types de fibres et d'expliquer leurs bienfaits sur la santé.

Les *fibres insolubles*, également connues comme substances de lest, favorisent la digestion. Elles ne peuvent être dissoutes par l'eau, mais elles l'absorbent et s'accumulent dans l'intestin. En stimulant le fonctionnement de l'intestin, les fibres empêchent la constipation et accélèrent le passage des déchets dans l'intestin. Les fibres insolubles favorisent ainsi la régularité, en plus de réduire le temps durant lequel un éventuel produit chimique potentiellement dangereux pourrait être en contact avec votre intestin. Vous n'avez qu'à boire beaucoup d'eau pour vous assurer que ces fibres fonctionnent adéquatement. Les fibres insolubles se trouvent dans le son de blé, le son de maïs et les graines de lin. Un autre bon moyen d'ajouter des fibres dans votre alimentation consiste à manger des fruits avec leur pelure ainsi que des légumes racines.

Les *fibres solubles*, elles, se dissolvent dans l'eau. Une consommation accrue d'aliments riches en fibres solubles peut aider à contrôler le taux de cholestérol sanguin, ou encore la glycémie (taux de sucre sanguin) pour les personnes diabétiques. Les fibres solubles se trouvent dans les légumineuses, le son d'avoine, l'orge, les fruits, par exemple les pommes, ainsi que dans les légumes, notamment les gombos et les aubergines.

Les fibres peuvent aussi aider à atteindre et à maintenir un poids santé. Les aliments riches en fibres prennent plus de temps à mastiquer, et le volume qu'ils occupent dans l'estomac rassasie plus longtemps. De plus, ces aliments sont généralement faibles en matières grasses.

Inclure une variété d'aliments riches en fibres dans ses repas et collations permet de consommer divers types de fibres et représente une excellente habitude alimentaire. Malgré les bienfaits des fibres, bon nombre de Canadiens mangent pourtant moins de la moitié de l'apport quotidien recommandé. Les femmes adultes devraient en consommer 25 g par jour, et les hommes, 38. Au-delà de 50 ans, la consommation des femmes devrait être de 21 g et celle des hommes, de 30 g. Pour les enfants de plus de deux ans, il suffit d'utiliser la règle qui consiste à additionner cinq à l'âge de l'enfant. Pour vous assurer de consommer suffisamment de fibres, mettez l'accent sur les grains entiers, les légumes, les fruits et les légumineuses.

Les grains entiers

Le grain d'une céréale est considéré comme entier lorsque ses composantes demeurent intactes, ce qui retient ses éléments nutritifs. Les trois parties du grain – le son, l'endosperme et le germe – sont présentes dans les grains entiers. Le son contient des fibres, des vitamines du groupe B, du zinc et du magnésium ; l'endosperme renferme des protéines, des glucides et un peu de vitamines du groupe B ; et finalement, le germe fournit des vitamines du groupe B. Lorsque les grains sont raffinés ou hautement transformés (comme le riz ou les pâtes faites de farine blanchie), le son et le germe sont supprimés avec leurs nutriments. Il ne reste alors plus que l'endosperme. Bien que les grains raffinés soient enrichis de vitamines et de minéraux, ils sont moins nutritifs que les grains entiers et contiennent beaucoup moins de fibres.

Pour identifier les produits de grain entier, cherchez le mot « entier » dans la liste des ingrédients. Par exemple, la « farine de blé entier » est faite de blé entier, tandis que la farine qualifiée de « farine de blé » est fabriquée de blé raffiné. Optez pour des produits de grain entier plus souvent. Pour vous mettre en appétit, essayez la Salade de riz et lentilles à la méditerranéenne (p. 155), la Salade de kamut à la grecque (p. 154), la Salade de quinoa aux légumes (p. 153), le Gratin de légumes feuilles et de céréales (p. 214) ou le Pain de viande au boulghour à la méditerranéenne (p. 195).

Comment puis-je manger plus de fibres ?

Pour augmenter votre apport quotidien en fibres, il suffit d'apporter quelques modifications à vos habitudes alimentaires. Une bonne tactique pour incorporer plus de fibres à votre alimentation consiste à consulter le tableau de la valeur nutritive des aliments que vous achetez. Deux grammes de fibres par portion d'aliment constituent une « source » de fibres ; quatre grammes, une « source élevée » ; et six grammes, une « source très élevée ». Voici quelques conseils pour y parvenir.

- Si vos céréales favorites sont faibles en fibres, agrémentez-les de fruits frais ou d'un peu de céréales riches en fibres.
- Ayez comme objectif de manger un minimum de cinq portions de fruits et de légumes (frais, surgelés ou en conserve) par jour.
- Ajoutez à vos produits de boulangerie maison du son de blé, du son d'avoine, des flocons d'avoine, du germe de blé, des graines de lin moulues, des noix ou des graines.
- Ajoutez à vos salades, soupes et ragoûts, des haricots noirs, des haricots rouges ou des pois chiches en conserve (rincés et égouttés).
- Au lieu d'un repas « viande et pommes de terre », préparez-vous un succulent bol de chili avec des haricots, des lentilles et une variété de légumes. Pour économiser du temps, utilisez des légumineuses en conserve plutôt que sèches.
- Optez pour un pain de grain entier ayant au moins 2 g de fibres par tranche, comme le pain de blé entier, d'avoine, de seigle ou de seigle noir.
- Modifiez vos recettes de manière à utiliser une combinaison de farine de blé entier et de farine blanche. Vous pouvez remplacer jusqu'à 50 % de la farine tout usage par de la farine de blé entier sans avoir à apporter d'ajustements à la recette.
- Essayez des grains entiers tel le blé, le boulghour, le kamut, l'amarante ou le quinoa.
- Choisissez plus souvent des fruits et des noix pour la collation. Mangez moins fréquemment des aliments faibles en fibres comme des biscuits, des gâteaux et des muffins.
- Pour une savoureuse collation, ajoutez à votre yogourt, du son, des graines de lin moulues ou des céréales à grain entier et accompagnez le tout d'un fruit frais.

Qu'en est-il des régimes à faible teneur en glucides ?

Bien des gens qui ont suivi des régimes riches en protéines ou faibles en glucides se sont retrouvés avec un apport insuffisant de glucides. Les aliments qui contiennent des glucides comportent d'importants nutriments, comme le calcium, la vitamine C, l'acide folique, le potassium et le magnésium, qui peuvent ne pas être aussi abondants dans d'autres types d'aliments. Lorsque vous diminuez votre apport en glucides, vous augmentez vos risques de carences en vitamines et en minéraux. Certains aliments glucidiques constituent également d'importantes sources de fibres.

Les régimes qui survivent à l'épreuve du temps sont ceux qui fournissent un apport riche en glucides, un apport moyen en matières grasses et assez de protéines pour former et réparer les tissus du corps. En adoptant les conseils du *Guide alimentaire canadien*, vous augmentez vos chances d'obtenir les justes proportions de macronutriments et d'autres nutriments essentiels. Une saine alimentation combinée à des activités physiques quotidiennes et au sentiment de bien-être représente la clé pour le maintien de votre vitalité et d'un poids santé.

Ajoutez des fibres à votre alimentation

Le tableau ci-dessous démontre comment de petits changements dans votre alimentation peuvent faire une grosse différence dans votre apport en fibres. Une petite précaution s'avère cependant judicieuse : augmentez votre consommation quotidienne graduellement, de manière que votre organisme puisse s'ajuster. Une approche progressive vous permettra de limiter les effets secondaires comme les flatulences (gaz intestinaux), les crampes et la diarrhée.

Repas	Menu faible en fibres	Menu riche en fibres	Menu très riche en fibres
Déjeuner	• céréales de riz croustillant avec du lait • jus d'orange	• gruau avec graines de lin moulues • petits fruits frais ou surgelés • lait	• yogourt avec céréales à grains entiers ou au son, banane tranchée, raisins secs et graines de lin moulues
Collation	• galettes de riz avec fromage	• craquelins de seigle et fromage • fruit frais	• amandes • fruit frais
Dîner	• thon avec laitue iceberg sur pain blanc • tranches de cantaloup • yogourt à la vanille • eau	• thon avec tranches de tomate et laitue romaine sur pain de blé entier • bâtonnets de carotte et trempette • yogourt à la vanille • eau	• salade de thon (thon, poivrons rouge et vert, céleri et oignon vert) avec laitue romaine sur pain de blé entier • bâtonnets de carotte et trempette • yogourt à la vanille avec framboises • eau
Collation	• muffin aux brisures de chocolat • jus de pomme	• muffin aux bleuets et au son • pomme non pelée	• muffin aux bleuets et au son • pomme non pelée
Souper	• pâtes blanches avec sauce à la crème • poulet grillé • salade de laitue iceberg • gâteau au chocolat	• pâtes de blé entier avec sauce tomate • poulet grillé • petit morceau de gâteau avec salade de fruits	• pâtes de blé entier avec sauce tomate, poivrons rouge et vert, brocoli, oignon • poulet grillé • croustade de fruits

Les protéines

En plus d'être une source de calories, les protéines fournissent les éléments structuraux (acides aminés) nécessaires à la croissance ainsi qu'à l'entretien et à la restauration des tissus du corps. La consommation quotidienne de protéines est importante, car notre peau et nos organes fabriquent constamment de nouvelles cellules. Comme les protéines se digèrent plus lentement que les glucides, vous éprouverez une sensation de satiété plus durable et vous aurez plus de facilité à contrôler votre appétit si vos repas en contiennent. La viande, le poisson, la volaille, les substituts de viande comme les œufs, les noix, les légumineuses et les produits à base de soja, et les produits laitiers sont les meilleures sources de protéines. Les aliments riches en protéines constituent des sources de fer et de zinc importantes, et fournissent aussi du magnésium et différentes vitamines du groupe B. Néanmoins, vous n'en avez besoin que de quelques portions par jour, et la taille de celles-ci devrait correspondre à celle que suggère le *Guide alimentaire canadien*.

Les matières grasses

Nous devons consommer des matières grasses. Elles constituent une excellente source d'énergie, fournissant plus du double de la quantité d'énergie apportée par les protéines ou les glucides. De plus, elles rehaussent le goût et la texture des aliments.

Le gras est principalement constitué d'acides gras. Certains de ces acides gras sont essentiels (par exemple, les acides linolénique et linoléique), car ils ne peuvent être produits par l'organisme. Il importe donc de les trouver dans les aliments, d'autant plus que l'organisme a besoin de matières grasses pour absorber les vitamines liposolubles A, D, E et K.

Comme les matières grasses sont un domaine complexe de la nutrition, une familiarisation avec leur vocabulaire s'impose. Les termes désignant les acides gras, tels que « monoinsaturés », « saturés », « oméga-3 » et « trans », décrivent la structure chimique des matières grasses, qui agissent de différentes manières selon leur structure moléculaire. Plusieurs recherches indiquent que consommer trop de gras saturés et de gras trans augmente les risques de maladies cardiaques et d'accidents vasculaires cérébraux. Les gras trans issus d'un procédé appelé « hydrogénation partielle » font monter le taux de « mauvais » cholestérol sanguin tout en abaissant le taux de « bon » cholestérol.

Puisque, à ce jour, les gras trans n'ont démontré aucun bienfait pour la santé, et compte tenu des risques qu'ils représentent, plusieurs entreprises canadiennes tentent de les éliminer de leurs produits. Pour de plus amples renseignements sur le cholestérol, visitez le **www.dietetistes.ca/public/content/ eat_well_live_well/french/faqs_conseils_ facts/faqs/faq_index. asp**.

Il importe de signaler que lorsque les mauvais gras (saturés et trans) sont remplacés par de bons gras (insaturés), les risques de maladies cardiaques et d'accidents vasculaires cérébraux peuvent être réduits. Ces bons gras comprennent les gras monoinsaturés ainsi que les gras polyinsaturés essentiels, soit l'acide linoléique (oméga-6) et l'acide linolénique (oméga-3). Des recherches suggèrent que certains acides gras oméga-3 – l'acide docosahexaénoïque (DHA) et l'acide eicosapentaénoïque (EPA) – pourraient avoir d'autres bienfaits sur la santé, notamment en améliorant le traitement de troubles inflammatoires et immunitaires.

Le tableau de la valeur nutritive sur l'étiquette d'un produit indique sa teneur en matières grasses, soit les gras saturés et les gras trans. Ces derniers se comptabilisent en une seule donnée de valeur quotidienne (% VQ) dans le tableau de la valeur nutritive.

Brisons le mythe : le désordre règne quand on cuisine

C'est parfois vrai. Mais vous pouvez limiter les dégâts en suivant ces conseils :

- organisez bien votre cuisine et choisissez des recettes simples comme celles qui sont proposées dans ce livre ;
- faites des repas qui peuvent être cuisinés à l'avance ;
- demandez à tous les membres de la famille de participer ;
- nettoyez à mesure au lieu de tout faire après le repas.

Les bons choix de gras

Quelques conseils pour faire de meilleurs choix de matières grasses

- Consommez des matières grasses avec modération.
- Consultez les tableaux de la valeur nutritive et choisissez les aliments ayant une faible teneur en gras. Il n'est pas nécessaire de toujours acheter des produits sans gras. Rappelez-vous que les expressions « faible en gras » et « sans gras » ne sont pas toujours les meilleurs choix du point de vue calorique.
- Achetez des huiles à haute teneur en gras insaturés, comme les huiles d'olive, de canola, de maïs, de carthame ou de soja.
- N'utilisez que très peu ou aucun gras lors de la préparation de vos aliments.
- Ne manger que de petites portions de noix et de graines.

Quelques suggestions pour réduire votre consommation de gras saturés

- Enlevez le gras de la viande.
- Choisissez des coupes de viande maigre, dans la ronde ou la longe.
- Achetez du bœuf haché maigre ou extra-maigre.
- Ne mangez pas la peau des volailles.
- Limitez votre consommation de charcuteries, comme le bologne, les saucisses fumées, le bacon, le saucisson et le pepperoni.
- Prenez l'habitude de boire du lait écrémé à 1 % ou 2 % m.g., de manger du yogourt faible en matières grasses et d'acheter des fromages ayant moins de 20 % de matières grasses.
- Limitez votre consommation de beurre, de saindoux, de shortening, de margarine solide ou hydrogénée, de sauce, de crème sure, de crème à 18 % et à fouetter (35 %).
- Consultez la liste des ingrédients sur les étiquettes et limitez votre consommation d'aliments contenant de l'huile végétale hydrogénée, du shortening, de l'huile de noix de coco (ou huile de coprah), de l'huile de palme, de l'huile de palmiste et du beurre de cacao. Ces ingrédients se trouvent souvent dans les produits de boulangerie commerciaux et dans les craquelins, les barres de chocolat, les cafés aromatisés, les colorants à café et les garnitures fouettées.

Pour réduire votre apport de gras trans

- Consultez les tableaux de la valeur nutritive et achetez les aliments qui ne contiennent qu'une faible quantité de gras trans par portion.
- Limitez le plus possible votre consommation d'aliments à base d'huile végétale partiellement hydrogénée (les produits de boulangerie commerciaux, les craquelins, les biscuits, les gâteaux, les tartes, les gaufres, les grignotines et les aliments frits).

Pour consommer plus de matières grasses monoinsaturées

- Cuisinez avec de l'huile d'olive, de canola ou d'arachide.
- Optez pour des vinaigrettes et des margarines molles non hydrogénées à base d'huile d'olive, de canola ou d'arachide.
- Mangez des noix comme collation.
- Rehaussez vos plats de légumes cuits ou vos salades avec des noix comme des pignons et des graines de sésame.
- Au lieu d'utiliser du beurre, tartinez vos rôties ou vos bagels avec du beurre d'arachide ou du beurre d'amande.
- Ajoutez des tranches d'avocat à vos salades.

Pour consommer plus d'acides gras oméga-3

- Planifiez des repas de poisson frais, en conserve ou surgelé, sans pâte à frire, deux fois par semaine.
- Optez pour des poissons riches en acides gras oméga-3 comme du saumon, des sardines, du thon, du hareng, du maquereau et de la truite arc-en-ciel. (Les crustacés et les mollusques, notamment les crevettes, sont également une bonne source d'acides gras.)
- Utilisez des graines de lin moulues, du germe de blé, des noix hachées ou des graines de citrouille moulues avec vos céréales, yogourts, salades et dans vos pâtisseries.
- Cuisinez avec de l'huile de canola.
- Choisissez des vinaigrettes et des margarines non hydrogénées à base d'huile de canola ou d'huile de soja.
- Achetez au besoin des produits enrichis d'acides gras oméga-3.

Bien qu'il soit important de cerner les effets des matières grasses sur votre santé, vous devriez être en mesure d'atteindre un certain équilibre en mangeant une variété d'aliments qui contiennent plusieurs nutriments.

Les micronutriments : vitamines et minéraux

Le mot « vitamine » est issu du latin et signifie essentiel à la vie. Votre organisme n'a besoin de vitamines et de minéraux qu'en petites quantités, voilà pourquoi on les appelle souvent micronutriments. Ils favorisent la croissance et le développement, aident à libérer l'énergie des aliments, combattent les infections, protègent les cellules et veillent au maintien de la santé.

Certaines vitamines sont hydrosolubles. Elles ne s'accumulent pas dans l'organisme, qui utilise ce dont il a besoin avant d'évacuer le surplus dans l'urine. Il est donc nécessaire de consommer ces vitamines tous les jours. Les vitamines hydrosolubles comprennent la vitamine C et les vitamines B (thiamine, riboflavine, niacine, B_6, B_{12}, biotine, acide folique et acide pantothénique). D'autres vitamines sont liposolubles. Elles s'accumulent dans l'organisme, mais il faut consommer une certaine quantité de matières grasses pour s'assurer qu'elles sont adéquatement absorbées. Les vitamines A, D, E et K font partie de cette catégorie.

Les minéraux favorisent la régulation de l'équilibre hydrique, des contractions musculaires et des impulsions nerveuses. Ils jouent un rôle important dans la formation et le maintien des cellules sanguines, des os et des dents.

Les tableaux qui suivent exposent les différentes fonctions des vitamines et des minéraux dans l'organisme et identifient quelques sources alimentaires.

Fonctions et sources alimentaires des vitamines

Vitamine	Fonctions dans l'organisme	Quelques sources alimentaires
Vitamine A	• favorise le développement normal des os et des dents • favorise la vision nocturne • aide à garder la peau et les membranes en santé	légumes orange foncé (carotte, patate douce, citrouille), cantaloup et pamplemousse rose, tomate et produits dérivés, brocoli et légumes feuilles vert foncé (épinards, feuilles de betterave, bette, chou frisé)
Vitamine C	• favorise le développement et le maintien des os, du cartilage et des dents • favorise la guérison des coupures et des blessures • aide à garder les gencives en santé • agit comme antioxydant • facilite l'absorption du fer	orange et jus d'orange, pamplemousse et jus de pamplemousse, kiwi, fraise, poivrons rouge, jaune et vert, brocoli et choux de Bruxelles, pomme de terre, tomate
Vitamine D	• aide l'organisme à absorber et à utiliser le calcium et le phosphore • joue un rôle dans la formation et le maintien des os et des dents	huile de foie de poisson, poisson (saumon, maquereau, sardine, thon), lait et margarine (deux aliments enrichis obligatoirement)
Vitamine E	• protège le gras des tissus du corps contre l'oxydation	graine de tournesol, noix et beurre d'arachide, huiles végétales, papaye, avocat, patate douce, germe de blé
Vitamine K	• joue un rôle important dans la coagulation du sang	légumes vert foncé (épinards, chou frisé, brocoli), chou et chou-fleur, asperge, fraise, foie de bœuf, lentilles et fève de soja séchée, huiles de canola et de soja
Thiamine (vitamine B_1)	• libère l'énergie des glucides • favorise la croissance normale	céréales, pâtes et pains de grain entier et enrichis, viande de porc, petits pois, haricots secs (rouges, blancs, de soja, lentilles), noix

Fonctions et sources alimentaires des vitamines (suite)

Vitamine	Fonctions dans l'organisme	Quelques sources alimentaires
Riboflavine (vitamine B$_2$)	• joue un rôle dans le métabolisme de l'énergie et dans la formation des tissus • joue un rôle dans le métabolisme d'autres vitamines B	lait, fromage et autres produits laitiers, viande, œufs, noix, petits pois, épinards cuits, haricots blancs et de soja, lentilles, céréales, pâtes et pains de grain entier et enrichis
Niacine (vitamine B$_3$)	• joue un rôle dans le métabolisme de l'énergie • favorise une croissance et un développement normaux	viande, poisson et volaille, lait et fromage, arachides et beurre d'arachide, haricots secs (rouges et blancs, de soja), pois chiches, petits pois et maïs, céréales, pâtes et pains de grain entier et enrichis
Pyridoxine (vitamine B$_6$)	• joue un rôle dans le métabolisme de l'énergie et dans la formation des tissus	viande, poisson, volaille et abats, céréales de grain entier et enrichies, haricots secs (rouges et blancs, de soja), pois chiches, pomme de terre, banane et melon d'eau
Cobalamine (vitamine B$_{12}$)	• favorise la formation des globules rouges	produits d'origine animale (viande, poisson, volaille, lait, fromage, œufs et autres produits laitiers), boissons de soja et de riz enrichies, substituts de viande à base de soja enrichis de vitamine B$_{12}$
Folacine	• favorise la formation des globules rouges • joue un rôle essentiel dans la formation de nouvelles cellules	foie, haricots secs (rouges et blancs, de soja), pois chiches, lentilles, asperge, épinards cuits, laitue romaine, choux de Bruxelles, betterave, brocoli, maïs et petits pois, orange et jus d'orange, jus d'ananas en conserve, melon miel Honeydew et cantaloup, graine de tournesol, noix, beurre d'arachide, germe de blé et céréales, pâtes et pains enrichis

Fonctions et sources alimentaires des minéraux

Minéral	Fonctions dans l'organisme	Quelques sources alimentaires
Calcium	• favorise la formation et le maintien des os et des dents • joue un rôle dans la régulation de la pression artérielle et des fonctions cardiaques	lait, fromage et yogourt, boissons enrichies de calcium (soja, riz, jus d'orange), saumon et sardines en conserve (avec arêtes), tofu contenant du sulfate de calcium (le pak-choï et le chou frisé contiennent également du calcium, mais en moindre quantité)
Fluorure	• joue un rôle essentiel dans la protection des dents et contre la carie dentaire • favorise la formation des os et des dents	eau fluorée, aliments cultivés ou cuits dans de l'eau fluorée, poissons en conserve (avec arêtes)
Iode	• favorise le bon fonctionnement de la glande thyroïde	sel iodé, poissons de mer
Fer	• favorise la formation des globules rouges	**fer hémique :** palourdes, huîtres, bœuf, volaille, porc, veau, agneau et poisson **fer non hémique :** œufs, haricots secs (blancs, de soja), lentilles, pois chiches, graines de sésame et de courge, céréales à déjeuner enrichies de fer, tofu, nouilles aux œufs et pâtes enrichies, riz précuit, abricots séchés, noix, pain, flocons d'avoine, germe de blé, raisins secs, pomme de terre au four, betterave, citrouille, jus de pruneau et mélasse noire (*blackstrap*)

Fonctions et sources alimentaires des minéraux *(suite)*

Mineral	Fonctions dans l'organisme	Quelques sources alimentaires
Magnésium	• joue un rôle majeur dans le développement des os • joue un rôle dans le métabolisme de l'énergie et dans la formation des tissus • agit sur les fonctions musculaires et nerveuses	légumineuses cuites (haricots et lentilles), noix, graines et beurre d'arachide, légumes feuilles verts, riz brun, son d'avoine (de plus petites quantités se trouvent dans la plupart des groupes alimentaires, dont les produits céréaliers, les produits laitiers et les viandes)
Phosphore	• favorise la formation et le maintien des os et des dents • favorise la création et la régularisation de l'énergie dans l'organisme • joue un rôle dans la formation et le maintien des cellules	poissons (flétan, saumon et sardines avec arêtes), légumineuses cuites (haricots secs, lentilles), lait, fromage et yogourt, amandes et beurre d'arachide, petits pois, viande et volaille, tofu avec sulfate de calcium
Zinc	• joue un rôle dans le métabolisme de l'énergie et dans la formation des tissus	huîtres, foie de veau, foie de porc, bœuf, dindon, germe de blé, riz brun, yogourt et lait

Calcium

Les femmes en bonne santé âgées entre 19 et 50 ans ont besoin de 1 000 mg de calcium par jour. Voici quelques suggestions pour répondre à ce besoin.

- Consommez chaque jour trois portions de produits laitiers. Une portion équivaut à 250 ml (1 tasse) de lait, à 175 g (¾ tasse) de yogourt ou à 50 g (1 ½ oz) de fromage et fournit de 250 à 300 mg de calcium.
- En collation, misez sur une variété de produits qui contiennent du calcium, comme du yogourt, du fromage, des figues séchées ou des amandes.
- Transformez votre café en café au lait (espresso avec mousse de lait).
- Lorsque vous avez envie de chocolat, savourez un chocolat chaud à base de lait ou une boisson de soja au chocolat enrichie.
- Mangez plus souvent des légumes vert foncé comme du brocoli, du chou frisé et du pak-choï. Essayez le Sauté de chou vert frisé (p. 260) ou le Sauté de légumes orientaux (p. 259).
- Faites des sandwichs à la salade de saumon avec du saumon en conserve avec les arêtes. Bien écrasées, elles passent généralement inaperçues.
- Lorsque vous faites des muffins, des soupes-crèmes ou des pommes de terre en purée, remplacez le lait entier par du lait écrémé concentré ou ajoutez quelques cuillerées à soupe de lait écrémé en poudre.
- Préparez des soupes avec du lait plutôt qu'avec de l'eau.
- Mangez des desserts à base de produits laitiers, comme des poudings au pain, au lait, des flans, du yogourt glacé et des parfaits aux fruits et au yogourt.

Substituts du lait

Le lait est non seulement une excellente source de protéines de haute qualité, de calcium, de riboflavine et des vitamines B_{12} et D, mais il est aussi une source de nutriments essentiels. Si vous n'aimez pas le lait ou si vous ne pouvez pas en consommer en raison d'une allergie ou d'une intolérance au lactose, certaines boissons enrichies, par exemple les boissons de soja et de riz, s'avèrent des substituts acceptables. Consultez l'étiquette pour vous assurer que la boisson a été enrichie de nutriments similaires à ceux que l'on retrouve dans le lait.

La vitamine D est essentielle à la santé des os

La vitamine D aide à utiliser le calcium pour fortifier les os. Il peut être difficile de trouver cette vitamine en quantité suffisante. L'apport recommandé pour les adultes de 50 ans et moins est de 200 UI (unités internationales) par jour ; pour les 51 à 70 ans, il est de 400 UI par jour ; et pour les 70 ans et plus, il est de 600 UI par jour. Les poissons comme le hareng, le maquereau, le saumon, le thon et les sardines contiennent de la vitamine D ; les œufs en constituent également une source ; et le lait et la margarine en sont enrichis. Nous obtenons aussi de la vitamine D en nous exposant au soleil. Un quart d'heure de soleil par jour peut vous aider à combler vos besoins en vitamine D durant l'été, mais cela sera insuffisant durant l'hiver ou lors de l'utilisation de crème solaire. Cela dit, il est tout à fait déconseillé de vous exposer au soleil sans protection, pour éviter tout risque de cancer de la peau. Certaines personnes nécessitent un supplément en vitamine D. La plupart des suppléments multivitaminiques en fournissent 400 UI. Combinée avec de judicieux choix alimentaires, cette quantité de vitamine D devrait être suffisante pour la plupart des gens.

Puis-je boire du lait si je souffre d'intolérance au lactose ?

La plupart des gens aux prises avec une intolérance au lactose peuvent boire du lait, surtout s'il est consommé en petites quantités à la fois ou avec un repas. Certaines personnes trouvent que le lait chaud se digère plus facilement, par exemple dans un café au lait (espresso avec mousse de lait) ou avec du chocolat chaud. Des laits à faible teneur en lactose sont également offerts et conviennent à bon nombre de gens.

Qu'en est-il des suppléments ?

Même si les suppléments ne pourront jamais remplacer tous les éléments nutritifs que l'on trouve dans les aliments, il existe quelques situations où il peut être justifié de prendre un supplément de vitamines et de minéraux.

- Si vous êtes une femme en âge de procréer, prenez une multivitamine qui contient 400 µg d'acide folique chaque jour. Pour les femmes enceintes, cela réduit les risques de malformations du tube neural chez le bébé.

- Si vous êtes végétalien, vous aurez besoin d'un supplément de vitamine B_{12}, puisqu'elle ne se trouve que dans les aliments d'origine animale et dans quelques produits de soja enrichis. Si votre apport en fer et en calcium provenant de sources végétales est trop faible, considérez la prise d'un supplément qui en contient. Pour de plus amples renseignements, consultez le *Guide alimentaire végétarien* au www.dietetistes.ca/news/downloads/guide_vege(FR).pdf.

- Si vous avez plus de 50 ans, il se peut que vous n'absorbiez plus suffisamment de vitamine B_{12} de source alimentaire ; afin de prévenir tout risque de carence ou d'anémie, la prise d'un supplément peut être souhaitable. Parlez-en à votre médecin.

- Si vous souffrez d'ostéoporose ou que vous avez de la difficulté à obtenir l'apport quotidien recommandé en calcium, prenez un supplément de calcium avec de la vitamine D en suivant les directives de votre médecin ou de votre diététiste. Dans la mesure du possible, maintenez un rythme de vie actif et faites des activités qui utilisent le poids du corps ainsi que des exercices de résistance. Ces exercices s'avèrent importants pour la santé de vos os.

- Si vous avez tendance à suivre des régimes ou si vous êtes souvent trop occupé pour bien manger, considérez la prise d'un supplément de multivitamines et de minéraux tous les jours. Rappelez-vous qu'un supplément ne vous donnera pas plus d'énergie si vous ne consommez pas une quantité suffisante de calories.

- Si vous prenez des médicaments, demandez à votre médecin ou à votre pharmacien quels sont leurs effets sur l'apport nutritionnel. Certains médicaments réduisent l'absorption de nutriments et peuvent nécessiter un ajustement. Si tel est votre cas, vous pourriez avoir besoin d'un supplément.

Les phytonutriments

Les phytonutriments (ou « nutriments des plantes ») regroupent en tout des centaines de composés chimiques naturellement présents dans les aliments d'origine végétale comme les céréales, les légumes et les fruits. Des recherches récentes suggèrent qu'ils auraient un effet protecteur sur notre santé. Les phytonutriments comprennent par exemple des phytoestrogènes tels que les isoflavones, ainsi que des antioxydants tels que les caroténoïdes.

Les antioxidants

Les vitamines C et E, de même que le bêtacarotène (la forme végétale de la vitamine A), agissent comme antioxydants dans l'organisme, tout comme le sélénium minéral, qui est un minéral. Les antioxydants aident à contrer les effets indésirables des radicaux libres qui se forment à l'intérieur des cellules lors des réactions d'oxydation. En plus de pouvoir endommager les cellules, on soupçonne les radicaux libres de jouer un rôle dans le développement de maladies du cœur, du cancer et des cataractes, en plus de causer des détériorations liées au vieillissement. De nombreuses recherches sont en cours dans ce domaine.

Alimentation kaléidoscopique

Pour consommer davantage de phytonutriments, optez pour un arc-en-ciel de fruits et légumes colorés et des grains entiers. Par exemple, les fruits et légumes rouge vif comme les betteraves, les tomates, les poivrons rouges, les canneberges et les cerises contiennent du lycopène ou des anthocyanes. De nombreuses études suggèrent que l'ingestion d'aliments riches en lycopène réduit les risques de cancer de la prostate et de maladies cardiovasculaires. Les anthocyanes aideraient à réduire les risques de cancer.

De l'eau et encore de l'eau

Étant donné que notre corps est constitué d'environ 70 % d'eau, nous devons boire beaucoup de liquide pour rester hydratés. L'absorption de liquide joue un rôle important dans la circulation sanguine, le contrôle de la température corporelle, la digestion, le maintien de la pression artérielle, les contractions musculaires et l'hydratation. Le simple fait de respirer entraîne une perte de liquide. Au moment où vous avez soif, la déshydratation peut déjà être amorcée. Il existe plusieurs symptômes reliés à la déshydratation : mal de tête, fatigue, urine de couleur foncée et crampes musculaires. On recommande aux femmes de consommer quotidiennement 2,75 l (11 tasses) de liquide, et aux hommes, 3,75 l (15 tasses). Les liquides peuvent provenir de différentes sources : eau, jus, lait, bouillon, fruits et légumes juteux, et autres boissons. Les enfants et les personnes âgées ont besoin de moins d'eau, alors que les femmes enceintes ou qui allaitent en nécessitent plus.

L'eau et l'exercice

Lorsque vous faites de l'exercice, vous devez boire plus d'eau pour maintenir votre équilibre hydrique et contrer la perte d'eau sous forme de sueur. Ayez comme objectif d'en boire entre 400 et 600 ml (environ 1 ½ à 2 ½ tasses) 2 ou 3 heures avant de faire de l'exercice, puis un autre 150 à 350 ml (entre ¾ et 1 ½ tasse) 15 minutes avant de commencer. Pendant l'activité physique, buvez de 150 à 350 ml chaque 15 ou 20 minutes. N'oubliez pas de boire beaucoup d'eau dès que vous avez terminé.

Le sel

Les Canadiens ont développé un goût pour le sel. Dans certains cas, la consommation de sel est deux fois plus élevée que ce qu'elle devrait être. La majeure partie du sodium que nous consommons (environ 77 %) provient d'aliments traités transformés et de restauration. Si vous réduisez de façon importante votre consommation d'aliments traités transformés, vous diminuerez la quantité de sel présente dans votre alimentation.

Les étiquettes des aliments affichent un tableau de la valeur nutritive qui indique la teneur en sodium par portion. Prenez soin de bien les lire et de vérifier la quantité de sodium présente dans les aliments que vous achetez. Les aliments qui comptent moins de 5 % de la valeur quotidienne (% VQ) recommandée sont considérés comme faibles en sel. On considère raisonnable, pour une personne en santé, de consommer moins de 2 400 mg de sel par jour. Les gens ayant une pression artérielle élevée ou souffrant de problèmes de santé particuliers devraient en consommer moins. Voici quelques conseils pour réduire votre consommation de sel.

- Préparez-vous des repas à la maison plutôt que de manger au restaurant. La nourriture servie dans les restaurants risque d'être beaucoup plus salée.
- Essayez de diminuer ou d'éliminer le sel des recettes (sauf pour les produits de boulangerie où le sel sert d'agent levant).
- Rincez les aliments en conserve qui contiennent du sel, comme les légumineuses et les légumes.
- Consommez des soupes, des bouillons, des légumes et des jus de tomate à teneur réduite en sodium ou sans sel ajouté.
- Contrôlez votre consommation de grignotines salées, comme les noix, les croustilles, les craquelins et le maïs soufflé. Achetez-en sans sel.
- Ne prenez que de petites portions de condiments comme le ketchup, la sauce soja, la salsa, les vinaigrettes commerciales et les cornichons.
- Limitez l'achat d'aliments à préparation instantanée, surtout en poudre, et les sauces en sachet.
- Achetez des viandes fraîches au lieu des viandes traitées, fumées ou saumurées comme les saucissons, les saucisses fumées, le jambon, le bacon et le pepperoni. Restreignez aussi votre consommation de poissons et de fruits de mer fumés.
- Gardez le sel loin de votre portée, plutôt que sur la table, pour éviter d'y avoir accès trop facilement.
- Apprenez à apprécier les merveilleuses saveurs que les ingrédients naturels peuvent ajouter aux aliments, comme le jus de lime ou les fines herbes fraîches.
- Prenez garde aux assaisonnements qui contiennent du sel, comme le sel d'ail ou le sel au céleri.

Où trouve-t-on le sel (ou chlorure de sodium)?

- Environ 77 % proviennent des aliments transformés et de la restauration;
- 12 % proviennent du sel ajouté à table ou lors de la cuisson;
- et 11 % proviennent des aliments à leur état naturel.

Où puis-je trouver des renseignements nutritionnels fiables?

Visitez le www.dietetistes.ca/mangermieux pour obtenir des mises à jour sur des sujets d'actualité en nutrition. Vous y trouverez également des outils interactifs qui permettront aux membres de votre famille d'évaluer leur alimentation, de planifier leurs repas et de tester leurs connaissances en nutrition.

Les diététistes sont là pour vous appuyer dans votre quête pour demeurer en santé. Voici les meilleurs moyens de repérer une diététiste ou nutritionniste dans votre région.

- Visitez le www.dietetistes.ca/trouvez pour avoir accès à une liste de diététistes professionnelles au Canada.
- Recherchez la rubrique « Diététistes et nutritionnistes » dans les PagesJaunes^{MD}. N'oubliez pas que le titre de « nutritionniste » n'est pas protégé par la loi dans toutes les provinces canadiennes (il est toutefois protégé au Québec). Lorsque vous communiquez avec des conseillers en nutrition, demandez-leur s'ils sont des diététistes professionnelles.
- Appelez au centre de santé et de services sociaux de votre région.
- Informez-vous auprès de votre épicier. Ces commerces ont parfois un diététiste au sein de leur personnel.

Lorsque vous cherchez des renseignements en ligne sur la santé et la nutrition, assurez-vous de la fiabilité des sites Internet et de la validité de leurs renseignements. Le Réseau canadien de la santé constitue un excellent point de départ pour vos recherches. Visitez-le au www.reseau-canadien-sante.ca.

Brisons le mythe : je prends du poids parce que la malbouffe est partout

Il est facile de faire des choix alimentaires sains si nous créons un environnement qui encourage la saine alimentation à la maison, au travail et durant les loisirs.

À la maison
- Remplissez vos armoires et votre réfrigérateur d'aliments sains. Lorsque vous aurez à prendre un repas ou une collation improvisés, tout sera à votre portée.

Au travail
- Demandez à ce que les distributeurs automatiques offrent des aliments sains.
- Créez une « cantine d'aliments sains » et remplissez-la de choix alimentaires équilibrés, comme des mélanges de fruits séchés et de noix, des craquelins au riz et des fruits frais ou en conserve.

Au restaurant
- Apprenez-en plus sur les saines méthodes de cuisson et posez des questions au serveur sur le menu et sur les techniques culinaires utilisées.
- Les grosses portions nous poussent à manger plus que nécessaire. Emportez une partie de votre repas pour un autre jour. Vous ne devriez pas vous sentir obligé de « nettoyer l'assiette ».

Suggestions pour des repas simples

Préparez-vous à vous amuser dans votre cuisine et invitez toute la famille à participer ! Dans cette section du livre, apprenez à mettre en pratique ce qu'il faut savoir sur l'art de manger sainement en suivant cinq étapes.

1. **Simplifiez la planification de vos repas.** Apprenez comment un peu de planification peut vous aider à cuisiner de délicieux repas en toute simplicité.

2. **Changez l'allure de votre cuisine.** Réorganisez votre cuisine et votre garde-manger de manière à toujours avoir des ingrédients sains à votre disposition et à apprêter de succulents repas en un tournemain.

3. **Soyez astucieux lorsque vous faites l'épicerie.** Simplifiez-vous la vie en apprenant à déchiffrer les renseignements nutritionnels des étiquettes.

4. **Cuisinez avec aisance.** Découvrez à quel point il peut être facile et agréable de cuisiner en appliquant les conseils d'un chef cuisinier.

5. **Veillez à la salubrité des aliments.** Renseignez-vous davantage sur la salubrité des aliments et sur ce que vous pouvez faire – du nettoyage à la préparation – pour éviter toute maladie d'origine alimentaire attribuable à des microbes.

1. Simplifiez la planification de vos repas

Il existe quatre moyens de faciliter la planification de repas équilibrés : en utilisant les renseignements présentés dans les recettes de ce livre, en amenant votre famille à y participer, en organisant le choix des mets à l'avance et en mettant à l'épreuve quelques-unes de nos suggestions de repas faciles.

Utilisez les informations accompagnant les recettes

Les renseignements qui accompagnent chacune des recettes vous permettront de planifier des repas nutritifs. Nous avons veillé à ce que la préparation des recettes soit simple et pratique.

- Plusieurs recettes proposent des suggestions d'accompagnements.
- Certaines recettes prévoient un grand nombre de portions afin que vous puissiez utiliser les restes en repas individuels.
- Nos conseils vous fourniront des renseignements sur les ingrédients, le matériel et les techniques nécessaires à la préparation de repas express.
- Certaines recettes proposent des variantes au cas où vous voudriez changer l'un des ingrédients.

- Les recettes qui peuvent être congelées sont identifiées à cette fin.
- Les recettes et les soupes préparées « à la mijoteuse » peuvent cuire doucement toute la journée pendant que vous vaquez à vos occupations.
- Les recettes pour enfants ont été testées et approuvées par des enfants.
- Une analyse nutritionnelle accompagne chaque recette et renseigne sur la teneur en calories, en matières grasses, en glucides, en protéines, en fibres, en sodium et en nutriments essentiels. Lorsque vous choisissez une recette, utilisez ces renseignements pour doser ou maximiser la consommation de certains nutriments.

Amenez votre famille à participer à la planification des repas

La participation des membres de votre famille à la planification des repas est essentielle si vous voulez qu'ils apprécient les repas préparés. Une fois que vous connaissez les aliments qui leur plaisent, il ne vous reste plus qu'à les avoir à portée de la main. Voici six conseils pour encourager votre famille à prendre part à cette activité.

1. Assoyez-vous ensemble et discutez de vos mets et de vos aliments favoris. Prenez une feuille de papier que vous divisez en cinq et écrivez les groupes alimentaires au haut de chaque colonne : les fruits et légumes, les produits céréaliers, les produits laitiers, les viandes et substituts, puis les aliments ne correspondant à aucun groupe. Inscrivez les aliments favoris de chacun dans les colonnes appropriées et discutez des possibilités de repas comprenant ces aliments. Gardez la liste sur le réfrigérateur et recourez-y pour considérer les différentes combinaisons possibles pour élaborer un repas ou une collation équilibrés. Cette liste peut vous donner un coup de pouce les jours où aucune idée ne vous vient à l'esprit.

2. Prenez l'habitude d'échanger avec vos enfants au sujet de leurs préférences alimentaires. Essayez d'avoir ces conversations dans les moments où ils sont dans un bon état d'esprit.

Par exemple, après le repas ou lorsque vous les accompagnez à leurs activités sportives.

3. Essayez de nouveaux aliments et incorporez-les à vos recettes. Enrichir votre répertoire culinaire ajoutera du piquant à vos saines habitudes alimentaires. Commencez par demander aux membres de votre famille de feuilleter des livres de cuisine et de noter les recettes qui les intéressent.

4. Encouragez vos enfants plus âgés à participer à la vie culinaire de la famille. Vous les aiderez grandement à développer de bonnes habitudes de vie si vous leur donnez la responsabilité de planifier et de préparer un ou quelques repas par semaine. Permettez-leur d'inviter des amis à manger les soirs où ils sont responsables de préparer le repas.

5. Planifiez des soirées culinaires intimes avec votre douce moitié les jours où les enfants sont occupés. Profitez-en pour faire les courses ensemble dans les boutiques d'alimentation spécialisées avant de déguster un repas aux chandelles accompagné d'un bon verre de vin.

6. Découvrez « Menu au goût du jour » au **www.dietetistes.ca/mangermieux**. Cet outil interactif vous permettra de planifier des repas et des collations nutritives et de vérifier les portions recommandées dans le *Guide alimentaire canadien*. Enfants et adultes peuvent apprendre les secrets d'une saine alimentation tout en s'amusant.

Organisez-vous à l'avance

Lorsque vous n'avez aucune contrainte de temps, partir en voyage sans carte routière peut s'avérer une superbe aventure. Mais lorsque le temps presse, un peu de planification vous permettra d'arriver plus rapidement à destination. Préparer un repas, c'est un peu comme partir en voyage. Le fait de planifier vous permettra de concocter de simples et délicieux repas en un rien de temps.

Ce que représente une saine alimentation pour moi

Manger sainement… J'y pense souvent. Je sais que c'est bon pour moi. J'imagine que j'essaie de manger beaucoup de fruits et de légumes. J'essaie de donner l'exemple aux enfants.

— Jacquie, écrivaine et entraîneure de natation, Québec

Planifiez des extras

Lorsque vous passez du temps à cuisiner un repas, pourquoi ne pas profiter de l'occasion pour en faire plus en prévision d'un prochain repas ? Bon nombre de mets comme les soupes et les ragoûts ont meilleur goût meilleurs lorsqu'ils sont réchauffés, les saveurs s'étant combinées et adoucies.

Le tableau ci-dessous vous donnera quelques idées pour la planification de repas supplémentaires. Tout au long du livre, nous vous proposons des recettes qui vous permettront d'apprêter un second repas à partir de préparations comportant des portions en surplus.

Idées de portion supplémentaire	Suggestions pour un deuxième repas
Faites cuire une poitrine de poulet de plus.	Coupez la poitrine en languettes, puis utilisez-les pour agrémenter une salade légèrement arrosée de vinaigrette.
Faites rôtir un poulet entier.	Préparez la Chaudrée de poulet et de maïs (p. 128), les Tortillas au poulet et à la mangue (p. 74), les Sandwichs au poulet barbecue (p. 69) ou la Pizza des Antilles au poulet et à l'ananas (p. 252).
Faites cuire une pointe de poitrine de bœuf à la mijoteuse.	Coupez-la en tranches pour confectionner vos sandwichs, ou en petits cubes pour relever votre soupe aux légumes.
Faites griller un peu plus de saumon.	Faites des Galettes de poisson (p. 205).
Faites cuire un jambon maigre.	Faites de la Pizza au jambon et à l'ananas (p. 253).
Préparez deux fois plus de riz brun.	Préparez du Riz à l'ananas et aux légumes (p. 274) avec des crevettes.
Faites rôtir une portion de légumes de plus.	Ajoutez cette portion à une sauce tomate et versez-en sur vos pâtes ou dans une frittata, ou utilisez-la comme garniture à pizza.
Faites votre recette en double.	Prenez-en pour votre dîner, le jour suivant.

Brisons le mythe : les membres de la famille ne veulent pas manger la même chose

Nous avons tous des goûts différents, mais il faut parfois mettre un peu d'eau dans notre vin. Discutez avec votre famille de ce que représente, d'un point de vue pratique et financier, la préparation de plusieurs mets différents chaque soir. Laissez plutôt aux membres de votre famille le loisir de choisir leurs aliments favoris certains soirs de semaine. Pour répondre à tous les goûts, élaborez des mets pouvant être personnalisés, comme dans le cas de pizzas, de salades et de tortillas, où chacun peut y aller de ses garnitures préférées.

Suggestions de menus

Dans cette section, vous trouverez quelques-unes de nos suggestions préférées pour des repas faciles à préparer.

Menus au bout des doigts

Affichez ces idées sur votre réfrigérateur pour vous inspirer et vous aider.

Menus de soir de semaine

- **La soirée soupe :** Goulache hongroise (p. 131) faite la veille puis réchauffée, tortilla de blé entier, Poires à la toscane (p. 298).
- **Soupe et salade :** Potage de brocoli (p. 115), Salade de poulet et de mangue (p. 156), Fournée de pains multigrains (p. 280).
- **Économique 1 :** Macaronis à la viande (p. 240), crudités, Biscuits tendres aux pommes et à la cannelle (p. 316).
- **Économique 2 :** Frittata vide-frigo (p. 63), Salade de chou aux fruits (p. 147), Pommes farcies au mélange granola (p. 296).
- **Déjeuner au souper :** Œufs brouillés à la grecque (p. 58), Salade d'épinards du jardin (p. 141), Muffins à l'orange et aux canneberges (p. 291) préparés la fin de semaine.
- **Spécial pour enfants :** Bâtonnets de poulet au parmesan (p. 171), Sauce aigre-douce (p. 110), Pommes de terre rôties au four (p. 271), Salade de chou aux fruits (p. 147), Gelée rose à la fraise (p. 325).
- **Vendredi express :** Pâtes aux tomates et aux haricots blancs (p. 235), salade César, Gâteau aux carottes (p. 305).
- **Mexico olé !:** Poulet à la salsa (p. 167), riz brun cuit dans l'eau de légumes, maïs en grains, Nachos aux fruits (p. 300).
- **Soirée à l'indienne :** Poulet au beurre (p. 172), Riz pilaf (p. 275), haricots verts, Lassi à la mangue (p. 85).
- **Soirée thaïe :** Sauté de poulet à la mangue et aux noix de cajou (p. 170), riz vapeur au jasmin, Concombre et carotte marinés à l'orientale (p. 145).
- **Soirée marocaine :** Tajine d'agneau à la marocaine (p. 198), Couscous aux raisins de Corinthe et aux carottes (p. 273), tranches d'orange au miel, thé à la menthe.
- **Pêche miraculeuse :** Saumon en papillote (p. 206), Spaghettinis aux épinards (p. 272), légumes surgelés, poêlés.

Menus de fin de semaine

- **Super souper familial :** Rôti de porc farci (p. 194), Pommes de terre rôties au citron (p. 269), Carottes au gingembre (p. 257), Panna cotta au citron et aux bleuets (p. 299).
- **Repas réconfortant pour famille et amis :** Poulet au thym et au citron (p. 164), Risotto primavera au four (p. 277), Ratatouille au four (p. 266), Croustade aux pommes, aux poires et aux canneberges (p. 302).

Menus divertissement

- **Brunch :** Quiche sans croûte aux courgettes (p. 62), Salade printanière (p. 139), Fournée de pains multigrains (p. 280) ou Pain épicé aux noix et à la citrouille (p. 283), salade de fruits frais, Biscuits au beurre d'arachide et aux graines de lin (p. 317).

- **Souper de fête éclectique :** Bruschetta (p. 96), Saumon grillé à la coriandre et au gingembre (p. 207), Salsa aux haricots noirs (p. 106), Légumes vapeur à l'orientale (p. 263), Fondue au chocolat (p. 311) avec morceaux de fruits frais.

- **Souper de fête méditerranéen :** Salade de pois mange-tout et de poivrons (p. 140), Poulet aux champignons portobellos et au fromage (p. 169), Spaghettinis aux épinards (p. 272), Sauce aux fraises aromatisée au vinaigre balsamique (p. 297) avec yogourt glacé.

- **Cocktail :** Antipasto (p. 98), Brochettes de crevettes à la coriandre (p. 97), Croustilles de tortillas et guacamole allégé (p. 102), bâtonnets de légumes frais, pita au blé entier avec Hoummos épicé (p. 104).

Soupers express

Pour ces soirées où vous vous sentez incapable de suivre une recette, essayez ces idées de soupers simples, faciles et rapides à préparer.

Salades
- Macédoine de légumes avec thon ou saumon et petit pain de grain entier.
- Salade de haricots noirs et de maïs avec fromage râpé.
- Restes de poulet ou de viande sur légumes verts avec verre de lait.

Sandwichs et tortillas
- Sandwich au jambon et au fromage à faible teneur en matières grasses sur pain de grain entier avec moutarde et crudités en accompagnement.
- Tortilla garnie avec des restes de viande et de légumes.

Œufs
- Œufs brouillés avec légumes, servis avec une tranche de pain de grain entier et un verre de lait.
- Frittata servie avec rôties de grain entier (pour un peu d'inspiration, voir la Frittata vide-frigo, p. 63).

Restes de riz
- Riz frit avec légumes hachés, morceaux de viande, tofu ou œuf.
- Riz à l'ananas et aux légumes (p. 274) avec des restes de poulet ou des crevettes.

Pâtes
- Pâtes avec sauce tomate à la viande.
- Pâtes au pesto.
- Pâtes avec sauce tomate, thon en conserve et persil.

Conserver les restes de riz

Laissez refroidir le riz chaud dans un plat peu profond jusqu'à ce qu'il n'y ait plus de vapeur qui s'en échappe. Couvrez le plat et conservez-le au réfrigérateur à 4 °C (40 °F) ou moins, pour une période ne dépassant pas deux jours. Le riz peut être à l'origine d'une intoxication alimentaire causée par la présence d'une bactérie nommée *Bacillus cereus*. Une température de conservation inappropriée permet à la bactérie de se multiplier et de produire des toxines dangereuses pour la santé. Les *Bacillus cereus* se multiplient rapidement dans le riz cuit qui n'est pas réfrigéré et ne sont pas détruites par une brève exposition à la chaleur (comme réchauffer le riz dans un wok).

Repas rapides à la maison

Si votre famille a envie d'un repas de type restauration rapide, préparez-les vous-même à la maison en essayant l'une de ces recettes.

- Bâtonnets de poulet au parmesan (p. 171) avec des crudités et l'une de nos trempettes.
- Boulettes de viande à la sauce tomate (p. 189) servies sur des pains à sous-marin de grains entiers et accompagnées d'une salade verte.
- Hamburgers au dindon et aux pommes (variante, p. 179) servis sur pains à hamburgers multigrains avec légumes frais comme garniture.
- N'importe laquelle de nos pizzas, comme la Pizza aux légumes grillés (p. 249) ou la Pizza des Antilles au poulet et à l'ananas (p. 252).
- Croustilles de tortillas et guacamole allégé (p. 102), Salsa aux haricots noirs (p. 106), Salsa à l'ananas (p. 105), Quesadillas végétariennes (p. 221), Tortillas aux patates douces et aux haricots (p. 76), Tortillas aux haricots sautés et au fromage (p. 223) ou Burritos aux haricots (p. 222).

Recettes en grandes quantités

Les fins de semaine sont des moments idéaux pour apprêter de grandes quantités de plats pouvant être réfrigérés ou congelés pour usage ultérieur. Réunissez-vous avec votre famille ou des amis et répartissez-vous les tâches. Divisez ensuite les plats pour que tout le monde puisse repartir avec une part de chacun. En jetant un coup d'œil à nos recettes, vous constaterez qu'elles se prêtent bien à la préparation de grandes quantités.

Ce que représente une saine alimentation pour moi

Manger de vrais aliments, cuisiner mes propres repas aussi souvent que possible, ne pas manger à la hâte et savoir d'où proviennent les aliments.

— Brian, conseiller en affaires, Colombie-Britannique

❄ RECETTES PARFAITES POUR LA CONGÉLATION

Bon nombre de nos recettes peuvent être préparées en grandes quantités, puis réfrigérées ou congelées pour les soirées où vous n'avez pas le temps de cuisiner. Évitez de congeler les mets qui contiennent des champignons ou des pommes de terre cuites, car la congélation en altère la qualité. (La purée de pommes de terre se congèle toutefois parfaitement.) Faites toujours congeler les aliments cuits dans des contenants hermétiques en plastique ou dans des sacs de congélation. Recherchez la mention « Se congèle bien » dans les recettes de ce livre.

○ RECETTES IDÉALES POUR LA MIJOTEUSE

La mijoteuse s'avère un excellent appareil pour gagner du temps et vous permettre d'avoir un repas chaud sur la table sans trop d'effort. Tout ce que vous avez à faire est d'y mettre les ingrédients le matin, de l'allumer et de ne plus y penser avant le soir. Les aliments cuisent lentement, à basse température, en toute sécurité, et sur une longue période de temps. À votre retour à la maison, votre repas sera prêt à servir. Plusieurs de nos recettes ont été spécifiquement testées à l'aide de cette méthode de cuisson. Recherchez le symbole « Se prépare à la mijoteuse » dans les recettes de ce livre.

2. Changez l'allure de votre cuisine

Pour réussir en peu de temps des collations et des mets délicieux et nutritifs, vous devez être bien équipé en accessoires de cuisine pour passer rapidement à l'action. Si votre cuisine est mal organisée, vous serez plus enclin à commander un repas ou à manger à l'extérieur, ce qui est non seulement plus onéreux, mais fort probablement moins sain. En plus, vous vous privez des bienfaits de cuisiner à la maison : des délicieuses odeurs qui flottent dans l'air, de la satisfaction de savoir que votre famille a mangé un repas nutritif et de l'avantage de préparer facilement votre prochain repas à partir des restes. Voici donc quelques étapes à suivre pour organiser votre cuisine.

Organisez votre réfrigérateur

- Jetez tout ce qui est périmé, les condiments qui ne seront jamais utilisés et les restes de plus de quatre jours.
- Débarrassez-vous des légumes et des fruits flétris. Prenez un peu d'avance, par exemple, pelez les carottes, lavez la laitue, puis rangez-les pour qu'ils soient prêts à être utilisés.
- Approvisionnez-vous en boissons nutritives ; en lait, en jus de légumes ou en jus de fruits pur à 100 %.
- Placez les aliments à emporter à l'avant du réfrigérateur, pour y avoir accès facilement.

Organisez vos armoires et vos tiroirs

- Gardez suffisamment d'aliments en conserve et préemballés qui répondent aux besoins de votre famille, et donnez le reste à une banque alimentaire de votre région.
- Choisissez une armoire ou un tiroir qui servira à ranger les contenants de plastique. Disposez les couvercles d'un côté et empilez les contenants de l'autre.
- Choisissez un tiroir pour placer le papier d'aluminium, les sacs de plastique et autres articles semblables.

Faites participer toute la famille

Toute la famille peut aider à l'organisation de la cuisine. Demandez à vos enfants comment vous pourriez leur faciliter la tâche pour la préparation des dîners à emporter. Encouragez-les à écrire sur la liste d'épicerie les aliments à acheter.

Ce que représente une saine alimentation pour moi

Être bien approvisionné en aliments sains en tout temps et manger la majorité des repas à la maison sont des aspects importants de ce que représente une saine alimentation chez nous.

— James, directeur de magasin de détail et papa, Territoires du Nord-Ouest

3. Soyez astucieux lorsque vous faites l'épicerie

Connaître vos besoins avant d'aller faire les courses vous permettra d'économiser temps et argent, en plus de vous empêcher d'acheter des aliments moins nutritifs ou inutiles. Gardez un bloc-notes dans votre cuisine (un bloc-notes magnétique sur le réfrigérateur fait très bien l'affaire), et inscrivez-y les articles que vous devez vous procurer. Avec une liste en main, vous risquez moins d'oublier quelque chose. Utilisez les renseignements sur les étiquettes des produits pour faire les meilleurs choix possible.

Un conseil

Classez votre liste selon les sections du supermarché : viande, boulangerie, produits laitiers, etc. Ainsi, vous n'aurez pas à revenir sur vos pas.

Déballer votre épicerie

Lorsque vous revenez du supermarché, prenez le temps de déballer votre épicerie de manière ordonnée. Ne gâchez pas toute l'organisation de votre cuisine ! Commencez à préparer vos légumes après avoir sorti vos achats de vos sacs. Mettez la viande dans des sacs de congélation en la séparant en portions individuelles, et inscrivez-y la date avant de les congeler.

Des repas équilibrés abordables

Bien manger n'est pas nécessairement coûteux. Bon nombre d'aliments sains comme les haricots et les grains en vrac, les gros sacs de gruau et de riz brun, les produits frais de saison, les œufs, les légumineuses, le lait en poudre ainsi que les fruits, les légumes et le poisson en conserve ou surgelés vendus à rabais sont bon marché. Voici quelques conseils pour que votre épicerie ne vous coûte pas trop cher.

- Faites une liste et tenez-vous-en à ce qui s'y trouve.
- Lisez les circulaires et recherchez les aubaines de la semaine. Planifiez votre menu en fonction de ces aubaines ou profitez-en pour faire des réserves.
- Utilisez les coupons de réduction, mais assurez-vous qu'ils s'appliquent à des produits dont vous avez besoin. Autrement, vous réaliserez une dépense plutôt qu'une économie.
- S'il reste de la place dans votre congélateur, faites des réserves de viandes et de pains lorsque ces articles sont en solde.
- Faites des réserves de conserves de poisson et de légumineuses lorsque ces articles sont en réduction.
- Achetez beaucoup de fruits et de légumes de saison, au moment où ils coûtent moins cher, et congelez-les. Les bleuets, les fraises, les framboises, les pêches, les abricots et la rhubarbe se congèlent très bien.
- Vérifiez la date limite de péremption des produits que vous achetez.
- Achetez les produits que vous consommez fréquemment en grandes quantités. Vous pourrez ensuite les séparer en petites portions et les congeler. N'achetez pas de gros formats seulement parce qu'ils coûtent moins cher. Si cela vous incite à trop consommer, ou si vous finissez par en jeter la moitié, ces achats ne représentent pas une bonne affaire.
- Comparez le coût par portion affiché sur les étagères pour vous assurer que vous achetez le format le plus économique.

Tirez avantage des aliments prêts à servir

Lorsque vous faites vos courses, ayez l'œil sur les produits nutritifs qui vous feront économiser du temps. Ces produits coûtent parfois un peu plus cher, mais ils peuvent en valoir la peine. Voici quelques-uns de nos favoris.

- Les produits parés et prêts-à-utiliser peuvent écourter le temps de préparation des repas. La plupart des supermarchés offrent une large sélection de salades, de plats de légumes avec trempette, de légumes hachés pour sautés, etc.
- Le poulet rôti s'avère souvent une solution idéale pour un repas vite fait.
- La viande fraîche précoupée pour ragoûts ou sautés vous fera gagner du temps. Vous pouvez demander au boucher ou au poissonnier de couper la viande ou le poisson comme vous le désirez.
- Les légumes surgelés précoupés ne demandent aucune préparation. Vous pouvez les ajouter directement à vos soupes, ragoûts et sautés.

- Les fruits en conserve dans leur jus constituent une excellente base pour vos salades de fruits.
- Les ananas pelés et évidés font un dessert sain ou une collation rafraîchissante. Vous pouvez aussi les faire griller sur le barbecue pour accompagner les viandes.
- Le fromage vendu déjà râpé peut rehausser vos plats de pâtes en un clin d'œil et accompagner à merveille les salades, les pizzas et les tortillas.
- Les pains semi-cuits surgelés peuvent être mis au four lorsque vous n'avez pas le temps d'aller à la boulangerie.
- La pâte ou les croûtes à pizza surgelées sont idéales pour les pizzas maison.
- Rehaussez les sauces tomate du commerce en y incorporant des légumes ou de la viande.
- Les soupes en conserve peuvent servir de base. Rendez-les plus savoureuses et nutritives en y ajoutant des légumes, des pâtes ou du riz.

Faites l'épicerie en famille

Faire l'épicerie en famille peut vous faire économiser temps et argent, en plus de permettre à chacun de choisir ses aliments favoris.

- Lorsqu'un membre de votre famille dit « Il n'y a rien à manger ! », encouragez-le à ajouter quelques aliments sains qui lui plaisent à la liste d'épicerie.
- Réduisez votre stress en allant faire l'épicerie à une heure qui convient à tous. La tâche sera plus difficile si vous vous sentez pressés ou si vous avez faim.
- Demandez à vos enfants de vous aider à trouver les aliments sains qui offrent un bon rapport qualité-prix. Demandez-leur de consulter les renseignements du tableau de la valeur nutritive (voir p. 38) et de comparer le format des produits de même que les prix.
- Encouragez vos enfants à choisir des aliments sains qu'ils n'ont jamais mangés auparavant, comme des fruits exotiques ou des légumes qui sortent de l'ordinaire.
- Demandez à votre épicier s'il offre des visites organisées de son commerce et assistez-y en famille. Certains offrent des visites scolaires éducatives et des cours de cuisine pour enfants.

Déchiffrez les étiquettes

L'étiquetage nutritionnel est maintenant obligatoire pour la plupart des aliments emballés. Les étiquettes permettent de connaître la valeur nutritive des aliments, de comparer le contenu nutritionnel des produits, de suivre certains régimes avec plus de facilité et d'augmenter ou de diminuer votre consommation de certains nutriments.

Le tableau de la valeur nutritive qui apparaît sur l'étiquette d'un aliment doit indiquer pour quelle quantité d'aliment l'information est fournie, le nombre de calories que cette portion contient, ainsi que sa teneur en lipides, en gras saturés, en gras trans, en cholestérol, en sodium, en glucides, en sucres, en fibres alimentaires, en protéines, en vitamines A et C, en calcium et en fer.

Utilisez le tableau de la valeur nutritive pour choisir les aliments qui contiennent le moins de gras saturés et de gras trans. Si un produit indique qu'il ne contient aucun gras trans, vérifiez la teneur totale en lipides sur le tableau ; il pourrait quand même avoir une haute teneur en gras. Vérifiez aussi la teneur en sodium. Vous pourriez être surpris de constater à quel point elle peut être élevée, même pour des produits qui ne semblent pas salés.

Vérifiez la portion sur laquelle se base le tableau de la valeur nutritive. La taille des portions ne représente pas la quantité recommandée mais une quantité de référence pour fournir l'information nutritionnelle. L'indication « % de valeur quotidienne » (% VQ) fournit en un coup d'œil la teneur en nutriments présente dans la quantité spécifiée.

Le tableau de la valeur nutritive

Valeur nutritive Par 125 mL (87 g)		
Teneur		**% valeur quotidienne**
Calories 80		
Lipides 0,5 g		1 %
saturés 0 g + trans 0 g		0 %
Cholestérol 0 mg		
Sodium 0 mg		0 %
Glucides 18 g		6 %
Fibres 2 g		8 %
Sucres 2 g		
Protéines 3 g		
Vitamine A 2 %		Vitamine C 10 %
Calcium 0 %		Fer 2 %

Liste des ingrédients

Vérifiez la liste des ingrédients pour avoir une idée juste de ce que vous allez manger. Les ingrédients apparaissent par ordre pondéral décroissant : de l'ingrédient contenu en quantité la plus lourde à celui contenu en quantité la plus légère. Consultez cette liste pour connaître la composition d'un produit, particulièrement si vous êtes allergique à certains aliments, si vous suivez une diète, ou pour toute autre raison. Pour en savoir plus sur l'étiquetage nutritionnel, visitez le **www. faitesprovisiondesainealimentation. ca** ou le **www.hc-sc.gc.ca/ fn-an/label-etiquet/nutrition/ index_f. html**.

Les allégations nutritionnelles

- **Allégations sur la valeur nutritionnelle :** Elles apparaissent sur les emballages et indiquent si un aliment est riche ou faible en certains nutriments, notamment en sodium, en matières grasses ou en fibres. Par exemple, on pourrait lire : *Teneur très élevée en fibres, Excellente source de calcium.*

- **Allégations relatives à la santé :** Elles décrivent les bienfaits potentiels d'un aliment ou d'un nutriment sur la santé. Elles tiennent compte des quatre états de santé suivants : maladies du cœur, certains types de cancer, ostéoporose et hypertension artérielle. *Une alimentation saine comportant une grande variété de légumes et de fruits peut aider à réduire le risque de certains types de cancer* représente un exemple d'allégation relative à la santé. Des allégations concernant les caries dentaires peuvent aussi apparaître sur certains aliments comme la gomme et les bonbons sans sucre.

4. Cuisinez avec aisance

Plusieurs petits conseils et trucs peuvent vous faciliter la tâche et vous faire économiser temps et efforts.

Quelle quantité préparer?

Chaque recette de ce livre fournit le nombre de portions totales en se basant sur l'apport moyen recommandé pour une saine alimentation. Avant de commencer à cuisiner, vérifiez le nombre de portions prévues par la recette, et si cela excède le nombre de portions que vous désirez, vous pouvez planifier les restes pour d'autres repas. Si, au contraire, la recette n'en donne pas suffisamment, doublez-la. Si vous cuisinez sans suivre de recette, essayez d'estimer le nombre de portions. Utilisez le tableau suivant à titre de référence.

Produit	Portion moyenne par personne
Salade – en accompagnement	250 ml (1 tasse)
Salade – en plat principal	500 ml (2 tasses) ou plus
Soupe – en hors-d'œuvre	250 ml (1 tasse)
Soupe – en entrée	500 ml (2 tasses)
Protéines (viande, poisson, volaille)	60 à 125 g (2 à 4 oz), en fonction des autres ingrédients
Dinde ou poulet entier	250 g (8 oz) de volaille crue
Plat végétarien	250 ml (1 tasse)
Pâtes	125 ml (½ tasse) de pâtes non cuites
Légumes – en accompagnement	250 ml (1 tasse)

Ajoutez du goût et non des matières grasses ou du sel

Vous pouvez apporter une touche particulière à vos repas sans ajouter de matières grasses ou de sel. Rehaussez le goût de vos plats à l'aide de fines herbes et d'épices. Par exemple, une pincée d'aneth finement haché fera de votre poisson grillé un délice ; même effet pour une tranche de bœuf si vous ajoutez une cuillerée de moutarde ou de raifort. Vous pouvez créer votre propre mélange d'épices sans sel. Utilisez-le pour rehausser les légumes vapeur, les pâtes ou le riz.

Ce que représente une saine alimentation pour moi

Manger sainement est intimement lié au fait d'être bien dans ma peau. Il ne s'agit pas de suivre un régime, mais plutôt de faire des choix alimentaires de qualité qui me donnent de l'énergie et qui me permettent de continuer à être active.

– Mélanie, coureuse, médecin et maman, Manitoba

Des recettes plus saines

Les recettes proposées dans *Simplement délicieux* ont été approuvées par des diététistes. Mais lorsque vous suivez une recette d'une autre source, vous pouvez la modifier. Même de petits changements peuvent faire une énorme différence, lorsqu'il s'agit de la teneur en matières grasses, en sucre ou en calories. Il existe aussi des façons simples d'ajouter des fibres alimentaires à vos recettes préférées. Les conseils qui suivent augmenteront la valeur nutritive de vos repas.

Réduisez les matières grasses et les calories

- Utilisez deux blancs d'œuf au lieu d'un œuf entier. Cette méthode fonctionne bien pour les crêpes, les muffins et les œufs brouillés.
- Utilisez du yogourt nature faible en gras au lieu de la crème sure pour vos trempettes, vinaigrettes et pâtisseries.
- Utilisez du lait écrémé ou du lait 1 % au lieu du lait entier ; et du lait évaporé écrémé ou du lait 1 % au lieu de la crème ou de lait évaporé à teneur plus élevée en matières grasses.
- Réduisez de un tiers la quantité d'huile demandée dans une recette de produit de boulangerie et remplacez-la par une quantité égale de compote de pommes ou de purée de prunes pour bébé.
- Au lieu de faire frire les viandes et les légumes, faites-les griller ou cuire au four.
- Essayez d'utiliser du bouillon au lieu de l'huile ou du beurre pour faire sauter les viandes et les légumes.
- Remplacez le fromage doux en utilisant une plus petite quantité de fromage à saveur plus prononcée.
- Égouttez le gras après avoir fait revenir de la viande hachée et remplacez le bœuf, le porc ou l'agneau par du poulet, du dindon ou des produits végétariens de type « sans viande hachée ».
- Remplacez une partie de la viande par des légumes. Si vous devez mettre 1 kg (2 lb) de bœuf, utilisez 750 g (1 ½ lb) de viande et 250 g (½ lb) de légumes ou de légumineuses.
- Cuisinez la farce de dinde dans un plat séparé pour qu'elle ne se gorge pas de gras pendant la cuisson.
- Enlevez l'excédent de gras des sauces à l'aide d'un séparateur de gras ou mettez la sauce au réfrigérateur. Le gras remontera à la surface et durcira, ce qui le rendra facile à enlever. Vous pourrez ensuite réchauffer la sauce avant de la servir.
- Relevez la saveur des légumes avec du jus de citron, des fines herbes ou du vinaigre, au lieu du beurre ou de la margarine.
- Servez les pommes de terre au four avec de la salsa et du yogourt nature au lieu du beurre, de la margarine ou de la crème sure.
- Préparez des coupes de yogourt glacé et fruits plutôt que de la crème glacée et de la sauce au chocolat.

Réduisez le sucre

- Réduisez de un tiers la quantité de sucre dans les recettes de biscuits, de muffins, de carrés et de pains rapides.
- Employez des fruits en conserve dans du jus et non dans un sirop.
- Saupoudrez les desserts avec de la cannelle, de la noix de muscade et du clou de girofle (une pincée suffit à donner du goût) plutôt qu'avec du sucre.

Augmentez les fibres

- Ajoutez des graines de lin moulues, du son de blé ou de la farine d'avoine à vos pains maison.
- Remplacez jusqu'au quart des matières grasses ou de la farine d'une recette de produit de boulangerie par des graines de lin moulues.
- Lorsque vous préparez des muffins, des biscuits, des barres ou des pains rapides, remplacez jusqu'à la moitié de la farine blanche par de la farine de blé entier.
- Achetez du riz brun au lieu du riz blanc.
- Optez pour des pâtes de blé entier au lieu de pâtes blanches.

Amenez votre famille à participer à la préparation des repas

Les membres de votre famille peuvent participer à toutes les étapes de la préparation d'un repas. Les enfants plus âgés peuvent aider à toutes les étapes, pourvu que vous leur montriez comment utiliser les couteaux et les appareils culinaires en toute sécurité. Les plus jeunes peuvent faire des tâches plus simples en utilisant les ingrédients que vous avez déjà préparés. Voici quelques conseils pour amener votre famille à participer aux activités culinaires.

- Laissez le menu de la semaine sur le réfrigérateur et la recette du jour sur le comptoir. Le premier arrivé à la maison peut ainsi commencer la préparation.
- Tous les enfants peuvent mettre la table.
- Invitez les enfants à lire la recette avec vous et à rassembler tous les ingrédients et les ustensiles nécessaires à la confection du repas.
- Laissez les tout-petits laver les pommes de terre et déchiqueter la laitue pour la salade. Les plus vieux peuvent aider à mesurer les quantités et à mélanger les ingrédients qui ne sont pas sur le feu.
- Les petits et les grands peuvent mesurer et mélanger les ingrédients, sous votre supervision, bien entendu.

- Laissez vos enfants faire leurs sandwichs et leurs tortillas : tartiner les ingrédients, ajouter les garnitures, choisir les condiments…
- Si ça ne vous dérange pas que vos enfants se tiennent debout sur une chaise près de la cuisinière, ils peuvent ajouter les ingrédients et remuer la soupe et le ragoût, ou simplement vous regarder cuisiner.
- Demandez à vos enfants de goûter vos recettes et de les commenter.
- Donnez aux plus grands la responsabilité d'une partie du repas, comme la préparation du plat de crudités avec une trempette, de la salade ou du dessert.
- Toute la famille peut aider au nettoyage. Rendez la tâche agréable en faisant des concours de vitesse ou en faisant jouer de la musique. Récompensez-les selon leur implication. Faites un tableau et donnez-leur des points – qui leur feront par la suite gagner une gâterie – chaque fois qu'ils aident à préparer un repas, à débarrasser la table, à laver la vaisselle, à balayer le plancher ou à sortir les ordures.

Ces activités aideront à transmettre à vos enfants votre amour de la cuisine, en plus de leur enseigner que la préparation d'un repas est l'affaire de chacun des membres de la famille, du choix des ingrédients au lavage de la vaisselle !

5. Veillez à la salubrité des aliments

Des études révèlent qu'un nombre important de maladies d'origine alimentaire attribuables à des microbes peuvent être évitées lorsque les aliments sont manipulés adéquatement. Lorsque vous cuisinez, suivez ces quatre étapes simples, mais importantes, recommandées par À bas les BACtéries ! pour réduire les risques d'intoxication alimentaire.

1. **Nettoyez.** Avant, pendant et après la cuisson, lavez-vous souvent les mains et récurez toutes les surfaces qui entrent en contact avec la nourriture.
2. **Réfrigérez.** Remettez rapidement les aliments dans le réfrigérateur ou le congélateur après leur utilisation.
3. **Séparez.** Gardez la viande, la volaille et les fruits de mer crus, ainsi que leur jus, loin des autres aliments. N'utilisez pas les mêmes ustensiles et plats pour la viande crue que pour la viande cuite ou pour d'autres aliments prêts à consommer.
4. **Cuisez.** Faites cuire les aliments jusqu'à l'obtention de la température interne appropriée. Utilisez un thermomètre numérique pour aliments afin de vérifier le degré de cuisson. Pour de plus amples renseignements, visitez le www.canfightbac.org/cpcfse/fr/cookwell/.

Vous trouverez de l'information supplémentaire sur la salubrité des aliments au www.canfightbac.org/fr/Default.aspx.

Conservez et réchauffez les restes prudemment

Pour que la nourriture demeure sécuritaire et savoureuse, elle doit être conservée et réchauffée adéquatement. La règle générale à appliquer est la suivante : « En cas de doute, jetez les aliments. » Voici toutefois quelques conseils qui vous éviteront toute incertitude.

Réfrigération des restes

- Réfrigérez les restes dans les deux heures suivant leur préparation. Les plats très chauds devraient reposer une trentaine de minutes à la température de la pièce avant d'être réfrigérés. Vous pouvez accélérer le refroidissement en les remuant souvent.
- Ne mettez jamais une grande casserole d'aliments très chauds (comme de la soupe, du ragoût ou de la sauce pour pâtes) directement au réfrigérateur. Les grandes quantités d'aliments peuvent prendre des heures et même des jours à refroidir. Un refroidissement lent représente l'environnement idéal pour la croissance de bactéries nuisibles. Séparez plutôt la nourriture en portions pour un repas dans des contenants hermétiques.
- Désossez les grosses pièces de viande ou de volaille, puis séparez-les en petites portions avant de les réfrigérer ou congeler.
- Mettez toujours les restes dans des contenants propres et ne les mélangez jamais avec des aliments frais.
- Utilisez des contenants hermétiques peu profonds ou des sacs en plastique à glissière. La nourriture refroidit plus vite dans des contenants larges et plats. Si vous utilisez des sacs, assurez-vous de bien les fermer.
- Placez les contenants sur les tablettes peu encombrées du réfrigérateur pour permettre une circulation d'air. Les aliments refroidiront plus vite que sur une tablette chargée.
- Ne surchargez pas votre réfrigérateur. Laissez de l'espace autour des contenants pour permettre à l'air de circuler et de refroidir les aliments rapidement et uniformément.
- Inscrivez la date sur les restes de manière qu'ils ne soient pas conservés trop longtemps. Mangez les restes, même ceux qui ont été congelés, dans les trois jours suivant leur cuisson ou leur décongélation.

Congélation des restes

- Laissez les aliments refroidir au réfrigérateur avant de les mettre au congélateur.
- Séparez les aliments en portions pour un repas et évitez de remplir les contenants jusqu'au bord ; la plupart des aliments prennent de l'expansion lorsqu'ils sont congelés. Faites sortir l'excédent d'air des emballages et des sacs.
- Utilisez des contenants ou des emballages conçus pour la congélation et fermez-les hermétiquement.
- Ne surchargez pas le congélateur. L'air froid doit pouvoir circuler autour des aliments.

Décongélation des restes

- La nourriture peut être décongelée au réfrigérateur, sous l'eau froide ou au four à micro-ondes en toute sécurité. Si vous faites décongeler de la nourriture au four à micro-ondes, faites-la cuire immédiatement. Ne faites pas décongeler la nourriture à la température de la pièce, car cela favorise la croissance de bactéries qui pourraient causer des maladies d'origine alimentaire attribuables à des microbes.
- Faites dégeler les aliments dans une assiette pour éviter que les fuites ne se répandent.

Réchauffage des restes

Réchauffez les restes aussi vite que possible pour éviter la croissance bactérienne pouvant causer des malaises d'origine alimentaire.

- Faites réchauffer les restes solides comme des morceaux de poulet et du pain de viande dans un four préchauffé à 180 °C (350 °F) jusqu'à une température interne minimale de 74 °C (165 °F).
- Faites réchauffer les soupes et les sauces à feu vif, jusqu'à forte ébullition.
- Suivez les instructions du fabricant du four à micro-ondes relativement au type d'aliment que vous y faites réchauffer.
- Jetez les restes réchauffés qui n'ont pas été consommés.

Pour de plus amples renseignements sur la manipulation sécuritaire des restes et sur la salubrité des aliments, visitez le **www.inspection.gc.ca/francais/fssa/concen/t ipcon/leftovf.shtml.**

Temps de conservation pour les aliments cuisinés

Produit	Refrigérateur (40 °F/4 °C)	Congélateur (0 °F/–17 °C)
Soupes et ragoûts	jusqu'à 3 jours	jusqu'à 6 mois
Viande cuite, pain de viande et plats à la viande en cocotte	jusqu'à 4 jours	jusqu'à 3 mois
Sauces et bouillons de viande	jusqu'à 2 jours	jusqu'à 3 mois
Plats de poulet en cocotte	jusqu'à 4 jours	jusqu'à 4 mois
Morceaux de poulet nature	jusqu'à 4 jours	jusqu'à 1 mois
Morceaux de poulet en sauce	jusqu'à 2 jours	jusqu'à 6 mois
Pizza	jusqu'à 4 jours	jusqu'à 2 mois
Poisson cuit	jusqu'à 4 jours	jusqu'à 6 mois
Mollusques et crustacés cuits	jusqu'à 4 jours	jusqu'à 3 mois
Plats composés (comme la lasagne)	jusqu'à 4 jours	jusqu'à 6 mois

Temps de conservation pour les produits de boulangerie

Les produits de boulangerie devraient être enveloppés dans une pellicule plastique ou du papier d'aluminium, puis dans un sac ou dans un contenant hermétique. Ils peuvent être décongelés à la température de la pièce.

Produit	Température de la pièce (72 °F/22 °C)	Congélateur (0 °F/–17 °C)
Galettes, gâteau danois, gâteau aux fruits	jusqu'à 5 jours	jusqu'à 3 mois
Muffins	jusqu'à 5 jours	jusqu'à 12 mois
Crêpes cuites	déconseillé; au réfrigérateur jusqu'à 2 jours	jusqu'à 1 mois
Biscuits, cuits	jusqu'à 3 semaines	jusqu'à 6 mois
Biscuits, non cuits	déconseillé	jusqu'à 6 mois
Barres et carrés	jusqu'à 1 semaine	jusqu'à 6 mois
Pain (sans agent de conservation)	jusqu'à 3 jours	jusqu'à 3 mois
Gâteau (sans glaçage)	jusqu'à 3 jours	jusqu'à 3 mois

Brunchs et petits-déjeuners

Le petit-déjeuner réveille les sens et fait commencer la journée du bon pied. Les bons choix alimentaires qu'on y fait donnent souvent le ton à toute notre journée. Les enfants qui déjeunent réussissent mieux à l'école et les adultes sont plus efficaces au travail et contrôlent mieux leur poids. Pour une petite gâterie de fin de semaine, servez un brunch. Profitez-en pour offrir une variété d'aliments et de boissons que vous n'avez pas le temps de préparer durant la semaine. En plus des recettes proposées dans ce chapitre, essayez l'une de nos délicieuses boissons frappées ou nos produits de boulangerie ou de pâtisserie.

Aucune cuisson requise

Ne vous privez pas d'un petit-déjeuner juste parce que vous êtes pressé et que vous n'avez pas le temps de cuisiner. Il existe plusieurs façons rapides de commencer la journée du bon pied avec un petit-déjeuner nutritif.

- Accompagnez votre café au lait d'une poignée de noix et d'une banane.
- Savourez un reste de salade de fruits garnie de yogourt et de vos céréales de grain entier favorites.
- Demandez aux enfants de préparer des parfaits pour le petit-déjeuner avant d'aller au lit. Disposez en couches du yogourt à la vanille, des petits fruits frais et des céréales de grain entier dans un verre transparent.

Couvrez et réfrigérez. Le matin venu, ouvrez le réfrigérateur et régalez-vous !

- Versez quelques cuillerées de la Fournée de mélange granola (p. 47) dans un bol et ajoutez-y du lait froid.
- Savourez un muffin maison, comme un Muffin au son, aux bananes et aux bleuets (p. 287), avec un morceau de fromage et un fruit. Tous nos muffins et nos pains rapides peuvent être congelés pour un petit-déjeuner express.
- Si vous devez déjeuner en vous déplaçant, préparez un sandwich avec du pain de blé entier et coupez-le en quatre. Ajoutez une grappe de raisins ou des morceaux de fruits dans un contenant en plastique, et le tour est joué !

Suggestions pour des petits-déjeuners express

- Conservez des céréales de grain entier prêtes à servir dans votre garde-manger.
- Ayez une variété de pains, de bagels, de muffins de grain entier et de muffins anglais au congélateur.
- Faites une grosse salade de fruits au moins une fois par semaine. Pour la préparer, commencez avec des fruits en conserve dans leur jus, puis ajoutez des fruits frais, comme des pêches, des poires et des kiwis coupés en morceaux, ainsi que des petits fruits frais de saison.
- Gardez des fruits coupés au réfrigérateur. Passez-les au mélangeur avec du lait pour obtenir un lait frappé.
- Ayez toujours du yogourt et du lait à portée de la main pour les céréales, les fruits et les laits frappés.
- Préparez du muesli en versant du lait sur des flocons d'avoine. Gardez au réfrigérateur pour la nuit. Le matin venu, ajoutez-y du yogourt et des fruits frais.
- Préparez une grande quantité de muffins santé en début de semaine et congelez-les. Sortez-en quelques-uns avant d'aller au lit et placez-les au réfrigérateur pour qu'ils dégèlent.
- Faites des crêpes ou des gaufres le dimanche matin et congelez les surplus. Mettez-les dans le grille-pain durant la semaine, pour une petite gâterie express.
- Faites des œufs durs pendant que vous préparez le souper et réfrigérez-les jusqu'au petit-déjeuner. Servez-les avec des rôties multigrain et un fruit.
- Dressez la table du petit-déjeuner avant d'aller au lit, ou demandez aux enfants de le faire ! Ils peuvent y mettre leurs céréales de grain entier préférées toutes prêtes à être versées dans leur bol !

La caféine et votre santé

La caféine, un composé naturellement présent dans plus de 60 plantes, se retrouve dans le café, le thé et le chocolat, et est utilisée dans la fabrication du cola et de plusieurs nouvelles boissons énergétiques. On ajoute également de la caféine à certains médicaments pour en améliorer l'efficacité. La caféine est un stimulant connu qui peut augmenter la vigilance mentale et diminuer la sensation de fatigue. Elle peut faire augmenter momentanément la pression artérielle, la fréquence cardiaque et la fréquence respiratoire. Cependant, lorsque les boissons et les aliments qui contiennent de la caféine sont consommés avec modération, dans le cadre d'une alimentation équilibrée, ils ne nuisent pas à la santé. Santé Canada considère que les apports quotidiens suivants en caféine sont sécuritaires.

Groupe de population	Apport maximal en caféine* (mg/jour)
Adultes	400-450 mg
Femmes enceintes ou qui allaitent	300 mg
Enfants 10 à 12 ans	85 mg
Enfants 7 à 9 ans	52,5 mg
Enfants 4 à 6 ans	45 mg

* Une tasse de café (250 ml) contient environ 150 mg de caféine, tandis qu'une tasse de thé en contient environ 40 mg.

(Source : http://www.hc-sc.gc.ca/iyh-vsv/food-aliment/caffeine_e.html)

Beurre ou margarine ?

Lequel est le meilleur ? Au bout du compte, les deux ont une haute teneur en matières grasses. Beurre et margarine contiennent 4 g de gras par 5 ml (1 c. à thé), ce qui équivaut à 36 calories. Le beurre contient du cholestérol et des gras saturés, alors que la margarine ne contient aucun cholestérol. Il faut cependant savoir que la margarine hydrogénée contient des gras saturés et des gras trans, alors que la margarine non hydrogénée est normalement fabriquée avec des huiles riches en gras insaturés. Quoi que vous choisissiez, rappelez-vous de tartiner légèrement.

**Sandra Gabriele,
diététiste, Ontario**

*Voici une délicieuse
variante sur le thème
du muesli, un petit-
déjeuner traditionnel
suisse nutritif.*

CONSEIL
N'hésitez pas à utiliser des
petits fruits surgelés.
Mettez-les simplement à
décongeler au frigo pour la
nuit, puis égouttez-les et
incorporez-les à la
préparation de yogourt juste
avant de servir.

Muesli aux pommes
et aux petits fruits

• *Temps de préparation : 10 minutes*

500 ml	flocons d'avoine à cuisson rapide	2 tasses
500 ml	yogourt nature faible en gras	2 tasses
250 ml	lait	1 tasse
45 ml	sucre granulé ou miel	3 c. à soupe
2	grosses pommes, évidées	2
	le jus de ½ citron	
250 ml	petits fruits, hachés grossièrement	1 tasse
	noix et raisins secs (facultatif)	

1. Dans un bol moyen, mélanger les flocons d'avoine, le yogourt, le lait et le sucre. Réserver.
2. Râper les pommes avec leur pelure. Verser le jus de citron sur les pommes râpées pour prévenir le brunissement. Incorporer les pommes et les petits fruits dans la préparation de yogourt et mélanger délicatement. Réfrigérer toute la nuit. Si désiré, garnir de noix et de raisins secs avant de servir.

SUGGESTION D'ACCOMPAGNEMENT : Par temps froid ou pluvieux, servez le muesli avec une tasse de chocolat chaud ou un café au lait.

De délicieuses céréales maison
pour le petit-déjeuner

En avez-vous ras-le-bol de toujours manger les mêmes céréales au petit-déjeuner ? Préparez vos propres mélanges de céréales. Non seulement vous vous régalerez, mais vous recevrez en plus l'énergie dont vous avez besoin pour commencer la journée du bon pied. Sous la supervision d'un adulte, les petits chefs en herbe prendront un grand plaisir à les concocter et ils adoreront préparer leur mélange de céréales pour le petit-déjeuner : du choix des ingrédients à la dégustation, ils seront impliqués à toutes les étapes !

Équivalents par portion pour les personnes diabétiques	
2	glucides
½	viandes et substituts

VALEUR NUTRITIVE par portion		
Calories : 201	Glucides : 36,1 g	Calcium : 164 mg
Matières grasses : 3,3 g	Fibres : 3,6 g	Fer : 1,3 mg
Sodium : 58 mg	Protéines : 8,1 g	

Teneur élevée en : calcium, vitamine B$_{12}$, magnésium et zinc
Source de : fibres alimentaires

Fournée de mélange granola

Eileen Campbell

- *Temps de préparation : 10 minutes*
- *Temps de cuisson : 30 minutes*
- *Four préchauffé à 140 °C (275 °F)*
- *Deux plaques à pâtisserie*

125 ml	sirop d'érable	½ tasse
30 ml	huile végétale	2 c. à soupe
30 ml	miel	2 c. à soupe
5 ml	extrait de vanille	1 c. à thé
675 ml	flocons d'avoine à cuisson rapide	2 ¾ tasses
125 ml	graines de tournesol	½ tasse
125 ml	graines de citrouille	½ tasse
125 ml	amandes en bâtonnets	½ tasse
60 ml	graines de sésame	¼ tasse
30 ml	graines de lin	2 c. à soupe
175 ml	fruits secs (raisins, bleuets, canneberges, cerises)	¾ tasse
175 ml	flocons de noix de coco non sucrés	¾ tasse

1. Dans un grand bol, mélanger le sirop d'érable, l'huile, le miel et la vanille. Ajouter les flocons d'avoine, les graines de tournesol, les graines de citrouille, les amandes, les graines de sésame et les graines de lin. Bien mélanger. Étendre la préparation sur une plaque à pâtisserie.
2. Cuire au four préchauffé pendant 15 minutes. Ajouter les fruits secs et la noix de coco ; bien mélanger. Cuire 15 minutes supplémentaires, ou jusqu'à ce que la préparation soit légèrement dorée. Sortir du four et étendre le mélange sur une autre plaque à pâtisserie. Laisser refroidir avant de mettre dans un bocal.

SUGGESTION D'ACCOMPAGNEMENT : Ces céréales seront délicieuses servies sur votre yogourt préféré, ou simplement avec du lait.

Ces céréales sont un en-cas délicieux et nutritif, et elles se conservent jusqu'à un mois dans un contenant hermétique. Elles sont excellentes pour préparer les Pommes farcies au mélange granola (p. 296) ou les Coupes étagées de yogourt aux petits fruits (voir ci-dessous).

Coupe étagée de yogourt aux petits fruits et au mélange granola

Pour chaque portion, déposez du yogourt à la vanille dans une jolie coupe, recouvrez d'un étage de petits fruits, puis d'un étage de mélange granola. Préparez vos coupes la veille, couvrez-les d'une pellicule plastique et déposez-les au réfrigérateur. Ou encore, mettez à la disposition de vos enfants tout un assortiment de yogourts, parfumés et de fruits, et laissez-les préparer une coupe selon leurs goûts. Bon appétit !

VALEUR NUTRITIVE par portion

Calories : 193	Glucides : 22,6 g	Calcium : 34 mg
Matières grasses : 10,3 g	Fibres : 3,2 g	Fer : 1,9 mg
Sodium : 6 mg	Protéines : 5 g	

Teneur très élevée en : magnésium
Teneur élevée en : zinc
Source de : fibres alimentaires

Équivalents par portion pour les personnes diabétiques

1 ½	glucides
½	viandes et substituts
1 ½	matières grasses

Gruau énergisant

18 PORTIONS

Konnie Kranenburg,
Alberta

Konnie a concocté cette recette nourrissante et énergétique dans les années 1980, alors qu'elle s'entraînait pour le triathlon. Vingt ans plus tard, elle déguste toujours son délicieux gruau énergisant tous les matins.

CONSEILS

Les céréales 9 grains sont souvent vendues au rayon du vrac des supermarchés ou des magasins d'aliments naturels.

Pour obtenir du germe de blé grillé, faites chauffer une poêle à feu moyen et laissez-y griller le germe en remuant de temps en temps pendant environ 4 minutes, ou jusqu'à ce qu'il soit odorant.

- *Temps de préparation : 10 minutes*
- *Temps de cuisson : 5 minutes*

1,5 l	gros flocons d'avoine à l'ancienne	6 tasses
250 ml	céréales 9 grains pour le petit-déjeuner (par exemple : Red River)	1 tasse
175 ml	germe de blé, grillé (voir Conseils, à gauche)	¾ tasse
125 ml	son d'avoine	½ tasse
125 ml	raisins secs ou canneberges séchées	½ tasse
125 ml	graines de tournesol	½ tasse

1. Dans un grand bol, mélanger les flocons d'avoine, les céréales 9 grains, le germe de blé, le son d'avoine, les raisins ou les canneberges, et les graines de tournesol. Conserver la préparation dans un grand contenant hermétique à la température ambiante pendant une semaine ou au réfrigérateur pendant trois mois.

2. Pour préparer une portion, porter 250 ml (1 tasse) d'eau à ébullition dans une petite casserole. Ajouter 125 ml (½ tasse) de gruau et mélanger. Cuire à feu doux en remuant de temps en temps, jusqu'à épaississement, environ 5 minutes.

✓ UN FAVORI DES ENFANTS

SUGGESTION D'ACCOMPAGNEMENT : Servez-le avec de la cassonade et du lait chaud. Ajoutez aussi quelques bleuets si vous en avez sous la main.

Équivalents par portion pour les personnes diabétiques

2	glucides
1	matières grasses

VALEUR NUTRITIVE par portion

Calories : 201	Glucides : 33,4 g	Calcium : 26 mg
Matières grasses : 5,1 g	Fibres : 5,3 g	Fer : 2,6 mg
Sodium : 4 mg	Protéines : 8,5 g	

Teneur très élevée en : thiamine et magnésium
Teneur élevée en : fibres alimentaires, fer et zinc

Gruau gourmand

- *Temps de préparation : 5 minutes*
- *Temps de cuisson : 10 à 15 minutes*

750 ml	lait ou boisson de soja	3 tasses
250 ml	flocons d'avoine à cuisson rapide	1 tasse
30 ml	cassonade bien tassée ou sirop d'érable	2 c. à soupe
15 ml	graines de lin, moulues	1 c. à soupe
10 ml	germe de blé, grillé (voir Conseils, p. 48)	2 c. à thé
5 ml	margarine ou beurre	1 c. à thé
2 ml	cannelle moulue (facultatif)	½ c. à thé
une pincée	sel	une pincée
75 ml	raisins secs ou canneberges séchées (facultatif) amandes, noix ou pacanes, grillées et hachées (facultatif)	⅓ tasse

1. Dans une grande casserole, mélanger le lait, les flocons d'avoine, la cassonade, les graines de lin, le germe de blé, la margarine, la cannelle et le sel. Cuire à feu moyen doux en remuant souvent, de 10 à 15 minutes ou jusqu'à épaississement. Retirer du feu, ajouter les raisins secs et laisser reposer 2 minutes. Garnir de noix (facultatif).

✓ **UN FAVORI DES ENFANTS**

SUGGESTION D'ACCOMPAGNEMENT : Ce gruau est délicieux avec une orange en à-côté. Pelez-la et séparez-la en quartiers la veille pour gagner du temps le lendemain matin.

4 PORTIONS

Lisa Diamond, diététiste, Colombie-Britannique

Les enfants de Lisa adorent le gruau instantané. Afin de leur offrir un plat plus nutritif, elle a créé sa propre recette. Les petits réclament maintenant le « gruau de maman », qu'ils avalent goulûment.

CONSEIL
Optez pour une margarine non hydrogénée afin de réduire l'apport en gras trans.

VALEUR NUTRITIVE par portion		
Calories : 230	Glucides : 32,1 g	Calcium : 236 mg
Matières grasses : 6,9 g	Fibres : 2,7 g	Fer : 1,4 mg
Sodium : 165 mg	Protéines : 10,3 g	

Teneur très élevée en : magnésium
Teneur élevée en : calcium, riboflavine et zinc
Source de : fibres alimentaires

Équivalents par portion pour les personnes diabétiques

2	glucides
1	matières grasses

Lisa Haber, diététiste, Alberta

Un petit-déjeuner pas banal pour commencer la journée du bon pied ! Demandez à vos enfants de mettre la main à la pâte. Les enfants qui participent à la préparation des plats sont plus enclins à les apprécier, sans compter qu'il s'agit d'une excellente façon de passer du bon temps avec eux.

VARIANTES

Remplacez les raisins secs par vos fruits secs préférés.

Ajoutez les noix et les graines de votre choix à la recette, pour obtenir des biscuits différents à chaque fournée.

Pour des biscuits plus riches en fibres et contenant moins de matières grasses, remplacez l'huile végétale par 60 ml (¼ tasse) de purée de fruits ou encore par des lentilles rouges ou des haricots blancs cuits et réduits en purée.

Biscuits du petit-déjeuner

- *Temps de préparation : 15 minutes*
- *Temps de cuisson : 15 à 20 minutes*
- *Four préchauffé à 160 °C (325 °F)*
- *Plaque à pâtisserie tapissée de papier sulfurisé*

375 ml	farine de blé entier	1 ½ tasse
5 ml	bicarbonate de soude	1 c. à thé
5 ml	poudre à pâte	1 c. à thé
1 ml	sel	¼ c. à thé
175 ml	cassonade, légèrement tassée	¾ tasse
125 ml	beurre	½ tasse
60 ml	huile végétale	¼ tasse
60 ml	huile d'olive	¼ tasse
2	œufs	2
60 ml	graines de lin (moulues ou entières)	¼ tasse
5 ml	extrait de vanille	1 c. à thé
625 ml	céréales 9 grains pour le petit-déjeuner (voir Conseils, p. 48)	2 ½ tasses
175 ml	flocons de noix de coco non sucrés	¾ tasse
125 ml	raisins secs ou canneberges séchées	½ tasse

1. Dans un petit bol, mélanger la farine, le bicarbonate, la poudre à pâte et le sel.
2. Dans un grand bol, au mélangeur électrique, battre la cassonade, le beurre, l'huile végétale et l'huile d'olive jusqu'à consistance crémeuse. Incorporer les œufs, les graines de lin et la vanille. Ajouter le mélange de farine et bien mélanger. Ajouter les céréales 9 grains, la noix de coco et les raisins secs.
3. Déposer la pâte par cuillerée à soupe (15 ml) sur une plaque à pâtisserie tapissée de papier sulfurisé, en laissant un espace de 5 cm (2 po) entre chaque. Aplatir les biscuits à la fourchette.
4. Cuire au four préchauffé de 15 à 20 minutes, ou jusqu'à ce que les biscuits soient dorés. Sortir la plaque du four et la déposer sur une grille. Laisser refroidir les biscuits 10 minutes avant de les retirer de la plaque.

❄ SE CONGÈLE BIEN
✓ UN FAVORI DES ENFANTS

Équivalents par portion pour les personnes diabétiques	
1	glucides
1 ½	matières grasses

VALEUR NUTRITIVE par portion		
Calories : 138	Glucides : 15,8 g	Calcium : 19 mg
Matières grasses : 7,9 g	Fibres : 2,5 g	Fer : 0,8 mg
Sodium : 100 mg	Protéines : 2,5 g	
Source de : fibres alimentaires		

Crêpes au babeurre

- *Temps de préparation : 10 minutes*
- *Temps de cuisson : 15 minutes*

175 ml	farine de blé entier	¾ tasse
60 ml	germe de blé	¼ tasse
5 ml	bicarbonate de soude	1 c. à thé
1 ml	sel	¼ c. à thé
1	œuf, légèrement battu	1
250 ml	babeurre	1 tasse
30 ml	huile végétale	2 c. à soupe
	enduit végétal en vaporisateur	

1. Dans un petit bol, mélanger la farine, le germe de blé, le bicarbonate et le sel.
2. Dans un grand bol, battre ensemble l'œuf, le babeurre et l'huile. Incorporer les ingrédients secs ; bien mélanger.
3. À feu moyen vif, faire chauffer une grande poêle antiadhésive ou une plaque chauffante. Y vaporiser légèrement de l'enduit végétal. Verser 60 ml (¼ tasse) de pâte dans la poêle et cuire jusqu'à ce que le pourtour de la crêpe se détache légèrement, environ 2 minutes. Retourner la crêpe et laisser cuire jusqu'à ce qu'elle soit dorée, à nouveau environ 2 minutes. La déposer ensuite dans une assiette maintenue au chaud au four, à basse température. Répéter l'opération avec le reste de la pâte en prenant soin d'ajuster la température du feu et d'enduire la poêle d'un peu d'huile, au besoin.

❄ SE CONGÈLE BIEN
✓ UN FAVORI DES ENFANTS

10 CRÊPES (1 CRÊPE PAR PORTION)

Eileen Campbell

Cette recette facile à préparer contient plus de fibres que les préparations à crêpes du commerce ; voilà un élément intéressant de ce petit-déjeuner sain et nutritif !

VARIANTE
Ajoutez 250 ml (1 tasse) de petits fruits à la pâte. Enrobez-les d'un peu de farine pour éviter que leur jus se répande dans la pâte.

VALEUR NUTRITIVE par portion		
Calories : 83	Glucides : 9,2 g	Calcium : 35 mg
Matières grasses : 4 g	Fibres : 1,5 g	Fer : 0,6 mg
Sodium : 216 mg	Protéines : 3,3 g	

Équivalents par portion pour les personnes diabétiques	
½	glucides
1	matières grasses

12 CRÊPES
(1 PAR PORTION)

**12 CRÊPES
(1 PAR PORTION)**

Jorie Janzen, Manitoba

Ces crêpes savoureuses sont faciles à préparer. Agrémentées d'un trait de sirop d'érable, elles feront le délice des petits.

Crêpes à l'avoine

- **Temps de préparation : 5 minutes**
- **Temps de cuisson : 12 à 15 minutes**

6	blancs d'œufs	6
250 ml	gros flocons d'avoine à l'ancienne	1 tasse
250 ml	fromage cottage sans matières grasses	1 tasse
10 ml	sucre granulé	2 c. à thé
5 ml	cannelle moulue (facultatif)	1 c. à thé
5 ml	extrait de vanille	1 c. à thé
	enduit végétal en vaporisateur	

1. Au mélangeur, à vitesse moyenne, mélanger les blancs d'œufs, les flocons d'avoine, le fromage cottage, le sucre, la cannelle et la vanille jusqu'à consistance lisse.
2. À feu moyen doux, faire chauffer une grande poêle antiadhésive ou une plaque chauffante. Y vaporiser légèrement de l'enduit végétal. Verser 60 ml (¼ tasse) de pâte dans la poêle et cuire jusqu'à ce que le pourtour de la crêpe se détache légèrement, environ 2 minutes. Retourner la crêpe et la cuire jusqu'à ce qu'elle soit dorée, à nouveau environ 2 minutes. La déposer ensuite dans une assiette maintenue au chaud au four, à basse température. Répéter l'opération avec le reste de la pâte en prenant soin d'ajuster la température du feu et d'enduire la poêle d'un peu d'huile, au besoin.

❄ **SE CONGÈLE BIEN**
✓ **UN FAVORI DES ENFANTS**

SUGGESTION D'ACCOMPAGNEMENT : Servez-les avec des petits fruits frais et une cuillerée de votre yogourt préféré.

Équivalents par portion pour les personnes diabétiques

½	glucides
½	viandes et substituts

VALEUR NUTRITIVE par portion

Calories : 58	Glucides : 6,5 g	Calcium : 11 mg
Matières grasses : 0,7 g	Fibres : 0,7 g	Fer : 0,4 mg
Sodium : 62 mg	Protéines : 6,1 g	

Crêpes de Catherine à la semoule de maïs

- **Temps de préparation : 15 minutes**
- **Temps de cuisson : 30 minutes**

250 ml	farine de blé entier	1 tasse
250 ml	farine tout usage	1 tasse
250 ml	semoule de maïs	1 tasse
60 ml	sucre granulé	¼ tasse
5 ml	bicarbonate de soude	1 c. à thé
5 ml	poudre à pâte	1 c. à thé
2	œufs	2
500 ml	babeurre (divisé en 2 portions)	2 tasses
250 ml	purée de courge musquée	1 tasse
45 ml	huile végétale	3 c. à soupe
5 ml	extrait de vanille	1 c. à thé
	enduit végétal en vaporisateur	
250 ml	fruits frais ou surgelés	1 tasse

1. Dans un grand bol, mélanger la farine de blé entier, la farine tout usage, la semoule de maïs, le sucre, le bicarbonate et la poudre à pâte.
2. Dans un bol moyen, battre les œufs avec 375 ml (1 ½ tasse) de babeurre, la purée de courge, l'huile végétale et la vanille. Incorporer cette préparation dans le mélange de farine. Si le mélange est trop épais, le clarifier en ajoutant, petit à petit, le reste du babeurre, jusqu'à l'obtention de la consistance souhaitée.
3. À feu moyen vif, faire chauffer une grande poêle antiadhésive ou une plaque chauffante. Y vaporiser légèrement de l'enduit végétal. Verser 125 ml (½ tasse) de pâte dans la poêle et cuire jusqu'à ce que le pourtour de la crêpe se détache légèrement, environ 3 minutes. Retourner la crêpe et cuire jusqu'à ce qu'elle soit dorée, à nouveau environ 3 minutes. La déposer sur une assiette maintenue au chaud au four, à basse température. Répéter l'opération avec le reste de la pâte en prenant soin d'ajuster la température du feu et d'enduire la poêle d'un peu d'huile, au besoin.
4. Garnir les crêpes de 15 à 30 ml (1 à 2 c. à soupe) de fruits.

❄ **SE CONGÈLE BIEN**
✓ **UN FAVORI DES ENFANTS**

VALEUR NUTRITIVE par portion		
Calories : 198	Glucides : 33 g	Calcium : 66 mg
Matières grasses : 5,2 g	Fibres : 3 g	Fer : 1,3 mg
Sodium : 174 mg	Protéines : 5,7 g	

Teneur très élevée en : riboflavine et acide folique
Teneur élevée en : vitamine A
Source de : fibres alimentaires

---

12 GRANDES CRÊPES (1 PAR PORTION)

Ellen Lakusiak, diététiste, Ontario

Si les membres de votre famille ne sont pas des amateurs de courges, mettez la couleur jaune de vos crêpes sur le compte de la semoule de maïs. Une fois qu'ils y auront goûté, ils ne se plaindront pas !

CONSEILS
Conservez vos surplus de courges au congélateur dans des contenants de 250 ml (1 tasse) et décongelez-les au four à micro-ondes juste avant de préparer des crêpes.

Garnissez les crêpes avec vos fruits préférés.

Les crêpes cuites se conservent bien au congélateur dans un sac à congélation. Elles se réchauffent au grille-pain.

Ellen prépare des crêpes à l'avance pour les lunchs des membres de sa famille. Il leur suffit de les réchauffer au four à micro-ondes ou au grille-pain le temps venu.

VARIANTE
Remplacez la purée de courge par de la purée de patates douces.

Équivalents par portion pour les personnes diabétiques	
2	glucides
1	matières grasses

Claudette Mayer-Lanthier, Québec

Claudette a concocté un délice matinal nutritif et très riche en fibres, et qui se prépare en un éclair. Pour bénéficier de l'apport nutritif des graines de lin, celles-ci doivent être moulues, bien que les graines entières ajoutent du croquant.

CONSEIL

Un pain pita de blé entier, multigrain ou au muesli constitue un excellent choix santé.

Pita aux fruits

● *Temps de préparation : 5 minutes*

½	banane, écrasée	½
15 ml	graines de lin, moulues ou entières	1 c. à soupe
5 ml	graines de citrouille	1 c. à thé
1	pain pita de 15 cm (6 po) de diamètre	1
1	fraise, tranchée finement	1

1. Dans un petit bol, mélanger la banane, les graines de lin et les graines de citrouille.
2. Faire griller le pain pita et l'ouvrir. Garnir le pain pita avec la préparation à la banane et les tranches de fraise. Déguster immédiatement alors que le pain est encore chaud.

✔ **UN FAVORI DES ENFANTS**

Équivalents par portion pour les personnes diabétiques	
3	glucides
½	viandes et substituts
1 ½	matières grasses

VALEUR NUTRITIVE par portion		
Calories : 348	Glucides : 54,4 g	Calcium : 128 mg
Matières grasses : 11 g	Fibres : 8,6 g	Fer : 3,3 mg
Sodium : 329 mg	Protéines : 11,1 g	

Teneur très élevée en : fibres alimentaires, thiamine, niacine, acide folique et magnésium
Teneur élevée en : fer, riboflavine, vitamine B_6 et zinc

Bagels double fromage aux pommes et à l'érable

- *Temps de préparation : 2 minutes*
- *Temps de cuisson : 5 minutes*
- *Gril du four préchauffé*

2	bagels, coupés en deux	2
60 ml	compote de pommes non sucrée	¼ tasse
125 g	cheddar canadien, tranché	4 oz
60 g	brie canadien, tranché	2 oz
20 ml	sirop d'érable	4 c. à thé

1. Faire griller les moitiés de bagel. Tartiner chaque moitié avec 15 ml (1 c. à soupe) de compote de pommes et les recouvrir chacune du quart du brie et du quart du cheddar.
2. Enfourner et faire griller jusqu'à ce que le fromage soit fondu, environ 5 minutes.
3. Arroser chaque moitié de bagel de 5 ml (1 c. à thé) de sirop d'érable.

> **SUGGESTION D'ACCOMPAGNEMENT :** Un bol de salade de fruits accompagne à merveille ces bagels.

4 PORTIONS

Les producteurs laitiers du Canada

Voici une combinaison inhabituelle, pour des bagels débordant de saveurs !

VARIANTE
Délicieux avec du fromage Oka et du havarti.

VALEUR NUTRITIVE par portion		
Calories : 283	Glucides : 25,6 g	Calcium : 262 mg
Matières grasses : 13,9 g	Fibres : 1 g	Fer : 1,6 mg
Sodium : 455 mg	Protéines : 13,8 g	

Teneur élevée en : calcium, riboflavine, niacine, acide folique, vitamine B_{12} et zinc

Équivalents par portion pour les personnes diabétiques

1 ½ glucides
1 ½ viandes et substituts
1 ½ matières grasses

**Vrinda Walker,
Colombie-Britannique**

Que vous soyez végétarien, végétalien ou que vous souhaitiez tout simplement manger moins de viande, ces muffins sont excellents pour commencer la journée, et les enfants en raffolent ! Pour un plat végétalien, optez pour les produits à base de soja.

CONSEILS

Choisissez des muffins multigrains, de blé entier ou encore de blé entier et raisins.

Optez pour une margarine non hydrogénée pour limiter l'apport en gras trans.

Muffins anglais au tofu

- *Temps de préparation : 3 minutes*
- *Temps de cuisson : 5 à 7 minutes*

250 g	tofu, fermeté moyenne	8 oz
30 ml	sauce soja à teneur réduite en sodium	2 c. à soupe
	enduit végétal en vaporisateur	
1 ml	curcuma moulu (facultatif)	¼ c. à thé
	sel	
	poivre noir fraîchement moulu (facultatif)	
4	tranches de jambon de soja	4
	ou bacon de dos	
4	muffins anglais, coupés en deux	4
20 ml	margarine	4 c. à thé
20 ml	ketchup	4 c. à thé
4	tranches de 30 g (1 oz) de fromage de soja	4
	(ou cheddar, suisse, Monterey Jack ou provolone)	

1. Émietter le tofu de manière à obtenir la texture des œufs brouillés.
2. Dans un petit bol, mélanger le tofu et la sauce soja.
3. Faire chauffer une grande poêle à feu moyen vif. Y vaporiser de l'enduit végétal. Saupoudrer le curcuma au fond de la poêle. Laisser cuire quelques secondes (le curcuma conférera au tofu la couleur jaune des œufs brouillés). Ajouter le tofu et cuire en remuant de temps en temps de 5 à 7 minutes, ou jusqu'à ce que le tofu soit légèrement doré. Assaisonner au goût.
4. Durant les deux dernières minutes de cuisson du tofu, dégager une partie de la poêle et y vaporiser d'un peu d'enduit végétal. Ajouter le jambon de soja et le cuire environ 1 minute chaque côté ou jusqu'à ce qu'il soit légèrement doré.
5. Pendant ce temps, faire griller les muffins. Tartiner les bases des muffins de 5 ml (1 c. à thé) de margarine et les dessus de 5 ml (1 c. à thé) de ketchup. Sur chacune des bases, déposer un quart du tofu brouillé, 1 tranche de fromage de soja et 1 tranche de jambon de soja. Recouvrir avec les dessus et servir.

✓ UN FAVORI DES ENFANTS

Équivalents par portion pour les personnes diabétiques

2	glucides
1 ½	viandes et substituts
½	matières grasses

VALEUR NUTRITIVE par portion		
Calories : 272	Glucides : 32,2 g	Calcium : 243 mg
Matières grasses : 10,3 g	Fibres : 5 g	Fer : 2,5 mg
Sodium : 1,173 mg	Protéines : 16,9 g	

Teneur très élevée en : acide folique et magnésium
Teneur élevée en : fibres alimentaires, calcium, fer, thiamine, niacine et zinc

Coupes aux œufs

4 PORTIONS

Heidi Piovoso et Kristyn Hall, diététistes, Alberta

- *Temps de préparation : 10 minutes*
- *Temps de cuisson : 12 à 15 minutes*
- *Four préchauffé à 180 °C (350 °F)*
- *Un moule métallique à muffins (4 des moules doivent être graissés)*

Les diététistes qui ont créé ce plat simple ont reçu de nombreuses félicitations pour sa présentation – une personne a même qualifié la coupe de « fleur » ! Les enfants seront ravis de participer à sa préparation.

4	tranches de charcuterie, jambon de préférence (ou 8 tranches très fines)	4
3	champignons, tranchés finement	3
¼	poivron (couleur au choix), en dés quelques feuilles d'épinards, hachées	¼
250 ml	cheddar, suisse, feta ou gouda, râpés	1 tasse
4	œufs	4
15 ml	parmesan, fraîchement râpé (facultatif)	1 c. à soupe
une pincée	sel	une pincée

1. Tapisser le fond des moules avec les tranches de charcuterie. Ajouter environ 10 ml (2 c. à thé) de légumes (champignon, poivron, épinards) dans chaque moule, puis 60 ml (¼ tasse) de fromage. Casser un œuf dans chaque moule, percer le jaune à la fourchette et saupoudrer de parmesan. Saler.
2. Cuire au four préchauffé de 12 à 15 minutes, ou jusqu'à ce que les œufs soient cuits à votre goût. Pour démouler, faire glisser une cuillère sur la paroi intérieure du moule et soulever.

✓ UN FAVORI DES ENFANTS

SUGGESTION D'ACCOMPAGNEMENT : Servez cette coupe avec une tranche de pain de grain entier et une salade de fruits.

VALEUR NUTRITIVE par portion		
Calories : 225	Glucides : 2,6 g	Calcium : 246 mg
Matières grasses : 15,2 g	Fibres : 0,5 g	Fer : 1,5 mg
Sodium : 570 mg	Protéines : 18,8 g	

Teneur très élevée en : vitamine A, thiamine, riboflavine, niacine et vitamine B$_{12}$
Teneur élevée en : calcium, acide folique et zinc

Équivalents par portion pour les personnes diabétiques

3	viandes et substituts

Eileen Campbell

Ce plat polyvalent se sert aussi bien au petit-déjeuner qu'au brunch ou au repas de midi. Le tzatziki et la feta lui confèrent une saveur caractéristique de la Grèce.

CONSEIL

Pour des œufs brouillés qui se tiennent, assurez-vous de bien égoutter les artichauts et les poivrons.

VARIANTES

Pour des œufs brouillés à l'italienne, remplacez les artichauts et la feta par des tomates en dés et de la mozzarella faible en gras, et pour des œufs brouillés à la française, allez-y de ciboulette et de brie !

Adaptez ce plat d'œufs brouillés au pays de votre choix en utilisant les ingrédients nationaux de prédilection !

Œufs brouillés à la grecque

- *Temps de préparation : 10 minutes*
- *Temps de cuisson : 4 à 5 minutes*

8	œufs	8
60 ml	tzatziki (du commerce ou maison, voir recette, page suivante)	¼ tasse
2	oignons verts, hachés	2
2	poivrons rouges rôtis, en dés	2
250 ml	cœurs d'artichaut en conserve, égouttés et hachés	1 tasse
125 ml	feta émiettée	½ tasse
15 ml	aneth frais, haché	1 c. à soupe
2 ml	poivre noir, fraîchement moulu	½ c. à thé
30 ml	huile végétale	2 c. à soupe

1. Dans un grand bol, battre les œufs et le tzatziki. Incorporer les oignons verts, les poivrons rouges, les cœurs d'artichaut, la feta, l'aneth et le poivre ; bien mélanger.
2. Dans une grande poêle antiadhésive, chauffer l'huile à feu moyen. Verser le mélange d'œufs et cuire en remuant constamment avec une cuillère en bois de 4 à 5 minutes, ou jusqu'à ce que les œufs soient cuits mais encore moelleux.

SUGGESTIONS D'ACCOMPAGNEMENT : Servez-les avec un pain pita de blé entier ou une tranche épaisse de pain italien de blé entier.

Au souper : Servez-les avec la Salade d'épinards du jardin (p. 141) et les Muffins à l'orange et aux canneberges (p. 291). Pour un plat express, accompagnez-les de laitue en sac prête à servir, de fruits et de biscuits maison.

Équivalents par portion pour les personnes diabétiques

1 ½	viandes et substituts
1 ½	matières grasses

VALEUR NUTRITIVE par portion		
Calories : 203	Glucides : 7,3 g	Calcium : 124 mg
Matières grasses : 14,6 g	Fibres : 1,9 g	Fer : 1,5 mg
Sodium : 271 mg	Protéines : 11,8 g	

Teneur très élevée en : vitamine C, acide folique et vitamine B_{12}
Teneur élevée en : vitamine A, riboflavine et niacine

Tzatziki

500 ml	yogourt nature	2 tasses
125 ml	concombre, râpé et égoutté	½ tasse
2	gousses d'ail, pressées	2

1. Tapisser une passoire d'étamine et la placer sur un bol. Verser le yogourt dans la passoire, placer au réfrigérateur et laisser égoutter de 1 à 3 heures, jusqu'à ce que le yogourt ait épaissi. Jeter le liquide qui se trouve dans le bol (ou l'ajouter dans d'autres yogourts pour en faire des yogourts à boire, ou dans des laits fouettés).
2. Dans un petit bol, mélanger le yogourt épaissi, le concombre et l'ail. Couvrir hermétiquement avec une pellicule plastique et réfrigérer au moins 30 minutes avant de servir.

1 ½ TASSE (375 ML) (15 ML PAR PORTION)

Eileen Campbell

Le tzatziki est une sauce grecque à base de yogourt et de concombre que l'on peut se procurer déjà préparée dans la plupart des supermarchés. Si vous n'en trouvez pas, préparez-le à la maison.

VALEUR NUTRITIVE par portion		
Calories : 11	Glucides : 1,1 g	Calcium : 33 mg
Matières grasses : 0,3 g	Fibres : 0 g	Fer : 1,5 mg
Sodium : 9 mg	Protéines : 1 g	

Équivalents par portion pour les personnes diabétiques

1	extra

Œufs brouillés au fromage

4 PORTIONS

Cynthia Mannion,
Alberta

Dans ce plat simple et délicieux, les raisins et les œufs se marient harmonieusement. Ils font merveille dans un brunch.

CONSEILS

Optez pour une margarine non hydrogénée afin de réduire l'apport en gras trans.

Pour savoir si un œuf est frais, déposez-le (sans le casser) dans un bol d'eau. S'il est frais, il demeurera au fond du bol ; s'il ne l'est pas, il flottera à la surface.

- **Temps de préparation : 5 minutes**
- **Temps de cuisson : 3 minutes**

	enduit végétal en vaporisateur	
4	œufs	4
60 ml	lait	¼ tasse
2	oignons verts, hachés finement	2
15 ml	parmesan, fraîchement râpé	1 c. à soupe
4	tranches de pain aux raisins	4
	beurre ou margarine	

1. Chauffer une poêle antiadhésive à feu moyen et la vaporiser d'enduit végétal.
2. Pendant ce temps, dans un petit bol, battre les œufs et le lait. Verser les œufs dans la poêle et cuire 2 minutes en remuant constamment. Ajouter les oignons verts et cuire en remuant constamment, jusqu'à ce que les œufs soient cuits, mais encore moelleux, environ 1 minute.
3. Répartir les œufs brouillés au centre de quatre assiettes et saupoudrer de parmesan.
4. Griller le pain au raisin et le beurrer légèrement. Couper les tranches en quatre et les disposer autour des œufs.

✓ **UN FAVORI DES ENFANTS**

SUGGESTION D'ACCOMPAGNEMENT : Servez les œufs brouillés avec un verre de jus de fruits pur.

Équivalents par portion pour les personnes diabétiques	
1	glucides
1	viandes et substituts
1	matières grasses

VALEUR NUTRITIVE par portion		
Calories : 166	Glucides : 15,5 g	Calcium : 83 mg
Matières grasses : 7,3 g	Fibres : 1,3 g	Fer : 1,5 mg
Sodium : 195 mg	Protéines : 9,5 g	

Teneur très élevée en : vitamine B_{12}
Teneur élevée en : riboflavine et acide folique

Omelette aux patates douces

- *Temps de préparation : 6 minutes*
- *Temps de cuisson : 4 minutes*

2	œufs	2
250 ml	patates douces, pelées et râpées	1 tasse
125 ml	oignon, haché	½ tasse
1	gousse d'ail, hachée	1
5 ml	sel ou sauce soja	1 c. à thé
15 ml	huile végétale	1 c. à soupe

1. Dans un petit bol, battre les œufs à la fourchette. Incorporer les patates douces, l'oignon, l'ail et le sel ; bien mélanger.
2. Chauffer une poêle à feu moyen vif. Verser l'huile et bien l'étaler en inclinant la poêle. Verser le mélange d'œufs et cuire environ 2 minutes par côté, ou jusqu'à ce que l'omelette soit légèrement dorée.

✓ UN FAVORI DES ENFANTS

SUGGESTION D'ACCOMPAGNEMENT : Pour commencer la journée du bon pied, servez cette omelette avec un fruit et un verre de lait.

2 PORTIONS

Nena Wirth, diététiste, Ontario

Cette succulente omelette a de quoi ravir les palais les plus difficiles !

CONSEIL
Pour bien réussir la cuisson (et la présentation) de l'omelette, déposez une assiette sur la poêle et retournez le tout rapidement. L'omelette aura tombé dans l'assiette et vous n'aurez plus qu'à la glisser ensuite dans la poêle pour cuire le dessous !

VARIANTE
Remplacez les patates douces par des haricots verts, des germes de haricots, des poivrons en dés, des champignons en dés ou un mélange de vos légumes préférés.

VALEUR NUTRITIVE par portion		
Calories : 193	Glucides : 14,6 g	Calcium : 52 mg
Matières grasses : 11,9 g	Fibres : 2 g	Fer : 1,1 mg
Sodium : 364 mg	Protéines : 7,4 g	

Teneur très élevée en : vitamine A et vitamine B_{12}
Teneur élevée en : acide folique
Source de : fibres alimentaires

Équivalents par portion pour les personnes diabétiques

½	glucides
1	viandes et substituts
1	matières grasses

Erna Braun, Manitoba

Ce n'est pas parce qu'elle est sans croûte que cette quiche n'est pas tout simplement délicieuse !

VARIANTE

Remplacez les courgettes par du brocoli blanchi, et ajoutez-y du jambon.

SUGGESTIONS D'ACCOMPA-GNEMENT :

Accompagnée d'une salade verte et du pain de grains entiers, cette quiche est idéale au brunch. Terminez le repas avec des Poires à la toscane (p. 298).

Si vous avez beaucoup d'invités pour le brunch, servez cette quiche avec la Salade printanière (p. 139), la Fournée de pains multigrains (p. 280), le Pain épicé aux noix et à la citrouille (p. 283), une salade de fruits frais et les Biscuits au beurre d'arachide et aux graines de lin (p. 317).

Quiche sans croûte aux courgettes

- *Temps de préparation : 15 minutes*
- *Temps de cuisson : 45 à 55 minutes*
- *Four préchauffé à 180 °C (350 °F)*
- *Un plat à tarte profond de 23 cm (9 po) de diamètre, graissé*

	enduit végétal en vaporisateur	
250 ml	oignons, hachés	1 tasse
5	œufs	5
375 ml	lait écrémé	1 ½ tasse
625 ml	courgettes, râpées et égouttées	2 ½ tasses
500 ml	poivrons rouges, hachés	2 tasses
45 ml	farine tout usage	3 c. à soupe
10 ml	poudre à pâte	2 c. à thé
5 ml	sel	1 c. à thé
2 ml	poivre noir, fraîchement moulu	½ c. à thé
une pincée	piment de Cayenne	une pincée
500 ml	cheddar faible en gras, râpé	2 tasses
50 ml	chapelure	¼ tasse

1. Chauffer une petite poêle à feu moyen vif. Vaporiser la poêle d'enduit végétal. Faire revenir les oignons jusqu'à ce qu'ils soient tendres, environ 5 minutes.
2. Dans un grand bol, battre les œufs et le lait. Incorporer les oignons, les courgettes et les poivrons.
3. Dans un autre bol, mélanger la farine, la poudre à pâte, le sel, le poivre noir et le piment de Cayenne. Ajouter le fromage et bien mélanger. Incorporer les ingrédients secs au mélange d'œufs ; ajouter la chapelure et mélanger. Verser dans un plat à tarte graissé et égaliser le dessus.
4. Cuire au four préchauffé de 40 à 50 minutes, ou jusqu'à ce que le dessus soit légèrement doré et que la lame d'un couteau insérée au centre de la quiche en ressorte propre.

✓ UN FAVORI DES ENFANTS

Équivalents par portion pour les personnes diabétiques

½	glucides
1 ½	viandes et substituts

VALEUR NUTRITIVE par portion		
Calories : 214	Glucides : 18,2 g	Calcium : 323 mg
Matières grasses : 7,5 g	Fibres : 2 g	Fer : 1,6 mg
Sodium : 826 mg	Protéines : 18,3 g	

Teneur très élevée en : vitamine A, vitamine C, calcium, riboflavine, acide folique et vitamine B_{12}
Teneur élevée en : niacine et zinc • **Source de :** fibres alimentaires

Frittata vide-frigo

- *Temps de préparation : 10 minutes*
- *Temps de cuisson : 25 à 35 minutes*
- *Four préchauffé à 180 °C (350 °F)*
- *Plat allant au four de 2 litres (8 tasses), graissé*

6	œufs	6
125 ml	lait	½ tasse
1 ml	sel	¼ c. à thé
1 ml	poivre noir, fraîchement moulu	¼ c. à thé
15 ml	huile végétale	1 c. à soupe
125 ml	oignon, en dés	½ tasse
1	patate douce, pelée et râpée	1
1	tomate, en dés	1
500 ml	légumes cuits, hachés (voir Conseils, à droite)	2 tasses
250 ml	fromage faible en gras, râpé (voir Conseils, à droite)	1 tasse

1. Dans un petit bol, battre les œufs et le lait. Ajouter le sel et le poivre. Réserver.
2. Dans une grande poêle, chauffer l'huile à feu moyen. Faire revenir l'oignon jusqu'à ce qu'il soit tendre, environ 5 minutes. Incorporer les patates douces, les tomates et les légumes cuits.
3. Étendre les légumes dans un plat graissé allant au four et verser le mélange d'œufs. Saupoudrer de fromage.
4. Cuire au four préchauffé de 20 à 30 minutes, ou jusqu'à ce que le dessus soit doré, que l'omelette soit gonflée et que la lame d'un couteau insérée au centre en ressorte propre.

✓ UN FAVORI DES ENFANTS

SUGGESTION D'ACCOMPAGNEMENT : Pour un repas à petit prix, servez cette frittata avec une Salade de chou aux fruits (p. 147) et terminez le repas par des Pommes farcies au mélange granola (p. 296).

Eileen Campbell

Cette frittata facile à préparer se compose de restes de légumes ou de légumes frais.

CONSEILS

Ce plat est un bon moyen d'utiliser les restes de légumes cuits : champignons, brocoli, rapini, fenouil, épinards, petits pois, courgettes, oignons verts, poivrons, pak-choï, chou frisé, maïs, asperges, haricots verts…

Utilisez un fromage goûteux : vieux cheddar, gruyère, feta ou Monterey Jack aux piments. Un fromage à la saveur puissante peut être utilisé en petite quantité.

La préparation des courgettes

Comme les courgettes contiennent beaucoup d'eau, il faut les égoutter pour obtenir une omelette qui se tient. Égouttez-les bien et épongez-les dans un linge propre avant de les incorporer à l'omelette.

Il vaut mieux ne pas les assécher lorsqu'elles entrent dans la préparation de pâtisseries ou de pains, car l'eau qu'elles contiennent remplace une partie du gras et confère au pain une texture moelleuse.

VALEUR NUTRITIVE par portion		
Calories : 183	Glucides : 12,6 g	Calcium : 145 mg
Matières grasses : 9,2 g	Fibres : 2,1 g	Fer : 1,3 mg
Sodium : 288 mg	Protéines : 13 g	

Teneur très élevée en : vitamine A et vitamine B_{12}
Teneur élevée en : vitamine C, riboflavine, niacine et acide folique
Source de : fibres alimentaires

Équivalents par portion pour les personnes diabétiques	
½	glucides
1 ½	viandes et substituts
½	matières grasses

Lorna Smith, Ontario

Laissez la touche européenne de cette délicieuse frittata vous séduire !

VARIANTES

Remplacez la feta par du fromage suisse ou du cheddar.

Si vous n'aimez pas les olives noires, remplacez-les par des poivrons rouges coupés en dés.

Frittata au fromage, aux tomates et au basilic

- **Temps de préparation : 10 minutes**
- **Temps de cuisson : 7 à 10 minutes**
- *Gril du four préchauffé*
- *Poêle allant au four*

10	œufs	10
60 ml	lait	¼ tasse
3	tomates italiennes, hachées finement	3
3	oignons verts, hachés finement	3
175 ml	feta faible en gras, émietté	¾ tasse
75 ml	basilic frais, haché finement	⅓ tasse
2 ml	sel	½ c. à thé
1 ml	poivre noir, fraîchement moulu	¼ c. à thé
30 ml	huile végétale	2 c. à soupe
75 ml	olives noires dénoyautées, finement tranchées	⅓ tasse
45 ml	parmesan, fraîchement râpé	3 c. à soupe

1. Dans un grand bol, battre les œufs et le lait. Incorporer les tomates, les oignons verts, la feta, le basilic, le sel et le poivre.
2. Chauffer une poêle allant au four à feu moyen vif. Verser l'huile et bien l'étaler en inclinant la poêle. Verser le mélange d'œufs sans brasser. Cuire (soulever les bords de temps en temps afin que les œufs qui ne sont pas cuits coulent sous la frittata) jusqu'à ce que l'omelette commence à prendre et que le fond et les côtés soient légèrement dorés, environ 5 minutes. Parsemer les olives et le parmesan sur la frittata.
3. Mettre la poêle au four préchauffé et cuire de 2 à 5 minutes, ou jusqu'à ce que la frittata commence à dorer et à gonfler, et que la pointe d'un couteau insérée au centre en ressorte propre.
4. À l'aide d'une spatule flexible, détacher les bords et le fond de la frittata et la faire glisser sur une assiette chaude. Couper en six pointes et servir chaud ou à la température ambiante.

Équivalents par portion pour les personnes diabétiques	
2	viandes et substituts
2	matières grasses

VALEUR NUTRITIVE par portion		
Calories : 232	Glucides : 3,5 g	Calcium : 188 mg
Matières grasses : 17,1 g	Fibres : 0,9 g	Fer : 1,5 mg
Sodium : 596 mg	Protéines : 16 g	

Teneur très élevée en : vitamine B$_{12}$
Teneur élevée en : vitamine A, calcium, riboflavine et acide folique

Crêpes de Catherine
à la semoule de maïs (page 53)

Œufs brouillés à la grecque (page 58)

Muffaletta au poulet
à la thaïlandaise (page 70)

Tortillas au poulet et à la mangue (page 74)

Lassi à la mangue (page 85)

Croustilles de tortillas et guacamole allégé (page 102)

Chaudrée de poulet et de maïs (page 128)

Goulache hongroise (page 131)

Tortillas aux œufs et aux épinards

- *Temps de préparation : 10 à 15 minutes*
- *Temps de cuisson : 50 à 55 minutes*
- *Four préchauffé à 180 °C (350 °F)*
- *Plat à tarte profond de 23 cm (9 po) de diamètre, graissé*

5 ml	huile végétale	1 c. à thé
1	oignon, haché	1
1	paquet de 300 g (10 oz) de jeunes pousses d'épinards	1
3	œufs, battus	3
500 ml	ricotta	2 tasses
2 ml	muscade, fraîchement râpée	½ c. à thé
2 ml	sel	½ c. à thé
2 ml	poivre noir, fraîchement moulu	½ c. à thé
3	tortillas de blé entier de 15 cm (6 po) de diamètre	3
75 ml	parmesan, fraîchement râpé	⅓ tasse

1. Dans une poêle moyenne, chauffer l'huile à feu moyen vif. Faire revenir l'oignon jusqu'à ce qu'il soit légèrement doré, environ 5 minutes. Ajouter les épinards, couvrir et les faire tomber à la vapeur en brassant de temps en temps pour éviter qu'ils brûlent, environ 3 minutes. Bien égoutter les épinards dans une passoire.
2. Dans un bol moyen, mélanger les épinards et l'oignon, la ricotta, la muscade, le sel et le poivre.
3. Déposer une tortilla au fond du plat à tarte graissé. Étendre le tiers des épinards et du mélange d'œufs. Répéter l'opération deux fois, en terminant avec la garniture. Saupoudrer de parmesan.
4. Cuire au four préchauffé de 40 à 45 minutes, ou jusqu'à ce que les œufs soient pris, que le dessus soit légèrement doré et gonflé, et que la pointe d'un couteau insérée au centre en ressorte propre.

SUGGESTION D'ACCOMPAGNEMENT : Servez cette tortilla avec les Légumes grillés (p. 264) et une salade pour obtenir un repas succulent.

---

6 PORTIONS

Maureen Falkiner, Colombie-Britannique

La saveur combinée de la muscade et des épinards se marie très bien à celle de la ricotta et des œufs. Cette tortilla garnie, qui ressemble à une quiche, est excellente à l'occasion d'un brunch ou au dîner.

CONSEIL

Bien que la muscade moulue conserve mieux sa saveur et son parfum que certaines autres épices moulues, il est préférable d'acheter une noix de muscade entière et de râper la quantité nécessaire au dernier moment afin de profiter au maximum du parfum riche et intense de cette épice. Pour moudre la noix de muscade, utilisez une râpe spécialement conçue à cet effet ou un couteau à lame très fine. Si vous utilisez de la muscade déjà moulue, réduisez la quantité demandée de moitié, car celle-ci est plus compacte.

VALEUR NUTRITIVE par portion		
Calories : 263	Glucides : 15,6 g	Calcium : 330 mg
Matières grasses : 15,9 g	Fibres : 2,3 g	Fer : 2,7 mg
Sodium : 503 mg	Protéines : 17,5 g	

Teneur très élevée en : vitamine A, calcium, riboflavine, acide folique et magnésium • **Teneur élevée en :** fer, niacine, vitamine B_{12} et zinc • **Source de :** fibres alimentaires

Équivalents par portion pour les personnes diabétiques

½	glucides
2	viandes et substituts
1	matières grasses

Repas légers et collations

Le repas du midi peut représenter jusqu'à un tiers de l'apport nutritionnel quotidien, aussi est-il essentiel de bien le planifier. Que vous préfériez les repas simples composés d'un sandwich, d'un fruit frais et d'un verre de lait ou les plats plus originaux, vous trouverez dans ce chapitre de nombreuses idées de lunchs santé, faciles à préparer et nutritifs. Les collations offrent une excellente occasion de combler une part de nos besoins quotidiens en nutriments. Manger des aliments nutritifs en petites quantités durant la journée augmente notre énergie et nous permet de rester productif.

Des repas du midi simplement super

Entre la première année du primaire et la fin du secondaire, un élève peut avoir mangé 2 400 fois à l'école. La préparation de dîners savoureux et nutritifs représente un défi pour de nombreux parents. Cependant, avec un peu de planification et quelques bonnes idées, vous pouvez créer des repas qui, en plus d'avoir bon goût, comportent leur part d'éléments nutritifs. Essayez d'y inclure au moins trois des quatre groupes alimentaires en suivant ces simples étapes.

1. **Commencez par un produit céréalier :** bagel, pain pita, tortilla, pâtes/nouilles, riz, muffin, craquelins.

2. **Ajoutez une source de protéines :** œuf dur, thon ou saumon en conserve, restes de poulet ou de dindon, haricots en conserve, fromage, hoummos.

3. **Ajoutez des fruits et des légumes pour y mettre un peu de croquant :** concombre, poivron, laitue, chou-fleur, brocoli, carottes, pomme, orange, poire, raisins, fraises.

4. **Étanchez leur soif :** lait, boisson frappée à base de yogourt ou de fruits, jus de fruits ou jus de légumes purs à 100 %, eau.

5. **Terminez avec une petite gâterie :** yogourt (pour manger tel quel ou pour tremper des fruits ou des légumes), biscuit maison, pudding, fruits non sucrés en conserve, raisins secs, carré (aux dattes, aux céréales de riz ou de blé soufflé).

Des dîners bien pensés, sans recettes

Les recettes ne sont pas nécessaires pour préparer un repas à emporter. Voici quelques idées que vous pouvez mettre à l'épreuve. Dans la mesure du possible, faites la préparation la veille afin de ne pas avoir à vous dépêcher le matin. Utilisez votre imagination et faites preuve d'originalité.

- Pour un sandwich simple sans pain, enroulez un bâtonnet de fromage et un morceau de poivron dans une tranche de jambon maigre et une feuille de laitue.
- Garnissez un pain pita d'un mélange de salade, comme de la Salade de couscous (p. 150), ou enroulez le mélange de salade dans une tortilla de blé entier.
- Créez de nouvelles versions de notre Sandwich végétarien (p. 72) en faisant des variations avec le fromage à la crème et les garnitures.
- Préparez des sandwichs avec vos viandes et vos fromages préférés sur des tranches de pain multigrain. Surprenez vos enfants avec des sandwichs aux formes amusantes coupés à l'aide d'emporte-pièces.
- Ajoutez des légumes et des cubes de fromage à des pâtes alimentaires cuites. Arrosez avec votre vinaigrette favorite et mélangez.
- Rehaussez des morceaux de poulet cuit avec des légumes crus et une trempette, comme le Mojo à la mangue et à la menthe (p. 109) ou la Salsa aux pêches (variante, p. 105).
- Tartinez un pain pita de hoummos ou de Tzatziki (p. 59) et ajoutez-y une feuille de laitue et des carottes râpées. Roulez-le et enveloppez-le dans une pellicule de plastique.
- Emplissez une bouteille isolante de soupe et complétez-la avec un muffin ou un pain rapide.
- Versez une boisson frappée dans un gobelet isotherme pour emporter.

Procurez-vous le matériel nécessaire

Investissez dans un ensemble de bouteilles isolantes, de boîtes ou de sacs à lunchs, de contenants réutilisables, de serviettes de table lavables et d'ustensiles. Aménagez un coin de la cuisine pour minimiser le temps de préparation. Lors de la préparation des lunchs, gardez toujours à l'esprit qu'une température de conservation appropriée et qu'une salubrité irréprochable sont primordiales. Assurez-vous d'utiliser des bouteilles isolantes pour conserver les aliments bien chauds, et des blocs réfrigérants ou des boîtes de jus congelées pour conserver les aliments froids au frais.

Des collations dont les enfants raffoleront

Une collation saine contribue à fournir l'apport nutritionnel recommandé, surtout pour les enfants qui peuvent avoir à manger souvent, étant donné la petite taille de leur estomac. Vous pouvez encourager vos enfants à manger des collations saines en leur demandant de faire une liste de leurs fruits et légumes préférés.

Voici quelques idées de collations pour les enfants.

- Sucettes glacées maison au yogourt et aux bananes ou au jus de fruits : essayez les Sucettes glacées mystère (p. 326) et les Sucettes glacées fruitées (p. 327).
- Cubes ou tranches de fromage.
- Bâtonnets de pain avec trempette.
- Compote de pommes ou coupes de fruits non sucrés.
- Parfait maison fait avec du yogourt, des fruits et la Fournée de mélange granola (p. 47).
- Céréales de grain entier.
- Boisson frappée à base de yogourt et de fruits ou de jus.
- Sandwichs aux formes amusantes.
- Des aliments que l'on peut déguster avec un cure-dent, comme des tomates cerises, des raisins ou des cubes de jambon ou de fromage. (Assurez-vous qu'ils sont assez âgés pour manipuler des cure-dents en toute sécurité.)
- Quartiers de Pommes de terre rôties au four (p. 271).
- Pizza végétarienne aux trois fromages (p. 250).
- Muffin (comme les Muffins aux bananes et à la compote de pommes, p. 286) ou biscuit maison (comme les Biscuits aux carottes, p. 318).
- Morceaux de pomme avec beurre d'arachide.
- Céleri et fromage.

Comment résister aux fringales

S'il vous arrive d'avoir des envies irrésistibles de grignoter quelque chose de sucré ou de salé, il est important d'en identifier les causes potentielles et de savoir quoi faire pour remédier à la situation. Certaines habitudes alimentaires peuvent être à l'origine des fringales, par exemple :

- sauter le petit-déjeuner ;
- manger irrégulièrement et sauter des repas ou des collations ;
- suivre un régime ;
- omettre d'inclure un aliment d'un groupe alimentaire dans vos repas, ou trop les limiter ;
- éviter vos aliments favoris des semaines durant ;
- avoir des grignotines sucrées, salées ou grasses à portée de la main.

Il se peut aussi que vous ayez ces fringales simplement parce que vous avez eu une journée stressante. Une fois que vous connaissez l'origine de ces fringales, vous pouvez prendre des mesures pour y remédier. Voici quelques exemples.

- Songez à la raison pour laquelle vous avez faim. La cause est-elle physique ou émotionnelle ? Si elle est émotionnelle, vous devez réaliser que vous ne remplirez pas le vide que vous ressentez en mangeant. Essayez d'écouter votre chanson préférée ou encore appelez un ami.
- Demandez-vous, lorsque la fringale vous prend, si vous éprouvez de l'ennui et si vous souhaitez manger seulement pour vous distraire ou pour passer le temps. Gardez sur le réfrigérateur une liste de tous vos passe-temps qui n'ont aucun lien avec la nourriture.
- Essayez d'apaiser votre faim en buvant un verre d'eau. Il est possible que vous ayez soif et pas du tout faim.
- Donnez-vous la permission de manger les aliments dont vous avez envie, mais attendez plusieurs minutes. Il suffit parfois de laisser passer un peu de temps pour que l'intensité de votre fringale diminue.
- Si vous avez vraiment faim, déterminez exactement ce que vous voulez manger. Décidez entre quelque chose de sucré, salé, croquant, crémeux, goûteux, chaud ou froid. Une fois que vous avez fait votre choix, servez-vous une portion raisonnable.
- Le plus important est que les remords sont interdits ! Si vous avez des remords parce que vous mangez ce dont vous avez envie, ça n'en vaut tout simplement pas la peine. Ayez comme objectif de manger des portions réalistes, soyez conscient de la raison pour laquelle vous choisissez certains aliments en certaines occasions et tenez-vous-en à cela.

On vous imite !

Soyez un modèle positif pour vos enfants : s'ils vous voient manger des collations équilibrées, ils auront eux-mêmes tendance à faire des choix sains.

Sandwichs au poulet barbecue

6 PORTIONS

Robin Coverett, Alberta

- *Temps de préparation : 30 minutes*
- *Temps de cuisson : 16 minutes*
- *Temps de refroidissement : 15 minutes*
- *Préchauffer le barbecue à feu moyen*

Dégustez une agréable variante sur le thème du traditionnel sandwich à la salade de poulet.

3	poitrines de poulet, désossées et sans la peau (375 g/12 oz au total)	3
10 ml	assaisonnement italien sans sel ajouté (en deux parts égales)	2 c. à thé
4	branches de céleri, hachées	4
1	poivron jaune, en dés	1
1	poivron vert, en dés	1
125 ml	sauce barbecue ou Sauce acidulée (p. 111)	½ tasse
30 ml	mayonnaise légère	2 c. à soupe
une pincée	piment de Cayenne	une pincée
12	tranches de pain multigrain (ou 6 pains pitas de grain entier)	12

CONSEILS

Lorsqu'elle prépare du poulet au barbecue, Robin met à griller quelques poitrines de poulet supplémentaires qu'elle conserve bien emballées au réfrigérateur jusqu'à deux jours. Elle peut ainsi préparer un délicieux sandwich barbecue en un éclair.

Badigeonnez le poulet de sauce barbecue en cours de cuisson pour plus de saveur.

1. Saupoudrer le poulet avec 5 ml (1 c. à thé) d'assaisonnement italien. Cuire au barbecue préchauffé en retournant une fois en cours de cuisson, environ 8 minutes par côté, ou jusqu'à ce que la chair ait perdu sa coloration rosée et ait atteint une température interne de 77 °C (170 °F).
2. Laisser refroidir le poulet et le hacher grossièrement. Dans un grand bol, mélanger le poulet, le céleri, le poivron jaune, le poivron vert, la sauce barbecue, la mayonnaise, le piment de Cayenne et le reste de l'assaisonnement italien. Couvrir et réfrigérer pendant au moins 15 minutes (et jusqu'à 12 heures), le temps que les saveurs se mélangent.
3. Griller les tranches de pain. Garnir 6 tranches avec la salade de poulet et recouvrir avec les 6 autres tranches (ou garnir des pains pitas).

✓ UN FAVORI DES ENFANTS

SUGGESTION D'ACCOMPAGNEMENT : Servez ces sandwichs avec un verre de lait ou un yogourt aux fruits. Terminez le repas par des ananas en tranches.

VALEUR NUTRITIVE par portion		
Calories : 347	Glucides : 48,6 g	Calcium : 107 mg
Matières grasses : 6,6 g	Fibres : 7 g	Fer : 4 mg
Sodium : 700 mg	Protéines : 25,2 g	

Teneur très élevée en : fibres alimentaires, vitamine C, fer, thiamine, niacine, vitamine B_6, acide folique et magnésium
Teneur élevée en : riboflavine et zinc

Équivalents par portion pour les personnes diabétiques	
2 ½	glucides
2	viandes et substituts

Groupe Compass Canada

Cette version revisitée du traditionnel sandwich de la Nouvelle-Orléans contient moins de matières grasses que l'original. La charcuterie et le fromage ont été remplacés par du poulet et des légumes croustillants, le tout aromatisé de sauce thaïe.

CONSEILS

Essayez la sauce thaïe au cari de marque Sharwood, une sauce à base de lait de coco. Assurez-vous aussi d'acheter de la sauce au cari rouge et non de la pâte de cari rouge.

Vous pouvez préparer la muffaletta jusqu'à 2 heures à l'avance. Enveloppez-la alors hermétiquement dans de la pellicule plastique et réfrigérez-la.

Muffaletta au poulet à la thaïlandaise

- *Temps de préparation : 15 minutes*
- *Temps à prévoir pour mariner la viande : 4 heures*
- *Temps de cuisson : 10 à 15 minutes*

75 ml	sauce thaïe au cari rouge (du commerce) (une part de 30 ml/2 c. à soupe et une part de 15 ml/1 c. à soupe)	⅓ tasse
250 g	poitrines de poulet désossées et sans la peau	8 oz
30 ml	mayonnaise légère	2 c. à soupe
1	miche au levain (17,5 cm/7 po de diamètre)	1
6	feuilles de chou chinois, sans le cœur	6
½	concombre anglais, pelé et coupé en dés	½
1	oignon rouge, tranché finement	1
1	carotte, râpée	1
30 ml	coriandre fraîche, hachée	2 c. à soupe

1. Déposer les poitrines de poulet dans un plat peu profond et les badigeonner avec 60 ml (¼ tasse) de sauce thaïe. Couvrir et réfrigérer au moins 4 heures (et jusqu'à 12 heures). Préchauffer le gril du four.
2. Retirer le poulet de la marinade et le déposer dans un plat allant au four. Faire griller au four préchauffé de 10 à 15 minutes, ou jusqu'à ce que la chair ait perdu sa coloration rosée et qu'elle ait atteint une température interne de 77 °C (170 °F). Laisser tiédir et couper en lanières.
3. Dans un bol, mélanger le reste de la sauce et la mayonnaise.
4. Trancher horizontalement le pain en deux. Retirer environ 375 ml (1 ½ tasse) de mie de la moitié supérieure en prenant soin de ne pas briser la croûte. Tartiner la moitié inférieure de la miche du mélange de sauce thaïe et de mayonnaise. Étendre les feuilles de chou sur le dessus, puis les tranches de concombre et d'oignon, les lanières de poulet, la carotte et la coriandre. Recouvrir avec la moitié supérieure de la miche et presser. Couper en 8 pointes.

> **SUGGESTION D'ACCOMPAGNEMENT :** Terminez le repas avec un Gaspacho aux fruits (p. 301).

Équivalents par portion pour les personnes diabétiques

2 ½	glucides
1	viandes et substituts
½	matières grasses

VALEUR NUTRITIVE par portion

Calories : 287	Glucides : 44,6 g	Calcium : 80 g
Matières grasses : 5,8 g	Fibres : 3,4 g	Fer : 2,3 mg
Sodium : 515 mg	Protéines : 13,9 g	

Teneur très élevée en : thiamine, niacine, acide folique
Source de : fibres alimentaires, vitamine A, riboflavine et fer

Quesadillas au fromage et au jambon

- **Temps de préparation : 5 minutes**
- **Temps de cuisson : 10 à 12 minutes**
- *Four préchauffé à 180 °C (350 °F)*
- *Plaque à pâtisserie tapissée de papier sulfurisé*

250 ml	cheddar, râpé	1 tasse
8	tortillas de 15 cm (6 po) de diamètre	8
6	tranches jambon fumé sans gras, hachées	6
60 ml	salsa	¼ tasse

Trempette

125 ml	mayonnaise légère	½ tasse
30 ml	crème sure faible en gras	2 c. à soupe
10 ml	coriandre fraîche, hachée finement	2 c. à thé
10 ml	oignon vert, haché finement	2 c. à thé
10 ml	zeste de lime	2 c. à thé
10 ml	jus de lime	2 c. à thé

1. Répartir 125 ml (½ tasse) de fromage sur 4 des tortillas. Y déposer le jambon haché et verser 15 ml (1 c. à soupe) de salsa sur chaque tortilla. Ajouter le reste du fromage sur les tortillas. Recouvrir des 4 autres tortillas et déposer le tout sur la plaque à pâtisserie.
2. Cuire au four préchauffé de 10 à 12 minutes, ou jusqu'à ce que le fromage soit fondu et que les tortillas soient bien chaudes. Laisser tiédir quelques minutes et couper chaque tortilla en 4 ou 6 pointes.
3. Pendant ce temps, pour préparer la trempette, mélanger dans un petit bol la mayonnaise, la crème sure, la coriandre, l'oignon vert, le zeste et le jus de lime.
4. Servir 2 ou 3 pointes par personne, accompagnées d'un peu de trempette dans un petit bol.

> **SUGGESTION D'ACCOMPAGNEMENT :** Servez les tortillas avec des crudités et une Salade de chou aux fruits (p. 147). La trempette est excellente avec les crudités !

8 PORTIONS

Les Aliments Schneider, une division de Maple Leaf Consumer Foods Inc.

Les enfants raffolent de ces quesadillas et ils se régaleront tout particulièrement de la trempette qui les accompagne.

VALEUR NUTRITIVE par portion		
Calories : 232	Glucides : 21,4 g	Calcium : 127 mg
Matières grasses : 12,4 g	Fibres : 1,3 g	Fer : 1,3 mg
Sodium : 537 mg	Protéines : 9,1 g	

Teneur très élevée en : thiamine et acide folique

Équivalents par portion pour les personnes diabétiques

1	glucides
1	viandes et substituts
2	matières grasses

CONSEIL

Conservez quelques feuilles
de laitue propres et des
carottes miniatures coupées
en bâtonnets au
réfrigérateur pour que les
enfants puissent se
préparer eux-mêmes ce
sandwich.

**Équivalents par portion
pour les personnes
diabétiques**

½   matières grasses

Sandwich végétarien

● ***Temps de préparation : 5 minutes***

1	feuille de laitue rouge (ou laitue au choix)	1
5 ml	fromage à la crème	1 c. à thé
1	carotte miniature, coupée en quatre dans le sens de la longueur	1

1. Laver la laitue et l'assécher. Étendre le fromage à la crème sur la feuille de laitue. Déposer les bâtonnets de carotte sur le fromage à la crème. Rouler la feuille de laitue.

✓ **UN FAVORI DES ENFANTS**

VALEUR NUTRITIVE par portion		
Calories : 22	Glucides : 1,2 g	Calcium : 10 mg
Matières grasses : 1,7 g	Fibres : 0,3 g	Fer : 0,3 mg
Sodium : 25 mg	Protéines : 0,6 g	
Teneur élevée en : vitamine A		

**Équivalents par portion
pour les personnes
diabétiques**

3 ½   glucides

Tortilla aux fruits

● ***Temps de préparation : 5 minutes***

60 ml	yogourt (parfum au choix)	¼ tasse
1	tortilla de blé entier de 25 cm (10 po) de diamètre	1
3	fraises, tranchées	3
½	petite banane, tranchée	½
30 ml	mélange granola faible en gras (facultatif)	2 c. à soupe

1. Étendre le yogourt au centre de la tortilla. Déposer les tranches de fraises et de banane, puis ajouter le mélange granola. Rouler la tortilla.

✓ **UN FAVORI DES ENFANTS**

VALEUR NUTRITIVE par portion		
Calories : 236	Glucides : 57,2 g	Calcium : 99 mg
Matières grasses : 2 g	Fibres : 4,7 g	Fer : 1,5 mg
Sodium : 308 mg	Protéines : 8 g	
Teneur très élevée en : magnésium		
Teneur élevée en : fibres alimentaires, vitamine C, thiamine, vitamine B_6 et acide folique		

Tortilla aux fruits grillés

- *Temps de préparation : 15 minutes*
- *Temps de cuisson : 6 minutes*
- *2 brochettes de métal ou de bois (ayant trempé dans l'eau)*

175 ml	fruits en morceaux	¾ tasse
	enduit végétal en vaporisateur	
125 ml	ricotta	½ tasse
1	tortilla multigrain ou de	1
	blé entier de 25 cm (10 po) de diamètre	

1. Enfiler les morceaux de fruits sur les brochettes et les vaporiser légèrement d'enduit végétal.
2. Chauffer une poêle antiadhésive à feu moyen et y déposer les brochettes de fruits. Rôtir les brochettes de fruits en les tournant de temps en temps jusqu'à ce que les fruits soient dorés.
3. Tartiner la tortilla avec la ricotta. Retirer les fruits des brochettes et les déposer au centre de la tortilla. Replier deux extrémités de la tortilla et la rouler bien serrée en commençant par le bas.
4. Dans la même poêle, griller la tortilla roulée en la retournant une fois, jusqu'à ce qu'elle soit bien dorée et croustillante, environ 3 minutes par côté. Couper en deux. Servir chaud ou froid.

✓ **UN FAVORI DES ENFANTS**

Visite guidée Dîners santé à emporter

Vous rêvez de remplir la boîte à lunch des enfants d'aliments sains et faciles à préparer qu'ils auront plaisir à déguster ? Vous croyez que cela est peine perdue ? Détrompez-vous. Consultez la Visite guidée Dîners santé à emporter et découvrez à quel point il est facile de composer une boîte à lunch qui regorge d'aliments aussi délicieux que sains pour tous les membres de la famille. Cette courte visite guidée présente des informations nutritionnelles et de nombreux conseils, notamment en ce qui concerne l'étiquetage des produits et les ingrédients à surveiller. On y fait le tour des principaux obstacles rencontrés dans la préparation de boîtes à lunch santé tout en proposant de nombreuses solutions pour faire face à ce défi quotidien sans se casser la tête. Visitez la section française du site : **www.canadian-health-network.ca**.

Kayla, Kylie et Lindsay, étudiantes de l'école W. Ross MacDonald, Ontario

Utilisez les fruits que vous avez sous la main ou vos fruits préférés. Nous l'avons testé avec des mangues et des ananas… Un vrai délice !

CONSEIL

Le temps de cuisson de chaque fruit varie, c'est pourquoi il est préférable de ne mettre qu'une sorte de fruit par brochette.

VARIANTES

Servez les brochettes de fruits grillés avec de la crème glacée.

Remplacez la ricotta par votre yogourt préféré.

VALEUR NUTRITIVE par portion		
(à quantité égale de mangues et d'ananas frais)		
Calories : 222	Glucides : 26,6 g	Calcium : 175 mg
Matières grasses : 8,4 g	Fibres : 3 g	Fer : 0,4 mg
Sodium : 293 mg	Protéines : 10,4 g	
Source de : fibres alimentaires et calcium		

Équivalents par portion pour les personnes diabétiques

1 ½	glucides
1	viandes et substituts
1	matières grasses

Tortillas au poulet et à la mangue

**Donna Bottrell,
diététiste, Ontario**

*Les tortillas favoris des
fameux repas de
sandwichs grillés de
Donna. Essayez-les avec
les surplus du Poulet au
thym et au citron
(p. 164); un régal !*

CONSEIL
Servez les tortillas froides
ou réchauffez-les au grille-
sandwichs préchauffé
jusqu'à ce qu'elles soient
croustillantes.

VARIANTE
Remplacez la mangue par
de l'ananas.

● *Temps de préparation : 10 minutes*

60 ml	mayonnaise légère	¼ tasse
60 ml	chutney aux mangues	¼ tasse
4	tortillas multigrains de 25 cm (10 po) de diamètre	4
250 g	poulet cuit, coupé en lanières	8 oz
1	mangue, tranchée	1
¼	oignon rouge, tranché	¼
1 l	mesclun	4 tasses

1. Dans un petit bol, mélanger la mayonnaise et le chutney.
2. Tartiner 30 ml (2 c. à soupe) du mélange de chutney et de mayonnaise sur chaque tortilla. Répartir ensuite en parts égales sur chaque tortilla les lanières de poulet, les tranches de mangue et d'oignon, et le mesclun. Replier deux extrémités de la tortilla et la rouler bien serrée en commençant par le bas.

✓ UN FAVORI DES ENFANTS

Équivalents par portion pour les personnes diabétiques

3	glucides
2	viandes et substituts
1	matières grasses

VALEUR NUTRITIVE par portion

Calories : 417	Glucides : 51,9 g	Calcium : 50 mg
Matières grasses : 13,4 g	Fibres : 6,1 g	Fer : 0,8 mg
Sodium : 791 mg	Protéines : 22,6 g	

Teneur très élevée en : fibres alimentaires, vitamine A, niacine, vitamine B$_6$ et acide folique
Teneur élevée en : vitamine C et magnésium

Tortillas au poulet, aux légumes et à l'hoummos

4 PORTIONS

Rena Hooey, Ontario

- *Temps de préparation : 10 minutes*
- *Temps de cuisson : 20 minutes*

500 g	petites poitrines de poulet, désossées et sans la peau	1 lb
	sel et poivre noir, fraîchement moulu	
	enduit végétal en vaporisateur	
15 ml	huile d'olive	1 c. à soupe
2	gousses d'ail, émincées	2
1	poivron vert, en julienne	1
1	poivron rouge, en julienne	1
1	poivron jaune, en julienne	1
1	oignon, finement tranché	1
2	carottes, en julienne	2
125 ml	eau	½ tasse
10 à 15 ml	assaisonnement au chili	2 à 3 c. à thé
125 ml	Hoummos épicé (p. 104)	½ tasse
4	tortillas de blé entier de 25 cm (10 po) de diamètre	4

1. Saler et poivrer les poitrines de poulet.
2. Chauffer une grande poêle à feu moyen et la vaporiser d'enduit végétal. Cuire le poulet, le retourner une fois en cours de cuisson, environ 5 minutes de chaque côté, ou jusqu'à ce que la chair ait perdu sa coloration rosée et ait atteint une température interne de 77 °C (170 °F). Retirer le poulet de la poêle, laisser tiédir et couper en lanières.
3. Dans la même poêle, chauffer l'huile d'olive à feu moyen vif. Faire revenir l'ail, les poivrons, l'oignon et les carottes en remuant constamment jusqu'à ce que les légumes commencent à dorer, environ 5 minutes. Ajouter l'eau et l'assaisonnement au chili; saler et poivrer au goût. Baisser le feu à moyen et cuire jusqu'à ce que les légumes soient *al dente* et que l'eau se soit évaporée, environ 5 minutes.
4. Tartiner 30 ml (2 c. à soupe) d'hoummos épicé au centre de chaque tortilla. Garnir de poulet et de légumes. Rouler les tortillas.

✓ UN FAVORI DES ENFANTS

Ce plat est facile à préparer et il regorge de saveurs.

CONSEIL
Pour un succulent dîner sans tracas, préparez entièrement les tortillas la veille et réfrigérez-les toute la nuit. Il suffira de les réchauffer au four ou au four à micro-ondes.

Planifiez des extras
Augmentez la quantité préparée pour avoir des surplus. Cuisinez quelques poitrines de poulet en plus, coupez-les en lanières et ajoutez-les à vos salades ou à vos sautés.

SUGGESTION D'ACCOMPA-GNEMENT : Au dîner, servez les tortillas avec une salade de fruits.

VALEUR NUTRITIVE par portion		
Calories : 366	Glucides : 51 g	Calcium : 62 mg
Matières grasses : 7,2 g	Fibres : 7,3 g	Fer : 2,8 mg
Sodium : 448 mg	Protéines : 33,6 g	

Teneur très élevée en : fibres alimentaires, vitamine A, vitamine C, niacine, vitamine B_6, acide folique, magnésium et zinc
Teneur élevée en : fer et thiamine

Équivalents par portion pour les personnes diabétiques	
2 ½	glucides
3	viandes et substituts

Tortillas aux patates douces et aux haricots

- **Temps de préparation : 10 minutes**
- **Temps de cuisson : 6 minutes**

1	patate douce	1
6	tortillas de 25 cm (10 po) de diamètre	6
1	boîte de 398 ml (14 oz) de haricots sautés faibles en gras	1
500 ml	feuilles d'épinards, légèrement tassées	2 tasses
1	avocat, tranché	1

1. Avec une fourchette, percer la chair de la patate douce à plusieurs endroits. Cuire au four micro-ondes, à haute intensité, 5 minutes, ou jusqu'à ce qu'elle soit tendre. La couper en deux dans le sens de la longueur, prélever la chair à l'aide d'une cuillère, la déposer dans un bol et la réduire en purée.
2. Sur le tiers inférieur de chaque tortilla, répartir le sixième de la purée de patate douce, des haricots sautés, des épinards et de l'avocat. Replier deux extrémités de la tortilla et la rouler, bien serrée, en commençant par le bas.
3. Chauffer les tortillas au four à micro-ondes 45 secondes, ou jusqu'à ce qu'elles soient bien chaudes.

✓UN FAVORI DES ENFANTS

Équivalents par portion pour les personnes diabétiques

3 ½	glucides
2	matières grasses

VALEUR NUTRITIVE par portion		
Calories : 383	Glucides : 60,4 g	Calcium : 81 mg
Matières grasses : 11 g	Fibres : 9,6 g	Fer : 4,3 mg
Sodium : 575 mg	Protéines : 11,7 g	

Teneur très élevée en : fibres alimentaires, fer, vitamine A, thiamine, niacine, acide folique et magnésium
Teneur élevée en : riboflavine, vitamine B_6 et zinc

Sandwichs roulés au beurre d'arachide

18 PORTIONS

Lydia Butler, Ontario

- **Temps de préparation : 10 à 15 minutes**

125 ml	beurre d'arachide	½ tasse
60 ml	noix de coco râpée, non sucrée	¼ tasse
60 ml	sirop d'érable	¼ tasse
30 ml	figues séchées, hachées finement	2 c. à soupe
30 ml	abricots secs, hachés finement	2 c. à soupe
30 ml	canneberges séchées, hachées finement	2 c. à soupe
une pincée	cannelle moulue	une pincée
3	tortillas de blé entier de 25 cm (10 po) de diamètre	3
45 ml	pacanes, rôties et hachées finement (voir Conseils, à droite)	3 c. à soupe

1. Dans un petit bol, mélanger le beurre d'arachide, la noix de coco, le sirop d'érable, les figues, les abricots, les canneberges et la cannelle.
2. Tartiner 75 ml (⅓ tasse) du mélange au beurre d'arachide sur chaque tortilla. Étendre 15 ml (1 c. à soupe) de pacanes sur chaque tortilla. Rouler les tortillas et les couper en 6 morceaux.

✓ UN FAVORI DES ENFANTS

Sandwich roulé au beurre d'arachide et à la banane
Tammy Coles, Ontario

Pour un repas express ou un goûter, tartinez 15 ml (1 c. à soupe) de beurre d'arachide sur une tortilla de blé entier. Déposez une banane au bas de la tortilla et roulez. Pour varier, ajoutez du miel et des raisins ou des graines de tournesol, ou remplacez le beurre d'arachide par du beurre de noix (amandes, pistaches, etc.) ou une tartinade au chocolat aux noisettes.

Cette version remaniée d'un grand classique, le sandwich au beurre d'arachide, est pratique et facile à préparer. Comme hors-d'œuvre, au petit-déjeuner ou au dîner, le régal est le même ! Nous en avons servi à l'occasion d'une fête réunissant un groupe de fillettes, et les sandwichs ont disparu en un rien de temps !

CONSEILS

Pour rôtir les pacanes, chauffez une poêle à feu moyen vif. Ajoutez les pacanes et laissez-les rôtir en remuant de temps en temps, pendant environ 4 minutes, ou jusqu'à ce qu'elles soient odorantes et dorées.

Pour un sandwich-repas, servez-le entier ou en moitiés.

Bien emballés, ces sandwichs se conservent jusqu'à 12 heures au réfrigérateur.

VALEUR NUTRITIVE par portion		
Calories : 95	Glucides : 12,6 g	Calcium : 12 mg
Matières grasses : 5 g	Fibres : 1,5 g	Fer : 0,5 mg
Sodium : 85 mg	Protéines : 2,7 g	

Équivalents par portion pour les personnes diabétiques	
1	glucides
1	matières grasses

Judith Swaine,
Nouvelle-Écosse

Ce goûter express ravira les petits et les grands.

Pain grillé à l'hawaïenne

- *Temps de préparation : 5 minutes*
- *Temps de cuisson : 5 à 7 minutes*
- *Four préchauffé à 190 °C (375 °F), grille en position centrale*
- *Plaque à pâtisserie*

1	tranche de pain multigrain	1
1	tranche de jambon maigre	1
1	tranche d'ananas	1
30 ml	mozzarella faible en gras, râpée	2 c. à soupe
30 ml	cheddar, râpé	2 c. à soupe

1. Griller légèrement la tranche de pain et la placer sur une plaque à pâtisserie. Déposer successivement le jambon, l'ananas, la mozzarella et le cheddar sur la tranche de pain.
2. Cuire au four préchauffé de 5 à 7 minutes, ou jusqu'à ce que le fromage soit fondu et que de petites bulles se forment à sa surface.

✓UN FAVORI DES ENFANTS

SUGGESTION D'ACCOMPAGNEMENT : Pour compléter votre goûter, accompagnez-le de crudités.

Des collations maison

Les collations préemballées sont souvent riches en gras et en sel, en plus d'être très caloriques et d'offrir peu d'éléments nutritifs. Il est possible de préparer des collations plus nutritives à moindre coût en préparant des portions individuelles de craquelins, de fromage faible en gras, de crudités et de jus de fruits purs à 100 %.

Équivalents par portion pour les personnes diabétiques

1 ½	glucides
1 ½	viandes et substituts

VALEUR NUTRITIVE par portion		
Calories : 232	Glucides : 28 g	Calcium : 285 mg
Matières grasses : 6,8 g	Fibres : 3,2 g	Fer : 1,9 mg
Sodium : 598 mg	Protéines : 15,6 g	

Teneur très élevée en : calcium, thiamine et niacine
Teneur élevée en : riboflavine, acide folique, vitamine B_{12}, magnésium et zinc • **Source de :** fibres alimentaires

Pita surprise

1 PORTION

**Patricia Wright,
diététiste, Ontario**

- *Temps de préparation : 5 minutes*

¼	pomme, hachée (avec ou sans la pelure)	¼
	cannelle moulue	
1	minipita de blé entier	1
5 ml	cheddar, râpé	1 c. à thé

1. Saupoudrer la pomme hachée de cannelle moulue (au goût).
2. Pratiquer une ouverture dans le haut du pita. Garnir avec la pomme et le fromage.

✓ **UN FAVORI DES ENFANTS**

SUGGESTION D'ACCOMPAGNEMENT :
Accompagnez ces pitas de carottes miniatures et d'une trempette pour une touche croustillante. Servez le tout avec un verre de lait pour un apport en calcium.

Les tout-petits seront ravis de préparer ce goûter amusant avec l'aide d'un adulte. Coupez le minipita en deux pour que leurs petites mains puissent le garnir aisément.

CONSEIL
Préparez le mélange de pommes et de cannelle l'avance et conservez-le dans un contenant hermétique au réfrigérateur. Au retour de l'école, vos petits affamés n'auront qu'à assembler leur pita.

Des collations qui plairont aux adultes

Quelques heures après un repas, l'énergie peut venir à manquer. C'est alors qu'il est judicieux de prendre une collation, et une bonne de préférence, puisque celle-ci augmentera notre apport quotidien en nutriments. Voici quelques-unes de nos préférées :

- crudités servies avec une délicieuse trempette comme l'Hoummos épicé (p. 104) ;
- craquelins de grains entiers ou pita avec du fromage faible en gras ou une tartinade composée d'ingrédients sains ;
- fruits avec du yogourt, du fromage cottage ou une trempette au yogourt ;
- compote de pommes chaudes avec une pincée de cannelle, accompagnée d'une tasse de chocolat chaud maison, de thé ou d'une tisane (essayez le Chai Masala – p. 90 – ou le Chocolat chaud à la mexicaine – p. 91) ;
- la moitié d'un bagel tartiné du beurre de noix de votre choix ;
- barres de céréales ou de graines qui ne contiennent pas d'huile végétale hydrogénée (essayez les Barres de céréales à la noix de coco et aux abricots – p. 323) ;
- muffin maison accompagné d'une poignée de noix, de yogourt ou d'un morceau de fromage ;
- graines de citrouilles ou de tournesol rôties, ou des pois chiches grillés et assaisonnés des épices ou des herbes de votre choix ;
- céréales de grains entiers avec du lait et des fruits frais.

VALEUR NUTRITIVE par portion		
Calories : 51	Glucides : 9,7 g	Calcium : 21 mg
Matières grasses : 1,1 g	Fibres : 1,2 g	Fer : 0,3 mg
Sodium : 57 mg	Protéines : 1,4 g	

Équivalents par portion pour les personnes diabétiques

½	glucides

**Kimberly Green,
diététiste, Ontario**

*Petits et grands auront
beaucoup de plaisir à
préparer ensemble ce
goûter santé – une
belle activité pour les
jours de pluie !*

Tortillas aux raisins et aux pommes

- *Temps de préparation : 5 minutes*
- *Temps de cuisson : 4 minutes*

1	pomme	1
30 ml	fromage à la crème faible en gras, ramolli	2 c. à soupe
10 ml	miel	2 c. à thé
125 ml	raisins secs	½ tasse
4	tortillas de blé entier de 15 cm (6 po) de diamètre	4
1 ml	cannelle moulue	¼ c. à thé
2 ml	sucre granulé	½ c. à thé

1. *Adultes :* hacher finement la pomme ou aider l'enfant à se servir d'un couteau de façon sécuritaire pour retirer le cœur de la pomme et la hacher.
2. *Enfants :* mesurer le fromage à la crème, puis le miel, et les mélanger dans un petit bol. Mesurer les raisins et les incorporer au mélange. Ajouter la pomme. Répartir en parts égales le mélange sur les quatre tortillas et l'étendre avec un couteau non tranchant. Saupoudrer ensuite le quart du sucre et de la cannelle sur chaque tortilla.
3. *Adultes :* rouler les tortillas et, au besoin, les maintenir en forme à l'aide de cure-dents. Déposer les rouleaux sur une assiette allant au four à micro-ondes, côté fermeture en dessous. Réchauffer à intensité moyenne (50 %) environ 1 minute, ou jusqu'à ce que le tout soit bien chaud. Dégustez avec les enfants !

✓ UN FAVORI DES ENFANTS

Équivalents par portion pour les personnes diabétiques

2 ½	glucides
½	matières grasses

VALEUR NUTRITIVE par portion

Calories : 186	Glucides : 41,2 g	Calcium : 31 mg
Matières grasses : 1,9 g	Fibres : 3,1 g	Fer : 1,2 mg
Sodium : 179 mg	Protéines : 4,1 g	

Source de : fibres alimentaires

Salade de thon et d'avocat

4 PORTIONS

Cindy McKenna,
Nouvelle-Écosse

• *Temps de préparation : 10 minutes*

1	boîte de 170 g (6 ½ oz) de thon dans l'eau, égoutté	1
1	avocat, pelé, dénoyauté, en dés	1
1	petite tomate, en dés	1
½	petit oignon rouge, haché finement	½
60 ml	maïs en grains surgelé, décongelé	¼ tasse
30 ml	persil frais, haché	2 c. à soupe
30 ml	huile d'olive	2 c. à soupe
5 ml	jus de citron	1 c. à thé
	poivre noir, fraîchement moulu (facultatif)	
	sauce au piment (facultatif)	

1. Dans un petit bol, mélanger le thon, l'avocat, la tomate, l'oignon rouge, le maïs, le persil, l'huile d'olive, le jus de citron, le poivre et la sauce au piment.

Préparer les avocats

Coupez l'avocat en deux, autour du noyau, dans le sens de la longueur. Faites pivoter une moitié de l'avocat afin de le séparer en deux. Pour extraire le noyau, enfoncez la pointe d'un couteau dans le noyau et faites pivoter la lame. Pratiquez des incisions en croix dans la chair de l'avocat et retirez les morceaux à l'aide d'une grande cuillère. Comme la chair de l'avocat brunit rapidement, pour prévenir l'oxydation, arrosez-le sans tarder avec du jus de citron.

Voici une salade idéale pour la boîte à lunch. Servez-la telle quelle, sur un lit de laitue, ou en sandwich, dans un pain pita ou une tortilla de grains entiers.

CONSEIL

En accompagnement, cette délicieuse salade peut accommoder quatre convives. Si vous la servez pour le dîner, elle donne plutôt deux portions. Pour une présentation élégante, disposez-la dans les pelures vides de l'avocat et garnissez le tout d'un brin de persil.

VALEUR NUTRITIVE par portion

Calories : 201	Glucides : 9,4 g	Calcium : 19 mg
Matières grasses : 14,5 g	Fibres : 4,1 g	Fer : 1,1 mg
Sodium : 121 mg	Protéines : 10,3 g	

Teneur très élevée en : niacine, acide folique et vitamine B_{12}
Teneur élevée en : fibres alimentaires et vitamine B_6

Équivalents par portion pour les personnes diabétiques

1	viandes et substituts
2	matières grasses

Boissons

Au gré des saisons, vous aimez parfois prendre une boisson ravigotante et rafraîchissante lors des chaudes journées d'été, ou une boisson chaude et réconfortante en hiver. Ces délicieuses recettes sauront vous plaire. Et plusieurs d'entre elles vous procurent des nutriments essentiels comme le calcium.

Boissons frappées

Rapides à préparer, les boissons frappées peuvent être nutritives et savoureuses. Consultez les recettes de boissons frappées (p. 86 à 88) et tentez vos propres combinaisons. Vous n'avez qu'à choisir et à mélanger une source de protéines (yogourt, tofu mou ou beurre d'arachide), un fruit (petits fruits, pêche et banane donnent de bons résultats) et un liquide (lait, boisson de soja ou jus de fruits). Voici quelques combinaisons pour des boissons frappées exquises.

- Yogourt nature + banane + fraises + jus d'orange.
- Tofu mou nature + bleuets surgelés + boisson de soja à la vanille.
- Beurre d'arachide + banane congelée + lait.

Quels vitamines et minéraux sont importants pour les femmes?

Les femmes ont des besoins particuliers et doivent porter attention à certains nutriments comme le calcium, le fer et l'acide folique.

- Le calcium, avec la participation de la vitamine D, contribue à maintenir les os en santé tout au long de la vie. Il revêt une grande importance après la ménopause, lorsque les changements hormonaux peuvent réduire la quantité de calcium retenue dans votre corps. Les produits laitiers sont riches en calcium.
- Le fer joue un rôle important dans la santé de votre sang et dans le métabolisme énergétique. Il se trouve notamment dans les viandes rouges maigres, les produits céréaliers de grain entier et enrichis, ainsi que dans les légumes feuillus verts. Le fer d'origine animale est plus facilement absorbé par le corps que le fer d'origine végétale.
- L'acide folique est une vitamine du groupe B essentielle pour les femmes en âge de procréer, puisqu'il aide à prévenir les risques de malformation du tube neural chez le bébé. Il se trouve notamment dans les légumes feuillus verts, le brocoli, les asperges, les lentilles, les pois chiches, les oranges et le jus d'orange, la papaye et les fraises.

82

Panaché tropical

2 PORTIONS

Eileen Campbell

- *Temps de préparation : 2 minutes*

1	banane mûre	1
250 ml	melon d'eau sans pépin, en dés	1 tasse
250 ml	jus d'ananas	1 tasse

1. À grande vitesse, au mélangeur, pulvériser la banane et le melon d'eau avec le jus d'ananas jusqu'à consistance crémeuse et lisse.

✓ **UN FAVORI DES ENFANTS**

Dis-moi ce que tu bois...

Le jus frais préparé représente un choix des plus rafraîchissants pour profiter des bienfaits des nutriments que l'on trouve dans les fruits et légumes. Toutefois, gardez en tête qu'en optant pour un jus plutôt qu'un fruit ou un légume, vous réduisez votre apport en fibres. Prenez garde aux portions : boire une trop grande quantité de jus peut fournir des calories supplémentaires dont vous n'avez pas besoin. Pensez à la quantité de fruits ou de légumes que vous avez mis dans la centrifugeuse pour obtenir un seul verre de jus.

L'idée de départ de cette boisson rafraîchissante est issue des plages du sud de la Thaïlande. Des cantines bordant la plage y offrent des mélanges de jus de fruits pour désaltérer les vacanciers. À déguster lors des chaudes journées d'été, peu importe le pays !

CONSEIL
Ajoutez quelques glaçons si le panaché n'est pas suffisamment froid.

VARIANTES
Essayez-le avec les fruits de votre choix : ajoutez toujours une banane pour obtenir une boisson crémeuse, puis 250 ml (1 tasse) de fruits en dés et 250 ml (1 tasse) de jus de fruit. Voici quelques suggestions : ananas, mangue, cantaloup, melon miel, papaye, kiwi, petits fruits surgelés ou frais. Suggestions de jus de fruits : orange, pomme, canneberge, poire, raisin blanc, grenade, bleuet, mélange tropical.

Pour un cocktail alcoolisé, ajoutez un trait de rhum, de rhum coco ou de vodka.

VALEUR NUTRITIVE par portion		
Calories : 145	Glucides : 36,4 g	Calcium : 29 mg
Matières grasses : 0,4 g	Fibres : 1,6 g	Fer : 0,7 mg
Sodium : 3 mg	Protéines : 1,5 g	

Teneur très élevée en : vitamine C
Teneur élevée en : vitamine B_6, acide folique et magnésium

Équivalents par portion pour les personnes diabétiques

2	glucides

**Donna Bottrell,
diététiste, Ontario**

*Les enfants seront
heureux de déguster
cette sangria au jus de
raisin en compagnie
des grands... qui
savourent pour leur
part une sangria
classique au vin rouge.*

Sangria sans alcool

● *Temps de préparation : 2 minutes*

250 ml	jus de raisin	1 tasse
125 ml	jus d'orange	½ tasse
750 ml	eau pétillante	3 tasses
1	orange, coupée en quartiers	1
	glaçons	

1. Dans un pichet, mélanger le jus de raisin, le jus d'orange, l'eau pétillante et les quartiers d'orange. Ajouter les glaçons.

✓**UN FAVORI DES ENFANTS**

SUGGESTION D'ACCOMPAGNEMENT : Servez avec un hors-d'œuvre qui plaît aux enfants, comme les Croustilles de tortillas et guacamole (p. 102).

Une boisson pétillante aux fruits

Pour une boisson aux fruits rafraîchissante : versez du jus de fruits (bleuet, grenade ou canneberge) au quart d'un verre à vin et comblez avec de l'eau pétillante. Garnissez de quartiers de fruits et dégustez.

**Équivalents par portion
pour les personnes
diabétiques**

1	glucides

VALEUR NUTRITIVE par portion		
Calories : 68	Glucides : 16,7 g	Calcium : 46 mg
Matières grasses : 0,1 g	Fibres : 0,7 g	Fer : 0,2 mg
Sodium : 4 mg	Protéines : 0,9 g	
Teneur très élevée en : vitamine C		

Lassi à la mangue

- *Temps de préparation : 5 minutes*

1	mangue mûre, pelée et hachée	1
125 ml	yogourt nature ou à la vanille, faible en gras	½ tasse
125 ml	lait	½ tasse
	miel (au goût)	
125 ml	glaçons	½ tasse

1. Au mélangeur, à grande vitesse, pulvériser la mangue, le yogourt, le lait, le miel et les glaçons pendant 2 minutes, ou jusqu'à consistance lisse.

✓ UN FAVORI DES ENFANTS

Les mangues

Si vous achetez une mangue pour la consommer immédiatement, assurez-vous qu'elle soit mûre en exerçant une légère pression des doigts sur sa chair. Si vos doigts s'impriment légèrement dans la chair, c'est qu'elle est mûre. Évitez cependant les mangues trop mûres dont la chair est pâteuse.

Le noyau de la mangue est large et plat, ce qui rend ce fruit difficile à couper. Voici un moyen efficace de couper une mangue en cubes : coupez une tranche près du noyau (à environ 1 cm/0,5 po) du centre. Répétez l'opération de l'autre côté. Avec la pointe d'un couteau, tracez des lignes parallèles dans la chair de chacune des deux parties, puis tracez des lignes dans le sens opposé afin de former un motif quadrillé. Prélevez les cubes à l'aide d'une cuillère. Pelez finalement la section centrale de la mangue et coupez la chair en cubes.

Eileen Campbell

Cette boisson rafraîchissante figure sur la carte de la plupart des restaurants indiens. Vous pourrez désormais la préparer à la maison et en accompagner les plats épicés.

CONSEILS

Si vous ne trouvez pas de mangues fraîches, remplacez-les par 250 ml (1 tasse) de mangues surgelées en morceaux.

Ce lassi peut être conservé au réfrigérateur jusqu'au lendemain.

VALEUR NUTRITIVE par portion		
Calories : 190	Glucides : 38,8 g	Calcium : 203 mg
Matières grasses : 2,7 g	Fibres : 3,3 g	Fer : 0,3 mg
Sodium : 72 mg	Protéines : 6,2 g	

Teneur très élevée en : vitamine A, vitamine C et vitamine B_{12}
Teneur élevée en : calcium, riboflavine, vitamine B_6 et acide folique
Source de : fibres alimentaires

Équivalents par portion pour les personnes diabétiques
2 ½ glucides

Jill Miller, diététiste, Ontario

Puisque la plupart des enfants aiment les bananes, voici un excellent moyen de leur faire consommer une portion de fruits.

CONSEILS

Servez sur glace ou dans une bouteille isotherme pour un petit-déjeuner sur le pouce.

Pour un délicieux dessert glacé, mettez-le à congeler dans des moules à glaçons. Même les enfants les plus difficiles aimeront.

Yogourt fouetté aux bananes

• *Temps de préparation : 1 minute*

1	banane mûre	1
125 ml	yogourt nature faible en gras	½ tasse
125 ml	eau	½ tasse
125 ml	lait	½ tasse
3	glaçons	3

1. Au mélangeur, à grande vitesse, pulvériser la banane, le yogourt, l'eau, le lait et les glaçons 45 secondes, ou jusqu'à consistance lisse.

✓ UN FAVORI DES ENFANTS

SUGGESTION D'ACCOMPAGNEMENT :
Accompagnez d'une tranche de pain de blé entier rôtie et tartinée de beurre d'arachide.

Les bananes très mûres

Si vous ne savez pas quoi faire de vos bananes très mûres, mettez-les à congeler dans un sac à congélation en plastique. La pelure prendra une coloration noirâtre, mais leur chair, une fois décongelée, sera absolument délicieuse. Ajoutez-les à vos boissons fouettées ou frappées.

Équivalents par portion pour les personnes diabétiques	
1	glucides

VALEUR NUTRITIVE par portion		
Calories : 122	Glucides : 20,6 g	Calcium : 189 mg
Matières grasses : 2,3 g	Fibres : 1 g	Fer : 0,2 mg
Sodium : 71 mg	Protéines : 5,9 g	

Teneur très élevée en : vitamine B_{12}
Teneur élevée en : calcium, riboflavine et vitamine B_6

Boisson exquise
aux fruits et au tofu

4 PORTIONS

Eileen Campbell

- *Temps de préparation : 5 minutes*

1	banane mûre	1
300 g	tofu soyeux aux pêches et à la mangue	10 oz
250 ml	pêches ou mangues, tranchées, surgelées	1 tasse
250 ml	jus d'orange	1 tasse
	miel ou sucre granulé (facultatif)	

1. Au mélangeur, à grande vitesse, pulvériser la banane, le tofu, les pêches et le jus d'orange jusqu'à consistance lisse.
2. Sucrer, au goût, avec un peu de miel ou de sucre. Servir froid.

✓ **UN FAVORI DES ENFANTS**

Cette recette est une version revisitée d'une recette figurant à l'endos d'un paquet de tofu. Un rafraîchissant dessert dans un verre !

CONSEIL
Pour un résultat plus mousseux, ajoutez 250 ml (1 tasse) de glaçons en même temps que les autres ingrédients.

VALEUR NUTRITIVE par portion		
Calories : 123	Glucides : 25,4 g	Calcium : 32 mg
Matières grasses : 1,5 g	Fibres : 1,7 g	Fer : 0,9 mg
Sodium : 7 mg	Protéines : 3,6 g	

Teneur très élevée en : vitamine C • **Teneur élevée en :** acide folique

Équivalents par portion pour les personnes diabétiques

1 ½ glucides

Cocktail à l'orange, au lin et aux fraises

Shefali Raja, diététiste, Colombie-Britannique

Les fils de Shefali s'amusent à inventer de nouvelles recettes de boissons frappées. En voici une qui se démarque.

● *Temps de préparation : 5 minutes*

3	fraises	3
125 ml	boisson de soja nature	½ tasse
125 ml	jus d'orange	½ tasse
30 ml	poudre de protéines de soja à la vanille	2 c. à soupe
5 ml	huile de lin	1 c. à thé
1 ou 2	glaçons	1 ou 2

1. Au mélangeur, à grande vitesse, pulvériser les fraises, la boisson de soja, le jus d'orange, la poudre de protéines de soja, l'huile de lin et les glaçons pendant 30 secondes, ou jusqu'à consistance lisse.

✓ **UN FAVORI DES ENFANTS**

SUGGESTION D'ACCOMPAGNEMENT :
Accompagnez ce cocktail de Muffins aux bananes, bleuets et graines de lin (p. 285).

L'huile de lin

L'huile de lin est très fragile. Elle ne supporte pas la chaleur et doit être conservée au réfrigérateur. Évitez de la chauffer, utilisez-la plutôt dans les salades, les boissons et les plats froids.

Équivalents par portion pour les personnes diabétiques

1	glucides
3	viandes et substituts

VALEUR NUTRITIVE par portion

Calories : 228	Glucides : 20,1 g	Calcium : 210 mg
Matières grasses : 7,8 g	Fibres : 4 g	Fer : 4,4 mg
Sodium : 258 mg	Protéines : 23,7 g	

Teneur très élevée en : vitamine C, fer, thiamine, niacine et acide folique • **Teneur élevée en :** fibres alimentaires, calcium, magnésium et zinc

Lait fouetté aux fruits et au miel

- **Temps de préparation : 4 à 5 minutes**

4	oranges, pelées, épépinées et hachées grossièrement	4
250 ml	lait	1 tasse
10 ml	miel	2 c. à thé
2 ml	extrait de vanille	½ c. à thé
4	glaçons	4
	muscade moulue (facultatif)	

1. Au mélangeur, à grande vitesse, pulvériser les oranges, le lait, le miel et la vanille jusqu'à consistance lisse. À faible vitesse, ajouter les glaçons, un à la fois. Mélanger de 15 à 20 secondes, ou jusqu'à ce que les glaçons soient broyés.
2. Verser dans quatre grands verres et saupoudrer de muscade. Servir immédiatement.

✓ **UN FAVORI DES ENFANTS**

SUGGESTION D'ACCOMPAGNEMENT : Au petit-déjeuner, accompagnez d'une tranche de Pain au son d'avoine et aux bananes (p. 282) pour un apport en fibres alimentaires.

Les producteurs laitiers du Canada

Cette boisson rappelle la saveur des Creamsicle que l'on dégustait enfants ! Une recette rajeunissante !

VALEUR NUTRITIVE par portion		
Calories : 103	Glucides : 21,2 g	Calcium : 125 mg
Matières grasses : 1,4 g	Fibres : 2,4 g	Fer : 0,2 mg
Sodium : 26 mg	Protéines : 3,3 g	

Teneur très élevée en : vitamine C • **Teneur élevée en :** acide folique • **Source de :** fibres alimentaires

Équivalents par portion pour les personnes diabétiques

1	glucides

Chai Massala

Eileen Campbell

Le chai indien est un thé épicé au lait qui ne cesse de gagner en popularité dans le monde entier. On le prépare généralement avec du thé noir fort, du lait entier, un mélange d'épices et du sucre. Les épices utilisées pour parfumer le thé varient selon les régions et les traditions familiales. La cardamome, la cannelle, le gingembre, le clou de girofle et le poivre font partie des combinaisons d'épices les plus courantes.

CONSEILS

Si vous ne trouvez pas d'épices entières, remplacez-les par les quantités suivantes d'épices moulues : 2 ml (½ c. à thé) de gingembre, 5 ml (1 c. à thé) de cardamome, 1 ml (¼ c. à thé) de cannelle, 1 ml (¼ c. à thé) de clou de girofle et 1 ml (¼ c. à thé) de poivre noir (ou 11 ml/2 ¼ c. à thé de votre mélange d'épices préférées).

Si vous n'avez pas de mortier, utilisez un moulin à café propre pour moudre grossièrement les épices. Il est toutefois recommandé de réserver un moulin à café à l'usage exclusif des épices.

- **Temps de préparation : 5 minutes**
- **Temps de cuisson : 15 minutes**

Mélange d'épices à chai massala

12	graines de cardamome verte	12
6	clous de girofle entiers	6
5	grains de poivre noir	5
1	bâton de cannelle, brisé en morceaux	1
1	morceau de gingembre de 2,5 cm (1 po)	1

750 ml	eau	3 tasses
500 ml	lait ou boisson de soja à la vanille	2 tasses
10 ml	feuilles de thé noir (ou 4 sachets)	2 c. à thé
	miel ou sucre granulé (facultatif)	

1. Préparer le mélange de chai massala à l'aide d'un mortier et d'un pilon. Écraser la cardamome, les clous de girofle, le poivre, la cannelle et le gingembre.
2. Dans une grande casserole à fond épais, à feu moyen vif, amener l'eau, le lait, les feuilles de thé, le miel et les épices à ébullition (bien surveiller, car le lait a tendance à renverser lorsqu'il bout). Laisser ensuite infuser 10 minutes à feu doux.
3. Filtrer pour éliminer les feuilles et les épices, et verser dans quatre grandes tasses.

Équivalents par portion pour les personnes diabétiques

½	glucides

VALEUR NUTRITIVE par portion		
Calories : 65	Glucides : 6,9 g	Calcium : 147 mg
Matières grasses : 2,5 g	Fibres : 0,3 g	Fer : 0,2 mg
Sodium : 56 mg	Protéines : 4,1 g	

Teneur élevée en : riboflavine

Chocolat chaud à la mexicaine

- *Temps de préparation : 2 minutes*
- *Temps de cuisson : 5 minutes*

125 ml	sucre granulé	½ tasse
125 ml	eau	½ tasse
75 ml	cacao non sucré en poudre	⅓ tasse
2 ml	cannelle moulue	½ c. à thé
1,25 l	lait	5 tasses
2 ml	extrait de vanille	½ c. à thé
2 ml	extrait d'amande	½ c. à thé

1. Dans une grande casserole à feu moyen, chauffer le sucre, l'eau, le cacao en poudre et la cannelle jusqu'à ce que le sucre soit dissous. Ajouter le lait et chauffer jusqu'à ce que le liquide approche du point d'ébullition (ne pas faire bouillir). Retirer du feu et ajouter l'extrait de vanille et l'extrait d'amande.

✓ UN FAVORI DES ENFANTS

6 PORTIONS

Eileen Campbell

Ce chocolat chaud mousseux au parfum subtil d'épices sera réconfortant lors des froides journées d'hiver.

CONSEIL

Si vous disposez d'un instrument manuel pour faire mousser le lait, utilisez-le pour faire mousser le chocolat chaud avant de le servir.

VALEUR NUTRITIVE par portion		
Calories : 178	Glucides : 29,1 g	Calcium : 246 mg
Matières grasses : 4,6 g	Fibres : 1,5 g	Fer : 0,9 mg
Sodium : 85 mg	Protéines : 7,6 g	

Teneur très élevée en : riboflavine • **Teneur élevée en :** calcium et magnésium

Équivalents par portion pour les personnes diabétiques

2	glucides

Hors-d'œuvre, sauces et trempettes

Quoi de mieux que des hors-d'œuvre pour exciter vos papilles gustatives ! Bien des gens aiment parfois se mettre quelque chose sous la dent avant de passer à table. Les amuse-gueule que nous vous proposons sauront vous plaire sans trop vous remplir. Pour une soirée unique, servez un éventail de hors-d'œuvre, de sauces et de trempettes, et laissez tomber le plat principal !

Des recettes à la portée des enfants

Les enfants sont plus susceptibles de manger avec appétit lorsqu'ils contribuent à la préparation du repas, particulièrement s'il s'agit d'un plat nouveau et différent. Mettez-y du vôtre lorsque vous apprêtez un mets, et présentez-le de manière qu'il soit attrayant pour leurs jeunes yeux. Faites que les moments passés dans la cuisine soient amusants et instructifs. Voici quelques idées pour vous aider à éveiller l'intérêt de vos enfants.

• Servez des trempettes en accompagnement. Les enfants adorent tremper des aliments dans une sauce.

• Dosez les épices que vous utilisez pour vous adapter à leurs goûts ; rappelez-vous que la plupart des jeunes enfants préfèrent les aliments simples et naturels.

• Achetez des légumes qu'ils aiment et servez-leur-en souvent. Lorsque vous leur servez des légumes dont ils ne raffolent pas, camouflez-les en les hachant ou en les présentant sous forme de purée.

• Apprêtez des aliments que leurs petites mains pourront manipuler avec aisance, comme les Bâtonnets de poulet au parmesan (p. 171) avec de la Sauce aigre-douce (p. 110).

• Soyez créatif. Utilisez des emporte-pièces pour tailler des formes originales ; coupez des radis en forme de fleur ; faites des visages souriants sur les crêpes à l'aide de fruits ; à l'Halloween, disposez les légumes dans un plat de service de manière à former un squelette, et, pendant le temps des fêtes, imaginez un sapin.

• Laissez les enfants assembler leur repas à table lorsque vous servez des tacos, par exemple.

Quelle quantité d'alcool va de pair avec un mode de vie équilibré ?

Un des problèmes avec les délicieux hors-d'œuvre que l'on sert avant le repas du soir est qu'ils sont souvent accompagnés d'une boisson alcoolisée. Il importe de surveiller notre consommation d'alcool pour différentes raisons bien connues. Mais il faut savoir que l'alcool contient presque autant de calories par gramme que le gras, soit 7 calories par gramme. Ainsi, une consommation moyenne compte entre 100 et 150 calories, lesquelles s'additionnent vite lorsqu'on en consomme quelques-unes tous les jours. Cette habitude peut être une véritable préoccupation pour ceux qui doivent surveiller leur poids.

Santé Canada recommande de ne pas boire plus d'une consommation par jour pour les femmes, et deux consommations par jour pour les hommes. (Cela ne veut pas dire que vous pouvez « économiser » vos consommations de la semaine pour une beuverie de fin de semaine.) Si vous buvez moins que cette quantité, c'est très bien. Une consommation équivaut à un verre de vin de 150 ml (5 oz), une bière de 375 ml (12 oz) ou 45 ml (1 ½ oz) de spiritueux, comme le scotch.

N'utilisez pas l'alcool pour étancher votre soif. Buvez d'abord de l'eau. Et rappelez-vous que l'alcool peut augmenter votre appétit et accélérer votre digestion, ce qui vous donnera faim plus rapidement. Lorsque vous allez à une soirée où l'on sert de l'alcool, fixez-vous une limite et prévoyez un retour à la maison en toute sécurité !

Que faire si mon enfant a des goûts limités ?

Il est normal que les enfants, tout au long de leur croissance, aient des goûts capricieux et changeants. Heureusement, il existe plusieurs solutions pour que vous et vos enfants passiez à travers cette période difficile.

- Ayez toujours une grande variété d'aliments sains à votre disposition.
- Donnez l'exemple en essayant un nouvel aliment chaque semaine.
- Présentez de nouveaux aliments à vos enfants, mais ne les forcez pas à en manger. Vous devez cependant être tenace et ne pas abandonner après un simple refus. Essayez de nouveau un autre jour.
- Préparez des repas équilibrés, mais laissez vos enfants décider de la quantité qu'ils vont manger, ou s'ils vont en manger. Rappelez-vous que vous n'aimiez peut-être pas les épinards à la vapeur, à huit ans !
- Servez-leur de petites portions pour que le défi soit réalisable.
- Encouragez vos enfants à s'intéresser aux activités culinaires. Pour éveiller leur intérêt, discutez de la variété des aliments qui existent et de leur origine. Visitez une ferme ou cultivez votre propre potager.
- Assurez-vous que des aliments ou des boissons moins nutritives ne nuisent pas à leur appétit à l'heure des repas.

Finalement, essayez de vous détendre (nous savons que ce n'est pas facile) ! Si vous forcez un peu trop la note, il est fort probable que vos enfants se rebellent. Avec du temps et de la patience, la plupart des enfants dépassent cette phase difficile et se mettent à goûter de nouveaux aliments.

**Corry Dunphy,
diététiste,
Saskatchewan**

*À la douce mémoire de
Lori Sargeant-Radomski
(diététiste diplômée),
l'amie et mentor de
Corry, qui lui a
d'ailleurs fait connaître
ces minipitas, il y a
plusieurs années. Lori
les avait préparés pour
un repas-partage, un
événement qui est
souvent l'occasion
d'échanger des
recettes. Corry a
actualisé la recette en
réduisant sa teneur en
gras (fromage à la
crème léger) et en
augmentant sa teneur
en fibres par les pains
pitas de blé entier.*

VARIANTE

Si vous êtes amateur de
piments, augmentez la
quantité de jalapeños ou
préparez la recette avec
des jalapeños frais.

Minipitas au fromage et aux jalapeños

- *Temps de préparation : 15 à 20 minutes*
- *Temps de cuisson : 5 minutes*

5 ml	huile végétale	1 c. à thé
1	oignon, haché	1
250 g	fromage à la crème faible en gras, ramolli	8 oz
2	tomates, hachées finement	2
60 ml	bacon cuit, émietté	¼ tasse
30 ml	jalapeños marinés, hachés (ou au goût)	2 c. à soupe
18	minipitas de blé entier, coupés en deux	18

1. Dans une petite poêle, chauffer l'huile à feu moyen. Faire revenir l'oignon dans l'huile jusqu'à ce qu'il soit tendre, environ 5 minutes.
2. Dans un grand bol, mélanger l'oignon, le fromage à la crème, les tomates, le bacon et les jalapeños.
3. Farcir les moitiés des pains pitas avec la préparation au fromage.

✓ UN FAVORI DES ENFANTS

**Équivalents par portion
pour les personnes
diabétiques**

½	matières grasses

VALEUR NUTRITIVE par portion		
Calories : 32	Glucides : 3,3 g	Calcium : 10 mg
Matières grasses : 1,6 g	Fibres : 0,4 g	Fer : 0,3 mg
Sodium : 71 mg	Protéines : 1,6 g	

Toasts au fromage et aux olives

- *Temps de préparation : 10 minutes*
- *Temps de cuisson : 10 minutes*
- *Four préchauffé à 200 °C (400 °F)*
- *Plaque à pâtisserie*

375 ml	cheddar fort, râpé	1 ½ tasse
250 ml	olives noires dénoyautées, hachées	1 tasse
125 ml	mayonnaise légère	½ tasse
15 ml	oignon vert, haché	1 c. à soupe
2 ml	poudre de cari	½ c. à thé
2 ml	sel	½ c. à thé
6	muffins anglais, coupés en deux	6

1. Dans un grand bol, mélanger le fromage, les olives, la mayonnaise, l'oignon vert, la poudre de cari et le sel.
2. Déposer les moitiés de muffins anglais sur une plaque à pâtisserie et les tartiner avec la préparation au fromage. Couper chaque moitié en quatre.
3. Cuire au four préchauffé 10 minutes, ou jusqu'à ce que le fromage soit fondu.

❄ **SE CONGÈLE BIEN**
✓ **UN FAVORI DES ENFANTS**

48 HORS-D'ŒUVRE (1 PAR PORTION)

Judy Jenkins, diététiste, Nouvelle-Écosse

Dégustez ces bouchées pendant que le repas mijote sur la cuisinière.

CONSEILS

Utilisez des muffins anglais de grains entiers pour un apport supplémentaire en fibres.

Si vos enfants n'aiment pas les olives, ne les ajoutez pas à la préparation, mais déposez-les plutôt sur votre portion de muffins tartinés au moment de les enfourner.

VALEUR NUTRITIVE par portion		
Calories : 43	Glucides : 3,9 g	Calcium : 41 mg
Matières grasses : 2,4 g	Fibres : 0,3 g	Fer : 0,3 mg
Sodium : 119 mg	Protéines : 1,5 g	

Équivalents par portion pour les personnes diabétiques	
½	matières grasses

Sara Duchesne-Milne,
diététiste, Ontario

Ce hors-d'œuvre qui se prépare en un tournemain connaît un succès fou au moment des récoltes, lorsque les tomates (bien mûres) sont à leur meilleur. Nous avons choisi d'utiliser des tomates cerises parce qu'elles sont délicieuses en toute saison.

CONSEIL

La bruschetta se prépare tout aussi bien avec des tomates plus grosses. Utilisez alors 3 tomates moyennes ou 5 tomates italiennes.

SUGGESTION D'ACCOMPA-GNEMENT : Ce hors-d'œuvre est idéal pour les repas entre amis. Poursuivez le repas avec le Saumon grillé à la coriandre et au gingembre (p. 207) accompagné de Salsa aux haricots noirs (p. 106) et de Légumes vapeur à l'orientale (p. 263). Terminez sur une note joyeuse avec la Fondue au chocolat (p. 311).

- **Temps de préparation : 15 minutes**
- **Temps de cuisson : 8 minutes**
- *Gril du four préchauffé*
- *Plaque à pâtisserie*

6	tranches de pain de seigle	6
30 ml	huile d'olive extra vierge,	2 c. à soupe
18	tomates cerises, hachées grossièrement	18
5	feuilles de basilic frais, hachées	5
2	gros poivrons rouges (en conserve), égouttés et hachés grossièrement (ou voir la recette des poivrons rouges rôtis, sous Plateau d'antipasto, p. 98)	2
1	gousse d'ail, émincée	1
30 ml	parmesan, fraîchement râpé	2 c. à soupe
10 ml	sauce au piment (facultatif)	2 c. à thé
5 ml	poivre noir, fraîchement moulu	1 c. à thé
2 ml	sel	½ c. à thé
60 ml	feta, émietté (facultatif)	¼ tasse

1. Disposer les tranches de pain sur une plaque à pâtisserie et les badigeonner légèrement avec 15 ml (1 c. à soupe) d'huile d'olive. Griller au four 3 minutes, ou jusqu'à ce que le pain soit doré.

2. Dans un bol moyen, mélanger les tomates cerises, le basilic, les poivrons rouges, l'ail, le parmesan, le reste de l'huile d'olive, la sauce au piment, le sel et le poivre. Répartir la préparation sur les tranches de pain et garnir avec la feta.

3. Faire griller au four jusqu'à ce que le tout soit bien chaud, environ 5 minutes. Couper les tranches de pain en diagonale.

✓UN FAVORI DES ENFANTS

Équivalents par portion pour les personnes diabétiques	
1	glucides
1	matières grasses

VALEUR NUTRITIVE par portion		
Calories : 130	Glucides : 16 g	Calcium : 53 mg
Matières grasses : 6,1 g	Fibres : 2,6 g	Fer : 1,2 mg
Sodium : 443 mg	Protéines : 3,7 g	

Teneur très élevée en : vitamine C
Teneur élevée en : acide folique
Source de : fibres alimentaires

Brochettes de crevettes à la coriandre

- **Temps de préparation : 10 minutes**
- **Temps pour la marinade : 30 minutes**
- **Temps de cuisson : 5 minutes**
- *6 brochettes de bois de 15 cm (6 po)*
- *Plaque à pâtisserie, graissée*

2	gousses d'ail, émincées	2
60 ml	coriandre fraîche, hachée	¼ tasse
2 ml	coriandre moulue	½ c. à thé
30 ml	huile d'olive	2 c. à soupe
	le jus et le zeste de 2 limes	
	sel et poivre noir, fraîchement moulu	
500 g	grosses crevettes, décortiquées et déveinées	1 lb

1. Dans un petit bol, préparer la marinade en mélangeant l'ail, la coriandre hachée et moulue, l'huile d'olive, le zeste et le jus des limes. Saler et poivrer au goût.
2. Déposer les crevettes dans un plat peu profond, y verser la marinade, couvrir et laisser mariner au réfrigérateur de 30 minutes à 2 heures.
3. Préchauffer le gril du four. Enfiler les crevettes sur les brochettes. Déposer les brochettes sur une plaque à pâtisserie graissée.
4. Faire griller au four environ 2 ½ minutes par côté, ou jusqu'à ce que la chair des crevettes soit rose et opaque.

✓ **UN FAVORI DES ENFANTS**

6 PORTIONS

Eileen Campbell

Accompagnez ces brochettes de la sauce de votre choix : la Mojo à la mangue et à la menthe (p. 109), la Chimichurri (p. 108) ou encore la Salsa à la pêche (p. 105).

CONSEIL

Au barbecue : préchauffez le barbecue à 180 °C (350 °F) et faites cuire environ 2 ½ minutes par côté, ou jusqu'à ce que la chair des crevettes soit rose et opaque.

Planifiez des extras

Préparez des crevettes en extra, elles seront excellentes, froides, le lendemain, dans une salade verte.

VALEUR NUTRITIVE par portion		
Calories : 94	Glucides : 1,7 g	Calcium : 34 mg
Matières grasses : 4,4 g	Fibres : 0,2 g	Fer : 1,4 mg
Sodium : 85 mg	Protéines : 11,6 g	

Teneur très élevée en : vitamine B$_{12}$
Teneur élevée en : niacine

Équivalents par portion pour les personnes diabétiques

1 ½ viandes et substituts

Eileen Campbell

Épatez vos invités avec ce plat coloré et délicieux. Ne leur dites surtout pas à quel point ces antipasto sont faciles à préparer ! Les quatre éléments qui composent cette assiette peuvent être servis séparément, mais ils forment un plat fantastique lorsqu'ils sont réunis. Disposez-les avec soin dans un joli plat de service avec 250 ml (1 tasse) d'olives épicées, et garnissez de feuilles de basilic frais.

CONSEIL

Si vous n'avez pas de barbecue, faites-les griller au four préchauffé à 200 °C (400 °F) ou directement sous le gril du four. Déposez les poivrons sur une plaque à pâtisserie et retournez fréquemment. Laissez rôtir jusqu'à ce que la pelure soit noircie et cloquée. Poursuivez avec la méthode au barbecue.

Planifiez des extras

En saison, préparez plusieurs poivrons et mettez-les à congeler deux par deux, dans des sacs à congélation. Utilisez-les ensuite dans les pâtes, la Salade de lentilles à la méditerranéenne et de riz (p. 155), ou encore pour garnir les salades ou la Bruschetta (p. 96).

Plateau d'antipasto

- ***Temps de préparation : 30 minutes***
- ***Temps de cuisson : 20 minutes***
- *Barbecue préchauffé à 180 °C (350 °F)*

Poivrons rouges rôtis

2	poivrons rouges	2

1. Déposer les poivrons directement sur la grille du barbecue et les laisser rôtir en les retournant fréquemment à l'aide de pinces, jusqu'à ce que leur peau soit noircie et cloquée, environ 6 minutes. Retirer du feu et déposer dans un sac de plastique de type pour congélateur ou dans un pot en verre avec un couvercle. Vider le sac de son air et le fermer lâchement (la peau des poivrons se détachera sous l'effet de la vapeur). Laisser tiédir environ 15 minutes, ou jusqu'à ce que leur température permette de les manipuler.
2. Retirer les poivrons du sac, les peler et leur retirer la tige, les cœurs et les graines. Couper en lanières et disposer dans un plat de service.

Cœurs d'artichauts grillés

- *6 brochettes de métal ou de bois (ayant trempé dans l'eau) de 15 cm (6 po)*

2	boîtes de 398 ml (14 oz) de cœurs d'artichaut entiers, rincés et égouttés	6

1. Enfiler 3 artichauts par brochette et les faire griller de tous les côtés au barbecue préchauffé, environ 5 minutes.
2. Retirer les artichauts des brochettes, couper en deux et les disposer dans un plat de service.

Champignons marinés

250 ml	eau	1 tasse
30 ml	huile d'olive	2 c. à soupe
15 ml	vinaigre de vin blanc	1 c. à soupe
une pincée	sel	une pincée
	le zeste de 1 citron, de 1 lime et de 1 orange	
250 g	champignons	8 oz

(Champignons marinés, suite…)

1. Dans une casserole moyenne, à feu moyen vif, porter l'eau, l'huile d'olive, le vinaigre, le sel et les zestes d'agrumes à ébullition. Ajouter les champignons et porter à nouveau à ébullition. Baisser le feu et laisser mijoter à feu moyen 5 minutes, ou jusqu'à ce que les champignons soient tendres. À l'aide d'une écumoire ou d'une cuillère à égoutter, retirer les champignons et les déposer dans un plat de service.
2. À feu vif, amener le liquide à ébullition et le laisser réduire de moitié. Verser sur les champignons.

Brochettes de bocconcini et tomates cerises

200 g	mini-bocconcinis	7 oz
250 ml	tomates cerises	1 tasse
15 ml	pesto au basilic	1 c. à soupe

1. Déposer les tomates et les bocconcinis dans un plat peu profond et les badigeonner de pesto. Couvrir et réfrigérer de 15 minutes à 1 heure.
2. Enfiler successivement un bocconcini et une tomate sur un grand cure-dent. Répétez jusqu'à ce qu'il ne reste plus d'ingrédients. Disposer dans le plat de service.

✓ **UN FAVORI DES ENFANTS**

SUGGESTION D'ACCOMPAGNEMENT : *Menu de réception :* Servez les antipasti avec les Brochettes de crevettes à la coriandre (p. 97), les Croustilles de tortillas et guacamole (p. 102), des crudités avec de l'Hoummos épicé (p. 104) et du pain pita de blé entier coupé en pointes.

CONSEIL
Si vous ne trouvez pas de bocconcinis, remplacez-les par de petits cubes de mozzarella.

VALEUR NUTRITIVE par portion		
(une portion équivaut à ½ de la recette)		
Calories : 119	Glucides : 8,6 g	Calcium : 139 mg
Matières grasses : 7,7 g	Fibres : 2,9 g	Fer : 1,3 mg
Sodium : 228 mg	Protéines : 6 g	
Teneur élevée en : vitamine C		
Source de : fibres alimentaires		

Équivalents par portion pour les personnes diabétiques	
½	viandes et substituts
1	matières grasses

Eileen Campbell

Une salade sur une brochette ? Ça, ça sort de l'ordinaire !

CONSEIL
Pour varier, remplacez le tzatziki par de la vinaigrette style ranch.

Kebabs de légumes à la grecque

● *Temps de préparation : 5 minutes*

6	tomates cerises	6
12	tranches de concombre anglais de 1 cm (½ po) d'épaisseur	12
12	cubes de feta de 1 cm (½ po)	12
12	morceaux de poivrons rouges de 1 cm (½ po)	12
6	olives noires dénoyautées	6
75 ml	tzatziki (du commerce ou maison, p. 59)	⅓ tasse

1. Enfiler les ingrédients sur les brochettes dans l'ordre suivant : 1 tomate, 1 tranche de concombre, 1 cube de feta, 1 morceau de poivron, 1 tranche de concombre, 1 cube de feta, 1 morceau de poivron et 1 olive.
2. Servir avec du tzatziki en guise de trempette.

✓ **UN FAVORI DES ENFANTS**

Équivalents par portion pour les personnes diabétiques

½	viandes et substituts
½	matières grasses

VALEUR NUTRITIVE par portion

Calories : 56	Glucides : 2,4 g	Calcium : 86 mg
Matières grasses : 4,4 g	Fibres : 0,4 g	Fer : 0,3 mg
Sodium : 216 mg	Protéines : 2,5 g	

Gelée de sangria

DONNE 4 OU 5 POTS DE 250 ML (1 TASSE) (15 ML / 1 C. À SOUPE PAR PORTION)

Patti Thompson, diététiste, Manitoba

Cette gelée originale accompagne bien les fromages et les pâtés, à l'heure de l'apéro.

- *Temps de préparation : 10 minutes*
- *Temps de cuisson : 10 minutes*
- *Temps de prise : 24 heures*

2	oranges	2
1	citron	1
875 ml	sucre granulé	3 ½ tasses
325 ml	vin sec, rouge ou blanc	1 ⅓ tasse
1	sachet de 85 ml (3 oz) de pectine de fruits liquide	1
45 ml	brandy	3 c. à soupe

1. Râper le zeste de 1 orange et du citron et presser leur jus. Peler l'autre orange, la séparer en quartiers et les hacher.
2. Dans une grande casserole, mélanger le zeste et le jus d'orange, le zeste et le jus de citron, l'orange hachée, le sucre et le vin. À feu vif, en remuant constamment, porter à forte ébullition. Laisser bouillir à gros bouillons 1 minute en remuant constamment. Retirer ensuite du feu et y ajouter la pectine et le brandy. Écumer sans délai la mousse qui se forme à la surface.
3. Verser la gelée dans des bocaux (de type Masson) stérilisés et tièdes et remplir à 0,5 cm (¼ po) du bord (des morceaux d'orange flotteront peut-être à la surface). Déposer les couvercles (utilisez seulement des couvercles neufs), puis les anneaux, et les visser sur les bocaux. Déposer les bocaux dans une marmite à bouillir ; laisser bouillir 10 minutes.
4. Entreposer dans un endroit frais pendant au moins 24 heures, le temps que la gelée prenne. S'assurer que les couvercles sont bien scellés. Réfrigérer tout bocal mal scellé et ne pas le conserver plus de trois semaines. Conserver les bocaux scellés dans un endroit sec et frais pendant au plus un an. Réfrigérer après ouverture.

SUGGESTION D'ACCOMPAGNEMENT : Servez avec du poulet, du porc, du brie ou les hors-d'œuvre de votre choix.

VALEUR NUTRITIVE par portion

Calories : 45	Glucides : 11,6 g	Calcium : 2 mg
Matières grasses : 0 g	Fibres : 0,1 g	Fer : 0 mg
Sodium : 0 mg	Protéines : 0 g	

Équivalents par portion pour les personnes diabétiques

½ glucides

Susan Beaubier, diététiste, Colombie-Britannique

Cette combinaison a gagné la faveur de notre groupe de dégustation, sans compter que les croustilles et le guacamole sont moins riches en matières grasses que celles du commerce. Les enfants en raffolent.

CONSEIL
Les croustilles de tortillas se conservent deux semaines à la température ambiante, dans un sac en plastique fermé hermétiquement.

Planifiez des extras
Les croustilles de tortillas sont excellentes avec une trempette ou du fromage.

- **Temps de préparation : 20 minutes**
- **Temps de cuisson : 10 à 15 minutes par fournée de croustilles**
- *Four préchauffé à 180 °C (350 °F)*

2	avocats mûrs, pelés et écrasés	2
1	tomate, hachée (facultatif)	1
1	gousse d'ail, émincée (ou 2 ml/½ c. à thé de poudre d'ail)	1
125 ml	yogourt nature sans gras	½ tasse
75 ml	salsa aux tomates (piquante au goût)	⅓ tasse
30 ml	oignon vert (facultatif)	2 c. à soupe
10 ml	jus de citron frais	2 c. à thé
5 ml	cumin moulu (ou au goût)	1 c. à thé
5 ml	assaisonnement au chili (ou au goût)	1 c. à thé
8 à 10	tortillas multigrains ou de blé entier de 25 cm (10 po) de diamètre	8 à 10

1. Dans un grand bol, mélanger les avocats, la tomate, l'ail, le yogourt, la salsa, l'oignon vert, le jus de citron, le cumin et l'assaisonnement au chili.
2. Disposer directement les tortillas sur la grille du milieu du four et les laisser griller, en les retournant une fois, de 10 à 15 minutes, ou jusqu'à ce qu'elles soient légèrement dorées et qu'elles commencent à être croustillantes. (Surveiller de temps en temps pour s'assurer qu'elles ne brunissent pas trop). Répéter l'opération au besoin. Les laisser refroidir sur une grille, puis les briser en morceaux.
3. Déposer un bol de guacamole au milieu d'un plat de service et disposer autour les morceaux de tortillas.

✓ UN FAVORI DES ENFANTS

Équivalents par portion pour les personnes diabétiques

1 ½	glucides
2	matières grasses

VALEUR NUTRITIVE par portion

Calories : 227	Glucides : 28,5 g	Calcium : 31 mg
Matières grasses : 10 g	Fibres : 6,1 g	Fer : 0,5 mg
Sodium : 411 mg	Protéines : 6,4 g	

Teneur élevée en : fibres alimentaires
Source de : acide folique

Trempette chaude
au saumon et à l'artichaut

- **Temps de préparation : 15 minutes**
- **Temps de cuisson : 10 à 15 minutes par fournée**
  de tortillas, plus 30 minutes pour la trempette
- Four préchauffé à 180 °C (350 °F)
- Plat à tarte en verre de 23 cm (9 po) de diamètre

5	tortillas de blé entier ou de grains entiers de 25 cm (10 po) de diamètre	5
250 g	fromage à la crème allégé, ramolli	8 oz
60 ml	crème sure faible en gras	¼ tasse
60 ml	mayonnaise légère	¼ tasse
1	boîte de 213 g (7 ½ oz) de saumon sockeye (sans sel) égoutté, sans la peau et sans les arêtes	1
1	boîte de 398 ml (14 oz) de cœurs d'artichaut dans l'eau, égouttés et hachés	1
250 ml	haricots blancs en conserve, rincés et égouttés	1 tasse
250 ml	mozzarella faible en gras, râpée	1 tasse
125 ml	oignons verts, hachés	½ tasse
1 ml	poivre noir, fraîchement moulu	¼ c. à thé

1. Disposer directement les tortillas sur la grille du milieu du four et les laisser griller, en les retournant une fois, de 10 à 15 minutes, ou jusqu'à ce qu'elles soient légèrement dorées et qu'elles commencent à être croustillantes. (Surveiller de temps en temps pour s'assurer qu'elles ne brunissent pas trop). Répéter l'opération au besoin. Les laisser refroidir sur une grille, puis les briser en morceaux.
2. Pendant ce temps, mélanger le fromage à la crème, la crème sure et la mayonnaise. Incorporer le saumon, les artichauts, les haricots blancs, la mozzarella, les oignons verts et le poivre. À l'aide d'une cuillère, déposer ce mélange dans le plat à tarte.
3. Cuire 30 minutes, ou jusqu'à ce que la température interne atteigne 74 °C (165 °F).
4. Déposer la trempette au milieu d'un plat de service et disposer autour les morceaux de tortillas.

12 PORTIONS

**Cindi Jackson,
Colombie-Britannique**

Cindi a créé cette recette pour sa belle-mère, Joan. Celle-ci raffole du saumon et apprécie tout particulièrement cette trempette savoureuse et parfumée.

VARIANTES
Remplacez le saumon par les fruits de mer de votre choix, frais ou en conserve. Les surplus de crabe, de saumon ou de crevettes sont excellents pour cette recette.

Si vous n'aimez pas le poisson et les fruits de mer, remplacez le saumon par 175 ml (¾ tasse) d'épinards surgelés, décongelés et bien égouttés.

VALEUR NUTRITIVE par portion		
Calories : 196	Glucides : 22,3 g	Calcium : 153 mg
Matières grasses : 8,6 g	Fibres : 3,2 g	Fer : 1,7 mg
Sodium : 292 mg	Protéines : 12 g	
Teneur élevée en : niacine, acide folique et magnésium		
Source de : fibres alimentaires		

Équivalents par portion pour les personnes diabétiques	
1	glucides
1	viandes et substituts
1	matières grasses

Hoummos épicé

**Catha McMaster,
Ontario**

L'hoummos est délicieux dans les sandwichs végétariens ou comme trempette avec des craquelins et des crudités. La plupart des recettes d'hoummos se préparent avec du tahini (beurre de sésame), un ingrédient parfois difficile à trouver. Celle-ci n'en contient pas, mais elle est tout aussi délicieuse !

CONSEILS

Si l'hoummos est trop épais, ajoutez un peu d'eau et mélangez.

L'hoummos se conserve une semaine au réfrigérateur.

Planifiez des extras

L'hoummos est un ami des boîtes à lunch : il rehausse la saveur des sandwichs et il est délicieux en trempette avec des crudités. Après l'école, servez à vos petits affamés les Tortillas au poulet, aux légumes et à l'hoummos (p. 75).

• **Temps de préparation : 5 minutes**

1	boîte de 540 ml (19 oz) de pois chiches, rincés et égouttés (environ 500 ml/2 tasses)	1
2	gousses d'ail	2
1 ml	cumin moulu	¼ c. à thé
1 ml	coriandre moulue	¼ c. à thé
1 ml	sauce au piment	¼ c. à thé
15 ml	jus de citron frais	1 c. à soupe

1. Au mélangeur ou au robot culinaire, à vitesse moyenne, mélanger les pois chiches, l'ail, le cumin, la coriandre et la sauce au piment environ 30 secondes, jusqu'à ce que le tout soit légèrement haché. Ajouter le jus de citron et mélanger jusqu'à consistance lisse.

✓ **UN FAVORI DES ENFANTS**

SUGGESTION D'ACCOMPAGNEMENT : Servez l'hoummos dans un poivron rouge évidé pour une jolie présentation.

Équivalents par portion pour les personnes diabétiques
1   glucides

VALEUR NUTRITIVE par portion		
Calories : 88	Glucides : 16,9 g	Calcium : 23 mg
Matières grasses : 0,9 g	Fibres : 3,2 g	Fer : 0,9 mg
Sodium : 187 mg	Protéines : 3,7 g	

Teneur élevée en : vitamine B_6 et acide folique
Source de : fibres alimentaires

Trempette au yogourt et à la menthe

Marketa Graham, diététiste, Ontario

Les crudités, les viandes et les légumes grillés conviennent à cette trempette. Elle est délicieuse avec le Pain de viande au boulghour à la méditerranéenne (p. 195).

● *Temps de préparation : 5 minutes*

½	gousse d'ail, émincée	½
500 ml	yogourt nature	2 tasses
30 ml	menthe fraîche, hachée	2 c. à soupe
	(ou 15 ml/1 c. à soupe de menthe séchée ou d'aneth séché)	

1. Dans un bol moyen, mélanger l'ail, le yogourt et la menthe.

VALEUR NUTRITIVE par portion		
Calories : 40	Glucides : 4,7 g	Calcium : 122 mg
Matières grasses : 1 g	Fibres : 0,2 g	Fer : 0,4 mg
Sodium : 44 mg	Protéines : 3,3 g	

Teneur très élevée en : vitamine B$_{12}$

Équivalents par portion pour les personnes diabétiques

½	glucides

Salsa à l'ananas

Eileen Campbell

Cette salsa originale se prépare avec une base de salsa aux tomates du commerce. Servez-la avec des Croustilles de tortillas (p. 102).

CONSEIL
Cette salsa se conserve trois jours au réfrigérateur.

VARIANTE
Salsa aux pêches
Remplacez les ananas par des pêches, fraîches ou en conserve, et la coriandre par de la menthe.

● *Temps de préparation : 5 minutes*

250 ml	salsa aux tomates	1 tasse
250 ml	ananas frais ou en conserve (égouttés), en dés	1 tasse
60 à 125 ml	coriandre fraîche, hachée	¼ à ½ tasse

1. Dans un bol moyen, mélanger la salsa, les ananas et la coriandre. Servir immédiatement, ou couvrir et conserver au réfrigérateur jusqu'au moment de servir.

VALEUR NUTRITIVE par portion		
Calories : 24	Glucides : 6 g	Calcium : 16 mg
Matières grasses : 0,1 g	Fibres : 1,1 g	Fer : 0,3 mg
Sodium : 264 mg	Protéines : 0,8 g	

Équivalents par portion pour les personnes diabétiques

1	extra

Eileen Campbell

En plus d'être exquise, cette salsa est riche en fibres.

CONSEIL

Si vous n'êtes pas amateur de saveurs piquantes, réduisez la quantité de jalapeño ou n'en mettez pas.

Salsa aux haricots noirs

- *Temps de préparation : 5 minutes*
- *Temps de réfrigération : 2 heures*

3	tomates, en dés	3
1	petit oignon rouge, haché finement	1
1	piment jalapeño, épépiné et haché finement	1
1	boîte de 540 ml (19 oz) de haricots noirs, rincés et égouttés (environ 500 ml/2 tasses)	1
125 ml	coriandre fraîche, hachée	½ tasse
15 ml	huile d'olive	1 c. à soupe
2 ml	sel	½ c. à thé
	jus de 2 limes	

1. Dans un grand bol, mélanger les tomates, l'oignon rouge, le jalapeño, les haricots noirs, la coriandre, l'huile d'olive, le sel et le jus de lime. Couvrir et réfrigérer au moins 2 heures ou toute la nuit pour que les saveurs se marient.

Haricots noirs

Très utilisés dans la cuisine mexicaine, les haricots noirs entrent dans la préparation des burritos et des enchiladas. On prépare les haricots sautés en les réduisant en purée, puis en les faisant revenir dans un corps gras. Les haricots noirs sont délicieux dans les salades ; leur saveur se marie harmonieusement à celle du maïs frais, des tomates et de la coriandre.

Équivalents par portion pour les personnes diabétiques

½	glucides
½	matières grasses

VALEUR NUTRITIVE par portion

Calories : 83	Glucides : 13,5 g	Calcium : 28 mg
Matières grasses : 1,9 g	Fibres : 4,4 g	Fer : 1,1 mg
Sodium : 326 mg	Protéines : 3,9 g	

Teneur élevée en : fibres alimentaires et acide folique

Pico de gallo

Eileen Campbell

- *Temps de préparation : 10 minutes*
- *Temps de réfrigération : 1 heure*

1	gousse d'ail, hachée finement	1
500 ml	tomates, épépinées et hachées	2 tasses
250 ml	oignon espagnol, en dés	1 tasse
125 ml	coriandre fraîche, hachée	½ tasse
15 ml	piment jalapeño, épépiné et haché	1 c. à soupe
15 ml	jus de lime	1 c. à soupe
2 ml	sel	½ c. à thé

1. Dans un petit bol, mélanger l'ail, les tomates, l'oignon, la coriandre, le jalapeño, le jus de lime et le sel. Couvrir et réfrigérer au moins 1 heure ou toute la nuit pour permettre aux saveurs de se marier.

Ce condiment, dont le nom signifie « bec de coq », est aussi connu sous le nom de salsa cruda (littéralement sauce crue) ou salsa fresca (sauce fraîche). Il accompagne bien les quesadillas aux légumes, les nachos et les fajitas.

CONSEILS

Augmentez la quantité de piments jalapeños ou laissez les graines pour une salsa plus épicée. Si au contraire, vous préférez une salsa aux saveurs plus douces, omettez tout simplement le piment.

Une lime de taille moyenne donne de 15 à 30 ml (1 à 2 c. à soupe) de jus.

VALEUR NUTRITIVE par portion		
Calories : 18	Glucides : 4,2 g	Calcium : 11 mg
Matières grasses : 0 g	Fibres : 0,7 g	Fer : 0,2 mg
Sodium : 148 mg	Protéines : 0,7 g	

Équivalents par portion pour les personnes diabétiques
1 · extra

Chimichurri

Eileen Campbell

Cette sauce à bifteck aux saveurs de l'Argentine est succulente avec les viandes grillées au barbecue, notamment le bœuf, le porc, le poulet et l'agneau.

CONSEILS

Si vous ne disposez pas d'un mortier et d'un pilon, utilisez un mélangeur pour réduire les ingrédients en purée. Vous obtiendrez une sauce épaisse d'un beau vert vif. Utilisez-la comme condiment dans les hamburgers maison, ou encore ajoutez-la à la viande hachée crue (45 ml/3 c. à soupe pour 500 g/1 lb de viande) avant de la façonner en galettes.

Pour une trempette originale, mélangez une part de chimichurri et une part de mayonnaise faible en gras. Dégustez avec des crudités.

• **Temps de préparation : 10 minutes**

6	gousses d'ail	6
3	feuilles de laurier	3
1 ½	piment jalapeño, épépiné et haché finement	1 ½
5 ml	sel	1 c. à thé
250 ml	persil frais, haché finement	1 tasse
60 ml	origan frais, haché finement	¼ tasse
60 ml	vinaigre blanc	¼ tasse
60 ml	huile d'olive extra vierge	¼ tasse

1. À l'aide d'un mortier et d'un pilon, écraser l'ail, les feuilles de laurier, le jalapeño et le sel jusqu'à l'obtention d'une pâte.
2. Déposer la préparation dans un petit bol et ajouter le persil et l'origan. Incorporer le vinaigre et l'huile à l'aide d'un fouet ; bien mélanger.

Équivalents par portion pour les personnes diabétiques

1	matières grasses

VALEUR NUTRITIVE par portion

Calories : 47	Glucides : 1,5 g	Calcium : 19 mg
Matières grasses : 4,6 g	Fibres : 0,5 g	Fer : 0,6 mg
Sodium : 194 mg	Protéines : 0,3 g	

Mojo à la mangue et à la menthe

8 PORTIONS

Eileen Campbell

- *Temps de préparation : 10 minutes*

12	feuilles de menthe fraîche	12
1	mangue mûre, pelée, dénoyautée et hachée	1
125 ml	jus de lime	½ tasse

La saveur sucrée de la mangue se marie à la fraîcheur de la lime et de la menthe pour donner une sauce envoûtante. Elle est si savoureuse que l'on a envie de la manger à la cuillère !

1. Au mélangeur, à grande vitesse, réduire en une purée lisse la menthe, la mangue et le jus de lime.

✓ UN FAVORI DES ENFANTS

SUGGESTION D'ACCOMPAGNEMENT : Servez-la avec le Poisson grillé classique (p. 203) ou les Poitrines de poulet grillées à l'ail et au gingembre (p. 166).

CONSEIL
Préparez cette sauce à l'avance pour permettre aux saveurs de bien se marier. Elle se conserve deux jours au réfrigérateur.

Les mangues

Si vous achetez une mangue pour la consommer immédiatement, assurez-vous qu'elle soit mûre en exerçant une légère pression des doigts sur sa chair. Si vos doigts s'impriment légèrement dans la chair, c'est qu'elle est mûre. Évitez cependant les mangues trop mûres dont la chair est pâteuse.

Le noyau de la mangue est large et plat, ce qui rend ce fruit difficile à couper. Voici un moyen efficace de couper une mangue en cubes : coupez une tranche près du noyau (à environ 1 cm/0,5 po) du centre. Répétez l'opération de l'autre côté. Avec la pointe d'un couteau, tracez des lignes parallèles dans la chair de chacune des deux parties, puis tracez des lignes dans le sens opposé afin de former un motif quadrillé. Prélevez les cubes à l'aide d'une cuillère. Pelez finalement la section centrale de la mangue et coupez la chair en cubes.

VALEUR NUTRITIVE par portion		
Calories : 21	Glucides : 5,8 g	Calcium : 8 mg
Matières grasses : 0,1 g	Fibres : 0,6 g	Fer : 0,2 mg
Sodium : 1 g	Protéines : 0,2 g	

Équivalents par portion pour les personnes diabétiques	
½	glucides

Sauce aigre-douce

6 PORTIONS

Patti Thomson,
diététiste, Manitoba

Patti sert cette sauce en guise de trempette pour les boulettes de viande. Ses enfants en raffolent !

- *Temps de préparation : 5 minutes*
- *Temps de cuisson : 10 minutes*

250 ml	confiture d'abricot	1 tasse
30 ml	poivron rouge, haché finement	2 c. à soupe
15 ml	sauce soja à teneur réduite en sodium	1 c. à soupe
10 ml	vinaigre de cidre	2 c. à thé

1. Dans une petite casserole, mélanger la confiture, le poivron rouge, la sauce soja et le vinaigre ; porter à ébullition à feu moyen. Baisser le feu et laisser mijoter doucement en remuant de temps en temps jusqu'à ce que la sauce ait légèrement épaissi, environ 10 minutes.

✓ UN FAVORI DES ENFANTS

SUGGESTION D'ACCOMPAGNEMENT : Servez-la comme trempette avec les Bâtonnets de poulet au parmesan (p. 171).

Équivalents par portion pour les personnes diabétiques

2	glucides

VALEUR NUTRITIVE par portion		
Calories : 132	Glucides : 34,9 g	Calcium : 12 mg
Matières grasses : 0,1 g	Fibres : 0,2 g	Fer : 0,3 mg
Sodium : 121 mg	Protéines : 0,6 g	

Sauce acidulée

- *Temps de préparation : 5 minutes*

3	gousses d'ail, émincées	3
150 ml	ketchup	⅔ tasse
150 ml	sauce chili	⅔ tasse
125 ml	mélasse	½ tasse
75 ml	jus de citron	⅓ tasse
60 ml	moutarde préparée	¼ tasse
2 ml	poivre noir, fraîchement moulu	½ c. à thé

1. Dans un bol moyen, mélanger l'ail, le ketchup, la sauce chili, la mélasse, le jus de citron, la moutarde et le poivre. Servir immédiatement ou couvrir et réfrigérer jusqu'au moment de servir.

> **SUGGESTION D'ACCOMPAGNEMENT :** Essayez-la dans le Sandwich au poulet barbecue (p. 69).

Tracy Hale MacLeod, Nouvelle-Écosse

Cette sauce est acidulée juste ce qu'il faut ! Elle convient parfaitement à la côte de bœuf, aux boulettes de viande et au poulet.

CONSEILS

Conservez cette sauce dans un contenant hermétique au réfrigérateur pendant au plus une semaine.

Un citron de taille moyenne donne environ 45 ml (3 c. à soupe) de jus. Vous aurez donc besoin de 2 citrons pour préparer cette recette.

VALEUR NUTRITIVE par portion		
Calories : 114	Glucides : 27,1 g	Calcium : 61 mg
Matières grasses : 0,5 g	Fibres : 2 g	Fer : 1,5 mg
Sodium : 623 mg	Protéines : 1,3 g	

Teneur très élevée en : magnésium
Source de : fibres alimentaires

Équivalents par portion pour les personnes diabétiques

1 ½ glucides

Soupes

Un bol de soupe consistante représente un bon choix lorsque vous n'avez pas le temps de cuisiner un repas traditionnel. Vous n'avez qu'à compléter avec du pain multigrain, ou des tortillas de blé entier, un morceau de fromage, de la salade prête à servir ou un fruit, et un verre de lait ou de jus de tomate. Une délicieuse soupe pourrait vous attendre à votre retour à la maison, si vous disposez d'une mijoteuse. La plupart de nos soupes peuvent être préparées à l'aide de ce pratique appareil. La mention « Se prépare à la mijoteuse » vous indique les recettes qui s'y prêtent le mieux.

Soupes-repas

Plusieurs de nos recettes de soupes font d'excellentes soupes-repas, car elles contiennent des légumes et de la viande ou des légumineuses. Voici quelques suggestions.

- Chaudrée de poulet et de maïs (p. 128)
- Soupe aux haricots parfumée à la coriandre (p. 124)
- Soupe à la noix de coco et au cari (p. 126)
- Soupe taco (p. 130)
- Minestrone à la saucisse de dinde (p. 129)
- Chaudrée de soupe aux légumes (p. 125)
- Soupe au poulet et aux arachides (p. 127)
- Goulache hongroise (p. 131)

Pour profiter encore plus du plaisir de déguster une soupe-repas…

- Apprêtez de grandes quantités et congelez-les en portions individuelles, dans des contenants allant au four à micro-ondes, pour un dîner ou un souper express. Dans un four à micro-ondes, faites chauffer la soupe congelée à intensité élevée pendant 8 à 12 minutes, en remuant à quelques reprises, jusqu'à ébullition. Pour une soupe décongelée, faites chauffer pendant 3 minutes à intensité élevée.
- Préparez tous les ingrédients le soir et déposez-les dans la mijoteuse le lendemain matin avant de quitter la maison (voir page suivante).

Sèche tes pleurs !

Les oignons donnent beaucoup de saveur aux plats comme les soupes et les ragoûts. Malheureusement, ils ont tendance à nous faire pleurer. Voici une technique simple et rapide qui devrait vous aider à contenir vos larmes.

Utilisez un couteau bien affûté (la substance volatile qui fait pleurer est plus susceptible d'être relâchée avec un couteau émoussé) et perdez le moins de temps possible, évidemment sans mettre votre sécurité en danger. Coupez d'abord l'oignon en deux, de haut en bas. Placez chaque moitié d'oignon sur une planche à découper propre, avec le côté plat orienté vers le bas. Tranchez la partie de l'oignon qui correspond à la tige et jetez-la, mais ne coupez pas l'extrémité de la racine, car elle retiendra l'oignon en un morceau pendant que vous le hachez. Enlevez la pelure et tranchez l'oignon verticalement, sans couper la racine. Tranchez-le horizontalement à quelques reprises, de l'extrémité de la tige vers celle de la racine, puis coupez dans l'autre sens pour faire de petits cubes. N'oubliez pas que l'extrémité de la racine de l'oignon doit demeurer intacte tout au long de cette opération.

Citronnelle

Les longues tiges de la citronnelle sont très aromatiques lorsqu'elles sont coupées ou écrasées. Pelez la couche extérieure qui recouvre la tige et grattez-la avec le dos d'un couteau ou pelez les couches extérieures pour exposer la partie tendre de la tige, émincez ensuite la citronnelle. Bien enveloppées, les tiges fraîches se conservent 2 semaines au réfrigérateur et jusqu'à 3 mois au congélateur.

Il est possible d'acheter de la citronnelle hachée, emballée en sachet, au rayon des fruits et légumes de certains supermarchés. Non seulement elle est pratique, mais elle est moins chère que la citronnelle fraîche.

Pour concocter une soupe dans une mijoteuse...

Rassemblez tous les ingrédients le soir, et faites sauter les légumes qui doivent être précuits. Si la recette comprend de la viande, faites cuire la viande et les légumes dans des poêlons séparés, en veillant à ce que la viande soit bien cuite. Déposez la viande et les légumes cuits au réfrigérateur dans leurs propres contenants. Le matin venu, versez tous les ingrédients dans la mijoteuse et réglez l'appareil à faible intensité. Environ huit heures plus tard, l'agréable arôme d'une soupe mijotée flottera dans l'air !

Mis à part l'aspect pratique de la mijoteuse, il existe d'autres avantages à l'utiliser :

- puisqu'elle fonctionne à basse température, elle ne réchauffe pas la cuisine ;
- vous pouvez utilisez des coupes de viande bon marché. Lorsque la viande cuit pendant une aussi longue période, elle devient plus tendre et plus juteuse. De plus, la viande perd moins de volume lorsqu'elle est cuite à la mijoteuse, en comparaison d'une cuisson sur le feu ou au four.

Les garnitures

Vous pouvez laisser aux membres de votre famille le plaisir de personnaliser leur soupe en proposant une variété de garnitures. Celles-ci ont différentes fonctions, comme ajouter du goût, de la couleur, de la texture ou du contraste. Les garnitures ci-dessous sauront apporter une touche spéciale à vos soupes, tant au point de vue du goût que de la présentation.

- Fines herbes fraîches, hachées ou en feuilles.
- Purée de légumes aux couleurs contrastantes.
- Croûtons nature ou aromatisés.
- Légumes émincés, tels que des carottes et des courgettes.
- Une touche de yogourt ou de crème sure avec des fines herbes.
- Fromage râpé.
- Légumes râpés aux couleurs vives tels que du chou rouge et du pak-choï.

**Janis Evans, diététiste,
Ontario**

*Une soupe formidable
à préparer lorsque les
asperges sont de
saison. Seul un soupçon
de crème y est ajouté,
car les pommes de
terre lui confèrent une
agréable texture
onctueuse.*

CONSEIL

Cette soupe est plutôt
épaisse. Si vous la préférez
plus claire, péparez-la avec
un peu plus de bouillon.

Soupe crémeuse aux pommes de terre et aux asperges

- **Temps de préparation : 15 minutes**
- **Temps de cuisson : 25 minutes**

15 ml	huile végétale	1 c. à soupe
1	petit oignon, haché	1
1	gousse d'ail, émincée	1
4	pommes de terre, en dés	4
500 g	asperges, coupées en tronçons de 2,5 cm (1 po)	1 lb
750 ml	bouillon de poulet ou de légumes	3 tasses
45 ml	crème légère (5 %)	3 c. à soupe
	sel et poivre noir, fraîchement moulu	
	persil frais, haché	

1. Dans une grande casserole, chauffer l'huile à feu moyen. Faire revenir l'oignon et l'ail jusqu'à ce qu'ils soient tendres, environ 5 minutes. Ajouter les pommes de terre, les asperges et le bouillon ; baisser le feu, couvrir et laisser mijoter 20 minutes, ou jusqu'à ce que les légumes soient cuits. Retirer du feu.
2. Passer la soupe au mélangeur, à grande vitesse, jusqu'à consistance lisse.
3. Remettre la soupe dans la casserole, incorporer la crème et réchauffer à feu doux. Saler et poivrer au goût.
4. Verser dans des bols et garnir de persil.

❄ SE CONGÈLE BIEN

SUGGESTION D'ACCOMPAGNEMENT : Servir avec la Salsa aux haricots noirs (page 106) et des pitas de blé entier pour faire trempette.

Équivalents par portion pour les personnes diabétiques	
1	glucides
½	matières grasses

VALEUR NUTRITIVE par portion		
Calories : 107	Glucides : 18,5 g	Calcium : 33 mg
Matières grasses : 2,2 g	Fibres : 2,2 g	Fer : 0,8 mg
Sodium : 349 mg	Protéines : 3,4 g	

Teneur très élevée en : acide folique
Source de : fibres alimentaires

Potage de brocoli

- *Temps de préparation : 10 minutes*
- *Temps de cuisson : 15 minutes*

1	gros brocoli, haché	1
1	petit oignon, haché	1
500 ml	bouillon de légumes	2 tasses
1	boîte de 385 ml (14 oz) de lait évaporé	1
2 ml	aneth séché	½ c. à thé
	sel et poivre noir, fraîchement moulu	
60 ml	cheddar, parmesan ou fromage suisse, fraîchement râpés (facultatif)	¼ tasse

1. Dans une grande casserole, à feu moyen et à couvert, porter à ébullition le brocoli, l'oignon et le bouillon. Baisser le feu et laisser mijoter environ 10 minutes, ou jusqu'à ce que les légumes soient cuits. Retirer du feu.
2. Passer la soupe au mélangeur, à grande vitesse, jusqu'à consistance lisse.
3. Remettre la soupe dans la casserole et ajouter le lait évaporé et l'aneth. Réchauffer à feu doux (la soupe ne doit pas bouillir, sans quoi le lait caillera). Saler et poivrer au goût. Incorporer le fromage si désiré.

❄ SE CONGÈLE BIEN
✓ UN FAVORI DES ENFANTS

SUGGESTION D'ACCOMPAGNEMENT : Servez ce potage avec la Salade de poulet et de mangue (page 156) et la Fournée de pains multigrains (page 280).

---

6 PORTIONS DE 250 ML (1 TASSE)

Lisa Diamond, diététiste, Colombie-Britannique

Délicieux et facile à préparer, ce potage vous réchauffera lors des journées froides.

CONSEIL
Si vous avez des restes de légumes cuits, utilisez-les dans ce potage, notamment les carottes et le chou-fleur.

VALEUR NUTRITIVE par portion

Calories : 124	Glucides : 17,5 g	Calcium : 311 mg
Matières grasses : 2,3 g	Fibres : 2,5 g	Fer : 1,1 mg
Sodium : 457 mg	Protéines : 10 g	

Teneur très élevée en : vitamine C, calcium, riboflavine et acide folique • **Teneur élevée en :** vitamine A et magnésium
Source de : fibres alimentaires

Équivalents par portion pour les personnes diabétiques

1	glucides

Karine Gravel,
diététiste, Québec

Le gingembre et la carotte font bon ménage dans cette soupe colorée et appétissante qui ravira les petits et les grands.

Le gingembre frais

Utilisez le côté d'une cuillère pour gratter la peau qui recouvre le gingembre avant de le râper. Le gingembre frais se conserve jusqu'à trois mois au congélateur. Râpez-le sans le décongeler et remettez le reste au congélateur.

Soupe aux carottes et au gingembre

- *Temps de préparation : 10 minutes*
- *Temps de cuisson : 45 à 50 minutes*

750 ml	eau	3 tasses
2	gousses d'ail, écrasées	2
1 l	carottes, tranchées	4 tasses
125 ml	oignon, haché	½ tasse
15 ml	bouillon de légumes en poudre	1 c. à soupe
10 ml	sirop d'érable	2 c. à thé
5 ml	poudre de cari	1 c. à thé
2 ml	gingembre frais, râpé	½ c. à thé
375 ml	lait	1 ½ tasse

1. Dans une grande casserole, porter l'eau à ébullition. Ajouter l'ail, les carottes, l'oignon, le bouillon en poudre, le sirop d'érable, la poudre de cari et le gingembre, et attendre que l'ébullition reprenne. Baisser le feu, couvrir et laisser mijoter de 40 à 45 minutes, ou jusqu'à ce que les carottes soient tendres. Retirer du feu.
2. Par petites quantités, à grande vitesse, passer la soupe au mélangeur jusqu'à consistance lisse.
3. Remettre la soupe dans la casserole et ajouter le lait. Réchauffer à feu doux (ne pas faire bouillir, sans quoi le lait caillera).

❄ SE CONGÈLE BIEN

✓ UN FAVORI DES ENFANTS

SUGGESTION D'ACCOMPAGNEMENT : Pour un repas qui plaira aux petits, servez cette soupe avec les Tortillas aux raisins et aux pommes (p. 80).

Équivalents par portion pour les personnes diabétiques	
½	glucides
½	matières grasses

VALEUR NUTRITIVE par portion		
Calories : 66	Glucides : 11,2 g	Calcium : 87 mg
Matières grasses : 1,5 g	Fibres : 1,9 g	Fer : 0,3 mg
Sodium : 319 mg	Protéines : 2,6 g	
Teneur très élevée en : vitamine A		

Soupe aux poireaux et aux patates douces

8 PORTIONS DE 250 ML (1 TASSE)

Eileen Campbell

- *Temps de préparation : 10 minutes*
- *Temps de cuisson : 45 minutes*

30 ml	huile végétale	2 c. à soupe
1 l	poireaux, hachés (parties blanche et vert tendre seulement)	4 tasses
1 l	grosse patate douce, pelée et coupée en dés	4 tasses
1 l	bouillon de poulet ou de légumes à teneur réduite en sodium	4 tasses
5 ml	aneth séché	1 c. à thé
1	boîte de 398 ml (14 oz) de lait évaporé	1
	sel et poivre noir, fraîchement moulu	

1. Dans une grande casserole, chauffer l'huile à feu moyen. Faire revenir les poireaux 10 minutes, ou jusqu'à ce qu'ils soient légèrement dorés. Ajouter les patates douces et le bouillon ; porter à ébullition. Baisser le feu, couvrir et laisser mijoter environ 30 minutes, ou jusqu'à ce que les patates soient tendres. Retirer du feu.
2. Passer la soupe au mélangeur, à grande vitesse, jusqu'à consistance lisse.
3. Remettre la soupe dans la casserole et ajouter le lait évaporé et l'aneth. Réchauffer à feu doux (ne pas faire bouillir, sans quoi le lait caillera). Saler et poivrer au goût.

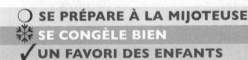

○ **SE PRÉPARE À LA MIJOTEUSE**
❄ **SE CONGÈLE BIEN**
✓ **UN FAVORI DES ENFANTS**

Lorsque Eileen était enfant, sa mère préparait une soupe aux poireaux avec des pommes de terre blanches, et il lui arrivait d'ajouter des restes de poulet cuit. Des années plus tard, Eileen a créé sa version en remplaçant les pommes de terre blanches par des patates douces.

CONSEIL

Si vous souhaitez préparer cette recette à la mijoteuse (voir p. 113), complétez les étapes 1 et 2, puis versez la soupe dans la mijoteuse. Faites cuire à feu doux pendant 8 heures, puis ajoutez le lait et l'aneth. Salez et poivrez au goût. Poursuivez la cuisson à feu élevé pendant environ 15 minutes, ou jusqu'à ce que le tout soit bien chaud, en évitant de faire bouillir la préparation.

VARIANTE

Remplacez la patate douce par de la courge musquée, et les poireaux par des oignons jaunes.

VALEUR NUTRITIVE par portion		
Calories : 164	Glucides : 22,4 g	Calcium : 231 mg
Matières grasses : 5,1 g	Fibres : 2 g	Fer : 1 mg
Sodium : 402 mg	Protéines : 7,9 g	

Teneur très élevée en : vitamine A
Teneur élevée en : calcium et riboflavine
Source de : fibres alimentaires

Équivalents par portion pour les personnes diabétiques	
1	glucides
1	matières grasses

Soupe à la courge musquée à la thaïlandaise

Eileen Campbell

L'ail, le gingembre, la citronnelle, la lime et le lait de coco confèrent à cette soupe son parfum thaïlandais.

CONSEILS

Cette soupe est meilleure lorsqu'elle est préparée avec une courge fraîche.

Pour avoir toujours du gingembre sous la main, achetez du gingembre émincé en pot.

Si vous ne trouvez pas de feuilles de combava, remplacez-les par le zeste d'une lime (le zeste de 1 lime pour 3 feuilles de combava).

Si vous la préparez dans une mijoteuse, complétez l'étape 2 de la recette, puis reportez-vous à la p. 113. Chauffez à feu élevé pendant 20 minutes après avoir ajouté le lait de coco et les feuilles de combava.

VARIANTE

Les surplus de cette soupe font une sauce délicieuse qui accompagne agréablement le poisson grillé, le poulet et le porc.

- **Temps de préparation : 15 minutes**
- **Temps de cuisson : 45 minutes**
- *Four préchauffé à 180 °C (350 °F)*

1	bulbe d'ail	1
15 ml	huile d'olive	1 c. à soupe
30 ml	huile végétale	2 c. à soupe
1	oignon, en dés	1
30 ml	gingembre frais, émincé	2 c. à soupe
30 ml	citronnelle, émincée	2 c. à soupe
1	grosse courge musquée, pelée, épépinée et coupée en dés	1
800 ml	bouillon de poulet à teneur réduite en sodium	3 ¼ tasses
1	boîte de lait de coco léger de 398 ml (14 oz)	1
	sel et poivre noir, fraîchement moulu	
4	feuilles de combava (facultatif)	4

1. Couper le dessus du bulbe d'ail de manière à voir les gousses. Déposer le bulbe sur un papier d'aluminium, l'arroser d'huile d'olive, refermer le papier d'aluminium et cuire au four préchauffé 30 minutes, ou jusqu'à ce que l'ail soit tendre.
2. Pendant ce temps, dans une grande casserole, à feu moyen, chauffer l'huile végétale. Faire revenir l'oignon, le gingembre et la citronnelle jusqu'à ce que l'oignon soit tendre, environ 5 minutes. Ajouter la courge et le bouillon ; porter à ébullition. Baisser le feu, couvrir et laisser mijoter 30 minutes. Retirer du feu. Presser le bulbe d'ail pour en extraire la chair et l'ajouter dans la soupe.
3. Passer la soupe au mélangeur jusqu'à consistance lisse.
4. Remettre la soupe dans la casserole et incorporer le lait de coco. Saler et poivrer. Ajouter les feuilles de combava, si désiré. Réchauffer à feu doux jusqu'à ce que la soupe soit bien chaude.

○ **SE PRÉPARE À LA MIJOTEUSE**
❋ **SE CONGÈLE BIEN**
✓ **UN FAVORI DES ENFANTS**

Équivalents par portion pour les personnes diabétiques

1	glucides
1	matières grasses

VALEUR NUTRITIVE par portion		
Calories : 118	Glucides : 16,4 g	Calcium : 55 mg
Matières grasses : 5,9 g	Fibres : 2,1 g	Fer : 0,8 mg
Sodium : 184 mg	Protéines : 2,3 g	

Teneur très élevée en : vitamine A
Teneur élevée en : vitamine C
Source de : fibres alimentaires

Bortsch de ma mère

- *Temps de préparation : 30 à 35 minutes*
- *Temps de cuisson : 1 ½ à 2 heures*

6	betteraves avec leurs feuilles	6
500 ml	oignons, hachés	2 tasses
375 ml	carottes, hachées	1 ½ tasse
250 ml	céleri, haché	1 tasse
2	gousses d'ail, hachées	2
1	boîte de 540 ml (19 oz) de tomates en dés (environ 575 ml/2 ⅓ tasses)	1
500 ml	pommes de terre, pelées et hachées	2 tasses
500 ml	bouillon de poulet ou eau	2 tasses
15 ml	vinaigre blanc	1 c. à soupe
15 ml	sauce Worcestershire	1 c. à soupe
5 ml	aneth séché ou frais (facultatif)	1 c. à thé
	sauce au piment	
	crème sure faible en gras et aneth frais, haché	

1. Couper la tige des betteraves à 2,5 cm (1 po) de la base. Bien laver et égoutter les tiges et les feuilles ; les hacher grossièrement. Réserver.
2. Dans une grande casserole, à feu moyen vif et à couvert, cuire les betteraves non pelées dans beaucoup d'eau bouillante. Cuire de 20 à 30 minutes, ou jusqu'à ce qu'elles soient tendres lorsque l'on y plante une fourchette. Passer immédiatement les betteraves sous l'eau froide et les peler sous l'eau du robinet (pour éviter de vous teindre les mains). Couper les betteraves en cubes de 1 cm (½ po) et les remettre dans la casserole. Ajouter les tiges et les feuilles de betteraves, les oignons, les carottes, le céleri, l'ail, les tomates, les pommes de terre, le bouillon, le vinaigre, la sauce Worcestershire, l'aneth et la sauce au piment (si désiré). Couvrir et cuire à feu moyen de 1 à 1 ½ heure, ou jusqu'à ce que les légumes soient tendres.
3. Verser dans des bols et garnir de crème sure et d'aneth.

○ SE PRÉPARE À LA MIJOTEUSE

10 PORTIONS DE 250 ML (1 TASSE)

Madeleine Mitchell, Ontario

Une soupe qui ravira les amateurs de betteraves. Elle regorge de vitamines et de minéraux. Servie chaude ou froide, cette soupe a de quoi séduire vos convives.

CONSEILS

Si vous préférez faire revenir vos légumes dans l'huile, versez 15 ml (1 c. à soupe) d'huile dans la casserole et chauffez-la à feu moyen avant d'ajouter les oignons, les carottes et le céleri. Cet ajout d'huile modifie toutefois les données nutritionnelles rattachées à cette recette.

N'omettez pas la crème sure et l'aneth, puisque ces deux ingrédients confèrent au bortsch une touche unique.

Si vous la préparez dans une mijoteuse (voir p. 113), omettez la cuisson des betteraves à l'eau bouillante (étape 2), ajoutez les feuilles et les tiges 20 minutes avant la fin de la cuisson et terminez la cuisson à feu élevé.

VARIANTE

Cette recette est l'occasion idéale de passer vos restes de légumes : tomate, chou, épinards et poivron.

VALEUR NUTRITIVE par portion		
Calories : 81	Glucides : 18 g	Calcium : 57 mg
Matières grasses : 0,3 g	Fibres : 3 g	Fer : 1,4 mg
Sodium : 345 mg	Protéines : 2,7 g	

Teneur très élevée en : vitamine A
Teneur élevée en : acide folique
Source de : fibres alimentaires

Équivalents par portion pour les personnes diabétiques	
½	glucides

Eileen Campbell

La saveur piquante des jalapeños donne à cette soupe un ton indéniablement mexicain.

CONSEILS

Si vous préférez faire revenir vos légumes dans l'huile, versez 15 ml/1 c. à soupe d'huile dans la casserole et chauffez-la à feu moyen avant d'ajouter les légumes. Cet ajout d'huile modifie toutefois les données nutritionnelles rattachées à cette recette.

Si vous préparez cette soupe dans une mijoteuse (voir p. 113), ajoutez le poivron environ 30 minutes avant la fin de la cuisson et terminez la cuisson à feu élevé. Sachez que les poivrons trop cuits prennent une saveur amère.

VARIANTE

Si vous n'aimez pas les plats épicés, remplacez les jalapeños par 15 ml (1 c. à soupe) de persil haché.

Soupe aux légumes à la mexicaine

- *Temps de préparation : 10 minutes*
- *Temps de cuisson : 30 minutes*

250 ml	céleri, haché	1 tasse
250 ml	oignons, hachés	1 tasse
250 ml	champignons, hachés	1 tasse
125 ml	poivron vert, haché	½ tasse
15 ml	jalapeños, émincés	1 c. à soupe
5 ml	assaisonnement au chili	1 c. à thé
1	boîte de 540 ml (19 oz) de tomates en dés (environ 575 ml/2 ⅓ tasses)	1

1. Dans une grande casserole, à feu moyen, faire revenir le céleri, les oignons, les champignons, le poivron vert, les jalapeños et l'assaisonnement au chili. Ajouter les tomates et verser deux boîtes d'eau dans la casserole. Porter à ébullition, baisser le feu, couvrir et laisser mijoter 25 minutes.

○ **SE PRÉPARE À LA MIJOTEUSE**

SUGGESTION D'ACCOMPAGNEMENT : Servez avec l'Hoummos épicé (p. 104) et un pain pita de blé entier.

Équivalents par portion pour les personnes diabétiques

1	extra

VALEUR NUTRITIVE par portion

Calories : 49	Glucides : 11,2 g	Calcium : 55 mg
Matières grasses : 0,4 g	Fibres : 2,5 g	Fer : 1,6 mg
Sodium : 167 mg	Protéines : 1,9 g	

Teneur très élevée en : vitamine C
Source de : fibres alimentaires

Chaudrée de légumes au cheddar

6 PORTIONS DE 250 ML (1 TASSE)

Eileen Campbell

- *Temps de préparation : 15 minutes*
- *Temps de cuisson : 35 minutes*

15 ml	huile végétale	1 c. à soupe
1	petit oignon, haché	1
250 ml	carottes, en dés	1 tasse
125 ml	céleri, en dés	½ tasse
250 ml	pommes de terre, pelées et en dés	1 tasse
750 ml	bouillon de poulet ou de légumes	3 tasses
250 ml	lait chaud ou lait évaporé	1 tasse
une pincée	piment de Cayenne	une pincée
	sel et poivre noir, fraîchement moulu	
250 ml	croûtons de blé entier	1 tasse
125 ml	cheddar, râpé	½ tasse

Voici une soupe consistante, idéale pour se réchauffer par temps froid.

CONSEIL

Si vous souhaitez préparer cette recette à la mijoteuse (voir p. 113), ajoutez le lait, le piment de Cayenne, le sel et le poivre environ 30 minutes avant la fin de la cuisson. Terminez la cuisson à feu élevé.

1. Dans une grande casserole, chauffer l'huile à feu moyen. Faire revenir l'oignon, les carottes et le céleri jusqu'à ce que les légumes soient légèrement tendres, environ 5 minutes. Incorporer les pommes de terre. Ajouter le bouillon et porter à ébullition. Baisser le feu, couvrir et laisser mijoter 25 minutes, ou jusqu'à ce que les légumes soient cuits. Incorporer le lait et le piment de Cayenne. Saler et poivrer au goût.

2. Verser dans des bols chauds et garnir avec les croûtons et le cheddar râpé.

○ **SE PRÉPARE À LA MIJOTEUSE**

✓ **UN FAVORI DES ENFANTS**

VALEUR NUTRITIVE par portion		
Calories : 140	Glucides : 13,4 g	Calcium : 139 mg
Matières grasses : 6,7 g	Fibres : 1,9 g	Fer : 0,6 mg
Sodium : 591 mg	Protéines : 5,9 g	
Teneur très élevée en : vitamine A		

Équivalents par portion pour les personnes diabétiques

½	glucides
½	viandes et substituts
1	matières grasses

**Claude Gamache,
diététiste, Québec**

*Durant les froides
journées d'hiver, rien
ne vaut le parfum
d'une soupe qui mijote
doucement sur la
cuisinière. Les grains
d'orge entiers
confèrent à celle-ci une
saveur inimitable.*

CONSEILS

Si vous préférez faire revenir
vos légumes dans l'huile,
versez 15 ml/1 c. à soupe
d'huile dans la casserole et
chauffez-la à feu moyen avant
d'ajouter le céleri, l'oignon et
les carottes. Cet ajout d'huile
modifie toutefois les données
nutritionnelles rattachées à
cette recette.

Si vous souhaitez préparer
cette recette à la mijoteuse,
reportez-vous à la page 113
pour plus d'information.

Soupe à l'orge et aux légumes

- *Temps de préparation : 15 minutes*
- *Temps de cuisson : 65 minutes*

1	boîte de 540 ml (19 oz) de tomates en dés (environ 575 ml/2 ⅓ tasses)	1
1,5 l	bouillon de poulet	6 tasses
125 ml	céleri, en dés	½ tasse
125 ml	oignon, en dés	½ tasse
125 ml	carottes, en dés	½ tasse
125 ml	orge	½ tasse
	poivre noir, fraîchement moulu	

1. Dans une grande casserole, à feu moyen, porter à
ébullition les tomates, le bouillon de poulet, le céleri,
l'oignon, les carottes et l'orge ; poivrer au goût. Baisser
ensuite le feu, couvrir et laisser mijoter 1 heure, ou jusqu'à
ce que l'orge soit tendre.

○ **SE PRÉPARE À LA MIJOTEUSE**
❄ **SE CONGÈLE BIEN**

SUGGESTION D'ACCOMPAGNEMENT : Au dîner,
accompagnez cette soupe de pain croûté et de fromage.

**Équivalents par portion
pour les personnes
diabétiques**

½	glucides

VALEUR NUTRITIVE par portion

Calories : 78	Glucides : 15 g	Calcium : 42 mg
Matières grasses : 0,3 g	Fibres : 1,9 g	Fer : 1,4 mg
Sodium : 789 mg	Protéines : 2,8 g	

Teneur élevée en : vitamine A

Soupe campagnarde aux lentilles

- *Temps de préparation : 10 minutes*
- *Temps de cuisson : 25 minutes*

15 ml	huile végétale	1 c. à soupe
250 ml	oignons, en dés	1 tasse
125 ml	carottes, en dés	½ tasse
125 ml	céleri, en dés	½ tasse
1 l	bouillon de légumes ou de poulet	4 tasses
250 ml	lentilles rouges sèches, bien rincées	1 tasse
1 ml	thym séché	¼ c. à thé
	sel et poivre noir, fraîchement moulu	
125 ml	persil italien frais, haché	½ tasse

1. Dans une grande casserole, chauffer l'huile à feu moyen. Faire revenir les oignons, les carottes et le céleri jusqu'à ce qu'ils soient tendres, environ 5 minutes. Verser le bouillon, ajouter les lentilles et le thym, et porter à ébullition. Baisser le feu. Couvrir et laisser mijoter 20 minutes, ou jusqu'à ce que les lentilles soient tendres.
2. Passer la soupe au mélangeur, à grande vitesse, jusqu'à consistance crémeuse. Ajouter jusqu'à 250 ml (1 tasse) d'eau si la soupe est trop épaisse. Saler et poivrer au goût. Au besoin, remettre dans la casserole pour réchauffer.
3. Verser dans des bols et garnir de persil.

○ **SE PRÉPARE À LA MIJOTEUSE**
❄ **SE CONGÈLE BIEN**

SUGGESTION D'ACCOMPAGNEMENT :
Accompagnez-la d'une moitié de sandwich au thon ou au poulet, d'un pouding au lait et d'un fruit.

---

8 PORTIONS DE 250 ML (1 TASSE)

Eileen Campbell

Voici une soupe idéale pour le dîner. Et les légumineuses sont riches en fibres.

CONSEILS

Si vous la préparez à la mijoteuse (voir p. 113), transvidez-la dans la mijoteuse après l'ébullition (étape 1). Poursuivez alors la préparation, ou poursuivez-la au moment où vous désirez cuire la soupe, en ayant pris soin de la réfrigérer. Une fois la soupe cuite, passez à l'étape 2.

Si vous disposez d'un pied mélangeur, utilisez-le pour réduire la soupe en purée directement dans la casserole. Cette méthode a le mérite d'être plus rapide, mais elle donne une soupe moins lisse.

VARIANTES

Remplacez les lentilles rouges par des lentilles vertes, des pois chiches ou des haricots blancs en conserve (rincés et égouttés). Réduisez cependant le temps de cuisson de 15 minutes.

Pour une soupe plus nutritive, ajoutez-y 250 ml (1 tasse) de jambon maigre cuit après l'avoir réduite en purée.

VALEUR NUTRITIVE par portion		
Calories : 117	Glucides : 18,7 g	Calcium : 29 mg
Matières grasses : 2 g	Fibres : 3,7 g	Fer : 2,7 mg
Sodium : 504 mg	Protéines : 3,7 g	

Teneur très élevée en : acide folique
Teneur élevée en : vitamine A et fer
Source de : fibres alimentaires

Équivalents par portion pour les personnes diabétiques	
½	glucides
½	viandes et substituts

Eileen Campbell

Voici une délicieuse occasion d'utiliser de la coriandre fraîche. Accompagnée d'un petit pain multigrain et d'un morceau de fromage, cette soupe épaisse et parfumée se sert comme plat principal.

CONSEIL

Si vous souhaitez préparer cette recette à la mijoteuse, reportez-vous à la p. 113 pour plus d'information.

VARIANTES

Pour obtenir une soupe avec de gros morceaux de légumes, ne la passez tout simplement pas au mélangeur.

Remplacez les haricots blancs par des haricots noirs, des haricots rouges ou des pois chiches.

Remplacez les pommes de terre par des patates douces.

Soupe aux haricots parfumée à la coriandre

- **Temps de préparation : 15 minutes**
- **Temps de cuisson : 35 minutes**

15 ml	huile végétale	1 c. à soupe
2	oignons, hachés	2
250 ml	carottes, en dés	1 tasse
125 ml	céleri, en dés	½ tasse
2 ml	cumin moulu	½ c. à thé
2 ml	coriandre moulue	½ c. à thé
1	boîte de 540 ml (19 oz) de haricots blancs, égouttés et rincés (environ 500 ml/2 tasses)	1
1	tomate, épépinée et hachée	1
875 ml	bouillon de poulet ou de légumes à teneur réduite en sodium	3 ½ tasses
250 ml	coriandre fraîche, hachée grossièrement	1 tasse
250 ml	pommes de terre, pelées et en dés	1 tasse
	sel et poivre noir, fraîchement moulu	
	coriandre fraîche, hachée, pour garnir	

1. Dans une grande casserole, chauffer l'huile à feu moyen. Faire revenir les oignons, les carottes et le céleri jusqu'à ce qu'ils soient tendres, environ 5 minutes. Ajouter le cumin et la coriandre moulus, cuire 1 minute. Ajouter les haricots, la tomate, le bouillon, la coriandre fraîche et les pommes de terre. Saler, poivrer et porter à ébullition. Baisser le feu, couvrir et laisser mijoter 25 minutes, ou jusqu'à ce que les légumes soient tendres. Retirer du feu.
2. Passer la soupe au mélangeur, à grande vitesse, jusqu'à consistance lisse. Au besoin, remettre la soupe dans la casserole pour la réchauffer.
3. Verser dans des bols et garnir de coriandre si désiré.

○ SE PRÉPARE À LA MIJOTEUSE

SUGGESTION D'ACCOMPAGNEMENT : Cette soupe est idéale pour le dîner. Accompagnez-la d'une moitié de bagel multigrain, d'un yogourt et d'un fruit.

Équivalents par portion pour les personnes diabétiques

1	glucides
½	viandes et substituts

VALEUR NUTRITIVE par portion		
Calories : 147	Glucides : 25,5 g	Calcium : 56 mg
Matières grasses : 2,1 g	Fibres : 5,5 g	Fer : 1,7 mg
Sodium : 454 mg	Protéines : 7,6 g	

Teneur très élevée en : vitamine A
Teneur élevée en : fibres alimentaires et acide folique

Chaudrée de soupe aux légumes

Candice Wilke,
Colombie-Britannique

- *Temps de préparation : 40 minutes*
- *Temps de cuisson : I heure 15*

8 à 10	pilons de poulet sans la peau (environ 1 kg/2 lb au total)	8 à 10
12	champignons, tranchés	12
4	branches de céleri, en dés	4
4	poireaux (parties blanche et vert tendre), hachés	4
4	carottes, en dés	4
3	grosses tomates, hachées	3
1	gros oignon, haché	1
1	boîte de pâte de tomate de 156 ml (5 ½ oz)	1
2,5 l	bouillon de poulet	10 tasses
60 ml	persil frais, haché	¼ tasse
	sel et poivre noir, fraîchement moulu (facultatif)	

Congelez la soupe en portions individuelles dans des contenants allant aussi au four à micro-ondes.

CONSEILS

Congelez cette soupe dans des contenants hermétiques, en prenant soin de ne pas les remplir à plus de 2,5 cm (1 po) du bord. Laissez d'abord la soupe tiédir, puis réfrigérez-la avant de la congeler. Elle se conservera jusqu'à trois mois au congélateur.

1. Dans une grande marmite, déposer les pilons de poulet, les champignons, le céleri, les poireaux, les carottes, les tomates, l'oignon, la pâte de tomate, le bouillon et le persil. Saler et poivrer ; porter à ébullition à feu vif. Baisser le feu, couvrir et laisser mijoter 30 minutes, ou jusqu'à ce que la chair du poulet se détache des os et que les légumes soient très tendres.

2. Retirer les pilons du bouillon et les désosser. Remettre la chair du poulet dans la soupe. Porter à ébullition et laisser bouillir quelques minutes pour réchauffer le poulet.

Si vous préférez faire revenir vos légumes dans l'huile, versez 15 ml/1 c. à soupe d'huile dans la casserole et chauffez-la à feu moyen avant d'ajouter les légumes. Cet ajout d'huile modifie toutefois les données nutritionnelles rattachées à cette recette.

Si vous souhaitez préparer cette recette à la mijoteuse, reportez-vous à la p. 113 pour plus d'information.

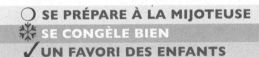

○ **SE PRÉPARE À LA MIJOTEUSE**
❄ **SE CONGÈLE BIEN**
✓ **UN FAVORI DES ENFANTS**

VALEUR NUTRITIVE par portion		
Calories : 68	Glucides : 7,5 g	Calcium : 33 mg
Matières grasses : 1,4 g	Fibres : 1,8 g	Fer : 1,2 mg
Sodium : 507 mg	Protéines : 6,2 g	
Teneur très élevée en : vitamine A		

Équivalents par portion pour les personnes diabétiques	
½	viandes et substituts

Eileen Campbell

Ce plat vedette des restaurants thaïlandais se prépare aisément à la maison. Il a de plus remporté un vif succès auprès de notre groupe de dégustation. Fermez les yeux en la dégustant, et vivez un voyage éclair en Thaïlande. Pour une soupe moins relevée, réduisez la quantité de pâte de cari (ou n'en mettez pas) et de gingembre.

CONSEILS

Pour gagner du temps, procurez-vous un pot de gingembre en purée. Ils sont vendus dans la plupart des épiceries, aux rayons des fruits et légumes.

Pour une soupe aux saveurs encore plus authentiques, remplacez le zeste de lime par 3 feuilles de combava.

SUGGESTION D'ACCOMPA-GNEMENT : Pour

un repas dans la plus pure tradition thaïlandaise, servez cette soupe avec le Riz à l'ananas et aux légumes (p. 274) et les Brochettes de crevettes à la coriandre (p. 97).

Soupe à la noix de coco et au cari

- *Temps de préparation : 10 minutes*
- *Temps de cuisson : 25 minutes*

1	boîte de 398 ml (14 oz) de lait de coco allégé	1
5 ml	pâte de cari rouge	1 c. à thé
500 ml	bouillon de poulet à teneur réduite en sodium	2 tasses
3	tiges de citronnelle, coupées en deux dans le sens de la longueur (ou 5 ml/1 c. à thé de zeste de citron, râpé)	3
2	poitrines de poulet désossées et sans la peau, coupées en lanières (environ 250 g/8 oz au total)	2
60 ml	gingembre frais, râpé finement	¼ tasse
15 ml	sauce de poisson (plus ou moins)	1 c. à soupe
1	lime	1
500 ml	jeunes pousses d'épinards	2 tasses
1	oignon vert, haché	1
125 ml	coriandre fraîche, hachée	½ tasse

1. Prélever 125 ml (½ tasse) du lait de coco du dessus de la boîte et le chauffer dans une grande casserole à feu moyen. Chauffer jusqu'à ébullition et incorporer la pâte de cari. Baisser le feu et laisser mijoter 5 minutes. Y verser le reste du lait de coco et le bouillon ; porter à nouveau à ébullition à feu moyen. Ajouter la citronnelle, le poulet, le gingembre et la sauce de poisson, et porter une fois encore à ébullition. Baisser le feu et laisser mijoter, à découvert, jusqu'à ce que le poulet soit bien cuit, environ 8 minutes.
2. Râper le zeste de la lime, puis la presser pour en extraire le jus. Ajouter à la soupe tout le zeste obtenu, 15 ml (1 c. à soupe) de jus de lime et les épinards ; laisser mijoter 5 minutes. Retirer la citronnelle et la jeter. Goûter et ajouter du jus de lime et de la sauce de poisson si désiré.
3. Verser dans des bols et garnir d'oignon vert et de coriandre.

❄ SE CONGÈLE BIEN
✔ UN FAVORI DES ENFANTS

Équivalents par portion pour les personnes diabétiques

½	glucides
1	viandes et substituts

VALEUR NUTRITIVE par portion		
Calories : 130	Glucides : 7,4 g	Calcium : 25 mg
Matières grasses : 5,8 g	Fibres : 0,6 g	Fer : 0,7 mg
Sodium : 498 mg	Protéines : 12,2 g	

Teneur très élevée en : niacine

Soupe au poulet et aux arachides

- *Temps de préparation : 15 minutes*
- *Temps de cuisson : 25 minutes*

10 ml	huile végétale	2 c. à thé
3	gousses d'ail, émincées	3
1	petit oignon, haché	1
1	piment jalapeño, épépiné et émincé	1
½	poivron rouge, en dés	½
2	boîtes de 284 ml (10 oz) de soupe au poulet et riz sauvage, non diluée	2
1	boîte de 540 ml (19 oz) de haricots noirs, égouttés et rincés	1
1,25 l	bouillon de poulet à teneur réduite en sodium	5 tasses
500 ml	eau	2 tasses
500 ml	poitrines de poulet, cuites, en dés	2 tasses
375 ml	patates douces, pelées et coupées en dés	1 ½ tasse
250 ml	salsa	1 tasse
5 ml	cumin moulu	1 c. à thé
75 ml	beurre d'arachide crémeux	⅓ tasse

1. Dans une grande casserole, chauffer l'huile à feu moyen vif. Faire revenir l'ail, l'oignon, le jalapeño et le poivron jusqu'à ce qu'ils soient tendres, environ 5 minutes. Ajouter la soupe au poulet et au riz sauvage, les haricots noirs, le bouillon, l'eau, le poulet, les patates douces, la salsa et le cumin et porter à ébullition. Baisser le feu, couvrir et laisser mijoter 10 minutes. Incorporer le beurre d'arachide avec un fouet. Laisser mijoter 5 minutes, ou jusqu'à ce que les patates douces soient tendres.

❄ SE CONGÈLE BIEN
✓ UN FAVORI DES ENFANTS

12 PORTIONS DE 250 ML (1 TASSE)

Lydia Butler, Ontario

Cette soupe nourrissante est un repas en soi. La famille de Lydia l'apprécie tout particulièrement au retour d'une journée de plein air. Elle se prépare avec du bouillon à teneur réduite en sodium et de la soupe au poulet en conserve. Les légumes et les haricots constituent un important apport en fibres.

VALEUR NUTRITIVE par portion		
Calories : 171	Glucides : 16,9 g	Calcium : 33 mg
Matières grasses : 6,4 g	Fibres : 4,2 g	Fer : 1,2 mg
Sodium : 872 mg	Protéines : 13,3 g	

Teneur très élevée en : vitamine A et niacine
Teneur élevée en : fibres alimentaires, vitamine B$_6$ et magnésium

Équivalents par portion pour les personnes diabétiques

½	glucides
1 ½	viandes et substituts

Eileen Campbell

Cette soupe crémeuse a connu un vif succès auprès de notre groupe de dégustation : tous l'ont grandement appréciée. Le lait évaporé lui confère une texture si onctueuse qu'on la croirait beaucoup plus riche en matières grasses qu'elle ne l'est. Les patates douces et le poivron rouge offrent un apport important en vitamine C et en bêtacarotène.

CONSEILS

Optez pour une margarine non hydrogénée afin de réduire votre consommation de gras trans.

Si vous la préparez dans une mijoteuse (voir , p. 113), ajoutez le lait évaporé 30 minutes avant la fin de la cuisson et terminez la cuisson à feu élevé.

VARIANTES

Préparez-la sans poulet, ou remplacez celui-ci par des palourdes (égouttées) en conserve. Assaisonnez avec de la sauce au piment.

Composez votre version de la chaudrée de maïs en y ajoutant les ingrédients de votre choix, ou les suggestions des membres de votre famille.

Équivalents par portion pour les personnes diabétiques	
½	glucides
1	viandes et substituts

Chaudrée de poulet et de maïs

- *Temps de préparation : 10 minutes*
- *Temps de cuisson : 30 minutes*

15 ml	margarine	1 c. à soupe
250 ml	oignons, en dés	1 tasse
250 ml	céleri, en dés	1 tasse
125 ml	poivron rouge, en dés	½ tasse
1	poitrine de poulet désossée et sans la peau, coupée en cubes (environ 125 g/4 oz)	1
1 l	bouillon de poulet à teneur réduite en sodium	4 tasses
250 ml	patates douces, pelées et coupées en dés	1 tasse
250 ml	maïs en grains surgelé, décongelé	1 tasse
1	boîte de 385 ml (14 oz) de lait évaporé	1
15 ml	persil frais, haché	1 c. à soupe

1. Dans une grande casserole, faire fondre la margarine à feu moyen. Y faire revenir les oignons, le céleri et le poivron rouge jusqu'à ce qu'ils soient tendres, environ 5 minutes. Ajouter les cubes de poulet, le bouillon de poulet, les patates douces et le maïs ; porter à ébullition. Baisser le feu, couvrir et laisser mijoter 25 minutes, ou jusqu'à ce que le poulet et les patates douces soient cuits. Ajouter le lait évaporé et le persil, et réchauffer à feu doux (ne pas faire bouillir, sans quoi le lait caillera).

○ **SE PRÉPARE À LA MIJOTEUSE**
❄ **SE CONGÈLE BIEN**
✓ **UN FAVORI DES ENFANTS**

VALEUR NUTRITIVE par portion		
Calories : 118	Glucides : 14,2 g	Calcium : 145 mg
Matières grasses : 2,7 g	Fibres : 1,3 g	Fer : 0,5 mg
Sodium : 362 mg	Protéines : 9,8 g	

Teneur très élevée en : vitamine A
Teneur élevée en : vitamine C et niacine
Source de : fer, acide folique et magnésium

Salade de roquette
aux betteraves rôties et aux noix (page 143)

Salade de quinoa aux légumes (page 153)

Salade de poulet à la jamaïcaine (page 158)

Sauté de poulet à la mangue
et aux noix de cajou (page 170)

Poulet au beurre (page 172)

Sauté de dinde à la thaïlandaise (page 178)

Bœuf sauté aux légumes (page 185)

Ragoût de bœuf à l'africaine (page 187)

Minestrone à la saucisse de dinde

- *Temps de préparation : 20 minutes*
- *Temps de cuisson : 80 minutes*

15 ml	huile végétale	1 c. à soupe
500 g	saucisses à la dinde, coupées en morceaux	1 lb
1	gousse d'ail, émincée	1
1	gros oignon, haché	1
125 ml	céleri, en dés	½ tasse
125 ml	carotte, en dés	½ tasse
125 ml	poivron vert, en dés	½ tasse
1	boîte de 796 ml (28 oz) de tomates	1
1 l	bouillon de poulet à teneur réduite en sodium	4 tasses
1	feuille de laurier	1
30 ml	persil frais, haché	2 c. à soupe
5 ml	sel	1 c. à thé
2 ml	basilic séché	½ c. à thé
1 ml	thym séché	¼ c. à thé
1 ml	poivre noir, fraîchement moulu	¼ c. à thé
1	boîte de 540 ml (19 oz) de haricots rouges, rincés et égouttés (environ 500 ml/2 tasses)	1
250 ml	pâtes tubetti ou toute autre petite pâte	1 tasse
	parmesan, fraîchement râpé	

1. Dans une grande casserole, chauffer l'huile à feu moyen. Faire revenir les saucisses, l'ail, l'oignon, le céleri, la carotte et le poivron vert jusqu'à ce que la saucisse soit dorée et que les légumes soient tendres, environ 10 minutes. Jeter l'excédent de gras. Ajouter les tomates, le bouillon, la feuille de laurier, le persil, le sel, le basilic, le thym et le poivre ; porter à ébullition. Baisser le feu, couvrir et laisser mijoter 1 heure. Ajouter les haricots et les pâtes, et laisser mijoter jusqu'à ce que les pâtes soient cuites, environ 10 minutes.

2. Verser dans des bols et saupoudrer de parmesan.

○ SE PRÉPARE À LA MIJOTEUSE
❄ SE CONGÈLE BIEN

8 PORTIONS DE 400 ML (1 ⅔ TASSE)

Ann Kastner, Ontario

Une soupe-repas réconfortante qui regorge de légumes et de gros morceaux de saucisse.

CONSEILS

Si vous la préparez dans une mijoteuse, faites cuire les pâtes séparément et ajoutez-les en fin de cuisson. Réchauffez la soupe et servez.

Une boîte de 540 ml (19 oz) contient environ 500 ml (2 tasses) de haricots rouges.

VARIANTE

Si le cœur vous en dit, ajoutez du chou vert ou du chou vert frisé, des poivrons rouges, des pommes de terre, des champignons et des courgettes.

VALEUR NUTRITIVE par portion		
Calories : 238	Glucides : 26,5 g	Calcium : 74 mg
Matières grasses : 6,9 g	Fibres : 5,8 g	Fer : 3 mg
Sodium : 949 mg	Protéines : 17,9 g	

Teneur très élevée en : niacine, acide folique, vitamine B_{12} et zinc
Teneur élevée en : fibres alimentaires, vitamine A, vitamine C, fer, thiamine, riboflavine, vitamine B_6 et magnésium

Équivalents par portion pour les personnes diabétiques	
1	glucides
2	viandes et substituts

**Heather Komar,
diététiste, Alberta**

*Voici un excellent
moyen de faire manger
des haricots et des
légumes aux petits
capricieux ! Cette soupe
est si consistante qu'on
croirait un ragoût.*

CONSEILS

Cette soupe présente une
faible teneur en sodium
parce qu'elle a été préparée
avec de la pâte de tomate
plutôt qu'avec de la sauce
tomate, et avec un mélange
d'épices maison plutôt
qu'un mélange d'épices
mexicaines du commerce.

Optez pour des nachos
cuits au four : ils sont moins
riches en matières grasses.

Ajoutez plus ou moins
d'épices selon les goûts des
membres de votre famille.
Si vous préparez cette
soupe dans une mijoteuse
(voir p. 113), ajoutez la
sauce au piment en toute
fin de cuisson et poursuivez
la cuisson quelques
minutes, jusqu'à ce que les
saveurs se mélangent.

Soupe taco

- *Temps de préparation : 10 minutes*
- *Temps de cuisson : 30 minutes*

500 g	bœuf haché extra-maigre	1 lb
1	boîte de 796 ml (28 oz) de tomates	1
1	boîte de 540 ml (19 oz) de haricots rouges, rincés et égouttés (environ 500 ml/2 tasses)	1
1	boîte de 540 ml (19 oz) de haricots noirs, rincés et égouttés (environ 500 ml/2 tasses)	1
1	boîte de 156 ml (5 ½ oz) de pâte de tomate	1
500 ml	eau	2 tasses
250 ml	maïs en grains surgelé, décongelé	1 tasse
30 ml	assaisonnement au chili	2 c. à soupe
5 ml	origan séché	1 c. à thé
5 ml	sauce au piment	1 c. à thé
2 ml	cumin moulu	½ c. à thé
1 ml	flocons de piment	¼ c. à thé
	cheddar, râpé, et nachos en morceaux	

1. Dans une grande casserole, cuire le bœuf haché à feu moyen en détachant les morceaux de viande avec une cuillère. Égoutter le gras, ajouter les tomates, les haricots rouges, les haricots noirs, la pâte de tomate, l'eau, le maïs, l'assaisonnement au chili, l'origan, la sauce au piment, le cumin et les flocons de piment. Cuire 20 minutes en ajoutant de l'eau au besoin.
2. Verser dans des bols, et garnir de fromage râpé et de morceaux de nachos.

○ SE PRÉPARE À LA MIJOTEUSE
❄ SE CONGÈLE BIEN
✓ UN FAVORI DES ENFANTS

SUGGESTION D'ACCOMPAGNEMENT : Servez avec du riz brun et une salade verte. Au dessert, rafraîchissez vos papilles avec une coupe de sorbet aux fruits.

Équivalents par portion pour les personnes diabétiques	
½	glucides
1 ½	viandes et substituts

VALEUR NUTRITIVE par portion		
Calories : 167	Glucides : 21,5 g	Calcium : 55 mg
Matières grasses : 3,6 g	Fibres : 6,9 g	Fer : 3,2 mg
Sodium : 420 mg	Protéines : 13,8 g	

Teneur très élevée en : fibres alimentaires, niacine, vitamine B$_{12}$ et zinc

Goulache hongroise

- *Temps de préparation : 30 minutes*
- *Temps de cuisson : 2 heures 30 à 3 heures 30*

Phyllis Levesque, diététiste, Ontario

Avec tous ces légumes, cette soupe est si consistante qu'on croirait un ragoût.

10 ml	huile végétale	2 c. à thé
250 g	bœuf à ragoût, en cubes	8 oz
15 ml	farine tout usage	1 c. à soupe
2	oignons, hachés	2
2	branches de céleri, hachées	2
1	gousse d'ail, écrasée	1
45 ml	paprika	3 c. à soupe
1 l	bouillon de bœuf	4 tasses
3	carottes, tranchées	3
3	pommes de terre, en dés	3
2	feuilles de laurier	2
60 ml	vinaigre blanc	¼ tasse
30 ml	pâte de tomate	2 c. à soupe
5 ml	thym séché	1 c. à thé
5 ml	persil séché	1 c. à thé
2 ml	poivre noir, fraîchement moulu	½ c. à thé
2 ml	sauce Worcestershire	½ c. à thé

CONSEIL

Il est possible de ne pas faire dorer la viande, mais la soupe ne sera pas aussi savoureuse.

1. Chauffer une grande casserole à feu moyen vif. Enfariner les cubes de bœuf. Verser l'huile dans la casserole et bien l'étaler en inclinant la casserole. Ajouter les cubes de bœuf et les dorer de tous les côtés. Transférer les cubes de bœuf dans une assiette et réserver.

2. Dans la même casserole, faire revenir les oignons, le céleri, l'ail et le paprika dans l'huile restante pendant 1 minute. Verser le bouillon et bien mélanger, racler le fond de la casserole pour détacher les sucs de viande (déglacer). Ajouter les cubes de bœuf dorés, les carottes, les pommes de terre, les feuilles de laurier, le vinaigre, la pâte de tomate, le thym, le persil, le poivre et la sauce Worcestershire ; porter à ébullition. Baisser le feu, couvrir et laisser mijoter de 2 à 3 heures, ou jusqu'à ce que la viande soit tendre.

SUGGESTION D'ACCOMPAGNEMENT : Servez cette soupe avec une tranche de pain de grains entiers et les Poires à la toscane (p. 298) pour dessert.

VALEUR NUTRITIVE par portion		
Calories : 121	Glucides : 16,8 g	Calcium : 32 mg
Matières grasses : 3 g	Fibres : 2,7 g	Fer : 1,7 mg
Sodium : 408 mg	Protéines : 7,9 g	

Teneur très élevée en : vitamine A et vitamine B$_{12}$
Teneur élevée en : niacine, vitamine B$_6$ et zinc
Source de : fibres alimentaires

Équivalents par portion pour les personnes diabétiques	
½	glucides
1	viandes et substituts

Salades

De la salade pour souper ? Bien sûr ! Pourquoi pas ? Faciles, rapides et rafraîchissantes, les salades représentent la solution idéale pour manger plus de légumes et de fruits. Vous pouvez même utiliser les restes de viande ou des substituts de viande comme ingrédients. Laissez-vous tenter par l'une de nos excellentes salades, comme la Salade de poulet à la jamaïcaine (p. 158), la Salade de poulet et de mangue (p. 156), ou le Sushi en salade (p. 161).

L'huile d'olive, un choix sain ?

Oui, l'huile d'olive constitue un excellent choix pour de nombreuses recettes, surtout pour les vinaigrettes, en raison de sa haute teneur en gras monoinsaturés et de son goût unique et délicieux. Le point de fumée de l'huile d'olive extra vierge étant moins élevé que celui des autres huiles, elle ne devrait pas être utilisée pour la cuisson à feu élevé. Vous pouvez cependant y avoir recours pour faire sauter des légumes à feu moyen.

Le vinaigre balsamique

D'un point de vue étymologique, vinaigre balsamique signifie « vinaigre qui contient du baume ». En plus de son goût savoureux, il constitue un choix alimentaire santé, car le vinaigre ne contient aucun gras. Voici quelques suggestions d'utilisation.

- Versez quelques gouttes de vinaigre balsamique dans 60 ml (¼ tasse) d'huile d'olive extra vierge et servez-vous-en comme trempette avec du pain italien croustillant.
- Ajoutez-en 15 ml (1 c. à soupe) à de la sauce pour rôti afin d'en rehausser le goût.
- Ajoutez-en aux légumes rôtis, comme les oignons, les tomates, le fenouil, les poivrons et les aubergines.
- Aspergez-en les poissons blancs grillés ou cuits à la vapeur.
- Ajoutez-en à la sauce tomate ou aux plats de pâtes.
- Mettez-en quelques gouttes dans la limonade.
- Dégustez notre Sauce aux fraises aromatisée au vinaigre balsamique (p. 297).

Les noix sont nutritives, mais ne sont-elles pas très grasses ?

Les noix possèdent une haute teneur en gras et en calories. Par exemple, une portion de 60 ml (¼ tasse) d'amandes roties à sec contient environ 18 g de matières grasses (ce qui équivaut à peu près à 20 ml (4 c. à thé) de beurre ou de margarine) et 210 calories. Il est important de surveiller la quantité de noix que vous mangez, car bien qu'elles contiennent des gras insaturés, elles sont riches en calories. Les noix peuvent ajouter du goût, de la texture et de la variété aux repas. Elles vous fournissent des nutriments importants, comme de la vitamine E, du potassium, du calcium, du magnésium, du fer, des vitamines du groupe B, dont l'acide folique, et des fibres. Voici quelques suggestions pour les incorporer à votre alimentation.

- Ajoutez des pacanes, des noix ou des amandes à vos salades.
- Incorporez des arachides, des noix de cajou ou des amandes à vos sautés.
- Utilisez des noix concassées comme panure pour vos poissons au four.
- Faites votre propre mélange du randonneur en combinant des noix, des graines, des céréales, des raisins secs, des dattes et autres fruits secs.

La cuisson des céréales

La quantité de liquide requis, la durée de cuisson et la quantité obtenue après la cuisson varient selon le type et la taille des grains utilisés. Le tableau ci-dessous n'apparaît qu'à titre indicatif. En cas de doute, consultez les instructions sur l'emballage.

Céréale (250 ml/1 tasse)	Eau ou bouillon	Temps de cuisson	Quantité obtenue
Riz brun	500 ml (2 tasses)	45 minutes	750 ml (3 tasses)
Riz sauvage	750 ml (3 tasses)	60 minutes	1 l (4 tasses)
Millet	750 ml (3 tasses)	25 minutes	875 ml (3 ½ tasses)
Orge perlé	750 ml (3 tasses)	35 minutes	875 ml (3 ½ tasses)
Orge mondé	750 ml (3 tasses)	60 minutes ou plus	875 ml (3 ½ tasses)
Quinoa	500 ml (2 tasses)	15 minutes	625 ml (2 ½ tasses)
Kamut ou grains de blé	500 ml (2 tasses)	60 minutes	750 ml (3 tasses)

Pour la cuisson, versez les grains et le liquide dans une grande casserole avec un couvercle et amenez à ébullition. Réduisez le feu et laissez mijoter à couvert pendant la durée de cuisson suggérée ou jusqu'à l'absorption totale du liquide. Égrenez avec une fourchette.

Vinaigrette maison

Edie Shaw-Ewald,
diététiste, Nouvelle-
Écosse

Pourquoi acheter de la vinaigrette alors que c'est si facile à préparer ? Celle-ci est délicieuse et est prête en un tournemain.

CONSEIL

Elle se conserve au réfrigérateur pendant cinq jours. Si elle fige, laissez-la reposer à la température ambiante jusqu'à ce qu'elle reprenne son état liquide. Mélangez-la bien avant de la servir.

VARIANTE

Soyez créatif en ajoutant les ingrédients de votre choix. Voici quelques suggestions : 10 ml (2 c. à thé) de jus frais de citron ou de lime, du miel, des tomates séchées en purée ou des herbes fraîches hachées.

● *Temps de préparation : 5 minutes*

1 ou 2	gousses d'ail, émincées	1 ou 2
60 ml	vinaigre (de cidre, balsamique, de vin, etc.)	¼ tasse
15 ml	moutarde de Dijon	1 c. à soupe
1 ml	sel	¼ c. à thé
une pincée	poivre noir, fraîchement moulu	une pincée
une pincée	sucre granulé	une pincée
175 ml	huile d'olive extra vierge	¾ tasse

1. Dans un petit bol, battre ensemble l'ail, le vinaigre, la moutarde, le sel, le poivre et le sucre. Incorporer lentement l'huile d'olive (ou verser le tout dans un contenant hermétique et secouer énergiquement).

L'huile d'olive extra vierge

L'huile d'olive extra vierge est extraite lors de la première pression des olives, et subit très peu de transformation. C'est la plus chère, mais aussi la plus savoureuse.

Équivalents par portion pour les personnes diabétiques

3	matières grasses

VALEUR NUTRITIVE par portion		
Calories : 146	Glucides : 0,6 g	Calcium : 3 mg
Matières grasses : 16,3 g	Fibres : 0 g	Fer : 0,2 mg
Sodium : 78 mg	Protéines : 0,1 g	

Vinaigrette aux bleuets

Selina Chan, diététiste, Colombie-Britannique

• *Temps de préparation : 15 minutes*

125 ml	bleuets frais ou surgelés, décongelés	½ tasse
75 ml	miel	⅓ tasse
60 ml	vinaigre balsamique	¼ tasse
30 ml	huile végétale	2 c. à soupe
30 ml	eau	2 c. à soupe

1. Dans un petit bol, écraser les bleuets avec une fourchette. Au fouet, incorporer le miel, le vinaigre, l'huile et l'eau.

✓ **UN FAVORI DES ENFANTS**

Cette vinaigrette originale a remporté un vif succès auprès de notre groupe de dégustation. Nous l'avions servie sur une salade de fines laitues, garnie de bleuets frais.

CONSEILS
Si vous préférez cela, préparez-la au mélangeur. Déposez tous les ingrédients dans le bol du mélangeur et pulvérisez jusqu'à consistance lisse.

VALEUR NUTRITIVE par portion		
Calories : 69	Glucides : 11,9 g	Calcium : 1 mg
Matières grasses : 2,7 g	Fibres : 0,2 g	Fer : 0,1 mg
Sodium : 1 mg	Protéines : 0,1 g	

Équivalents par portion pour les personnes diabétiques	
1	glucides
½	matières grasses

Donna Bottrell,
diététiste, Ontario

Cette vinaigrette entre dans la préparation de nombreuses recettes de ce livre. Préparez-la en grande quantité pour en avoir sous la main lorsque vous ferez la Salade d'edamame (p. 160) ou une autre de nos délicieuses salades d'accompagnement.

CONSEIL

Cette vinaigrette se conserve cinq jours au réfrigérateur.

Vinaigrette orientale

● *Temps de préparation : 10 minutes*

2	oignons verts, hachés finement	2
125 ml	vinaigre de vin de riz	½ tasse
60 ml	jus de pomme non sucré	¼ tasse
30 ml	huile de sésame	2 c. à soupe
30 ml	sauce soja à teneur réduite en sodium	2 c. à soupe
15 ml	gingembre frais, râpé	1 c. à soupe
5 ml	sucre granulé	1 c. à thé

1. Au mélangeur, à grande vitesse, pulvériser les oignons verts, le vinaigre, le jus de pomme, l'huile de sésame, la sauce soja, le gingembre et le sucre.

✓ **UN FAVORI DES ENFANTS**

Équivalents par portion
pour les personnes
diabétiques

½	matières grasses

VALEUR NUTRITIVE par portion		
Calories : 17	Glucides : 1,2 g	Calcium : 2 mg
Matières grasses : 1,4 g	Fibres : 0,1 g	Fer : 0,1 mg
Sodium : 60 mg	Protéines : 0,1 g	

Vinaigrette au sésame et au pavot

• *Temps de préparation : 5 minutes*

125 ml	huile végétale	½ tasse
60 ml	vinaigre de cidre	¼ tasse
45 ml	sucre granulé	3 c. à soupe
30 ml	graines de sésame	2 c. à soupe
15 ml	graines de pavot	1 c. à soupe
10 ml	oignon vert, haché	2 c. à thé
1 ml	paprika	¼ c. à thé
1 ml	sauce Worcestershire	¼ c. à thé

1. Dans un petit bol, battre ensemble l'huile, le vinaigre, le sucre, les graines de sésame, les graines de pavot, l'oignon vert, le paprika et la sauce Worcestershire.

8 PORTIONS

Shauna Lindzon, diététiste, Ontario

Cette vinaigrette est absolument succulente avec la Salade d'épinards aux fraises (p. 142) ; remplacez la vinaigrette suggérée par celle-ci.

CONSEIL

Cette vinaigrette se conserve cinq jours au réfrigérateur.

VALEUR NUTRITIVE par portion		
Calories : 160	Glucides : 5,7 g	Calcium : 20 mg
Matières grasses : 15,4 g	Fibres : 0,3 g	Fer : 0,4 mg
Sodium : 3 mg	Protéines : 0,8 g	

Équivalents par portion pour les personnes diabétiques	
½	glucides
3	matières grasses

Eileen Campbell

Cette vinaigrette crémeuse, bien que faible en gras, rehaussera la saveur de vos salades vertes.

CONSEILS

Cette vinaigrette se conserve cinq jours au réfrigérateur.

Le lait sur est un bon substitut du babeurre. Pour le préparer, combinez 10 ml (2 c. à thé) de jus de citron ou de vinaigre et 250 ml (1 tasse) de lait. Laissez reposer 5 minutes.

Vinaigrette crémeuse aux tomates et au basilic

● Temps de préparation : 10 minutes

1	tomate italienne, épépinée et hachée finement	1
1	petite gousse d'ail, émincée	1
250 ml	babeurre	1 tasse
90 ml	basilic frais, haché	6 c. à soupe
75 ml	mayonnaise légère	⅓ tasse
2 ml	sucre granulé	½ c. à thé
1 ml	poivre noir, fraîchement moulu	¼ c. à thé

1. Au mélangeur, à grande vitesse, pulvériser les tomates, l'ail, le babeurre, le basilic, la mayonnaise, le sucre et le poivre.

Équivalents par portion pour les personnes diabétiques
½ matières grasses

VALEUR NUTRITIVE par portion		
Calories : 35	Glucides : 2,2 g	Calcium : 33 mg
Matières grasses : 2,6 g	Fibres : 0,1 g	Fer : 0,1 mg
Sodium : 63 mg	Protéines : 1 g	

Salade printanière

- *Temps de préparation : 20 minutes*
- *Temps de cuisson : 3 à 5 minutes*

30 ml	graines de citrouille nature	2 c. à soupe
1	paquet de 300 g (10 oz) de laitues printanières mélangées et lavées	1
1	paquet de 300 g (10 oz) de pousses d'épinards	1
1	petit poivron rouge, coupé en lanières	1
1	carotte, râpée	1
8	pointes d'asperges, blanchies et coupées en tronçons de 2,5 cm (1 po)	8
¼	oignon rouge, tranché finement	¼
30 ml	vinaigre balsamique	2 c. à soupe
15 ml	jus de citron	1 c. à soupe
10 ml	sirop d'érable	2 c. à thé
2 ml	moutarde de Dijon	½ c. à thé
1 ml	ail, émincé	¼ c. à thé
1 ml	sel	¼ c. à thé
une pincée	flocons de piment	une pincée
	poivre noir, fraîchement moulu	
75 ml	huile de lin, huile de pépins de raisin ou huile végétale au choix	⅓ tasse
60 ml	feta ou fromage de chèvre, émietté	¼ tasse

1. Dans une petite poêle non huilée, à feu moyen, rôtir légèrement les graines de citrouille, de 3 à 5 minutes environ. Réserver.
2. Dans un saladier, mélanger les laitues printanières, les épinards, le poivron, la carotte, les asperges et l'oignon rouge.
3. Dans un petit bol, mélanger au fouet le vinaigre, le jus de citron, le sirop d'érable, la moutarde, l'ail, le sel, les flocons de piment et le poivre (au goût). Incorporer l'huile de lin à petit à petit en fouettant constamment jusqu'à ce que la vinaigrette épaississe.
4. Verser la moitié de la vinaigrette sur la salade et bien mélanger. Garnir avec les graines de citrouille et le fromage de chèvre. Servir avec le reste de la vinaigrette dans une saucière.

6 À 8 PORTIONS

Katie Compton, Ontario

Les graines de citrouille apportent une touche croustillante à cette salade colorée et nutritive.

CONSEILS
Si vous avez des surplus d'asperges cuites, utilisez-les dans cette salade.

Une huile de lin parfumée au piment et à l'ail, vendue dans les magasins d'aliments naturels, remplacera agréablement l'ail, le piment et l'huile de lin nature.

La vinaigrette se conserve jusqu'à un mois dans un contenant hermétique au réfrigérateur.

VARIANTE
Remplacez les graines de citrouille par des graines de tournesol ou des amandes en julienne.

VALEUR NUTRITIVE par portion		
Calories : 144	Glucides : 8,8 g	Calcium : 80 mg
Matières grasses : 11,4 g	Fibres : 2,4 g	Fer : 2 mg
Sodium : 141 mg	Protéines : 3,9 g	

Teneur très élevée en : vitamine A, vitamine C et acide folique
Teneur élevée en : magnésium
Source de : fibres alimentaires

Équivalents par portion pour les personnes diabétiques	
2	matières grasses

Irene Doyle, diététiste, Île-du-Prince-Édouard

Un arc-en-ciel dans votre assiette !

CONSEILS

Faites rôtir les graines de sésame dans une poêle non huilée à feu moyen, environ 5 minutes. Remuez de temps en temps et retirez du feu aussitôt que les graines sont légèrement dorées.

La vinaigrette peut être préparée à l'avance. Elle se conserve 24 heures au réfrigérateur. Arrosez-en la salade juste avant de la servir.

Poivrons

Tous les poivrons regorgent de vitamines et leur saveur se marie bien à celle de l'aubergine, de la tomate, des courges d'été, des oignons, de l'ail, du maïs, du basilic et de la marjolaine. Le vinaigre, les câpres, les olives, la mozzarella, le fromage de chèvre et le parmesan font également bon ménage avec eux. Les enfants apprécieront les poivrons crus avec une trempette. Pour couper un poivron évidé, plantez la lame du couteau dans la chair, pour qu'elle ne glisse pas sur la peau, ce qui pourrait vous blesser. Retirez toujours les graines et la tige avant de le couper.

Équivalents par portion pour les personnes diabétiques

1 ½ matières grasses

Salade de pois mange-tout et de poivrons

- *Temps de préparation : 10 minutes*
- *Temps de cuisson : 2 minutes*

175 g	pois mange-tout, parés	6 oz
125 g	germes de haricots	4 oz
1	poivron rouge, coupé en lanières	1
1	poivron jaune, coupé en lanières	1
1	poivron vert, coupé en lanières	1
15 ml	graines de sésame, rôties (voir Conseils, à gauche)	1 c. à soupe

Vinaigrette

2	gousses d'ail, émincées	2
125 ml	jus d'orange	½ tasse
60 ml	huile d'olive	¼ tasse
60 ml	vinaigre de vin rouge	¼ tasse

1. Dans une petite casserole, porter à ébullition 250 ml (1 tasse) d'eau. Y plonger les pois mange-tout pour les blanchir pendant 2 minutes, ou jusqu'à ce qu'ils soient tendres ; rincer sous l'eau froide pour arrêter la cuisson. Assécher avec un linge.
2. Dans un saladier, mélanger les pois mange-tout, les germes de haricots et les poivrons.
3. Préparer la vinaigrette en fouettant ensemble, dans un petit bol, l'ail, le jus d'orange, l'huile et le vinaigre.
4. Verser la vinaigrette sur la salade et bien mélanger. Garnir avec les graines de sésame.

✓ UN FAVORI DES ENFANTS

SUGGESTION D'ACCOMPAGNEMENT : Cette salade est le complément idéal de l'Églefin tandoori (p. 204). Servez le tout avec du riz brun ou des pâtes de blé entier.

VALEUR NUTRITIVE par portion		
Calories : 99	Glucides : 7,3 g	Calcium : 19 mg
Matières grasses : 7,6 g	Fibres : 1,5 g	Fer : 0,9 mg
Sodium : 4 mg	Protéines : 1,9 g	

Teneur très élevée en : vitamine C

Salade d'épinards du jardin

• *Temps de préparation : 5 minutes*

1	avocat, pelé, dénoyauté et coupé en dés	1
1 l	pousses d'épinards	4 tasses
250 ml	carottes, râpées	1 tasse
250 ml	poivrons rouges, en julienne	1 tasse
250 ml	tomates cerises, coupées en deux	1 tasse
250 ml	pois chiches en conserve, rincés et égouttés	1 tasse
125 ml	graines de tournesol	½ tasse
60 à 125 ml	vinaigrette faible en gras, au choix	¼ à ½ tasse

1. Dans un saladier, mélanger l'avocat, les épinards, les carottes, les poivrons, les tomates, les pois chiches et les graines de tournesol. Servir la vinaigrette en accompagnement, dans une saucière.

Variantes

Préparez cette salade avec ce que vous avez sous la main. Voici quelques suggestions.

Laitues : romaine, mélange printanier ou votre mélange préféré de laitues en sac.

Légumes : poivrons jaunes ou verts, courgettes en julienne, patates douces cuites en cubes, céleri en dés, tomates en quartiers, chou rouge râpé, petits bouquets de brocoli, châtaignes d'eau, herbes fraîches hachées.

Fruits : canneberges séchées, raisins ou abricots, ananas en morceaux, mangues en dés, pommes ou poires en dés, bleuets, fraises, framboises.

Fromages : parmesan fraîchement râpé, cheddar râpé, feta en cubes.

Noix et graines : graines de sésame, noix, pacanes, graines de citrouille.

Légumineuses : lentilles, haricots noirs, blancs ou rouges.

8 PORTIONS

Eileen Campbell

Une salade colorée qui regorge de bonnes choses. Un vrai délice !

CONSEIL
Toutes nos recettes de vinaigrette rehausseront avec bonheur cette salade.

VALEUR NUTRITIVE par portion		
Calories : 140	Glucides : 12,7 g	Calcium : 42 mg
Matières grasses : 9 g	Fibres : 4,6 g	Fer : 1,6 mg
Sodium : 188 mg	Protéines : 4,6 g	

Teneur très élevée en : vitamine A, vitamine C, acide folique et magnésium
Teneur élevée en : fibres alimentaires, thiamine, vitamine B_6

Équivalents par portion pour les personnes diabétiques

½	glucidess
½	viandes et substituts
1 ½	matières grasses

Salade d'épinards aux fraises

- *Temps de préparation : 10 minutes*

**Samantha Thiessen,
diététiste, Ontario**

*Une salade
croustillante et pleine
de saveurs. Elle a tout
pour plaire aux petits
comme aux grands, qui
ne sauront résister à ses
appétissantes fraises et
à sa vinaigrette sucrée.*

CONSEIL

Faites rôtir les pignons ou
les amandes dans une
poêle sans huile, à feu
moyen, en remuant de
temps en temps jusqu'à ce
qu'ils soient légèrement
dorés, environ 5 minutes.

Vinaigrette

60 ml	jus d'orange concentré surgelé, décongelé	¼ tasse
15 ml	mayonnaise légère ou sans gras	1 c. à soupe
15 ml	yogourt nature faible en gras	1 c. à soupe
1 ml	sucre granulé	¼ c. à thé
1 l	pousses d'épinards, légèrement tassées	4 tasses
250 ml	fraises, tranchées	1 tasse
60 ml	pignons ou amandes en julienne, rôtis, (voir Conseil, à gauche)	¼ tasse

1. Préparer la vinaigrette en mélangeant, dans un petit bol, le jus d'orange concentré, la mayonnaise, le yogourt et le sucre.
2. Laver les épinards et les déposer dans un saladier. Ajouter les fraises et les pignons ; mélanger délicatement. Servir dans des bols et arroser de vinaigrette.

✓ **UN FAVORI DES ENFANTS**

SUGGESTION D'ACCOMPAGNEMENT : Garnir de parmesan fraîchement râpé et servir avec des petits pains multigrains.

Équivalents par portion pour les personnes diabétiques

½	glucides
1	matières grasses

VALEUR NUTRITIVE par portion		
Calories : 112 g	Glucides : 13,3 g	Calcium : 51 mg
Matières grasses : 6,2 g	Fibres : 2,1 g	Fer : 1,5 mg
Sodium : 59 mg	Protéines : 2,9 g	

Teneur très élevée en : vitamine A, vitamine C et acide folique
Teneur élevée en : magnésium
Source de : fibres alimentaires

Salade de roquette
aux betteraves rôties et aux noix

- *Temps de préparation : 15 minutes*
- *Temps de cuisson : 45 minutes*
- *Four préchauffé à 190 °C (375 °F)*

1,25 kg	betteraves fraîches	2 ½ lb
	sel et poivre noir, fraîchement moulu	
3	grosses oranges	3
1	échalote, en petits dés	1
60 ml	vinaigre de vin rouge	¼ tasse
175 ml	huile d'olive extra vierge	¾ tasse
2	bottes de roquette (environ 150 g/ 5 oz chacune), lavées et parées	2
125 ml	noix rôties (voir Conseil, à droite)	½ tasse

1. Laver les betteraves et couper les tiges et les queues. Envelopper chaque betterave dans un morceau de papier d'aluminium et cuire au four préchauffé 45 minutes, ou jusqu'à ce qu'elles soient tendres. Déballer, laisser tiédir et peler sous l'eau froide. Couper en morceaux ; saler et poivrer au goût.
2. Pendant ce temps, râper le zeste d'une des oranges dans un petit bol. Couper l'orange en deux et presser son jus au dessus du zeste. Ajouter l'échalote. Avec un fouet, incorporer le vinaigre, puis l'huile.
3. Peler les deux autres oranges et les séparer en quartiers.
4. Déposer la roquette dans un saladier et y ajouter les morceaux de betteraves. Arroser d'un peu de vinaigrette à l'orange. Garnir avec les quartiers d'orange et les noix. Servir le reste de la vinaigrette dans une saucière.

> **SUGGESTION D'ACCOMPAGNEMENT :** Ajoutez de la feta en cubes ou du fromage de chèvre, et servez avec une tranche de pain de la Fournée de pains multigrains (p. 280) pour un repas froid agréable.

8 PORTIONS

Eileen Campbell

Le rôtissage des betteraves met en valeur leur goût sucré, et la vinaigrette à l'orange rehausse la saveur de cette salade originale.

CONSEIL
Faites rôtir les noix dans une poêle non huilée à feu moyen, jusqu'à ce qu'elles soient légèrement dorées, environ 5 minutes.

VARIANTE
Remplacez la roquette par 1 litre (4 tasses) de pousses d'épinards.

La roquette
La roquette (*arugula* en anglais) est une laitue verte aromatique très utilisée en cuisine italienne. Elle se mange en salade, mais entre également dans la préparation des pâtes et des pizzas (feuilles fraîches sur pizza cuite). On la trouve aussi dans certains pestos, associée au basilic ou seule. Si vous n'en trouvez pas, remplacez-la par du cresson, par des pousses d'épinards, même si leur saveur est loin d'être aussi riche.

VALEUR NUTRITIVE par portion		
Calories : 222	Glucides : 19,8 g	Calcium : 116 mg
Matières grasses : 15,4 g	Fibres : 4,5 g	Fer : 2,2 mg
Sodium : 105 mg	Protéines : 4,7 g	

Teneur très élevée en : vitamine C, acide folique et magnésium
Teneur élevée en : fibres alimentaires, fer et vitamine A

Équivalents par portion pour les personnes diabétiques

½	glucides
3	matières grasses

Valérie Murray, Québec

Une salade pleine de saveurs et pas du tout banale. Valérie lui ajoute parfois des tomates en dés, des carottes râpées, des courgettes en tranches ou des morceaux de fromage.

CONSEILS

Si vous préparez cette salade pour l'emporter pour le lunch, assurez-vous de bien arroser les morceaux d'avocat de jus de citron, sans quoi ils bruniront.

Si vous ne parvenez pas à trouver des cœurs de palmiers, ou si vous en manquez alors que vous désirez préparer cette salade, ajoutez simplement leur équivalent en cœurs d'artichauts.

Cœurs de palmiers et d'artichauts

● *Temps de préparation : 15 minutes*

500 ml	feuilles de laitue	2 tasses
2	cœurs de palmiers en conserve, tranchés	2
2	cœurs d'artichauts en conserve, coupés en quartiers	2
15 ml	graines de sésame	1 c. à soupe
15 ml	huile d'olive	1 c. à soupe
5 ml	vinaigre balsamique	1 c. à thé
	le jus de 1 citron ou de 1 lime	
	sel et poivre noir, fraîchement moulu	
1	avocat, pelé et coupé en dés	1

1. Dans un saladier, mélanger la laitue, les cœurs de palmiers et les cœurs d'artichauts. Parsemer de graines de sésame.
2. Dans un petit bol, mélanger l'huile, le vinaigre et le jus de citron. Saler et poivre au goût.
3. Ajouter les avocats dans la salade ; arroser de vinaigrette. Mélanger doucement.

> **SUGGESTION D'ACCOMPAGNEMENT :** Cette salade accompagne agréablement les Poitrines de poulet grillées à l'ail et au gingembre, (p. 166) et des patates douces cuites au four.

Cœurs de palmiers

Il s'agit d'un ingrédient méconnu qui mérite une place sur notre table. Le cœur de palmier est la partie tendre et comestible de la tige du palmier sabal, un arbre qui pousse en Floride et dans les régions tropicales. Les cœurs sont le plus souvent mis en conserve dans l'eau et on les retrouve au rayon des légumes en conserve des supermarchés. Ils ressemblent à de grosses asperges blanches sans pointe et leur saveur délicate s'apparente à celle de l'artichaut. Une fois la boîte ouverte, laissez les cœurs de palmiers dans leur eau et gardez-les au réfrigérateur dans un contenant hermétique (non métallique). Ils se conservent une semaine.

Équivalents par portion pour les personnes diabétiques

2 ½ matières grasses

VALEUR NUTRITIVE par portion		
Calories : 144	Glucides : 9,1 g	Calcium : 44 mg
Matières grasses : 12,2 g	Fibres : 5 g	Fer : 1,4 mg
Sodium : 95 mg	Protéines : 2,9 g	

Teneur très élevée en : acide folique
Teneur élevée en : fibres alimentaires, vitamine C et magnésium

Concombres et carottes marinés à l'orientale

4 PORTIONS

Eileen Campbell

Cette salade légère et rafraîchissante est le complément idéal des plats orientaux épicés. Elle doit être préparée à la dernière minute pour que les légumes restent bien croquants. Si vous devez la préparer à l'avance, ne mélangez la marinade aux légumes qu'au moment de servir.

CONSEIL

Pour un plat plus élégant, épépinez les concombres.

VARIANTES

Pour une authentique touche thaïe, garnissez votre salade d'arachides rôties à sec ou de coriandre.

Si vous êtes amateurs de plats relevés, n'hésitez pas à ajouter aux ingrédients un petit piment haché.

Si vous n'avez pas de vinaigre de vin de riz, utilisez du vinaigre blanc (la saveur sera simplement différente). Le vinaigre de riz chinois, comme la plupart des vinaigres de riz asiatiques, est plus doux que le vinaigre de vin et il est légèrement assaisonné de sel et de sucre.

• *Temps de préparation : 10 minutes*

125 ml	vinaigre de vin de riz	½ tasse
30 ml	sucre blanc	2 c. à soupe
5 ml	huile d'olive	1 c. à thé
2 ml	sel	½ c. à thé
1 ml	poivre noir, fraîchement moulu	¼ c. à thé
½	concombre anglais, coupé en deux dans le sens de la longueur, puis tranché finement	½
500 ml	carottes, tranchées finement	2 tasses
30 ml	poivron rouge, haché finement	2 c. à soupe

1. Dans un bol moyen, battre ensemble le vinaigre, le sucre, l'huile, le sel et le poivre jusqu'à dissolution du sucre. Ajouter le concombre, la carotte et le poivron ; bien mélanger. Servir immédiatement ou couvrir et réfrigérer tout au plus 30 minutes.

✓ **UN FAVORI DES ENFANTS**

VALEUR NUTRITIVE par portion		
Calories : 72	Glucides : 15,6 g	Calcium : 29 mg
Matières grasses : 1,4 g	Fibres : 2 g	Fer : 0,4 mg
Sodium : 330 mg	Protéines : 1 g	

Teneur très élevée en : vitamine A
Source de : fibres alimentaires

Équivalents par portion pour les personnes diabétiques	
½	glucides
½	matières grasses

Salade de chou aux parfums d'Orient

Ann McConkey,
diététiste, Manitoba

Un classique revisité. Les arachides lui donnent du croquant, tandis que ses parfums orientaux la rendent tout simplement succulente.

CONSEILS

Pour gagner du temps, achetez un paquet de chou déjà râpé.

Au besoin, amollissez le beurre d'arachide au four à micro-ondes avant de le passer au mélangeur avec les autres ingrédients.

La vinaigrette peut être préparée sans mélangeur. Émincez alors l'ail et le gingembre (ou utilisez un presse-ail) et fouettez-les avec les autres ingrédients dans un bol.

Si vous préparez la salade à l'avance, attendez avant d'ajouter la vinaigrette. Ajoutez-la plutôt entre 1 et 2 heures avant de servir.

VARIANTES

Préparez la salade avec les ingrédients de votre choix. Par exemple : des carottes râpées ou de la coriandre hachée. Remplacez l'oignon doux par des oignons verts, et le beurre d'arachide par du beurre d'amande.

- **Temps de préparation : 10 minutes**
- **Temps de réfrigération : 1 heure**

2 l	chou vert, râpé	8 tasses
1 ou 2	poivrons verts ou rouges, hachés (facultatif)	1 ou 2
½ à 1	oignon doux, haché (facultatif)	½ à 1
Vinaigrette		
1	gousse d'ail (ou 5 ml/1 c. à thé de poudre d'ail)	1
175 ml	beurre d'arachide croquant	¾ tasse
60 ml	vinaigre de riz ou de cidre	¼ tasse
45 ml	cassonade, bien tassée	3 c. à soupe
15 à 30 ml	sauce soja	1 à 2 c. à soupe
15 à 30 ml	jus de lime	1 à 2 c. à soupe
15 ml	gingembre frais, râpé (5 ml/1c. à thé de gingembre moulu)	1 c. à soupe
5 ml	huile de sésame (facultatif)	1 c. à thé
15 à 30 ml	eau (facultatif)	1 à 2 c. à soupe

1. Dans un grand bol, mélanger le chou, les poivrons verts et l'oignon.
2. Pour préparer la vinaigrette, au mélangeur, à grande vitesse, pulvériser l'ail, le beurre d'arachide, le vinaigre, la cassonade, la sauce soja, le jus de lime, le gingembre et l'huile de sésame jusqu'à consistance lisse. Ajouter un peu d'eau si la vinaigrette est trop consistante.
3. Verser la vinaigrette sur la salade et bien mélanger. Couvrir et réfrigérer 1 heure avant de servir pour permettre aux saveurs de se mélanger.

✓ UN FAVORI DES ENFANTS

SUGGESTION D'ACCOMPAGNEMENT : Pour un repas végétarien, servez-la avec des Galettes de tofu (p. 225) sur des pains kaiser de blé entier.

Équivalents par portion pour les personnes diabétiques

½	glucides
½	viandes et substituts
1 ½	matières grasses

VALEUR NUTRITIVE par portion

Calories : 147	Glucides : 12,1 g	Calcium : 40 mg
Matières grasses : 9,8 g	Fibres : 2,6 g	Fer : 0,8 mg
Sodium : 196 mg	Protéines : 5,6 g	

Teneur élevée en : vitamine C, niacine, acide folique et magnésium
Source de : fibres alimentaires

Salade de chou aux fruits

- *Temps de préparation : 2 minutes*
- *Temps de réfrigération : 1 heure*

1	sac de 500 g/16 oz de chou râpé	1
250 ml	fruits assortis, frais ou en conserve, égouttés et hachés (voir Conseils, à droite)	1 tasse
125 ml	oignon rouge, haché finement	½ tasse
60 ml	graines de tournesol	¼ tasse
60 ml	raisins secs ou canneberges séchées	¼ tasse
60 ml	vinaigrette orientale (p. 136)	¼ tasse

1. Dans un grand bol, mélanger le chou, les fruits, l'oignon, les graines de tournesol et les raisins secs. Arroser de vinaigrette et bien mélanger. Couvrir et réfrigérer 1 heure pour que les saveurs se mélangent.

✓ UN FAVORI DES ENFANTS

SUGGESTION D'ACCOMPAGNEMENT : Essayez-la avec les Hamburgers à la dinde et aux pommes (variante, p. 179) sur des petits pains de blé entier.

---

4 PORTIONS

Eileen Campbell

Pour une salade qui se prépare en un éclair, achetez un sac de chou râpé. Quant aux fruits à utiliser, demandez à vos enfants de les choisir.

CONSEILS

La plupart de vos fruits préférés seront excellents dans cette salade. Évitez toutefois les fruits dont la chair a tendance à brunir, comme les pommes et les bananes. Essayez-la plutôt avec des ananas, des mangues, des oranges, des kiwis, du melon d'eau ou du cantaloup.

Le chou déjà râpé est très pratique pour gagner du temps. Utilisez-le non seulement dans cette recette, mais aussi dans les soupes et les plats de viande et de légumes sautés. Ici, le brocoli paré en sac est également délicieux.

Cette salade ne se prépare malheureusement pas à l'avance, car le jus des fruits détremperait les légumes, qui perdraient alors leur croquant.

VALEUR NUTRITIVE par portion

Calories : 153	Glucides : 23,6 g	Calcium : 81 mg
Matières grasses : 6,3 g	Fibres : 4,3 g	Fer : 1,6 mg
Sodium : 86 mg	Protéines : 4,5 g	

Teneur très élevée en : vitamine C et acide folique
Teneur élevée en : fibres alimentaires, thiamine, vitamine B_6 et magnésium

Équivalents par portion pour les personnes diabétiques

1	glucides
1	matières grasses

Eileen Campbell

Une version plus légère et plus acidulée d'un grand classique.

Salade tiède de pommes de terre avec vinaigrette au citron

- **Temps de préparation : 10 minutes**
- **Temps de cuisson : 15 à 20 minutes**

1 kg	petites pommes de terre nouvelles, brossées (non pelées)	2 lb
10 ml	sel	2 c. à thé

Vinaigrette

1	gousse d'ail, écrasée	1
60 ml	ciboulette fraîche, hachée	¼ tasse
60 ml	oignons verts, hachés	¼ tasse
	le zeste de 1 citron	
60 ml	jus de citron	¼ tasse
60 ml	huile d'olive extra vierge	¼ tasse
10 ml	moutarde à l'ancienne	2 c. à thé
2 ml	sel	½ c. à thé
2 ml	poivre noir, fraîchement moulu	½ c. à thé

1. Faire cuire les pommes de terre à feu moyen vif dans de l'eau salée et à couvert jusqu'à ce qu'elles soient tendres, environ de 15 à 20 minutes.
2. Pendant ce temps, préparer la vinaigrette en mélangeant au fouet, dans un saladier, l'ail, la ciboulette, les oignons verts, le zeste de citron, le jus de citron, l'huile d'olive, la moutarde, le sel et le poivre.
3. Égoutter les pommes de terre et les déposer dans le saladier alors qu'elles sont encore chaudes. Bien mélanger et servir immédiatement.

✔ UN FAVORI DES ENFANTS

SUGGESTION D'ACCOMPAGNEMENT : Elle accompagne délicieusement le saumon grillé. Pour un repas complet, servez le tout avec des légumes verts.

Équivalents par portion pour les personnes diabétiques

1 ½	glucides
2	matières grasses

VALEUR NUTRITIVE par portion

Calories : 195	Glucides : 26,7 g	Calcium : 22 mg
Matières grasses : 9,3 g	Fibres : 2,4 g	Fer : 1,3 mg
Sodium : 516 mg	Protéines : 2,8 g	

Teneur élevée en : vitamine C et vitamine B_6
Source de : fibres alimentaires

Salade méditerranéenne de risotto au thon

- *Temps de préparation : 10 minutes*
- *Temps de cuisson : 20 minutes*

1 l	eau	4 tasses
500 ml	riz arborio	2 tasses
2	boîtes de 170 g (6 ½ oz) de thon blanc, égoutté et émietté	2
1	poivron rouge, haché finement	1
½	oignon rouge, en dés	½
125 ml	tomates séchées, dans l'huile, égouttées et hachées finement	½ tasse
125 ml	olives Kalamata dénoyautées, hachées	½ tasse
125 ml	céleri ou fenouil, hachés finement	½ tasse
125 ml	persil italien frais, haché	½ tasse
30 ml	huile d'olive	2 c. à soupe
30 ml	vinaigre de vin rouge	2 c. à soupe
	sel et poivre noir, fraîchement moulu	
	tranches de tomates et brins de persil frais	

1. Dans une grande casserole, amener l'eau à ébullition. Ajouter le riz et amener de nouveau à ébullition. Bien mélanger, baisser le feu, couvrir et laisser mijoter environ 15 minutes, ou jusqu'à ce que le riz soit *al dente* (tendre, mais ferme). Égoutter, rincer sous l'eau froide pour refroidir le riz. Laisser refroidir complètement.
2. Dans un saladier, mélanger le riz, le thon, le poivron rouge, l'oignon rouge, les tomates séchées, les olives, le céleri et le persil. Ajouter l'huile d'olive et le vinaigre. Remuer. Goûter et assaisonner de sel et de poivre au besoin. Garnir de tomates en tranches et de persil.

> **SUGGESTION D'ACCOMPAGNEMENT :** Servez cette salade sur un lit de laitues assorties et garnissez-la de tranches de tomates et de persil haché.

10 PORTIONS

Eileen Campbell

Durant ses études universitaires, Eileen avait fait de cette salade un plat de base de son alimentation. Elle est nourrissante, délicieuse et facile à préparer. Que demander de mieux ?

CONSEIL
Cette salade nourrissante se sert aussi bien comme plat principal qu'en accompagnement. Comptez six portions si vous la servez comme plat principal.

VARIANTE
Remplacez le thon par 300 g (10 oz) de poulet cuit, de crabe ou de crevettes.

Riz arborio
Le riz arborio est un riz italien utilisé traditionnellement dans la préparation du risotto, mais il est également excellent dans les poudings au riz. On ne doit pas le laver avant de le cuire afin qu'il conserve tout son amidon, auquel il doit sa texture crémeuse.

VALEUR NUTRITIVE par portion		
Calories : 242	Glucides : 35,4 g	Calcium : 22 mg
Matières grasses : 6,7 g	Fibres : 1,5 g	Fer : 1 mg
Sodium : 320 mg	Protéines : 9,7 g	

Teneur très élevée en : vitamine C
Teneur élevée en : niacine et vitamine B$_{12}$

Équivalents par portion pour les personnes diabétiques	
2	glucides
1	viandes et substituts
1	matières grasses

Christine Plante,
Québec

Cette salade colorée et appétissante est idéale au dîner. Elle se sert froide, en salade, ou chaude, en plat d'accompagnement. D'une façon comme de l'autre, elle est absolument succulente.

CONSEIL
La coriandre, le persil italien, la ciboulette, l'aneth ou la menthe rehaussent agréablement la saveur de cette salade.

VARIANTE
Ajoutez du poulet cuit à la salade et servez-la comme plat principal.

Planifiez des extras
Préparez cette salade en plus grande quantité que nécessaire, car elle est idéale pour la boîte à lunch, la vôtre comme celles des enfants.

- *Temps de préparation : 30 minutes*
- *Temps de repos : 15 minutes*
- *Temps de réfrigération : 1 heure*

2	échalotes, hachées finement	2
1	concombre anglais, en dés	1
1	tomate, en dés	1
1	carotte, râpée	1
1	gousse d'ail, émincée	1
½	poivron rouge ou jaune, en dés	½
375 ml	maïs en grains surgelé, décongelé	1 ½ tasse
250 ml	pois chiches en conserve, rincés et égouttés	1 tasse
125 ml	épinards hachés surgelés, décongelés	½ tasse
125 ml	vinaigrette italienne légère	½ tasse
15 ml	vinaigre de vin rouge	1 c. à soupe
	sel, poivre fraîchement moulu et herbes fraîches au choix	
500 ml	couscous	2 tasses
500 ml	eau bouillante	2 tasses

1. Dans un grand bol, bien mélanger les échalotes, le concombre, la tomate, la carotte, l'ail, le poivron, le maïs, les pois chiches et les épinards. Arroser de vinaigrette et de vinaigre. Assaisonner de sel, de poivre et d'herbes (au goût). Réserver.
2. Mettre le couscous dans un autre grand bol et y verser l'eau bouillante. Remuer avec une fourchette, couvrir et laisser reposer 15 minutes, ou jusqu'à ce que toute l'eau soit absorbée. Séparer les grains à l'aide d'une fourchette.
3. Incorporer le couscous au mélange de légumes. Couvrir et réfrigérer de 1 heure à 2 jours avant de servir.
4. Servir froid ou réchauffer au four à micro-ondes durant 2 ou 3 minutes pour 500 ml (2 tasses).

✓ **UN FAVORI DES ENFANTS**

SUGGESTION D'ACCOMPAGNEMENT : Cette salade est le complément idéal du Tajine d'agneau à la marocaine (p. 198) ou du Poulet façon Marrakech (p. 165).

Équivalents par portion pour les personnes diabétiques	
2 ½	glucides
½	matières grasses

VALEUR NUTRITIVE par portion		
Calories : 233	Glucides : 47,5 g	Calcium : 36 mg
Matières grasses : 1,8 g	Fibres : 3,7 g	Fer : 1,3 mg
Sodium : 285 mg	Protéines : 7,9 g	

Teneur très élevée en : acide folique
Teneur élevée en : vitamine A, vitamine C, niacine et vitamine B_6
Source de : fibres alimentaires

Légumes rôtis et couscous au fromage de chèvre

8 PORTIONS

Eileen Campbell

- *Temps de préparation : 10 minutes*
- *Temps de repos : 15 minutes*

375 ml	couscous de blé entier	1 ½ tasse
500 ml	bouillon de légumes, très chaud	2 tasses
125 ml	fromage de chèvre ou feta, en cubes	½ tasse
½ recette	Ratatouille au four (p. 266), froide	½ recette
1	paquet de 250 g (8 oz) de laitues assorties	1
250 ml	vinaigrette légère aux tomates séchées	1 tasse

1. Mettre le couscous dans un grand bol et y verser le bouillon de légumes chaud. Remuer à la fourchette, couvrir et laisser reposer 15 minutes ou jusqu'à ce que le bouillon soit absorbé. Séparer les grains à l'aide d'une fourchette. Laisser refroidir.
2. Dans un saladier, mélanger le couscous refroidi, le fromage de chèvre et la ratatouille. Recouvrir des feuilles de laitue.
3. Au moment de servir, verser la vinaigrette sur les feuilles de laitue de façon qu'elle coule vers le fond du saladier et agrémente le couscous et la ratatouille.

Une salade qui se prépare avec des surplus de ratatouille. Pour une entrée élégante, déposez-la en couches superposées dans de jolies coupes en verre.

VARIANTE
En hiver, profitez des légumes de saison : carottes, panais, navets, patates douces et courges. Coupez-les en dés et grillez-les au four. Remplacez la ratatouille par 750 ml à 1 litre (3 à 4 tasses) de ces légumes cuits.

VALEUR NUTRITIVE par portion		
Calories : 395	Glucides : 41,5 g	Calcium : 115 mg
Matières grasses : 12,5 g	Fibres : 7,1 g	Fer : 2,2 mg
Sodium : 714 mg	Protéines : 10,1 g	

Teneur très élevée en : fibres alimentaires et vitamine C
Teneur élevée en : fer, vitamine A et acide folique

Équivalents par portion pour les personnes diabétiques

2	glucides
2 ½	matières grasses

Eileen Campbell

Cette salade est la version moyen-orientale du taboulé. Traditionnellement, on la sert en entrée avec les autres mezze, mais on peut la servir chaude avec une viande.

CONSEIL

Si vous la préparez à l'avance, n'ajoutez les tomates qu'au moment de servir. Bien couverte d'une pellicule plastique, elle se conserve une semaine au réfrigérateur.

VARIANTES

N'hésitez pas à y ajouter les ingrédients de votre choix, comme des carottes râpées et des pois chiches.

Cette salade contient plus de persil que de boulghour. Mais si vous préférez une salade avec plus de boulghour, rien ne vous empêche d'en ajouter. Comptez 1 mesure de boulghour pour 1 mesure d'eau bouillante.

Planifiez des extras

Cette salade est idéale pour la boîte à lunch. Garnissez-en un pain pita, ajoutez quelques morceaux de poulet et vous aurez un excellent sandwich !

Salade de boulghour et de persil

- *Temps de préparation : 10 minutes*
- *Temps de repos : 20 minutes*

125 ml	boulghour, rincé et égoutté	½ tasse
125 ml	eau bouillante	½ tasse
90 ml	jus de citron	6 c. à soupe
2	tomates, hachées	2
1	botte de 175 g (6 oz) de persil frais, lavé et haché grossièrement	1
125 ml	oignons verts, hachés grossièrement	½ tasse
125 ml	menthe fraîche, hachée finement	½ tasse
90 ml	huile d'olive extra vierge	6 c. à soupe
5 ml	sel	1 c. à thé

1. Déposer le boulghour dans un bol et y verser l'eau bouillante. Couvrir et laisser reposer 15 minutes. Presser ensuite le boulghour pour en extraire l'excédent de liquide. Incorporer le jus de citron et laisser reposer 5 minutes. Ajouter les tomates, le persil, les oignons verts, la menthe, l'huile d'olive et le sel ; bien mélanger.

SUGGESTION D'ACCOMPAGNEMENT : Servez-la avec les Brochettes de crevettes à la coriandre (p. 97).

Équivalents par portion pour les personnes diabétiques

½	glucides
2	matières grasses

VALEUR NUTRITIVE par portion

Calories : 140	Glucides : 10,9 g	Calcium : 54 mg
Matières grasses : 10,5 g	Fibres : 2,5 g	Fer : 2,5 mg
Sodium : 309 mg	Protéines : 2,4 g	

Teneur très élevée en : vitamine A et vitamine C
Teneur élevée en : fer et acide folique
Source de : fibres alimentaires

Salade de quinoa aux légumes

- *Temps de préparation : 15 minutes*
- *Temps de cuisson : 15 à 20 minutes*

250 ml	quinoa, bien rincé et égoutté	1 tasse
500 ml	eau froide	2 tasses
2	tomates, hachées	2
2	gros brins de persil italien (feuilles seulement), hachés	2
¼	concombre anglais, haché	¼
75 ml	poivron rouge, jaune, vert ou assorti, haché	⅓ tasse

Vinaigrette

45 ml	huile d'olive extra vierge	3 c. à soupe
30 ml	jus de citron frais	2 c. à soupe
7 ml	flocons de piment fort (facultatif)	1 ½ c. à thé
2 ml	sel	½ c. à thé
2 ml	poivre noir, fraîchement moulu	½ c. à thé
2 ml	fleurs de lavande séchées (facultatif)	½ c. à thé

1. Dans une casserole moyenne, porter le quinoa et l'eau à ébullition. Baisser le feu et laisser mijoter de 10 à 15 minutes, ou jusqu'à ce que les germes blancs se détachent des grains. Couvrir, retirer du feu et laisser reposer 5 minutes. Retirer le couvercle et laisser refroidir. Séparer les grains à l'aide d'une fourchette.
2. Pendant ce temps, dans un grand bol, mélanger les tomates, le persil, le concombre et le poivron. Ajouter le quinoa refroidi et mélanger.
3. Préparer la vinaigrette dans un petit bol en battant ensemble l'huile d'olive, le jus de citron, les flocons de piment, le sel, le poivre et la lavande.
4. Verser la vinaigrette sur la salade et bien mélanger.

Le quinoa

Quelques suggestions de plats à préparer avec du quinoa.

- Ajoutez au quinoa cuit (froid) des haricots pinto, des graines de citrouille, des oignons verts et de la coriandre. Salez et poivrez au goût et dégustez cette salade d'inspiration mexicaine.
- Mélangez le quinoa cuit à des noix et des fruits, et servez comme du gruau avec du lait ou du yogourt.
- Remplacez le riz par du quinoa dans votre recette de soupe aux légumes.

VALEUR NUTRITIVE par portion		
Calories : 108	Glucides : 13,6 g	Calcium : 17 mg
Matières grasses : 5,1 g	Fibres : 1,6 g	Fer : 1,8 mg
Sodium : 123 mg	Protéines : 2,6 g	
Teneur élevée en : magnésium		

10 PORTIONS

Deloris Del Rio, Québec

Le quinoa est un grain très ancien originaire d'Amérique du Sud et qui est très nourrissant, puisqu'il contient des protéines complètes. Il remplace le riz agréablement dans la plupart des plats. Le quinoa se sert tout aussi bien chaud que froid et il est facile à préparer.

CONSEILS

Si vous n'aimez pas les saveurs fortes comme celles du piment et de la lavande, omettez ces ingrédients.

Remplacez la vinaigrette par 60 ml (¼ tasse) de votre vinaigrette préférée. Évitez de noyer votre salade dans la vinaigrette, sans quoi elle perdra tout son croquant.

Procurez-vous des fleurs de lavande cultivées pour la consommation. N'achetez pas de lavande décorative, laquelle a peut-être été traitée chimiquement.

Cette salade se conserve deux jours au réfrigérateur, mais c'est lorsqu'elle est fraîchement préparée qu'elle est à son meilleur.

Équivalents par portion pour les personnes diabétiques	
½	glucides
1	matières grasses

Eileen Campbell

Le kamut est un grain à la texture spongieuse qui se déguste en salade. Essayez cette salade dans une tortilla : un plat idéal pour la boîte à lunch.

CONSEILS

Si vous ne trouvez pas de kamut, remplacez-le par des grains de blé ou du riz brun.

Cette salade se conserve une semaine au réfrigérateur.

Planifiez des extras

Préparez davantage de kamut et utilisez-le à la place du riz dans les plats de légumes et de viande sautés.

Salade de kamut à la grecque

- *Temps de préparation : 10 minutes*
- *Temps de trempage : 6 heures*
- *Temps de cuisson : 1 heure*

250 ml	kamut	1 tasse
2	oignons verts, hachés	2
1	petite carotte, râpée	1
½	poivron rouge, en petits dés	½
125 ml	concombre anglais, en petits dés	½ tasse
60 ml	persil frais, haché finement	¼ tasse
60 ml	olives noires, hachées finement	¼ tasse
60 ml	jus de citron	¼ tasse
30 ml	huile d'olive	2 c. à soupe
2 ml	origan séché	½ c. à thé
	sel et poivre noir, fraîchement moulu	
125 ml	feta, émietté	½ tasse

1. Rincer le kamut sous l'eau froide, le déposer ensuite dans une petite casserole et couvrir d'eau. Laisser tremper au moins 6 heures ou toute la nuit.
2. Rincer à nouveau le kamut, le remettre dans la casserole et couvrir d'eau (il doit y avoir deux fois plus d'eau que de kamut). Porter à ébullition à feu vif, baisser le feu à moyen et cuire jusqu'à ce que le kamut soit tendre, environ 1 heure. Rincer abondamment sous l'eau froide et bien égoutter. Réserver et laisser refroidir complètement.
3. Dans un grand bol, mélanger le kamut, les oignons verts, la carotte, le poivron, le concombre, le persil, les olives, le jus de citron, l'huile d'olive et l'origan. Saler et poivrer au goût. Garnir de feta.

SUGGESTION D'ACCOMPAGNEMENT : Pour un repas complet, accompagnez cette salade de poulet grillé, de légumes verts et d'un verre de lait.

Équivalents par portion pour les personnes diabétiques

1	glucides
1 ½	matières grasses

VALEUR NUTRITIVE par portion		
Calories : 152 g	Glucides : 19,9 g	Calcium : 64 mg
Matières grasses : 6,3 g	Fibres : 5 g	Fer : 1,2 mg
Sodium : 146 mg	Protéines : 4,6 g	

Teneur élevée en : fibres alimentaires et vitamine C

Lentilles à la méditerranéenne

10 PORTIONS

Eileen Campbell

- *Temps de préparation : 10 minutes*

2	poivrons rouges rôtis, épongés, en julienne	2
1	boîte de 540 ml (19 oz) de lentilles, rincées et égouttées	1
750 ml	riz brun cuit	3 tasses
250 ml	persil italien frais, haché	1 tasse
125 ml	oignons verts, tranchés finement	½ tasse
60 ml	abricots secs, en julienne	¼ tasse

Vinaigrette

60 ml	huile d'olive	¼ tasse
30 ml	jus de citron	2 c. à soupe
30 ml	vinaigre balsamique	2 c. à soupe
5 ml	miel	1 c. à thé
5 ml	cumin moulu	1 c. à thé
2 ml	coriandre moulue	½ c. à thé
	sel et poivre noir, fraîchement moulu	

1. Dans un grand bol, mélanger les poivrons rouges, les lentilles, le riz, le persil, les oignons verts et les abricots.
2. Préparer la vinaigrette dans un petit bol en battant ensemble l'huile d'olive, le jus de citron, le vinaigre balsamique, le miel, le cumin et la coriandre. Saler et poivrer au goût.
2. Verser la vinaigrette sur la salade et bien mélanger.

✓**UN FAVORI DES ENFANTS**

SUGGESTION D'ACCOMPAGNEMENT : Pour un repas équilibré, ajoutez-y un verre de lait et une pomme.

Cette salade s'emporte bien, ce qui la rend idéale dans la boîte à lunch. Elle est délicieuse telle quelle ou avec des crudités.

CONSEILS
Pour obtenir 750 ml (3 tasses) de riz brun cuit, cuire 250 ml (1 tasse) de riz dans 500 ml (2 tasses) d'eau.

Elle donne six portions, si vous voulez la servir comme plat principal.

Cette salade se conserve une semaine au réfrigérateur.

Planifiez des extras
Garnissez-en des pains pitas ou des tortillas de blé entier pour de délicieux sandwichs.

VALEUR NUTRITIVE par portion		
Calories : 182	Glucides : 27 g	Calcium : 31 mg
Matières grasses : 6,2 g	Fibres : 3,4 g	Fer : 2,4 mg
Sodium : 138 mg	Protéines : 5,7 g	

Teneur très élevée en : vitamine C et acide folique
Teneur élevée en : fer et magnésium
Source de : fibres alimentaires

Équivalents par portion pour les personnes diabétiques	
1 ½	glucides
1	matières grasses

**Rory Hornstein,
diététiste, Alberta**

*Le fils de Rory apprécie
la saveur sucrée de la
mangue dans cette
salade-repas, et il n'est
pas le seul, puisque
tous les membres de
notre comité de
dégustation l'ont
aimée !*

CONSEILS

Mettez le poulet à mariner
la veille ; plus il marinera,
meilleur il sera.

Faites rôtir les pignons ou
les amandes dans une
poêle sans huile, à feu
moyen, en remuant de
temps en temps jusqu'à ce
qu'ils soient légèrement
dorés, environ 5 minutes.

Une lime de taille moyenne
donne de 15 à 30 ml (1 à
2 c. à soupe) de jus.

Salade de poulet et de mangue

- *Temps de préparation : 15 minutes*
- *Temps à prévoir pour mariner la viande : 1 heure*
- *Temps de cuisson : 9 minutes*
- *Plaque à pâtisserie, graissée*

Marinade

30 ml	chutney à la mangue	2 c. à soupe
15 ml	cassonade, bien tassée	1 c. à soupe
10 ml	jus de lime	2 c. à thé
5 ml	sauce soja à teneur réduite en sodium	1 c. à thé
	poivre noir, fraîchement moulu	
2	poitrines de poulet désossées et sans la peau (environ 250 g/8 oz), coupées en lanières	2

Vinaigrette

45 ml	huile végétale	3 c. à soupe
15 ml	vinaigre balsamique	1 c. à soupe
5 ml	sucre granulé	1 c. à thé
	sel et poivre noir, fraîchement moulu	

Salade

½	grosse mangue, pelée, dénoyautée et hachée (ou 175 ml/¾ tasse de morceaux de mangue surgelée, décongelée)	½
1,5 l	pousses d'épinards (bien tassées)	6 tasses
75 ml	canneberges séchées (ou le fruit sec de votre choix)	⅓ tasse
22 ml	pignons ou amandes en julienne, rôtis (facultatif)	1 ½ c. à soupe

1. *Marinade* : dans un bol moyen, mélanger le chutney, la cassonade, le jus de lime et la sauce soja. Poivrer au goût.
2. Déposer le poulet dans la marinade et bien l'en enduire. Couvrir et réfrigérer au moins 1 heure ou toute une nuit, en remuant de temps en temps. Préchauffer le gril du four.
3. Retirer le poulet de la marinade et le déposer sur une plaque à pâtisserie graissée. Jeter la marinade.
4. Cuire le poulet 6 minutes. Le retourner et cuire 3 minutes de l'autre côté, ou jusqu'à ce qu'il soit doré et que sa chair soit cuite.

5. *Vinaigrette*: dans un petit bol, battre ensemble l'huile, le vinaigre et le sucre. Saler et poivrer au goût.
6. *Salade*: dans un grand bol, déposer la mangue, les épinards, les canneberges et la moitié des pignons. Arroser de vinaigrette et bien mélanger.
7. Disposer un lit de salade dans quatre assiettes, y déposer le poulet et garnir du reste des pignons.

✓ **UN FAVORI DES ENFANTS**

SUGGESTION D'ACCOMPAGNEMENT : Servez cette salade le midi, accompagnée d'une tranche de pain de grains entiers et d'un verre de lait.

Les mangues

Si vous achetez une mangue pour la consommer immédiatement, assurez-vous qu'elle soit mûre en exerçant une légère pression des doigts sur sa chair. Si vos doigts s'impriment légèrement dans la chair, c'est qu'elle est mûre. Évitez cependant les mangues trop mûres dont la chair est pâteuse.

Le noyau de la mangue est large et plat, ce qui rend ce fruit difficile à couper. Voici un moyen efficace de couper une mangue en cubes : coupez une tranche près du noyau (à environ 1 cm/0,5 po) du centre. Répétez l'opération de l'autre côté. Avec la pointe d'un couteau, tracez des lignes parallèles dans la chair de chacune des deux parties, puis tracez des lignes dans le sens opposé afin de former un motif quadrillé. Prélevez les cubes à l'aide d'une cuiller. Pelez finalement la section centrale de la mangue et coupez la chair en cubes.

VARIANTE
Ajoutez-y un avocat haché.

VALEUR NUTRITIVE par portion		
Calories : 266	Glucides : 25,7 g	Calcium : 56 mg
Matières grasses : 11,6 g	Fibres : 2,2 g	Fer : 1,7 mg
Sodium : 220 mg	Protéines : 16,7 g	

Teneur très élevée en : vitamine A, niacine et acide folique
Teneur élevée en : vitamine C, vitamine B_6 et magnésium
Source de : fibres alimentaires

Équivalents par portion pour les personnes diabétiques	
1 ½	glucides
2	viandes et substituts
1	matières grasses

**Chriss Polson,
Colombie-Britannique**

N'hésitez pas à modifier les quantités selon vos goûts : ajoutez plus de piment de Cayenne pour un peu plus de piquant ! Pour gagner du temps, préparez le poulet, les haricots et le maïs la veille.

CONSEIL

Si vous préférez, faites cuire le poulet sous le gril ou au barbecue plutôt que de le faire revenir dans la poêle.

Salade de poulet à la jamaïcaine

- **Temps de préparation : 30 minutes**
- **Temps à prévoir pour mariner la viande : 1 heure**
- **Temps de cuisson : 25 minutes**

Marinade

175 ml	cassonade, légèrement tassée	¾ tasse
125 ml	vinaigre de framboise	½ tasse
125 ml	eau	½ tasse
45 ml	piment de la Jamaïque moulu	3 c. à soupe
2 ml	piment de Cayenne (facultatif)	½ c. à thé
	sel et poivre noir, fraîchement moulu	
4	poitrines de poulet désossées (environ 500 g/1 lb), coupées en lanières	4
125 ml	maïs en grains surgelé, décongelé	½ tasse
125 ml	haricots noirs ou rouges en conserve, rincés et égouttés	½ tasse
1	laitue romaine (petite à moyenne), lavée et déchiquetée ou 2 l (8 tasses) de mélange de laitues assorties	1
1	carotte, tranchée	1
125 ml	concombre, tranché	½ tasse
125 ml	poivron (couleur au choix)	½ tasse

1. *Marinade :* dans un grand bol, mélanger la cassonade, le vinaigre, l'eau, le piment de la Jamaïque et le piment de Cayenne. Saler et poivrer au goût.
2. Déposer le poulet dans un plat peu profond et verser la moitié de la marinade. Couvrir et réfrigérer au moins 1 heure ou jusqu'à 12 heures.
3. Dans le reste de la marinade, ajouter le maïs et les haricots, couvrir et réfrigérer pendant au moins 1 heure ou toute une nuit.

4. Retirer le poulet de la marinade et la jeter. Par petites quantités, dorer le poulet de 5 à 6 minutes, ou jusqu'à ce qu'il soit cuit. S'il y a trop de poulet à la fois dans la poêle, il se produira une importante perte de chaleur et le poulet cuira dans son jus au lieu de dorer.

5. Ajouter la laitue, la carotte, le concombre et le poivron dans le mélange de haricots, de maïs et de marinade ; bien mélanger.

6. Disposer un lit de salade sur chacune des assiettes et y déposer le poulet.

✓ UN FAVORI DES ENFANTS

Les haricots noirs

Très souvent utilisés dans la cuisine mexicaine, les haricots noirs entrent dans la préparation des burritos et des enchiladas. On prépare les haricots sautés en les réduisant en purée, puis en les faisant revenir dans un corps gras. Les haricots noirs sont délicieux dans les salades ; leur saveur se marie harmonieusement à celles du maïs frais, des tomates et de la coriandre.

SUGGESTION D'ACCOMPA- GNEMENT :
Servez avec un mélange de riz sauvage et de riz brun, ou avec des petits pains multigrains.

VALEUR NUTRITIVE par portion		
Calories : 353	Glucides : 50,1 g	Calcium : 116 mg
Matières grasses : 2,9 g	Fibres : 6,1 g	Fer : 3,3 mg
Sodium : 187 mg	Protéines : 34,6 g	

Teneur très élevée en : fibres alimentaires, vitamine A, vitamine C, niacine, vitamine B_6, acide folique et magnésium
Teneur élevée en : fer, thiamine, riboflavine, vitamine B_{12} et zinc

Équivalents par portion pour les personnes diabétiques	
2 ½	glucides
3	viandes et substituts

Eileen Campbell

L'edamame, ou fèves de soja fraîches, est un aliment qui gagne en popularité. Il est aussi délicieux nature qu'en salade.

CONSEILS

Pour cuire l'edamame, portez à ébullition 125 ml (½ tasse) d'eau bouillante et plongez-y 500 ml (2 tasses) d'edamame. Baissez le feu, couvrez et laissez mijoter 4 minutes. Égouttez bien.

Si vous achetez l'edamame avec la cosse, demandez l'aide de vos enfants pour les écosser. Ils seront probablement tentés de manger quelques fèves fraîches, alors ne gâchez pas leur plaisir : non seulement elles sont délicieuses, mais en plus, elles sont riches en fibres.

Cette salade se conserve jusqu'à trois jours au réfrigérateur.

Salade d'edamame

- *Temps de préparation : 5 minutes*
- *Temps de réfrigération : 1 heure*

1	poivron rouge, en dés	1
500 ml	edamame écossé, cuit	2 tasses
500 ml	maïs en grains, cuit	2 tasses
75 ml	vinaigrette orientale (p. 136)	⅓ tasse

1. Dans un grand bol, mélanger le poivron rouge, l'edamame, le maïs et la vinaigrette. Couvrir et réfrigérer au moins 1 heure pour que les saveurs se mélangent.

✓ **UN FAVORI DES ENFANTS**

SUGGESTION D'ACCOMPAGNEMENT : Pour un repas de salades variées, servez celle-ci avec la Salade de quinoa aux légumes (page 153). Garnissez de graines de sésame.

L'edamame

Edamame est le nom japonais des fèves de soja fraîches. Pour qu'elles conservent leur fraîcheur et leur saveur, ces fèves sont blanchies et surgelées. En Extrême-Orient, la fève de soja constitue la principale source de protéines depuis plus de 2 000 ans. L'edamame y est consommé comme collation et légume d'accompagnement. Il entre également dans la préparation de plusieurs plats, notamment les soupes et les desserts. Les gousses bouillies dans une eau légèrement salée sont servies comme collation : on les déguste en pressant la gousse pour en extirper les fèves.

Équivalents par portion pour les personnes diabétiques	
1	glucides
1	viandes et substituts

VALEUR NUTRITIVE par portion		
Calories : 147	Glucides : 19 g	Calcium : 92 mg
Matières grasses : 5,4 g	Fibres : 3,9 g	Fer : 1 mg
Sodium : 60 mg	Protéines : 9,1 g	

Teneur très élevée en : vitamine C et acide folique • **Teneur élevée en :** thiamine, niacine et magnésium • **Source de :** fibres alimentaires

Sushi en salade

**Patricia Chuey,
diététiste, Colombie-
Britannique**

*Toute la saveur des
sushis en un éclair.
Préparez-en de plus
pour la boîte à lunch
du lendemain !*

- **Temps de préparation : 10 minutes**

2	boîtes de 240 g (7 ½ oz) de crabe, égoutté, ou de goberge	2
1	grosse carotte, pelée et râpée	1
1	concombre anglais avec la pelure, coupé en quatre dans le sens de la longueur, puis haché	1
1	avocat, pelé et coupé en cubes	1
1 l	riz blanc à grains courts, cuit	4 tasses
60 ml	gingembre mariné, épongé, haché	¼ tasse
2	feuilles d'algue nori	2
75 ml	sauce thaïe au cari rouge ou sauce szechuannaise du commerce oignon vert haché finement, wasabi, graines de sésame et sauce soja (facultatif)	⅓ tasse

1. Dans un grand bol, mélanger le crabe, la carotte, le concombre, l'avocat, le riz et le gingembre.
2. Avec des ciseaux de cuisine, couper les algues nori en petits carrés ou en fines lanières. Ajouter les algues dans le mélange de crabe. Verser ensuite la sauce au cari rouge et bien mélanger. Garnir d'oignon verts et de graines de sésame (facultatif). Servir avec de la sauce soja et du wasabi (facultatif).

✓**UN FAVORI DES ENFANTS**

SUGGESTION D'ACCOMPAGNEMENT : Terminez votre repas en harmonie avec une glace au thé chaï ou au thé vert.

CONSEILS

Les algues nori, le wasabi et le gingembre mariné sont vendus dans les épiceries asiatiques et la plupart des supermarchés. Si vous n'en trouvez pas, omettez-les, la salade sera tout de même délicieuse.

Nous avons utilisé la sauce thaïe au cari rouge de marque Sharwood, une sauce à base de lait de coco. Assurez-vous d'utiliser de la sauce au cari et non de la pâte de cari.

VALEUR NUTRITIVE par portion		
Calories : 232	Glucides : 38 g	Calcium : 31 mg
Matières grasses : 5,9 g	Fibres : 3,2 g	Fer : 1,4 mg
Sodium : 173 mg	Protéines : 7,2 g	

Teneur très élevée en : vitamine A
Teneur élevée en : acide folique
Source de : fibres alimentaires

Équivalents par portion pour les personnes diabétiques	
2	glucides
½	viandes et substituts
½	matières grasses

Poulet et dindon

La volaille constitue l'une des meilleures sources de protéines complètes, car il s'agit d'une viande très maigre quand elle est consommée sans la peau. Le poulet et le dindon sont très polyvalents et s'apprêtent de mille et une façons : des hors-d'œuvre aux plats en cocotte, en passant par les entrées, les soupes et les sandwichs.

Garam massala

Ce mélange d'épices traditionnel du nord de l'Inde se compose habituellement d'un mélange moulu de cumin, de coriandre, de cardamome, de poivre noir, de clou de girofle, de feuilles de laurier et de cannelle. On l'ajoute souvent comme garniture aux plats vers la fin de la cuisson. Si vous ne pouvez en trouver dans votre région, vous pouvez le faire vous-même en suivant cette recette simple.

1	bâton de cannelle de 5 cm (2 po), brisé en morceaux
¼	de noix de muscade entière
15 ml (1 c. à soupe)	de graines de cardamome
5 ml (1 c. à thé)	de graines de cumin
5 ml (1 c. à thé)	de clous de girofle entiers
5 ml (1 c. à thé)	de grains de poivre noir

Déposez les épices dans un moulin à café propre et faites moudre pendant une quarantaine de secondes, jusqu'à ce que les épices soient complètement en poudre. Conservez jusqu'à trois mois, à la température de la pièce, dans un récipient hermétique. Essayez le garam massala avec notre Poulet au beurre (p. 172).

Les sautés

Cette méthode de cuisson s'avère excellente pour la préparation de repas équilibrés, car elle ne requiert qu'une petite quantité d'huile (15 ml/1 c. à soupe). Pour réussir un sauté, mettez beaucoup de légumes, ajoutez les aliments à base de protéines de votre choix, et servez le tout sur un lit de riz brun ou sur des pâtes de blé entier. Voici quelques suggestions d'ingrédients pour un repas de quatre généreuses portions.

- **Protéines :** 500 g (1 lb) de languettes de poitrine de poulet, de dindon, de porc maigre ou de bœuf maigre ; 500 g (1 lb) de crevettes ou de pétoncles ; 500 ml (2 tasses) de tofu ou de légumineuses.
- **Légumes :** 1,5 l (6 tasses) de légumes émincés. Commencez par les oignons, puis choisissez quelques ingrédients parmi les suivants : champignon, carotte, chou-fleur, brocoli, poivron, épinards, courgette, courge jaune, pois mange-tout, pois « Sugar Snap », petits pois, maïs, chou et panais.
- **Sauces :** 175 à 250 ml (¾ à 1 tasse) de sauce maison ou du commerce pour sautés (optez pour une sauce à faible teneur en sodium). Sinon, mélangez 50 ml (¼ tasse) de sauce avec 125 à 175 ml (½ à ¾ tasse) de bouillon ou d'eau.
- **Assaisonnements :** Ail émincé, gingembre frais râpé, fines herbes fraîches hachées, piment rouge haché (épépiné pour qu'il soit moins piquant), sauce au piment fort. Pour d'autres idées d'assaisonnements, veuillez consulter la section « Ajoutez du goût et non des matières grasses ou du sel » à la page 39.
- **Garnitures :** Graines de sésame, fines herbes fraîches hachées, nouilles croustillantes.

Les recettes comme le Sauté de poulet à la mangue et aux noix de cajou (p. 170) ou le Sauté de dindon à la thaïlandaise (p. 178), vous donneront une bonne idée des techniques nécessaires pour réussir un sauté.

Pour éviter la contamination croisée

Lorsque vous faites cuire de la viande ou de la volaille sur le barbecue, limitez les risques de contamination en ne déposant jamais de la viande cuite dans l'assiette que vous avez utilisée pour la viande crue. Nettoyez tous les ustensiles (fourchette, spatule, pince, etc.) avec lesquels vous avez manipulé la viande crue si vous devez les utiliser de nouveau pour les aliments cuits. Si vous avez fait mariner votre viande, jetez le reste de la marinade (elle pourrait contenir des contaminants que l'on trouve dans les viandes crues).

Un truc pour les brochettes

Si vous utilisez des brochettes en bois sur le barbecue, faites-les d'abord tremper pendant 10 à 30 minutes dans l'eau pour les empêcher de brûler.

Poulet au thym et au citron

8 PORTIONS

Eileen Campbell

Croustillant à l'extérieur, tendre et juteux à l'intérieur, peut-on demander mieux ?

CONSEIL
La cuisson à la verticale donne un poulet très croustillant. Si vous n'avez pas de support pour la cuisson à la verticale, déposez tout simplement le poulet sur la grille d'une lèchefrite. Votre poulet sera peut-être légèrement moins croustillant, mais il n'en sera pas moins délicieux.

VARIANTES
Remplacez la marinade au thym et au citron par le Mélange d'épices de Marrakech (p. 181), de la pâte tandoori ou un mélange de sauce hoisin et de sauce chili.

Pour un plat avec des légumes, déposez des légumes racines (patates douces, carottes, pommes de terre et navets) coupés en cubes dans la lèchefrite pour la dernière heure de cuisson. Pour les dernières 10 minutes de la fin de la cuisson, ajoutez des pommes ou des poires coupées en tranches.

- *Temps de préparation : 10 minutes*
- *Temps de cuisson : 1 heure 45 à 2 heures 15*
- *Lèchefrite avec un support pour cuisson à la verticale*

1	poulet entier de 2,5 à 3 kg (5 à 6 lb)	1
4	gousses d'ail, émincées	4
60 ml	huile d'olive	¼ tasse
30 ml	thym frais, haché	2 c. à soupe
5 ml	poivre noir fraîchement moulu	1 c. à thé
	zeste et jus de 1 citron	
	sel	

1. Parer le poulet (retirer tout le gras), le rincer sous l'eau froide, à l'intérieur et à l'extérieur, et l'assécher.
2. Dans un bol suffisamment grand pour contenir le poulet, battre ensemble l'ail, l'huile d'olive, le thym, le poivre, le zeste et le jus de citron. Saler au goût. Déposer le poulet dans le bol et le retourner dans la marinade afin de bien l'en enduire. Couvrir et réfrigérer pendant au moins 1 heure ou toute une nuit. Préchauffer le four à 230 °C (450 °F) et retirer la grille supérieure du four.
3. Déposer le poulet sur le support et le badigeonner de marinade. Cuire de 15 à 20 minutes. Baisser la température du four à 190 °C (375 °F) et cuire de 1 ½ à 2 heures (selon le poids du poulet) ou jusqu'à ce que la peau soit bien dorée et croustillante et qu'un thermomètre à viande inséré dans la partie la plus charnue d'une cuisse indique 85 °C (185 °F). Sortir le poulet du four, le recouvrir d'une feuille d'aluminium et le laisser reposer de 10 à 15 minutes avant de le découper (ce temps de repos permet aux jus de se redistribuer, ce qui donne une viande plus juteuse).

✓ UN FAVORI DES ENFANTS

SUGGESTION D'ACCOMPAGNEMENT : Pour un repas du dimanche, accompagnez de Pommes de terre rôties au citron (p. 269) et de brocoli à la vapeur.

Équivalents par portion pour les personnes diabétiques

3	viandes et substituts

VALEUR NUTRITIVE par portion

Calories : 231	Glucides : 1,1 g	Calcium : 14 mg
Matières grasses : 14,5 g	Fibres : 0,2 g	Fer : 1 mg
Sodium : 74 mg	Protéines : 23,5 g	

Teneur très élevée en : niacine et vitamine B$_6$
Teneur élevée en : zinc

Poulet à la Marrakech

4 PORTIONS

Eileen Campbell

- *Temps de préparation : 15 à 20 minutes*
- *Temps à prévoir pour mariner la viande : 1 heure*
- *Temps de cuisson : 1 heure 15*
- *Plat allant au four de 3 litres (13 x 9 po), légèrement graissé*
- *Plaque à pâtisserie*

2	cuisses de poulet non désossées	2
2	poitrines de poulet non désossées	2
30 ml	Mélange d'épices de Marrakech (p. 181)	2 c. à soupe
2	oignons, hachés	2
2	grosses tomates, hachées	2
1	poivron vert, en dés	1
125 ml	fruits secs (raisins, abricots, canneberges, pruneaux)	½ tasse
125 ml	olives dénoyautées (vertes ou noires)	½ tasse
750 ml	Sauce tomate de base (p. 232) ou sauce tomate du commerce	3 tasses

1. Enlever la peau des morceaux de poulet et l'excédent de gras. Couper la cuisse à l'articulation (séparer le pilon du haut de cuisse). Déposer les morceaux de poulet dans un plat allant au four et bien les enrober du mélange d'épices de Marrakech. Couvrir et réfrigérer au moins 1 heure ou toute une nuit. Préchauffer le four à 190 °C (375 °F).
2. Déposer les oignons, les tomates, le poivron vert, les fruits secs et les olives autour des morceaux de poulet. Verser la sauce tomate sur le poulet et les légumes. Couvrir le plat de papier d'aluminium et le déposer sur une plaque à pâtisserie.
3. Cuire au four 45 minutes. Sortir du four, découvrir et arroser le poulet de sauce tomate. Remettre au four à découvert et cuire environ 30 minutes, ou jusqu'à ce que la température interne du poulet atteigne 77 °C (170 °F).

❄ SE CONGÈLE BIEN

SUGGESTION D'ACCOMPAGNEMENT : Pour un repas marocain, servez avec le Couscous aux raisins de Corinthe et aux carottes (p. 273).

Voici un poulet en sauce aux parfums de l'Afrique du Nord.

CONSEILS
Vous pouvez le préparer avec quatre cuisses ou quatre poitrines. Toutefois, la viande brune étant plus grasse, la teneur en matières grasses de ce plat sera plus élevée.

Omettez les olives si vous ne les aimez pas.

Optez pour un fruit sec que tous vos convives apprécieront.

Cette recette donne quatre portions généreuses ou six petites portions.

Planifiez des extras
Cette recette donne beaucoup de sauce tomate. Conservez l'excédent de sauce au congélateur (au maximum trois mois) et servez-la avec des pâtes.

VALEUR NUTRITIVE par portion

Calories : 348	Glucides : 34,9 g	Calcium : 90 mg
Matières grasses : 9,9 g	Fibres : 5,4 g	Fer : 3,4 mg
Sodium : 752 mg	Protéines : 32,5 g	

Teneur très élevée en : vitamine C, niacine, vitamine B$_6$, magnésium et zinc • **Teneur élevée en :** fibres alimentaires, vitamine A, fer, thiamine, riboflavine, acide folique et vitamine B$_{12}$

Équivalents par portion pour les personnes diabétiques

1 ½	glucides
3	viandes et substituts

**Judy Jenkins, diététiste,
Nouvelle-Écosse**

Dégustez-les nature ou avec l'une ou l'autre des salsas ou des trempettes de cet ouvrage.

CONSEIL

Au four : Déposez le poulet mariné dans un plat allant au four légèrement graissé de 2,5 l (9 x 9 po). Versez la marinade sur le poulet. Grillez au four de 5 à 6 minutes par côté jusqu'à ce que le poulet soit cuit et que sa température interne ait atteint 77 °C (170 °F).

Planifiez des extras

Les surplus de poulet sont très pratiques. Ils permettent de préparer une soupe, une salade ou un sauté en un éclair.

Poitrines de poulet grillées à l'ail et au gingembre

- *Temps de préparation : 5 minutes*
- *Temps à prévoir pour mariner la viande : 10 minutes*
- *Temps de cuisson : 6 à 10 minutes*

30 ml	jus de citron frais	2 c. à soupe
10 ml	ail, émincé	2 c. à thé
10 ml	gingembre moulu	2 c. à thé
10 ml	huile d'olive	2 c. à thé
5 ml	cumin moulu	1 c. à thé
4	poitrines de poulet désossées (500 g/1 lb au total) poivre noir fraîchement moulu	4

1. Dans un plat peu profond, mélanger le jus de citron, l'ail, le gingembre, l'huile d'olive et le cumin. Ajouter le poulet et le retourner pour bien l'enduire de marinade. Laisser reposer 10 minutes à la température ambiante ou couvrir et réfrigérer jusqu'à 4 heures. Préchauffer le barbecue à feu moyen.
2. Retirer le poulet de la marinade et jeter la marinade. Cuire le poulet sur le barbecue de 3 à 5 minutes par côté, ou jusqu'à ce que la chair soit cuite de part en part et que la température interne ait atteint 77 °C (170 °F). Saler et poivrer au goût.

 **SE CONGÈLE BIEN**

SUGGESTION D'ACCOMPAGNEMENT : Servir avec le Sauté de légumes orientaux (p. 259) et le Riz pilaf (p. 275) pour un repas santé délicieux.

Équivalents par portion pour les personnes diabétiques	
3	viandes et substituts

VALEUR NUTRITIVE par portion		
Calories : 145	Glucides : 1,2 g	Calcium : 11 mg
Matières grasses : 3,4 g	Fibres : 0,1 g	Fer : 0,8 mg
Sodium : 61 mg	Protéines : 26 g	

Teneur très élevée en : niacine et vitamine B_6

Poulet à la salsa

- *Temps de préparation : 2 minutes*
- *Temps de cuisson : 25 minutes*

15 ml	huile végétale	1 c. à soupe
4	poitrines de poulet désossées et sans la peau (au total 500 g/1lb)	4
une pincée	sel	une pincée
une pincée	poivre noir fraîchement moulu	une pincée
375 ml	salsa	1 ½ tasse
250 ml	mélange de fromage râpé pour nachos ou cheddar, râpé	1 tasse

1. Dans une grande poêle, chauffer l'huile à feu moyen vif. Faire dorer les poitrines de poulet des deux côtés (ne pas les faire cuire entièrement). Saler et poivrer. Ajouter la salsa. Baisser le feu et laisser mijoter doucement 15 minutes, ou jusqu'à ce que le poulet soit cuit et que sa température interne atteigne 77 °C (170 °F). Parsemer les poitrines de poulet de fromage râpé et cuire 5 minutes supplémentaires, ou jusqu'à ce que le fromage ait fondu.

✓ **UN FAVORI DES ENFANTS**

SUGGESTION D'ACCOMPAGNEMENT : Pour un repas mexicain, accompagnez de riz brun cuit dans du jus de légumes et de maïs en grains. Terminez le repas en beauté avec des Nachos aux fruits (p. 300).

4 PORTIONS

Vicky Guitar, Nouveau-Brunswick

Si vous ne disposez que de quelques minutes pour préparer un repas pour la famille, voici la solution. Servez ce poulet avec des petits pois et du riz brun.

CONSEIL
Vous pouvez également le cuire au four à 180 °C (350 °F) de 20 à 30 minutes. Ajoutez-y ensuite le fromage et faites griller 5 minutes.

VALEUR NUTRITIVE par portion

Calories : 309	Glucides : 7,2 g	Calcium : 222 mg
Matières grasses : 14,3 g	Fibres : 1,6 g	Fer : 1,1 mg
Sodium : 864 mg	Protéines : 38,5 g	

Teneur très élevée en : niacine et vitamine B_6
Teneur élevée en : calcium, vitamine B_{12}, magnésium et zinc

Équivalents par portion pour les personnes diabétiques

4	viandes et substituts

Eileen Campbell

Le poulet Maryland est un plat de poulet frit servi avec des beignets de maïs, des bananes frites et des tranches d'ananas grillées. Dans cette version allégée, les ingrédients sont apprêtés de façon beaucoup plus saine. Ce plat a toujours beaucoup de succès auprès des invités, particulièrement les enfants.

CONSEILS

Si vous cuisinez pour des enfants, assurez-vous qu'ils aiment le goût des herbes, sinon omettez-les tout simplement.

Cette recette donne quatre portions généreuses ou huit portions pour les petits appétits.

SUGGESTION D'ACCOMPA-GNEMENT : Servez avec une salade verte ou du brocoli cuit vapeur et des Beignets de maïs (p. 267).

Poulet Maryland au four

- **Temps de préparation : 10 minutes**
- **Temps de cuisson : 20 à 30 minutes**
- *Four préchauffé à 180 °C (350 °F)*
- *Plaque à pâtisserie, graissée*

4	poitrines de poulet désossées et sans la peau (au total 500 g/1 lb)	4
2	grosses bananes, coupées en moitié	2
1	œuf, battu	1
125 ml	lait	½ tasse
250 ml	semoule de maïs	1 tasse
5 ml	sel	1 c. à thé
5 ml	poivre noir fraîchement moulu	1 c. à thé
15 ml	mélange d'herbes italiennes	1 c. à soupe
	enduit végétal en vaporisateur	
2	tranches d'ananas (frais ou en conserve), coupées en deux	2

1. Déposer les poitrines de poulet sur une planche à découper et les couvrir d'une pellicule plastique. Avec un maillet de cuisine, aplatir les poitrines en escalopes très fines. Déposer une moitié de banane sur chaque escalope et enrouler. Maintenir en place à l'aide de cure-dents.
2. Dans un plat peu profond, mélanger l'œuf battu et le lait. Dans un autre plat peu profond, mélanger la semoule de maïs, le sel, le poivre et les herbes.
3. Plonger les escalopes roulées dans le mélange d'œuf battu et de lait. Les rouler ensuite dans la semoule de maïs ; bien les enrober. Déposer les escalopes sur une plaque à pâtisserie avec les tranches d'ananas. Vaporiser légèrement le poulet d'enduit végétal. Jeter l'excédent de panure.
4. Cuire au four préchauffé de 20 à 30 minutes, ou jusqu'à ce que le poulet soit bien doré, que la chair ne soit plus rosée au centre et que la température interne ait atteint 77 °C (170 °F).
5. Retirer les cure-dents et couper les escalopes en deux diagonalement. Servir avec les tranches d'ananas.

✓ UN FAVORI DES ENFANTS

Équivalents par portion pour les personnes diabétiques

2	glucides
3	viandes et substituts

VALEUR NUTRITIVE par portion

Calories : 311	Glucides : 32,3 g	Calcium : 51 mg
Matières grasses : 4,5 g	Fibres : 2,8 g	Fer : 1,4 mg
Sodium : 382 mg	Protéines : 34,6 g	

Teneur très élevée en : niacine, vitamine B$_6$ et magnésium
Teneur élevée en : riboflavine, acide folique, vitamine B$_{12}$ et zinc
Source de : fibres alimentaires

Poulet aux champignons portobellos et au fromage de chèvre

6 À 12 PORTIONS

Nadine Day, diététiste, Ontario

Un plat raffiné, idéal pour recevoir, mais suffisamment facile à préparer pour le servir les jours de semaine.

- **Temps de préparation : 10 minutes**
- **Temps de cuisson : 1 heure**
- *Four préchauffé à 180 °C (350 °F)*
- *Plaque à pâtisserie*
- *Plat en verre allant au four de 2 litres (11 x 7 po)*

5	champignons portobellos (tige et lamelles retirées)	5
90 ml	huile d'olive (en deux parts égales)	6 c. à soupe
	sel et poivre noir fraîchement moulu	
2	gousses d'ail, émincées	2
250 g	fromage de chèvre, émietté	8 oz
15 ml	thym frais, haché	1 c. à soupe
6	poitrines de poulet désossées et sans la peau (au total 750 g/1 ½ lb)	6

1. Déposer les champignons sur la plaque à pâtisserie et les arroser de 45 ml (3 c. à soupe) d'huile d'olive. Saler et poivrer au goût. Cuire au four préchauffé 15 minutes, ou jusqu'à tendreté. Laisser refroidir et hacher finement.
2. Dans un petit bol, mélanger les champignons rôtis, l'ail, le fromage de chèvre et le thym.
3. Entailler les poitrines de poulet horizontalement en prenant soin de vous arrêter à quelques millimètres du bord opposé et ouvrir en portefeuille. Répartir la farce entre les poitrines, étendre et refermer. Maintenir en place à l'aide de cure-dents.
4. Dans une grande poêle, faire chauffer le reste de l'huile à feu moyen. Faire dorer les poitrines farcies des deux côtés jusqu'à ce qu'elles soient légèrement croustillantes. Déposer dans un plat de cuisson.
5. Cuire au four préchauffé 40 minutes, ou jusqu'à ce que la chair ne soit plus rosée au centre et que la température interne ait atteint 77 °C (170 °F).
6. Retirer les cure-dents et découper chacune des poitrines en deux morceaux diagonalement.

CONSEIL

Cette recette donne entre 6 et 12 portions. Pour les petits appétits, servez une demi-poitrine. L'analyse nutritionnelle de ce plat a d'ailleurs été faite à partir de cette quantité. Si vous servez une poitrine par personne, doublez toutes les données de l'analyse nutritionnelle.

VARIANTES

Si vous n'aimez pas les champignons ou le fromage de chèvre, remplacez-les par un mélange de ricotta et de basilic séché et par des poivrons rouges rôtis coupés en lanières.

Pour un plat différent, farcissez les poitrines avec un mélange de mangues en tranches, de poivrons rôtis et de fromage à la crème.

VALEUR NUTRITIVE par portion		
Calories : 202	Glucides : 3,7 g	Calcium : 36 mg
Matières grasses : 11,8 g	Fibres : 1 g	Fer : 1,1 mg
Sodium : 108 mg	Protéines : 20,3 g	

Teneur très élevée en : riboflavine et niacine
Source de : vitamine B$_6$

Équivalents par portion pour les personnes diabétiques	
2 ½	viandes et substituts
1	matières grasses

Eileen Campbell

Si vous appréciez la saveur délicate de la mangue avec le poulet, ce plat est pour vous. Pour gagner du temps, préparez les principaux ingrédients la veille.

CONSEIL

Si vos enfants n'apprécient pas le piment, servez-les d'abord, puis ajoutez le piment dans le wok en toute fin de cuisson.

VARIANTES

Pour un plat en sauce, délayer 15 ml (1 c. à soupe) de fécule de maïs dans 250 ml (1 tasse) de bouillon de poulet. Verser dans le wok en fin de cuisson et laisser cuire jusqu'à épaississement. Saler et poivrer au goût.

Remplacez la mangue par des ananas frais ou en conserve.

Sauté de poulet à la mangue et aux noix de cajou

- **Temps de préparation : 15 minutes**
- **Temps de cuisson : 35 minutes**

30 ml	huile d'olive (en deux parts égales)	2 c. à soupe
750 g	poitrines de poulet désossées et sans la peau, coupées en lanières	1 ½ lb
2	poivrons rouges, en julienne	2
1	oignon, pelé et coupé en quartiers	1
1	petit piment rouge, épépiné et haché finement	1
30 ml	sauce de poisson	2 c. à soupe
10 ml	sauce soja à teneur réduite en sodium	2 c. à thé
5 ml	sucre granulé	1 c. à thé
500 ml	mangue fraîche ou surgelée, décongelée, coupée en dés	2 tasses
125 ml	noix de cajou non salées et rôties à sec, brisées en morceaux	½ tasse
	sel et poivre fraîchement moulu	

1. Chauffer un wok ou une grande poêle à feu moyen. Verser 15 ml (1 c. à soupe) d'huile et bien l'étaler en inclinant le wok. Lorsque l'huile est chaude (elle ne doit pas fumer), ajouter le poulet par petites quantités et le dorer de tous les côtés jusqu'à ce qu'il soit presque cuit, environ 3 minutes. Réserver le poulet cuit dans une assiette.

2. Verser le reste de l'huile et faire revenir les poivrons, l'oignon et le piment pendant environ 1 minute. Verser la sauce de poisson, la sauce soja et le sucre. Remettre le poulet dans le wok, ajouter les mangues et les noix de cajou. Faire revenir de 10 à 15 minutes en remuant constamment jusqu'à ce que le poulet soit cuit. Saler et poivrer au goût.

✓ UN FAVORI DES ENFANTS

SUGGESTION D'ACCOMPAGNEMENT :
Commencez le repas en beauté avec une entrée de crudités accompagnées d'une trempette. Servez ce sauté de poulet sur un lit de riz basmati, de riz au jasmin ou de rotinis de blé entier.

Équivalents par portion pour les personnes diabétiques

½	glucides
2 ½	viandes et substituts

VALEUR NUTRITIVE par portion		
Calories : 219	Glucides : 13,9 g	Calcium : 20 mg
Matières grasses : 8,9 g	Fibres : 1,6 g	Fer : 1,1 mg
Sodium : 443 mg	Protéines : 21,5 g	

Teneur très élevée en : vitamine C, niacine, vitamine B$_6$ et magnésium

Bâtonnets de poulet au parmesan

- *Temps de préparation : 15 minutes*
- *Temps à prévoir pour la marinade : 15 minutes à 4 heures*
- *Temps de cuisson : 20 minutes*
- *Plaque à pâtisserie, graissée*

500 g	poitrines de poulet désossées et sans la peau, coupées en lanières	1 lb
125 ml	lait écrémé	½ tasse
75 ml	chapelure ou céréales de flocons de maïs, écrasés finement	⅓ tasse
45 ml	parmesan, fraîchement râpé	3 c. à soupe
10 ml	persil séché	2 c. à thé
1 ml	poivre noir fraîchement moulu sel	¼ c. à thé

1. Déposer le poulet dans un plat peu profond et l'arroser de lait. Couvrir et réfrigérer de 15 minutes à 4 heures. Préchauffer le four à 190 °C (375 °F).
2. Dans un autre plat peu profond, mélanger la chapelure, le parmesan, le persil et le poivre. Retirer les lanières de poulet du lait et bien les enrober de chapelure. Déposer sur la plaque à pâtisserie. Jeter le lait et l'excédent de panure.
3. Cuire au four 20 minutes, ou jusqu'à ce que le poulet soit cuit.

❄ **SE CONGÈLE BIEN**
✓ **UN FAVORI DES ENFANTS**

SUGGESTION D'ACCOMPAGNEMENT : Pour un repas très apprécié des enfants, servez ces bâtonnets avec les Pommes de terre rôties au four (page 271) et la Salade de chou aux fruits (p. 147). Pour couronner le tout, servez la Gelée rose à la fraise (p. 325).

---

4 PORTIONS

Patsy Turple,
Nouveau-Brunswick

Les enfants raffolent des bâtonnets de poulet. Servez-les avec la Sauce aigre-douce (p. 110).

VARIANTES
Aromatisez la panure avec du thym, du basilic ou de l'origan séché.

Remplacez une partie de la chapelure par des graines de lin moulue

---

VALEUR NUTRITIVE par portion		
Calories : 191	Glucides : 8 g	Calcium : 106 mg
Matières grasses : 3,7 g	Fibres : 0,5 g	Fer : 1,2 mg
Sodium : 211 mg	Protéines : 29,6 g	

Teneur très élevée en : niacine et vitamine B_6
Teneur élevée en : vitamine B_{12} et magnésium

Équivalents par portion pour les personnes diabétiques	
½	glucides
3	viandes et substituts

Poulet au beurre

Eileen Campbell

Le poulet au beurre est un plat dont la réputation n'est plus à faire. La version originale contient beaucoup de beurre et de crème. Notre version est allégée en gras, mais elle est tout aussi savoureuse. Bien que cette recette se compose de beaucoup d'ingrédients, elle est relativement facile à préparer.

CONSEILS

La pâte tandoori est vendue dans la plupart des supermarchés au comptoir des produits indiens.

Un citron de taille moyenne donne environ 45 ml (3 c. à soupe) de jus.

- **Temps de préparation : 15 minutes**
- **Temps à prévoir pour mariner la viande : 1 heure**
- **Temps de cuisson : 35 à 40 minutes**
- *Plat allant au four de 2 litres (11 x 7 po)*

45 ml	pâte tandoori (voir Conseils, à gauche)	3 c. à soupe
30 ml	jus de citron frais	2 c. à soupe
30 ml	yogourt nature, faible en gras	2 c. à soupe
750 g	poitrines de poulet désossées et sans la peau, coupées en morceaux de 2,5 cm (1 po)	1 ½ lb

Sauce

60 ml	pâte de tomate	¼ tasse
125 ml	eau	½ tasse
1	morceau de gingembre de 2,5 cm (1 po), râpé finement	1
1	piment vert, épépiné et haché finement	1
20 ml	jus de citron	4 c. à thé
15 ml	coriandre fraîche, hachée	1 c. à soupe
5 ml	cumin moulu	1 c. à thé
5 ml	garam massala (du commerce, ou maison, p. 162)	1 c. à thé
4 ml	sel	¾ c. à thé
1 ml	sucre granulé	¼ c. à thé
1 ml	assaisonnement au chili	¼ c. à thé
15 ml	beurre non salé	1 c. à soupe
250 ml	crème 10 %	1 tasse

1. Dans un grand bol, mélanger la pâte tandoori, le jus de citron et le yogourt. Ajouter le poulet et bien l'enduire du mélange. Couvrir et réfrigérer pendant au moins 1 heure ou toute une nuit. Préchauffer le four à 180 °C (350 °F).

2. Déposer le poulet en une seule couche dans le plat allant au four et l'arroser de la marinade. Cuire de 20 à 25 minutes, ou jusqu'à ce que la chair soit cuite de part en part.

3. Préparer la sauce dans un petit bol en mélangeant la pâte de tomate et l'eau. Incorporer le gingembre, le piment, le jus de citron, la coriandre, le cumin, le garam massala, le sel, le sucre et l'assaisonnement au chili.

4. Dans une grande casserole, faire fondre le beurre à feu moyen. Ajouter la sauce et baisser le feu. Ajouter le poulet cuit avec ses jus de cuisson et cuire à feu doux pendant environ 10 minutes pour que les saveurs se mélangent. Ajouter la crème et réchauffer à feu doux 3 minutes (ne pas faire bouillir).

❄ **SE CONGÈLE BIEN**

SUGGESTIONS D'ACCOMPAGNEMENT : Servez sur du riz basmati garni de coriandre hachée, de haricots verts et d'asperges à la vapeur.

Pour un repas indien, servir avec le Riz pilaf (p. 275) et du Lassi à la mangue (p. 85).

Le gingembre frais

Utilisez le côté d'une cuillère pour gratter la pelure qui recouvre le gingembre avant de le râper. Comme le gingembre frais se conserve jusqu'à trois mois au congélateur, râpez-le sans le décongeler et remettez le reste au congélateur.

CONSEIL

Les repas thématiques sont un excellent moyen d'explorer les cuisines du monde. Cette recette classique est idéale pour un repas indien. Demandez à vos invités de se costumer selon le thème de la soirée.

VALEUR NUTRITIVE par portion		
Calories : 175	Glucides : 4,6 g	Calcium : 53 mg
Matières grasses : 6,2 g	Fibres : 0,5 g	Fer : 0,9 mg
Sodium : 460 mg	Protéines : 24,3 g	
Teneur très élevée en : niacine et vitamine B_6		

Équivalents par portion pour les personnes diabétiques	
3	viandes et substituts

Poulet fusion

- *Temps de préparation : 20 minutes*
- *Temps de cuisson : 25 à 30 minutes*

Tina Profiri, Ontario

La famille de Tina apprécie les plats qui conjuguent plusieurs traditions culinaires. C'est dans cet esprit qu'elle a créé ce plat de poulet à la délicate saveur de cari. N'hésitez pas à le servir réchauffé, il sera encore meilleur !

CONSEIL

Agrémentez ce plat d'une cuillerée de yogourt nature et de coriandre hachée, déposés directement dans chaque assiette.

VARIANTES

Pour un plat végétarien, remplacez le poulet par des pois chiches et le bouillon de poulet par du bouillon de légumes.

Si vous préférez la viande brune, remplacez la moitié des poitrines par des cuisses de poulet désossées.

SUGGESTION D'ACCOMPA-GNEMENT : Servez sur un lit de riz basmati avec du chou-fleur cuit à la vapeur et la Salade de kamut à la grecque (p. 154).

45 ml	farine tout usage	3 c. à soupe
5 ml	sel	1 c. à thé
2 ml	assaisonnement au chili (ordinaire ou au piment ancho)	½ c. à thé
500 g	poitrines de poulet désossées et sans la peau, coupées en petits cubes	1 lb
30 ml	huile végétale (plus ou moins)	2 c. à soupe
15 ml	poudre de cari doux	1 c. à soupe
4	échalotes, émincées	4
2	gousses d'ail, émincées	2
1	poivron rouge, haché finement	1
300 ml	bouillon de poulet à teneur réduite en sodium	1 ¼ tasse
75 ml	raisins secs dorés	⅓ tasse
30 ml	pâte de tomate	2 c. à soupe
15 ml	jus de lime	1 c. à soupe

1. Dans un grand sac en plastique, mélanger la farine, le sel et l'assaisonnement au chili. Ajouter le poulet et secouer pour bien l'enrober.

2. Dans une grande poêle, chauffer l'huile à feu moyen vif. Secouer légèrement les cubes de poulet pour faire tomber l'excédent de farine et les faire dorer dans l'huile de tous les côtés. Ajouter la poudre de cari et cuire 1 minute en remuant. Déposer dans une assiette et réserver.

3. Dans la même poêle, faire revenir les échalotes et l'ail 2 minutes, en ajoutant un peu d'huile au besoin. Ajouter le poivron, le bouillon, les raisins, la pâte de tomate et le jus de lime. Remettre le poulet dans la poêle, baisser le feu et cuire à feu doux, à découvert, de 15 à 20 minutes, ou jusqu'à ce que le poulet soit cuit jusqu'au centre et que la sauce ait épaissi.

❄ **SE CONGÈLE BIEN**
✓ **UN FAVORI DES ENFANTS**

Équivalents par portion pour les personnes diabétiques

½	glucides
3	viandes et substituts

VALEUR NUTRITIVE par portion

Calories : 202	Glucides : 14,1 g	Calcium : 24 mg
Matières grasses : 6,3 g	Fibres : 1,5 g	Fer : 1,4 mg
Sodium : 568 mg	Protéines : 22,3 g	

Teneur très élevée en : vitamine C, niacine et vitamine B_6
Teneur élevée en : magnésium

Poulet épicé à l'orange

- *Temps de préparation : 15 minutes*
- *Temps de cuisson : 1 heure*

2 kg	poitrines et cuisses de poulet désossées et sans la peau	4 lb
60 ml	farine tout usage	¼ tasse
15 ml	huile d'olive	1 c. à soupe
3	gousses d'ail, écrasées	3
250 ml	jus d'orange	1 tasse
30 ml	cassonade bien tassée	2 c. à soupe
30 ml	vinaigre blanc	2 c. à soupe
5 ml	basilic séché	1 c. à thé
5 ml	sel	1 c. à thé
4 ml	muscade moulue	¾ c. à thé
	poivre noir fraîchement moulu	

Jessie Kear, diététiste, Ontario

Lors de sa création, dans les années 1970, dans le cadre d'un échange de recettes entre des étudiants de Montréal, ce plat portait le nom de « Poulet épicé d'Irène ». Jessie l'a légèrement modifié en ajoutant quelques épices et en réduisant sa teneur en gras pour qu'il réponde au style de vie et aux goûts du XXIe siècle. En cuisant, il diffuse une odeur envoûtante qui laisse présager que le meilleur est à venir.

CONSEIL

Pour une sauce plus épaisse, retirez le couvercle 10 minutes avant la fin de la cuisson.

1. Couper les poitrines de poulet en deux. Déposer tous les morceaux de poulet dans un grand plat en plastique muni d'un couvercle et les saupoudrer de farine. Couvrir le plat et le secouer jusqu'à ce que les morceaux soient bien enrobés de farine. Jeter la farine restée dans le plat.
2. Dans une grande casserole, chauffer l'huile d'olive à feu moyen. Y faire dorer les morceaux de poulet de tous les côtés (le feu ne doit pas être trop fort, car la farine a tendance à brunir sous l'effet d'une chaleur intense).
3. Dans un petit bol, préparer la sauce en battant ensemble l'ail, le jus d'orange, la cassonade, le vinaigre, le basilic, le sel, la muscade et le poivre jusqu'à dissolution complète du sucre.
4. Verser la sauce dans la casserole, baisser le feu, couvrir complètement et laisser mijoter doucement, en remuant de temps en temps, jusqu'à ce que le poulet soit cuit jusqu'au centre et que la sauce ait légèrement épaissi.

❄ SE CONGÈLE BIEN

✓ UN FAVORI DES ENFANTS

SUGGESTION D'ACCOMPAGNEMENT : Servez avec du quinoa et un légume vert, comme du brocoli ou des épinards.

VALEUR NUTRITIVE par portion		
Calories : 260	Glucides : 9,7 g	Calcium : 25 mg
Matières grasses : 7,5 g	Fibres : 0,3 g	Fer : 1,6 mg
Sodium : 409 mg	Protéines : 36,4 g	

Teneur très élevée en : niacine, vitamine B_6 et zinc
Teneur élevée en : riboflavine, vitamine B_{12} et magnésium

Équivalents par portion pour les personnes diabétiques	
½	glucides
4	viandes et substituts

Poulet aux canneberges

Maureen Falkiner,
diététiste,
Colombie-Britannique

Notre groupe de dégustation a craqué pour ce plat qui sort de l'ordinaire, idéal pour le temps des fêtes.

- *Temps de préparation : 10 minutes*
- *Temps de cuisson : 50 minutes*
- *Four préchauffé à 180 °C (350 °F)*
- *Plat carré allant au four de 2 litres (8 x 8 po), légèrement graissé*

1	boîte de mélange pour farce de 125 g (4 oz)	1
	enduit végétal en vaporisateur	
1	oignon, haché	1
3	œufs	3
375 ml	poulet ou dinde, cuits, coupés en dés	1 ½ tasse
375 ml	ricotta	1 ½ tasse
	sel et poivre noir fraîchement moulu	
250 ml	sauce aux canneberges entières	1 tasse

1. Préparer le mélange à farce en suivant les instructions sur l'emballage et l'étendre au fond du plat légèrement graissé.
2. Chauffer une petite poêle à feu moyen et la vaporiser d'enduit végétal. Y faire sauter les oignons jusqu'à ce qu'ils soient tendres, environ 5 minutes.
3. Dans un grand bol, mélanger les oignons, les œufs, le poulet et la ricotta. Saler et poivrer au goût. Étendre la préparation sur la farce.
4. Cuire au four préchauffé 45 minutes, ou jusqu'à ce que le mélange aux œufs soit ferme et qu'un cure-dent inséré au centre en ressorte propre.

✓ **UN FAVORI DES ENFANTS**

SUGGESTION D'ACCOMPAGNEMENT : Servez ce plat avec des haricots verts cuits à la vapeur et terminez-le par une tranche de Pain épicé aux noix et à la citrouille (p. 283).

Équivalents par portion pour les personnes diabétiques

2	glucides
3	viandes et substituts

VALEUR NUTRITIVE par portion		
Calories : 367	Glucides : 32,3 g	Calcium : 160 mg
Matières grasses : 15,9 g	Fibres : 0,7 g	Fer : 1,6 mg
Sodium : 433 mg	Protéines : 23,7 g	

Teneur très élevée en : niacine
Teneur élevée en : vitamine A, calcium, riboflavine, vitamine B_6, acide folique, vitamine B_{12} et zinc

Chili au poulet et aux canneberges

10 PORTIONS

Judy Jenkins, diététiste, Nouvelle-Écosse

- *Temps de préparation : 15 minutes*
- *Temps de cuisson : 50 minutes*

15 ml	huile végétale	1 c. à soupe
3	branches de céleri, hachées	3
2	gousses d'ail, hachées	2
1	gros oignon, haché	1
250 g	champignons, tranchés	8 oz
1	gros poivron vert, haché (en deux parts égales)	1
750 g	poulet ou dinde haché	1 ½ lb
2	feuilles de laurier	2
30 ml	assaisonnement au chili	2 c. à soupe
15 ml	persil frais, haché	1 c. à soupe
5 ml	flocons de piment	1 c. à thé
1	boîte de 540 ml (19 oz) de tomates, hachées ou broyées	1
1	boîte de 540 ml (19 oz) de haricots rouges, rincés et égouttés	1
125 ml	jus de légumes (facultatif)	½ tasse
250 ml	canneberges fraîches ou surgelées, décongelées	1 tasse

1. Chauffer une grande poêle à feu moyen. Ajouter l'huile et bien l'étaler. Faire revenir le céleri, l'ail, l'oignon, les champignons et la moitié du poivron vert jusqu'à ce qu'ils soient tendres. Réserver dans une assiette.
2. Dans la même poêle, cuire le poulet en défaisant les morceaux avec une cuillère, jusqu'à ce que la viande ait perdu sa coloration rosée. Incorporer les légumes réservés. Ajouter les feuilles de laurier, l'assaisonnement au chili, le persil et les flocons de piment ; cuire 5 minutes. Ajouter les tomates et cuire 5 minutes. Ajouter les haricots rouges sans les abîmer. Au besoin, ajouter du jus de légumes pour diluer la sauce. Cuire à feu doux 30 minutes en ajoutant du jus de légumes au besoin.
3. Ajouter les canneberges et le reste de poivron vert juste avant de servir.

❄ **SE CONGÈLE BIEN**

✓ **UN FAVORI DES ENFANTS**

VALEUR NUTRITIVE par portion		
Calories : 175	Glucides : 4,6 g	Calcium : 53 mg
Matières grasses : 6,2 g	Fibres : 0,5 g	Fer : 0,9 mg
Sodium : 460 mg	Protéines : 24,3 g	

Teneur très élevée en : niacine et vitamine B$_6$

Une version originale du traditionnel chili con carne, idéal pour les grosses tablées. Les canneberges et les poivrons donnent à ce plat une allure colorée et appétissante.

CONSEILS

Si vous ne trouvez pas de canneberges fraîches ou surgelées, utilisez des canneberges séchées. C'est ce que nous avons fait pour notre groupe de dégustation et le résultat a été fabuleux.

Ne sortez pas votre robot culinaire ou la planche à découper pour hacher les tomates. Plongez vos ciseaux de cuisine dans la boîte, et coupez-les.

La cuisson favorise la diffusion des arômes, ce qui explique les différents temps de cuisson de ce plat. Mais prenez garde de trop le cuire, sans quoi les haricots seront en purée.

SUGGESTION D'ACCOMPA-GNEMENT : Servez des petits pains multigrains et terminez le repas par une salade de fruits.

Équivalents par portion pour les personnes diabétiques	
½	glucides
2	viandes et substituts
1	matières grasses

**Amélie Roy-Fleming et
Marie-Ève Richard,
étudiantes en nutrition,
Québec**

*Ce plat tout en
douceur est idéal pour
initier les enfants aux
saveurs de la cuisine
thaïe. C'est aussi
l'occasion de découvrir
subtilement des
aliments méconnus.*

Sauté de dinde à la thaïlandaise

- *Temps de préparation : 15 minutes*
- *Temps de cuisson : 25 minutes*

15 ml	huile végétale	1 c. à soupe
2	gousses d'ail, hachées finement	2
1	morceau de 5 cm (2 po) de gingembre frais, râpé	1
500 g	poitrine de dinde désossée et sans la peau, coupée en lanières	1 lb
1	pak choï (environ 500 g/1 lb), haché	1
1	poivron rouge, en julienne	1
125 ml	lait de coco allégé	½ tasse
5 ml	zeste de lime, râpé	1 c. à thé
30 ml	jus de lime	2 c. à soupe
15 ml	sauce soja à teneur réduite en sodium	1 c. à soupe
5 ml	pâte de cari rouge	1 c. à thé
	sel et poivre noir fraîchement moulu	
10 ml	coriandre fraîche, hachée	2 c. à thé

1. Chauffer un wok à feu moyen vif. Ajouter l'huile et bien l'étaler en inclinant le wok. Faire revenir l'ail, le gingembre et la dinde pendant environ 10 minutes, ou jusqu'à ce que la dinde soit légèrement dorée à l'extérieur et cuite à l'intérieur. Ajouter le pak choï et le poivron rouge ; faire revenir 4 minutes. Incorporer le lait de coco, le zeste et le jus de lime, la sauce soja et la pâte de cari ; porter à ébullition. Baisser le feu et laisser mijoter 10 minutes, ou jusqu'à ce que la sauce ait légèrement épaissi. Saler et poivrer au goût.
2. Servir à la louche et garnir les assiettes de coriandre hachée.

✓ **UN FAVORI DES ENFANTS**

SUGGESTION D'ACCOMPAGNEMENT : Servez sur un lit de riz au jasmin ou de pâtes de blé entier. Terminez le repas sur une note rafraîchissante avec des fruits tropicaux : mangues, ananas et papaye.

Équivalents par portion pour les personnes diabétiques

3	viandes et substituts

VALEUR NUTRITIVE par portion

Calories : 227	Glucides : 10 g	Calcium : 234 mg
Matières grasses : 8 g	Fibres : 3 g	Fer : 3,8 mg
Sodium : 315 mg	Protéines : 29,7 g	

Teneur très élevée en : vitamine A, vitamine C, fer, niacine, vitamine B_6, acide folique, magnésium et zinc • **Teneur élevée en :** calcium, riboflavine et vitamine B_{12} • **Source de :** fibres alimentaires

Pain de viande à la dinde et aux pommes

- **Temps de préparation : 15 minutes**
- **Temps de cuisson : 45 à 60 minutes**
- *Four préchauffé à 180 °C (350 °F)*
- *Moule à pain de 2 litres (9 x 5 po), légèrement graissé*

2	gousses d'ail, émincées	2
1	œuf	1
1	pomme acidulée comme la Granny Smith ou la Mutsu, hachée	1
500 g	dinde hachée maigre	1 lb
125 ml	oignon, haché	½ tasse
75 ml	son d'avoine	⅓ tasse
75 ml	graines de lin, moulues	⅓ tasse
45 ml	moutarde préparée	3 c. à soupe
15 ml	ketchup	1 c. à soupe
5 ml	sel	1 c. à thé

1. Dans un grand bol, mélanger l'ail, l'œuf, la pomme, la dinde, l'oignon, le son d'avoine, les graines de lin, la moutarde, le ketchup et le sel. Déposer la viande dans le moule et la compacter.
2. Cuire au four préchauffé de 45 à 60 minutes, ou jusqu'à ce qu'un thermomètre à viande inséré au centre indique 80 °C (175 °F).

❄ **SE CONGÈLE BIEN**
✓ **UN FAVORI DES ENFANTS**

SUGGESTION D'ACCOMPAGNEMENT : Servez avec les Pommes de terre boulangères (p. 270) et le Sauté de chou vert frisé (p. 260).

---

6 PORTIONS

Gillian Proctor, diététiste, Alberta

La saveur délicate de la dinde se marie harmonieusement à l'acidité de la pomme dans ce plat simple et savoureux.

VARIANTE
Hamburgers à la dinde et aux pommes : au lieu de cuire la viande dans un moule, façonnez-la en galettes. Faites cuire les galettes au barbecue ou sous le gril du four. Montez vos hamburgers sur des petits pains de grains entiers et garnissez-les de tranches de tomates et d'une cuillerée de vinaigrette légère au concombre.

Planifiez des extras
Doublez la recette et façonnez la moitié de la viande en galettes. Mettez les galettes cuites à congeler dans des sacs à congélation. Pour un repas express, réchauffer les galettes 1 minute au four à micro-ondes à haute intensité.

Les surplus de pain de viande sont délicieux en sandwich.

VALEUR NUTRITIVE par portion		
Calories : 197	Glucides : 11,4 g	Calcium : 51 mg
Matières grasses : 10,3 g	Fibres : 3,2 g	Fer : 1,9 mg
Sodium : 583 mg	Protéines : 16,9 g	

Teneur très élevée en : niacine
Teneur élevée en : vitamine B$_6$, magnésium et zinc
Source de : fibres alimentaires

Équivalents par portion pour les personnes diabétiques	
½	glucides
2	viandes et substituts

Bœuf, porc et agneau

Le bœuf, le porc et l'agneau comptent parmi les meilleures sources de protéines de haute qualité, de fer, de zinc et de vitamine B_{12}. Puisqu'il s'agit cependant d'aliments d'origine animale, ils contiennent également du cholestérol et des gras saturés. Pour en tirer le meilleur parti, choisissez des coupes de viande maigre et faites attention à la taille des portions.

Les amis du fer

Le fer que l'on trouve dans les aliments se présente sous deux formes : le fer hémique, d'origine animale, que l'organisme absorbe facilement, et le fer non hémique, principalement d'origine végétale, dont l'absorption s'avère plus difficile. Les palourdes, les huîtres, le bœuf, la volaille, le porc, le veau, l'agneau et le poisson constituent les meilleures sources de fer hémique. Le fer non hémique se trouve dans les œufs, les graines de sésame, les abricots secs, les noix, le pain et les produits de boulangerie, l'avoine, le germe de blé, les betteraves et la citrouille en conserve, les raisins secs, les pommes de terre au four, le jus de pruneau, la mélasse noire (*blackstrap*) et les légumineuses comme les haricots blancs, le soja (y compris le tofu), les lentilles et les pois chiches. Les céréales à déjeuner, les pâtes alimentaires, les nouilles aux œufs et le riz précuit sont souvent enrichis en fer.

Vous pouvez optimiser l'absorption de fer non hémique en mangeant des aliments riches en fer hémique comme la viande ou le poisson accompagnés d'aliments d'origine végétale contenant du fer non hémique, telles les pâtes alimentaires (en ajoutant par exemple du poulet à une salade de pâtes). D'autre part, étant donné que la vitamine C favorise également l'absorption du fer, vous pouvez combiner des aliments à haute teneur en fer non hémique avec des aliments riches en vitamine C. Par exemple, ajoutez des tomates à votre salade de haricots ou des fraises dans votre bol de céréales tout en l'accompagnant d'un verre de jus d'orange.

Les bouquets garnis et les marinades

Les bouquets garnis et les marinades représentent d'excellentes options pour ajouter de la saveur aux viandes, aux poissons et aux volailles. De plus, ils ne contiennent pratiquement aucune matière grasse et aucun sel.

Les bouquets garnis du commerce

C'est un mélange d'épices ou d'herbes sèches ou fraîches auquel on ajoute parfois un peu d'huile, d'ail ou de moutarde. On frotte la surface des viandes ou des poissons avec le mélange et on laisse reposer de 1 à 8 heures pour faire pénétrer les saveurs dans la chair. Le bouquet garni convient aux coupes de viande qui requièrent une cuisson rapide

Les marinades

Les marinades rehaussent la saveur des viandes et maintiennent leur tendreté. Elles contiennent souvent des ingrédients acides, comme du jus d'agrumes ou du vinaigre, qui ont un léger effet attendrissant sur les petites coupes de viande mi-tendre, tels les morceaux de poulet, les côtelettes et les biftecks. Lorsque vous préparez une marinade, n'ajoutez pas de sel, il pourrait faire perdre son humidité à la viande et ainsi l'assécher.

Pour bien réussir une viande marinée, il suffit de la déposer dans un plat de cuisson ou dans un sac en plastique à glissière, d'ajouter la marinade et de tourner la pièce de viande pour qu'elle y trempe uniformément. Couvrez le plat ou scellez le sac, puis réfrigérez le tout selon la durée indiquée dans la recette. Avant la cuisson, enlevez l'excédent de marinade de la viande, car les herbes et les ingrédients aromatisés brûlent facilement, puis épongez-la. Jetez tout reste de marinade.

Bouquet garni pour poulet, porc ou agneau à la Marrakech

Préparez une bonne quantité de ce bouquet garni piquant et conservez-en pour cuisiner divers plats, par exemple un Poulet à la Marrakech (p. 165) ou un Gigot d'agneau à la Marrakech (p. 197). Utilisez-en aussi pour assaisonner les légumes rôtis ou les viandes grillées.

Pour un bouquet de 175 ml (¾ tasse), incorporez :
60 ml (¼ tasse) de paprika

30 ml (2 c. à soupe) de coriandre moulue

30 ml (2 c. à soupe) de cumin moulu

30 ml (2 c. à soupe) de cannelle moulue

15 ml (1 c. à soupe) de poivre de Cayenne

15 ml (1 c. à soupe) de piment de la Jamaïque moulu

5 ml (1 c. à thé) de gingembre moulu

5 ml (1 c. à thé) de clou de girofle moulu

Mélangez tous les ingrédients et conservez jusqu'à six mois dans un contenant fermé.

Eileen Campbell

Ce plat est idéal pour recevoir, puisqu'il peut se préparer le matin et qu'il cuit doucement toute la journée. Le bœuf est si tendre qu'il se coupe à la fourchette.

Planifiez des extras
Tranchez les surplus de bœuf et dégustez-les en sandwich.

Bœuf savoureux à la mijoteuse

- *Temps de préparation : 20 minutes*
- *Temps de cuisson : 20 minutes*
- *Temps de cuisson à la mijoteuse : 6 à 8 heures*
- *Mijoteuse*

1 kg	bavette de bœuf ou pointe de poitrine de bœuf	2 lb
2 ml	poivre noir, fraîchement moulu	½ c. à thé
15 ml	huile végétale	1 c. à soupe
3	branches de céleri en morceaux, avec leurs feuilles, hachées grossièrement	3
2	gousses d'ail, émincées	2
1	oignon, coupé en morceaux	1
250 ml	bouillon de bœuf à teneur réduite en sodium	1 tasse
1	boîte de 540 ml (19 oz) de tomates avec leur jus (environ 575 ml/2 ⅓ tasses)	1
1	grosse carotte, coupée en morceaux	1
1	feuille de laurier	1
2 ml	thym séché	½ c. à thé
10 ml	assaisonnement au chili	2 c. à thé

1. Couper le bœuf en gros morceaux qui entreront aisément dans la mijoteuse. Poivrer.
2. Dans une grande poêle, chauffer l'huile à feu moyen vif. Cuire les morceaux de bœuf de 3 à 4 minutes par côté, ou jusqu'à ce qu'ils soient bien dorés. Les déposer dans la mijoteuse.
3. Dans le gras qui reste au fond de la poêle, faire revenir le céleri (avec ses feuilles), l'ail et l'oignon jusqu'à ce qu'ils soient légèrement dorés, environ 5 minutes. Déposer les légumes dans la mijoteuse.

4. Verser le bouillon dans la poêle et racler le fond pour détacher tous les petits morceaux de viande. Verser le bouillon dans la mijoteuse.

5. Dans la mijoteuse, ajouter les tomates et leur jus, la carotte, la feuille de laurier, le thym et l'assaisonnement au chili ; bien mélanger. Couvrir et cuire à feu doux de 6 à 8 heures, ou jusqu'à ce que le bœuf se coupe à la fourchette. Jeter la feuille de laurier.

6. Couper la viande dans le sens contraire des fibres et déposer dans une assiette de service. Dégraisser la sauce et la verser sur la viande.

❄ SE CONGÈLE BIEN
✓ UN FAVORI DES ENFANTS

> **SUGGESTION D'ACCOMPAGNEMENT :** Servez avec les Spaghettinis aux épinards (p. 272) et des haricots verts cuits à la vapeur, pour un repas plein de saveurs et simple à préparer.

En cuisine, le temps aussi est important...

Préparer un repas, c'est aussi s'assurer que tous les plats seront prêts en même temps. Pour ce faire, il est important de varier les modes de cuisson. Ainsi, un plat mijoté qui cuit doucement au four ou sur la cuisinière vous laissera le temps de préparer un autre plat qui requiert une attention de dernière minute. Un tel menu pourrait se composer d'un plat de viande cuit à la mijoteuse, de riz, d'une salade et de légumes sautés (cuisson rapide).

Établissez un plan des opérations. Par exemple, si plusieurs recettes demandent des oignons hachés, coupez tous les oignons en même temps et réservez ce qu'il vous faut pour chaque recette.

Pour prendre un peu d'avance, préparez une partie des ingrédients la veille. Les céréales, les légumineuses, les pâtes et les sauces, les salsas et les trempettes se conservent souvent assez bien au réfrigérateur pendant une semaine. Préparez-les à l'avance et conservez-les au réfrigérateur. Ces ingrédients sains pourraient vous être d'un grand secours lorsque sonnera l'heure des repas.

Planifiez des extras

Utilisez les extras pour préparer une soupe au bœuf consistante. Ajoutez au reste de bœuf des légumes frais (ou des restes) comme des carottes, du céleri, des pommes de terre, du chou ou des poivrons, et ajoutez suffisamment de bouillon de bœuf pour donner au mélange la consistance d'une soupe épaisse. Chauffez à feu vif, baissez le feu et laissez mijoter doucement pendant 30 minutes, ou jusqu'à ce que les légumes soient tendres.

VALEUR NUTRITIVE par portion		
Calories : 256	Glucides : 8,2 g	Calcium : 71 mg
Matières grasses : 12,1 g	Fibres : 2,2 g	Fer : 3,1 mg
Sodium : 619 mg	Protéines : 26,4 g	

Teneur très élevée en : vitamine A, niacine, vitamine B_{12} et zinc
Teneur élevée en : fer et vitamine B_6
Source de : fibres alimentaires

Équivalents par portion pour les personnes diabétiques

3	viandes et substituts

Eileen Campbell

Un plat de bœuf délicieux et rapide à préparer. Il suffit de prévoir une trentaine de minutes pour faire mariner la viande et le reste se fait en un tournemain.

CONSEIL

Le kimchee (chou mariné et épicé) est un plat traditionnel coréen servi le plus souvent en accompagnement. Il est vendu dans les épiceries asiatiques, au rayon des condiments.

Planifiez des extras

Préparez-en un peu plus. Laissez refroidir la viande, tranchez-la et conservez-la au réfrigérateur. Le bœuf à la coréenne est excellent en entrée, il suffit de poser des tranches froides sur un lit de laitue.

Bulgogi ou bœuf à la coréenne

- *Temps de préparation : 10 minutes*
- *Temps à prévoir pour mariner la viande : 30 minutes*
- *Temps de cuisson : 4 à 6 minutes*

500 g	bifteck de surlonge (tranches minces)	1 lb
4	oignons verts, hachés finement	4
2	gousses d'ail, écrasées	2
15 ml	gingembre frais, râpé finement	1 c. à soupe
60 ml	sauce soja à teneur réduite en sodium	¼ tasse
60 ml	miel	¼ tasse
15 ml	graines de sésame	1 c. à soupe
15 ml	huile de sésame	1 c. à soupe

1. Piquer les biftecks à la fourchette pour que la marinade pénètre la chair.
2. Dans un grand sac en plastique à fermeture à glissière, mélanger les oignons verts, l'ail, le gingembre, la sauce soja, le miel, les graines de sésame et l'huile de sésame. Déposer les biftecks dans le sac et mélanger pour que la viande soit bien enduite de marinade. Réfrigérer de 30 minutes à 4 heures. Préchauffer le barbecue à feu moyen vif.
3. Retirer les biftecks de la marinade et jeter la marinade. Cuire les biftecks sur le barbecue de 2 à 3 minutes par côté ou jusqu'à la cuisson désirée. Déposer dans une assiette, recouvrir d'une feuille d'aluminium et laisser reposer 5 minutes avant de couper dans le sens contraire des fibres de la viande.

SUGGESTION D'ACCOMPAGNEMENT : Disposez les biftecks sur un lit de riz avec des légumes sautés ou dans une tortilla avec des légumes sautés. Pour terminer le repas sur la même note, servez des poires asiatiques en quartiers ou des litchis.

Équivalents par portion pour les personnes diabétiques	
1	glucides
3	viandes et substituts

VALEUR NUTRITIVE par portion		
Calories : 262	Glucides : 22 g	Calcium : 34 mg
Matières grasses : 9,5 g	Fibres : 1 g	Fer : 3,1 mg
Sodium : 577 mg	Protéines : 22,8 g	

Teneur très élevée en : niacine, vitamine B_{12} et zinc
Teneur élevée en : fer, riboflavine, vitamine B_6 et magnésium

Bœuf sauté aux légumes

- *Temps de préparation : 10 minutes*
- *Temps de cuisson : 15 minutes*

General Mills

Voici un plat très rapide à préparer, puisqu'il n'y a pas de légumes à couper.

Sauce

125 ml	eau	½ tasse
30 ml	sauce soja	2 c. à soupe
15 ml	miel	1 c. à soupe
5 ml	fécule de maïs	1 c. à thé
4 ml	gingembre moulu	¾ c. à thé
2 ml	poudre d'ail	½ c. à thé
1 ml	poivre noir, fraîchement moulu	¼ c. à thé
15 ml	huile végétale	1 c. à soupe
500 g	bifteck de haut de surlonge, coupé en lanières	1 lb
1	paquet de 500 g (1 lb) de légumes surgelés (mélange oriental ou californien)	1
30 ml	eau	2 c. à soupe
1	boîte de 398 ml (14 oz) d'épis de maïs miniatures, rincés et égouttés (facultatif)	1

1. Préparer la sauce dans un petit bol en mélangeant l'eau, la sauce soja, le miel, la fécule de maïs, le gingembre, la poudre d'ail et le poivre.
2. Chauffer un wok ou une grande poêle à feu moyen vif. Verser l'huile et bien l'étaler en inclinant le wok. Faire dorer le bœuf de 3 à 4 minutes, ou jusqu'à ce qu'il soit bien doré de tous les côtés. Déposer dans une assiette.
3. Ajouter les légumes et l'eau dans le wok. Couvrir et cuire 8 minutes en remuant fréquemment ou jusqu'à ce que les légumes soient tendres, mais encore croquants. Remettre le bœuf dans le wok, verser la sauce et ajouter les épis de maïs miniatures. Cuire en remuant constamment jusqu'à ce que la sauce épaississe et que le bœuf soit tendre, environ 3 minutes.

SUGGESTION D'ACCOMPAGNEMENT : Servez avec du riz, des pâtes ou du couscous.

VALEUR NUTRITIVE par portion		
Calories : 249	Glucides : 17,2 g	Calcium : 68 mg
Matières grasses : 7,8 g	Fibres : 4,2 g	Fer : 3,3 mg
Sodium : 588 mg	Protéines : 26,9 g	

Teneur très élevée en : niacine, vitamine B_{12} et zinc
Teneur élevée en : fibres alimentaires, vitamine A, vitamine C, fer, riboflavine et vitamine B_6

Équivalents par portion pour les personnes diabétiques

½	glucides
3	viandes et substituts

La compagnie Campbell du Canada

Un plat des jours de fête qui se prépare en un éclair. Une recette idéale pour les fins de semaine très occupées.

VARIANTES

Préparez-le avec les champignons de votre choix.

Pour un plat épicé, ajoutez un trait de sauce au piment ou plus de poivre.

Bœuf Stroganoff

- *Temps de préparation : 10 minutes*
- *Temps de cuisson : 35 minutes*

	enduit végétal en vaporisateur	
375 g	bifteck de surlonge désossé, coupé en lanières	12 oz
1	gros oignon, tranché	1
175 ml	champignons, émincés	¾ tasse
750 ml	bouillon de bœuf à teneur réduite en sodium	3 tasses
1	boîte de 284 ml (10 oz) de crème de champignon faible en gras, non diluée	1
625 ml	fusillis ou nouilles aux œufs	2 ½ tasses
250 ml	petits pois surgelés	1 tasse
15 ml	sauce Worcestershire	1 c. à soupe
1 ml	poivre noir, fraîchement moulu	¼ c. à thé
175 ml	crème sure faible en gras ou yogourt nature	¾ tasse

1. Chauffer une casserole à feu moyen fort. Y vaporiser de l'enduit végétal. Par petites quantités, faire revenir les lanières de bœuf de 3 à 4 minutes, ou jusqu'à ce qu'elles soient dorées de tous les côtés. Déposer dans un grand bol.
2. Dans la même casserole, à feu moyen, faire revenir l'oignon et les champignons pendant environ 3 minutes, ou jusqu'à ce qu'ils soient légèrement colorés. Déposer le tout dans le bol, avec le bœuf.
3. Toujours dans la même casserole, verser le bouillon et la crème de champignon ; porter à ébullition. Ajouter les fusillis et porter à petite ébullition. Cuire les pâtes *al dente* en remuant fréquemment, environ 12 minutes. Ajouter les pois, la sauce Worcestershire et le poivre. Baisser le feu et laisser mijoter doucement 3 minutes. Incorporer le mélange de bœuf et la crème sure ; cuire environ 5 minutes, ou jusqu'à ce que le tout soit bien chaud.

Équivalents par portion pour les personnes diabétiques	
3	glucides
3	viandes et substituts

VALEUR NUTRITIVE par portion		
Calories : 447	Glucides : 59,7 g	Calcium : 150 mg
Matières grasses : 8,1 g	Fibres : 4,8 g	Fer : 5 mg
Sodium : 1 002 mg	Protéines : 32,6 g	

Teneur très élevée en : fer, thiamine, riboflavine, niacine, acide folique, vitamine B_{12} et zinc • **Teneur élevée en :** fibres alimentaires, vitamine B_6 et magnésium

Ragoût de bœuf à l'africaine

- *Temps de préparation : 10 minutes*
- *Temps de cuisson : 3 heures*
- *Four préchauffé à 180 °C (350 °F)*
- *Faitout ou casserole allant au four de 3 litres (12 tasses) et son couvercle*

1 kg	bœuf à ragoût maigre, en cubes	2 lb
5	branches de céleri, en dés	5
2	oignons, en dés	2
1	poivron vert, en dés	1
1	poivron rouge, en dés	1
250 ml	courgettes, en dés	1 tasse
60 ml	cassonade, légèrement tassée	¼ tasse
60 ml	vinaigre blanc ou vinaigre de cidre	¼ tasse
2 ml	sauce Worcestershire	½ c. à thé
	sauce au piment	
	sel et poivre noir, fraîchement moulu	

1. Dans le faitout, mélanger le bœuf, le céleri, les oignons, le poivron vert, le poivron rouge, les courgettes, la cassonade, le vinaigre, la sauce Worcestershire et la sauce au piment (au goût). Saler et poivrer au goût.
2. Cuire 3 heures au four préchauffé ou jusqu'à ce que le bœuf se coupe à la fourchette. Ajouter de la sauce au piment, du sel et du poivre au goût.

❄ **SE CONGÈLE BIEN**
✓ **UN FAVORI DES ENFANTS**
○ **SE PRÉPARE À LA MIJOTEUSE**

SUGGESTION D'ACCOMPAGNEMENT : Servez le ragoût avec de la purée de pommes de terre et des petits pains de grains entiers. Terminez le repas en beauté avec du yogourt glacé.

---

6 PORTIONS

Claude Gamache, diététiste, Québec

Un ragoût simple à préparer qui présente une touche sucrée et une petite note piquante.

CONSEILS
Cuisson à la mijoteuse : placez tous les ingrédients dans la mijoteuse, couvrez et faites cuire à feu doux de 6 à 8 heures, ou jusqu'à ce que le bœuf se coupe à la fourchette.

Si vous préférez faire revenir vos légumes dans l'huile, versez 15 ml (1 c. à soupe) d'huile dans la casserole et chauffez-la à feu moyen avant d'ajouter les légumes. Cet ajout d'huile modifie toutefois les données nutritionnelles rattachées à cette recette.

Planifiez des extras
Conservez les surplus pour un autre repas. Pour une tourte à la viande express, déposez les restes du ragoût dans un plat à tarte et recouvrez d'une abaisse.

VALEUR NUTRITIVE par portion		
Calories : 310	Glucides : 17,6 g	Calcium : 45 mg
Matières grasses : 10,9 g	Fibres : 1,7 g	Fer : 3,7 mg
Sodium : 130 mg	Protéines : 34,6 g	

Teneur très élevée en : vitamine C, fer, niacine, vitamine B_6 et zinc
Teneur élevée en : riboflavine et magnésium

Équivalents par portion pour les personnes diabétiques	
½	glucides
4	viandes et substituts

Ragoût de bœuf au vin rouge

Eileen Campbell

Préparez les ingrédients la veille et déposez-les dans la mijoteuse le lendemain matin, avant de partir au travail. En rentrant, vous trouverez un plat chaud et délicieux.

CONSEIL

Si vous disposez de moins de temps, faites cuire le ragoût à feu fort de 4 à 5 heures.

SUGGESTION D'ACCOMPA-GNEMENT : Servez avec des nouilles aux œufs ou de la Bannick (p. 284) et une salade verte, pour un repas nutritif et appétissant.

- *Temps de préparation : 15 minutes*
- *Temps de réfrigération : 4 heures*
- *Temps de cuisson : 10 minutes*
- *Temps de cuisson à la mijoteuse : 8 à 10 heures*
- *Mijoteuse*

375 ml	vin rouge sec	1 ½ tasse
45 ml	huile végétale (en trois parts égales)	3 c. à soupe
1	feuille de laurier	1
10 ml	persil séché	2 c. à thé
5 ml	thym séché	1 c. à thé
1 ml	poivre noir, fraîchement moulu	¼ c. à thé
1 kg	bœuf à ragoût maigre, en cubes	2 lb
75 ml	farine tout usage	⅓ tasse
1	gros oignon, haché	1
2	gousses d'ail, émincées	2
500 ml	champignons, émincés	2 tasses
18	petits oignons blancs	18
250 ml	bouillon de bœuf	1 tasse
15 ml	pâte de tomate	1 c. à soupe

1. Dans un grand bol, battre ensemble le vin, 15 ml (1 c. à soupe) d'huile végétale, la feuille de laurier, le persil, le thym et le poivre. Ajouter le bœuf et mélanger. Couvrir et laisser mariner au réfrigérateur au moins 4 heures ou toute la nuit.
2. Égoutter les cubes de bœuf et réserver 250 ml (1 tasse) de marinade. Déposer les cubes de bœuf dans la mijoteuse et les saupoudrer de farine ; mélanger.
3. Dans une petite poêle, chauffer 15 ml (1 c. à soupe) d'huile à feu moyen. Faire revenir l'oignon dans l'huile jusqu'à ce qu'il soit légèrement doré, environ 5 minutes. Ajouter l'ail et cuire quelques secondes. Avec une écumoire, recueillir les oignons et l'ail, et les déposer dans la mijoteuse.
4. Verser le reste de l'huile dans la poêle et y faire sauter les champignons jusqu'à ce qu'ils rendent leur eau. Avec une écumoire, déposer les champignons dans la mijoteuse.
5. Verser la marinade réservée dans la mijoteuse, ajouter les oignons, le bouillon et la pâte de tomate ; mélanger. Couvrir et cuire à feu doux de 8 à 10 heures.

❄ SE CONGÈLE BIEN

VALEUR NUTRITIVE par portion		
Calories : 260	Glucides : 8,7 g.	Calcium : 23 mg
Matières grasses : 12,6 g	Fibres : 1 g	Fer : 3,2 mg
Sodium : 188 mg	Protéines : 26,8 g	

Teneur très élevée en : niacine, vitamine B_{12} et zinc
Teneur élevée en : fer, riboflavine et vitamine B_6

Équivalents par portion pour les personnes diabétiques

3	viandes et substituts
1	matières grasses

Boulettes de viande
à la sauce tomate

- *Temps de préparation : 10 minutes*
- *Temps de cuisson : 45 minutes*

1	œuf (ou 2 blancs), légèrement battu	1
500 g	bœuf haché maigre	1 lb
500 ml	Sauce tomate de base (p. 232), (une part de 30 ml/2 c. à soupe et une part de 450 ml/15 oz)	2 tasses
125 ml	carottes, râpées	½ tasse
60 ml	oignon, haché finement	¼ tasse
60 ml	riz brun, cuit	¼ tasse
2 ml	sel	½ c. à thé
1 ml	poivre noir, fraîchement moulu enduit végétal en vaporisateur	¼ c. à thé
15 ml	persil frais, haché	1 c. à soupe

1. Dans un grand bol, mélanger l'œuf avec le bœuf haché, 60 ml (¼ tasse) de sauce tomate de base, les carottes, l'oignon, le riz, le sel et le poivre. Avec les mains propres, façonner environ 18 boulettes.
2. Chauffer une grande poêle à feu moyen et la vaporiser d'enduit végétal. Faire dorer les boulettes de viande uniformément, environ 10 minutes. Vider l'excédent de gras à la cuillère. Ajouter le reste de la sauce tomate sur les boulettes et porter à ébullition. Baisser le feu, couvrir et laisser mijoter 35 minutes en remuant fréquemment, ou jusqu'à ce que les boulettes soient bien cuites.
3. Servir 3 boulettes par personne et napper de sauce. Garnir de persil.

❄ SE CONGÈLE BIEN
✓ UN FAVORI DES ENFANTS

SUGGESTION D'ACCOMPAGNEMENT : Servez avec une purée de pommes de terre et un légume vert.

---

6 PORTIONS

Eileen Campbell

Dans la famille d'Eileen, on raffole des boulettes de viande cuites dans la soupe aux tomates et servies sur du riz blanc. Cette version revisitée de ce plat traditionnel propose du riz brun plutôt que du riz blanc, et de la sauce tomate maison plutôt que de la soupe aux tomates en conserve. Un classique qui plaît aux enfants.

CONSEIL
Si vous n'avez pas le temps de préparer la Sauce tomate de base, utilisez une sauce tomate préparée du commerce.

VARIANTE
Remplacez le bœuf par du poulet ou de la dinde hachés.

Planifiez des extras
Préparez des boulettes en extra et servez-les un autre jour avec une trempette, avec des pâtes ou en sandwich dans un petit pain de blé entier.

VALEUR NUTRITIVE par portion		
Calories : 249	Glucides : 10,9 g	Calcium : 44 mg
Matières grasses : 12,7 g	Fibres : 1,4 g	Fer : 2,4 mg
Sodium : 390 mg	Protéines : 17,3	

Teneur très élevée en : niacine, vitamine B$_{12}$ et zinc
Teneur élevée en : vitamine A, fer, riboflavine et magnésium

Équivalents par portion pour les personnes diabétiques	
½	glucides
2	viandes et substituts
1	matières grasses

**Paul Carvalho et
Monica Braz, diététiste,
Ontario**

*Monica et son mari
créent de nombreuses
recettes ensemble. Ce
plat est l'un des plus
savoureux de leur
répertoire.*

VARIANTES

Remplacez le bœuf haché
par du porc ou de la
dinde hachés.

Utilisez du jus de pomme
plutôt que du vin blanc, si
vous préférez.

Cari de bœuf à la sud-africaine

- *Temps de préparation : 10 minutes*
- *Temps de cuisson : 45 minutes*

15 ml	huile végétale	1 c. à soupe
2	oignons, hachés	2
500 g	bœuf haché maigre	1 lb
10 ml	ail, émincé	2 c. à thé
45 ml	poudre de cari	3 c. à soupe
375 ml	tomates en dés en conserve, avec leur jus	1 ½ tasse
250 ml	eau	1 tasse
125 ml	vin blanc (facultatif)	½ tasse
5 ml	sauce Worcestershire	1 c. à thé
1	feuille de laurier	1
	sel et poivre noir, fraîchement moulu	

1. Chauffer une grande poêle à feu moyen. Ajouter l'huile et
   bien l'étaler en inclinant la poêle. Y faire revenir les
   oignons, le bœuf haché et l'ail, en émiettant le bœuf
   haché, jusqu'à ce que la viande soit bien dorée, environ
   10 minutes. Ajouter la poudre de cari et cuire 2 minutes.
   Ajouter les tomates et leur jus, l'eau, le vin blanc, la sauce
   Worcestershire et la feuille de laurier ; porter à ébullition.
   Baisser le feu et cuire à découvert 30 minutes à feu doux.
   Ajouter un peu d'eau au besoin si la préparation s'assèche.
   Retirer la feuille de laurier avant de servir.

❄ SE CONGÈLE BIEN

SUGGESTION D'ACCOMPAGNEMENT : Servez sur
un lit de riz brun avec du brocoli cuit à la vapeur.

Équivalents par portion pour les personnes diabétiques

1 ½	viandes et substituts
1	matières grasses

VALEUR NUTRITIVE par portion

Calories : 176	Glucides : 6,2 g	Calcium : 39 mg
Matières grasses : 9,8 g	Fibres : 1,5 g	Fer : 2,2 mg
Sodium : 103 mg	Protéines : 12 g	

Teneur très élevée en : niacine, vitamine B$_{12}$ et zinc
Teneur élevée en : fer

Porc à la sauce hoisin et à l'orange

4 PORTIONS

Eileen Campbell

Un simple rôti de porc qui prend du galon grâce aux délicieux parfums de l'Orient que lui confère cette recette.

- *Temps de préparation : 10 minutes*
- *Temps à prévoir pour mariner la viande : 30 minutes*
- *Temps de cuisson : 25 à 30 minutes*
- *Plat peu profond allant au four, tapissé de papier d'aluminium*

75 ml	sauce aux prunes	⅓ tasse
75 ml	sauce hoisin	⅓ tasse
15 ml	gingembre frais, râpé	1 c. à soupe
15 ml	zeste d'orange, râpé	1 c. à soupe
5 ml	sauce au piment (facultatif)	1 c. à thé
500 g	filet de porc	1 lb
	sel et poivre fraîchement moulu	

1. Dans un petit bol, mélanger la sauce aux prunes, la sauce hoisin, le gingembre, le zeste d'orange et la sauce au piment.
2. Déposer le filet dans le plat, saler et poivrer au goût. Enduire le filet de sauce, couvrir et laisser mariner 30 minutes au réfrigérateur. Pendant ce temps, positionner la grille au tiers supérieur du four et préchauffer le four à 230 °C (450 °F).
3. Cuire à découvert au four préchauffé de 25 à 30 minutes, ou jusqu'à ce que la température interne du filet ait atteint 71 °C (160 °F) et que la viande soit très légèrement rosée. Laisser reposer 5 minutes avant de découper.

✓ **UN FAVORI DES ENFANTS**

SUGGESTION D'ACCOMPAGNEMENT : Servez avec le Sauté de légumes orientaux (p. 259) et du riz brun.

VALEUR NUTRITIVE par portion		
Calories : 218	Glucides : 15,9 g	Calcium : 15 mg
Matières grasses : 4 g	Fibres : 0,7 g	Fer : 1,8 mg
Sodium : 411 mg	Protéines : 28 g	

Teneur très élevée en : thiamine, riboflavine, niacine, vitamine B_{12} et zinc
Teneur élevée en : vitamine B_6

Équivalents par portion pour les personnes diabétiques

1	glucides
3	viandes et substituts

Patti Thomson,
diététiste, Manitoba

Préparez ces côtelettes la veille et réchauffez-les au four le lendemain, au retour à la maison.

Côtelettes de porc et riz aux légumes

- *Temps de préparation : 5 minutes*
- *Temps de cuisson : 55 à 60 minutes*
- *Four préchauffé à 180 °C (350 °F)*
- *Plat allant au four (avec un couvercle) de 3 litres (13 x 9 po)*

10 ml	huile végétale	2 c. à thé
6	côtelettes de porc désossées et parées	6
1	oignon, haché	1
1	gousse d'ail, émincée	1
250 ml	riz blanc à grains longs	1 tasse
5 ml	poudre de cari	1 c. à thé
5 ml	cumin moulu	1 c. à thé
5 ml	origan séché	1 c. à thé
500 ml	courgettes, tranchées ou en dés	2 tasses
500 ml	bouillon de poulet	2 tasses
375 ml	tomates italiennes, hachées	1 ½ tasse
250 ml	poivron rouge ou jaune, en dés	1 tasse
2 ml	sel	½ c. à thé
1 ml	poivre noir, fraîchement moulu	¼ c. à thé
1	feuille de laurier	1

1. Dans une grande poêle, chauffer l'huile à feu moyen vif et dorer les côtelettes des deux côtés, environ 4 minutes par côté. Déposer les côtelettes dans une assiette.
2. Dans la même poêle, faire revenir l'oignon et l'ail jusqu'à ce qu'ils soient tendres, environ 5 minutes. Ajouter le riz, la poudre de cari, le cumin et l'origan ; mélanger pour bien enrober les grains de riz. Ajouter les courgettes, le bouillon, les tomates, le poivron, le sel, le poivre et la feuille de laurier ; porter à ébullition. Baisser le feu, couvrir et cuire à feu doux pendant 10 minutes. Déposer le riz aux légumes dans un plat allant au four.
3. Creuser un petit nid dans le riz pour recevoir chacune des côtelettes et verser le jus des côtelettes sur le riz.
4. Couvrir et cuire au four préchauffé de 30 à 35 minutes, ou jusqu'à ce que le riz soit tendre et que le liquide soit absorbé. Le porc doit être à peine rosé et avoir atteint une température interne de 71 °C (160 °F). Retirer la feuille de laurier avant de servir.

Équivalents par portion pour les personnes diabétiques	
1 ½	glucides
3	viandes et substituts

VALEUR NUTRITIVE par portion		
Calories : 337	Glucides : 31,7 g	Calcium : 59 mg
Matières grasses : 11,4 g	Fibres : 2,3 g	Fer : 1,9 mg
Sodium : 554 mg	Protéines : 24,9 g	

Teneur très élevée en : vitamine C, thiamine, niacine, vitamine B_6 et zinc • **Teneur élevée en :** vitamine A, riboflavine, vitamine B_{12} et magnésium • **Source de :** fibres alimentaires

Rôti de porc farci (page 194)

Tajine d'agneau à la marocaine (page 198)

Aiglefin tandoori (page 204)

Matelote de fruits de mer à l'italienne (page 209)

Vermicelles de riz teriyaki
aux légumes et aux haricots (page 215)

Chili végétarien (page 216)

Sauté de tofu à la sauce chili (page 226)

Pâtes de blé entier au rapini, aux tomates cerises
et aux champignons (page 236)

Pain de viande au boulghour à la méditerranéenne (recette double)

- *Temps de préparation : 15 minutes*
- *Temps de cuisson : 45 minutes*
- *Four préchauffé à 180 °C (350 °F)*
- *2 moules à pain de 2 litres (9 x 5 po), légèrement graissés*

175 ml	boulghour, lavé et égoutté	¾ tasse
375 ml	eau chaude	1 ½ tasse
2	œufs	2
1	oignon, haché finement	1
500 g	porc haché maigre	1 lb
500 g	poulet haché	1 lb
60 ml	persil frais, haché finement	¼ tasse
30 ml	jus de citron	2 c. à soupe
10 ml	cannelle moulue	2 c. à thé
5 ml	piment de la Jamaïque	1 c. à thé
5 ml	paprika	1 c. à thé
2 ml	sel	½ c. à thé
2 ml	poivre noir, fraîchement moulu	½ c. à thé
	huile d'olive	

1. Dans un grand bol, déposer le boulghour et verser l'eau bouillante. Couvrir et laisser reposer 10 minutes, ou jusqu'à ce qu'il ne reste presque plus d'eau. Presser le boulghour et jeter l'excédent d'eau. Ajouter les œufs, l'oignon, le porc haché, le poulet haché, le persil, le jus de citron, la cannelle, le piment de la Jamaïque, le paprika, le sel et le poivre. Mélanger les ingrédients avec les mains (bien propres) et diviser en deux. Déposer chaque moitié dans un moule à pain. Badigeonner légèrement d'huile d'olive.
2. Cuire au four préchauffé 45 minutes, ou jusqu'à ce qu'un thermomètre à viande inséré au centre du pain indique 80 °C (175 °F).

❄ **SE CONGÈLE BIEN**

✓ **UN FAVORI DES ENFANTS**

---

2 PAINS OU 16 PORTIONS

Marketa Graham, diététiste, Ontario

La cannelle et le boulghour donnent à cette recette une touche méditerranéenne.

VARIANTE
Remplacez le porc par du bœuf haché extra maigre.

Planifiez des extras
Découpez un des pains en tranches et mettez-les à congeler dans un sac à congélation. **Pour un sandwich à la viande :** décongelez une tranche au four à micro-ondes et servez-la dans un pain pita avec de la Sauce au yogourt et à la menthe (p. 105), des tranches de tomate et de concombre et une feuille de laitue ou d'épinards.

SUGGESTION D'ACCOMPA-GNEMENT :
Accompagnez de la Trempette au yogourt et à la menthe (p. 105). Poursuivez avec des Asperges exquises ou des légumes surgelés poêlés. Terminez avec des Tablettes de céréales au caramel (p. 322).

VALEUR NUTRITIVE par portion		
Calories : 202	Glucides : 8,4 g	Calcium : 19 mg
Matières grasses : 11,2 g	Fibres : 1,4 g	Fer : 1,3 mg
Sodium : 152 mg	Protéines : 16,5 g	

Teneur très élevée en : niacine
Teneur élevée en : vitamine B$_{12}$ et zinc

Équivalents par portion pour les personnes diabétiques

½	glucides
2	viandes et substituts

Rôti de porc farci

Judy Jenkins, diététiste, Nouvelle-Écosse

Voici l'un des plats qui ont remporté la palme de notre groupe de dégustation. Cette recette semble demander un long temps de préparation, mais elle est plus simple qu'elle n'y paraît, et vos efforts seront largement récompensés.

CONSEILS

N'hésitez pas à couper la recette en deux si votre famille est petite.

Pour gagner du temps, demandez à votre boucher de couper le rôti en papillon.

Faites rôtir les pignons ou les amandes dans une poêle sans huile, à feu moyen, en remuant de temps en temps jusqu'à ce qu'ils soient légèrement dorés, environ 5 minutes.

- **Temps de préparation : 20 minutes**
- **Temps de cuisson : 110 minutes**
- **Temps de repos : 10 à 15 minutes**
- *Four préchauffé à 200 °C (400 °F)*
- *Lèchefrite avec une grille*

Farce

3	œufs, battus	3
1	gousse d'ail, hachée finement	1
500 g	épinards, cuits et hachés	1 lb
375 g	saucisses italiennes douces (sans la membrane extérieure)	12 oz
250 ml	amandes en julienne, rôties (voir Conseils, à gauche)	1 tasse
125 ml	chapelure	½ tasse
15 ml	persil frais, haché	1 c. à soupe
15 ml	mélange pour soupe à l'oignon (déshydraté)	1 c. à soupe
2 ml	thym séché	½ c. à thé
une pincée	poivre noir, fraîchement moulu	une pincée
1,75 à 2 kg	rôti de longe de porc, désossé	3 ½ à 4 lb
½	gousse d'ail, hachée	½
5 ml	huile végétale	1 c. à thé
2 ml	thym séché	½ c. à thé
250 ml	gelée de groseilles liquéfiée gelée de groseilles en accompagnement	1 tasse

1. Préparer la farce dans un grand bol en mélangeant les œufs, l'ail, les épinards, la chair des saucisses, les amandes, la chapelure, le persil, le mélange pour soupe à l'oignon, le thym et le poivre. Réserver.
2. Déposer le rôti de porc sur le gras. L'ouvrir pour le farcir : en commençant par le bord le plus épais, couper en deux horizontalement en prenant soin d'arrêter à 2,5 cm (1 po) du bord opposé, ouvrir comme un livre. Presser légèrement sur le rôti pour le maintenir ouvert. Dégraisser le rôti : retirer la couenne ou tout morceau de gras dont l'épaisseur est supérieure à 0,5 cm (¼ po).

3. Étendre la farce sur la partie coupée du rôti et rouler à la manière d'un gâteau roulé, dans le sens de la longueur. Maintenir en place à l'aide d'une ficelle à rôti. Déposer le rôti (partie raccordée vers le bas) sur la grille de la lèchefrite. Mélanger l'ail, l'huile et le thym, et verser sur le rôti.

4. Cuire au four préchauffé pendant 20 minutes. Baisser le feu à 180 °C (350 °F) et cuire 70 minutes. Badigeonner la gelée de groseilles liquéfiée sur le rôti et cuire environ 20 minutes, ou jusqu'à ce que le jus de cuisson soit clair lorsqu'on pique le rôti et que la température interne de la viande atteigne 71 °C (160 °F). Retirer le rôti de la lèchefrite, le recouvrir d'une feuille d'aluminium et laisser reposer de 10 à 15 minutes avant de découper (ce temps de repos permet aux jus de se redistribuer, ce qui donne une viande plus juteuse).

5. Découper le rôti et servir avec la gelée de groseilles.

> **SUGGESTION D'ACCOMPAGNEMENT :** Pour un repas de roi, servez avec les Carottes au gingembre (p. 257), les Pommes de terre boulangères (p. 270) ou les Pommes de terre rôties au citron (p. 269). Terminez le repas avec la Panna cotta au citron et aux bleuets (p. 299).

La chapelure

Vous pouvez acheter de la chapelure dans la plupart des magasins d'alimentation, mais vous pouvez également la préparer à la maison. Pour obtenir 125 ml (½ tasse) de chapelure, émiettez une tranche de pain au robot culinaire ou au mélangeur. Sur une plaque à pâtisserie, étalez les miettes de pain et faites cuire à 180 °C (350 °F), en remuant fréquemment, de 6 à 8 minutes ou jusqu'à ce que le pain soit légèrement doré et bien croustillant. (Il est également possible de la cuire au four à micro-ondes à intensité maximale de 1 à 2 minutes, en remuant à toutes les 30 secondes.)

Planifiez des extras

Servez les surplus avec la Salade de roquette aux betteraves rôties et aux noix (p. 143) pour un autre repas.

VALEUR NUTRITIVE par portion		
Calories : 319	Glucides : 20,8 g	Calcium : 87 mg
Matières grasses : 14,6 g	Fibres : 1,8 g	Fer : 2,6 mg
Sodium : 387 mg	Protéines : 26,2 g	

Teneur très élevée en : vitamine A, thiamine, niacine, vitamine B_{12}, magnésium et zinc
Teneur élevée en : fer, riboflavine, vitamine B_6 et acide folique

Équivalents par portion pour les personnes diabétiques

1	glucides
3 ½	viandes et substituts

Casserole de Murphy

Eileen Campbell

Ce plat réconfortant semble ne jamais cesser d'être apprécié de tous, dont les membres de notre groupe de dégustation !

VARIANTES

Pour un plat épicé, ajoutez 2 ml (½ c. à thé) de poudre de cari au mélange de farine et omettez le paprika et le persil.

Remplacez la crème de céleri par de la crème de poulet avec des morceaux de poulet, de la crème de champignon avec des champignons sautés et la viande de votre choix ou de la crème de tomate avec du bœuf haché. Créez votre propre plat selon vos préférences ou ce que vous avez sous la main.

- **Temps de préparation : 10 minutes**
- **Temps de cuisson : 65 minutes**
- *Four préchauffé à 190 °C (375 °F)*
- *Plat allant au four (avec un couvercle) de 2 litres (11 x 7 po), graissé*

30 ml	farine tout usage	2 c. à soupe
5 ml	persil frais, haché	1 c. à thé
5 ml	ciboulette, hachée	1 c. à thé
une pincée	poivre noir, fraîchement moulu	une pincée
4	grosses pommes de terre, pelées et tranchées finement dans le sens de la longueur	4
500 ml	jambon maigre, en dés	2 tasses
1	poireau (parties blanche et vert tendre seulement), émincé	1
250 ml	oignons, tranchés finement	1 tasse
250 ml	cheddar, râpé	1 tasse
1	boîte de 284 ml (10 oz) de crème de céleri, non diluée	1
	paprika et persil frais	

1. Dans un petit bol, mélanger la farine, le persil, la ciboulette et le poivre.
2. Dans un plat graissé allant au four, déposer par couches successives : la moitié des pommes de terre, tout le jambon, tous les poireaux, tous les oignons, la moitié du mélange de farine et la moitié du fromage. Recouvrir avec le reste des pommes de terre et le reste du mélange de farine. Vider la boîte de soupe dans une grande tasse à mesurer et verser de l'eau jusqu'à l'obtention de 500 ml (2 tasses). Verser la soupe dans le plat et garnir de paprika et de persil (au goût).
3. Couvrir et cuire 50 minutes au four préchauffé. Découvrir et ajouter le reste du fromage râpé. Cuire 15 minutes à découvert ou jusqu'à ce que le fromage soit légèrement doré et que le plat soit bien chaud. Laisser reposer 5 minutes avant de servir.

✓ UN FAVORI DES ENFANTS

SUGGESTION D'ACCOMPAGNEMENT : Servir avec des pois mange-tout ou des petits pois cuits à la vapeur.

Équivalents par portion pour les personnes diabétiques

2	glucides
2	viandes et substituts

VALEUR NUTRITIVE par portion		
Calories : 273	Glucides : 34,2 g	Calcium : 135 mg
Matières grasses : 8,5 g	Fibres : 2,5 g	Fer : 1,3 mg
Sodium : 847 mg	Protéines : 15,6 g	

Teneur très élevée en : thiamine, niacine et vitamine B_6
Teneur élevée en : vitamine B_{12}, magnésium et zinc
Source de : fibres alimentaires

Gigot d'agneau à la Marrakech

- **Temps de préparation : 5 minutes**
- **Temps à prévoir pour mariner la viande : 1 heure**
- **Temps de cuisson : 45 à 60 minutes**
- Lèchefrite avec une grille, légèrement vaporisée d'enduit végétal

1,5 kg	gigot d'agneau désossé, paré	3 lb
30 ml	Mélange d'épices de Marrakech (p. 181)	2 c. à soupe
500 ml	bouillon de poulet à teneur réduite en sodium	2 tasses
250 ml	abricots secs, tranchés	1 tasse

1. Déposer le gigot dans un grand plat et le frotter avec le Mélange d'épices de Marrakech. Couvrir et réfrigérer au moins 1 heure ou toute la nuit. Préchauffer le four à 180 °C (375 °F).

2. Placer le gigot sur la grille de la lèchefrite et cuire 25 minutes. Ajouter 250 ml (1 tasse) de bouillon et les abricots aux jus de cuisson au fond de la lèchefrite. Cuire en ajoutant du bouillon au fur et à mesure que le liquide s'évapore, jusqu'à ce que la température interne de la viande atteigne 65 °C (150 °F), soit de 20 à 25 minutes (pour une viande rosée). Transférer le gigot dans une grande assiette de service et le couvrir d'un papier d'aluminium. Laisser reposer 15 minutes avant de découper.

> **SUGGESTION D'ACCOMPAGNEMENT :** Servez avec la Salade de boulghour et de persil (p. 152) et une purée de pommes de terre.

---

8 PORTIONS

Eileen Campbell

Tous les parfums du Maroc dans votre assiette ! Un plat facile à préparer, surtout si vous avez sous la main le Mélange d'épices de Marrakech (p. 181). Servir chaud ou froid, avec une salade.

VALEUR NUTRITIVE par portion		
Calories : 241	Glucides : 11,8 g	Calcium : 28 mg
Matières grasses : 7,7 g	Fibres : 1,8 g	Fer : 3,3 mg
Sodium : 201 mg	Protéines : 30,7 g	

Teneur très élevée en : riboflavine, niacine, vitamine B_{12} et zinc
Teneur élevée en : fer

Équivalents par portion pour les personnes diabétiques	
½	glucides
4	viandes et substituts

Tajine d'agneau à la marocaine

Eileen Campbell

Un plat typique d'Afrique du Nord dans lequel la saveur des épices marocaines se conjugue à celles de l'abricot, du zeste d'orange et de la tomate. Le tajine est une sorte de ragoût très parfumé qui se compose de viande, de légumes ou de poisson et que l'on fait cuire très lentement. Le mot « tajine » désigne également le plat en faïence à couvercle conique dans lequel on fait cuire le ragoût.

- **Temps de préparation : 20 minutes**
- **Temps de cuisson : 2 heures et 25 minutes**
- *Faitout*

30 ml	huile d'olive (en deux parts égales)	2 c. à soupe
1 kg	gigot d'agneau désossé, paré et coupé en cubes	2 lb
4	gousses d'ail, hachées	4
1	gros oignon, haché	1
15 ml	cumin moulu	1 c. à soupe
15 ml	coriandre moulue	1 c. à soupe
15 ml	paprika	1 c. à soupe
15 ml	gingembre moulu	1 c. à soupe
2 ml	poivre noir, fraîchement moulu	½ c. à thé
3	grandes lanières de zeste d'orange	3
1	bâton de cannelle	1
1	boîte de 796 ml (28 oz) de tomates en dés, dans leur jus	1
250 ml	bouillon de poulet à teneur réduite en sodium	1 tasse
250 ml	abricots secs	1 tasse

VARIANTES

En milieu de cuisson, ajoutez des pois chiches cuits ou des cubes de patates douces ou de courge musquée. Juste avant de servir, ajoutez des quartiers d'orange, des amandes en julienne et de la coriandre hachée (ingrédients traditionnels qui entrent dans la composition des tajines).

Préparez le tajine avec des morceaux de poulet non désossés, du porc ou du bœuf à ragoût. Si vous le préparez avec du poulet, le temps de cuisson devrait plutôt être de 30 à 45 minutes.

1. Dans un faitout, faire chauffer 15 ml (1 c. à soupe) d'huile à feu moyen. Dorer la moitié des cubes d'agneau de tous les côtés, environ 8 minutes. Déposer les cubes dans une assiette, ajouter le reste de l'huile et faire dorer le reste de l'agneau. Déposer l'agneau cuit dans l'assiette.

2. Faire revenir l'ail et l'oignon dans l'huile (en raclant le fond du faitout pour détacher les petits morceaux de viande collés au fond) pendant environ 5 minutes, ou jusqu'à ce que les oignons se colorent légèrement. Ajouter le cumin, la coriandre, le paprika, le gingembre et le poivre ; faire revenir le tout pendant 1 minute en remuant constamment. Ajouter les cubes d'agneau, le zeste d'orange, le bâton de cannelle, les tomates, le bouillon et les abricots ; porter à ébullition. Baisser le feu, couvrir et cuire à feu très doux pendant environ 2 heures, ou jusqu'à ce que la viande se coupe à la fourchette. Retirer le zeste d'orange et le bâton de cannelle.

❄ **SE CONGÈLE BIEN**

Équivalents par portion pour les personnes diabétiques

½	glucides
3	viandes et substituts

VALEUR NUTRITIVE par portion		
Calories : 242	Glucides : 19,7 g	Calcium : 76 mg
Matières grasses : 8,1 g	Fibres : 3,7 g	Fer : 4,3 mg
Sodium : 256 mg	Protéines : 24,3 g	

Teneur très élevée en : fer, riboflavine, niacine, vitamine B$_{12}$ et zinc
Teneur élevée en : vitamine C, vitamine B$_6$ et magnésium
Source de : fibres alimentaires

Couscous à l'agneau parfumé au cari

- *Temps de préparation : 10 minutes*
- *Temps de cuisson : 30 minutes*

	enduit végétal en vaporisateur	
500 g	agneau haché	1 lb
250 ml	oignons, en petits dés	1 tasse
250 ml	céleri, en petits dés	1 tasse
250 ml	carottes, en petits dés	1 tasse
250 ml	brocoli, haché finement (frais ou surgelé)	1 tasse
5 ml	poudre de cari	1 c. à thé
5 ml	poudre d'ail	1 c. à thé
5 ml	persil séché	1 c. à thé
5 ml	curcuma moulu (facultatif)	1 c. à thé
5 ml	mélasse ou miel	1 c. à thé
300 ml	eau	1 ¼ tasse
150 ml	couscous de blé entier	⅔ tasse

1. Chauffer une grande poêle à feu moyen et la vaporiser d'enduit végétal. Cuire l'agneau haché en brisant les morceaux agglutinés avec une cuillère, jusqu'à ce que la viande soit bien cuite, environ 15 minutes. Déposer la viande dans une passoire et la rincer sous l'eau chaude pour enlever l'excédent de gras. Bien égoutter et rincer la poêle.

2. Remettre la poêle à chauffer à feu moyen et la vaporiser d'enduit végétal. Faire revenir les oignons, le céleri, les carottes et le brocoli 5 minutes. Ajouter la poudre de cari, la poudre d'ail, le persil, le curcuma et la mélasse. Verser l'eau, couvrir et porter à ébullition. Remettre l'agneau dans la poêle et cuire 5 minutes. Incorporer le couscous. Couvrir, retirer du feu et laisser reposer 5 minutes. Détacher les grains de couscous et les aérer avec une fourchette.

❄ SE CONGÈLE BIEN
✓ UN FAVORI DES ENFANTS

Elisabeth McDonald,
États-Unis

Un repas complet qui se prépare rapidement. Elisabeth l'a créé pour les soirs de sorties, lorsque sa famille ne dispose que de 45 minutes pour préparer le repas et le manger. Pour sauver encore plus de temps, elle coupe ses légumes à l'avance.

VARIANTES

Si vous n'appréciez pas la saveur du cari, omettez tout simplement la poudre de cari et le curcuma, et saler et poivrer au goût.

Remplacez l'agneau par du poulet, de la dinde ou du bœuf haché.

SUGGESTION D'ACCOMPA-GNEMENT : Bien que ce plat soit délicieux en lui-même, vos petits affamés pourraient aimer en à-côté une salade de tomates et de concombres, pour une touche de fraîcheur. Vous pourriez également doubler la quantité des légumes demandés.

VALEUR NUTRITIVE par portion

Calories : 254	Glucides : 24,2 g	Calcium : 50 mg
Matières grasses : 10,5 g	Fibres : 4,3 g	Fer : 2,1 mg
Sodium : 78 mg	Protéines : 16,5 g	

Teneur très élevée en : vitamine A, niacine, vitamine B$_{12}$ et zinc
Teneur élevée en : fibres alimentaires, fer et acide folique

Équivalents par portion pour les personnes diabétiques

1	glucides
2	viandes et substituts

Poissons et fruits de mer

Les poissons et les fruits de mer constituent des sources de protéines de haute qualité faibles en gras. Certains poissons gras, comme le saumon et les sardines, présentent une teneur élevée en acides gras oméga-3. L'ajout de ce type d'aliments à votre alimentation représente un pas dans la bonne direction pour manger plus sainement.

L'achat et la conservation du poisson

Recherchez les poissons qui dégagent une odeur fraîche et douce. S'ils exhalent une odeur d'ammoniac, ils sont probablement vieillis ou n'ont pas été manipulés adéquatement. Si le poisson est défraîchi et que la chair commence à se détériorer, de petites particules de chair se détacheront lorsque vous passerez votre main sur le filet.

Si vous prévoyez manger le poisson dans les 48 heures suivant son achat, conservez-le dans la partie la plus fraîche du réfrigérateur. Sinon, congelez-le.

Du poisson en un instant

Il existe de nombreuses méthodes de cuisson rapides et faibles en gras pour apprêter le poisson. Il peut être poché, grillé, cuit au four conventionnel ou à micro-ondes, ou frit dans une poêle avec une petite quantité d'huile végétale. Le temps de cuisson de la plupart des poissons équivaut à 10 minutes par 2,5 cm (1 po) d'épaisseur.

Le fenouil

Le fenouil est composé d'un bulbe blanc ou vert pâle surmonté de plusieurs tiges entrelacées et d'un feuillage fin. Ses trois parties, le bulbe, les tiges et les feuilles sont comestibles. Le bulbe rôti dans l'huile d'olive avec des oignons et garni d'un peu de parmesan râpé est un plat d'accompagnement succulent. On peut également le servir en salade (finement haché) avec des oranges. Les tiges parfument agréablement les soupes, les bouillons et les ragoûts, tandis que les feuilles sont utilisées comme une herbe aromatique. La douce saveur du fenouil est très agréable dans les plats de poissons et de fruits de mer.

Préparation du bulbe : coupez les tiges au niveau du bulbe, tranchez ensuite en deux à la verticale, puis passez sous l'eau. Il est préférable de retirer le cœur avant de le couper en tranches, en juliennes ou en dés.

Le poisson est-il sécuritaire pour les femmes enceintes ou qui allaitent?

Certains poissons, dont le requin, l'espadon, le thazard, le tile et le thon (frais ou surgelé), devraient être consommés prudemment, étant donné leur haute teneur en mercure. Les femmes enceintes ou qui allaitent, ou celles qui désirent avoir un enfant, ne devraient pas consommer plus de 170 g (6 oz) de ces poissons par semaine. Elles peuvent cependant manger en toute sécurité deux repas par semaine de 170 g (6 oz) chacun de poissons et de fruits de mer à faible teneur en mercure tels que des crevettes, du saumon, de la barbotte et le thon « bonite » en conserve.

L'achat, la conservation et l'utilisation des fines herbes

Les herbes fraîches

Lorsque vous achetez des fines herbes fraîches, coupez le bas de la tige et enlevez les feuilles endommagées. (Les tiges tendres peuvent cependant être mangées avec le reste des fines herbes.) Mettez-les dans un verre d'eau, sans faire tremper les feuilles, et couvrez-les avec un sac de plastique. Les fines herbes fraîches se conservent jusqu'à une semaine au réfrigérateur. Changez l'eau tous les deux jours. Lorsque vous êtes prêt à les utiliser, rincez-les, séchez-les, puis hachez-les au couteau ou à l'aide d'un ciseau de cuisine.

Vous pouvez conserver les fines herbes fraîches jusqu'à trois mois au congélateur. Lavez-les et séchez-les, puis mettez-les dans un sac de congélation en vous assurant d'écrire la date sur le sac. Les fines herbes qui se conservent le mieux sont l'estragon, le basilic, l'aneth, la ciboulette et le persil.

Les fines herbes séchées

Les fines herbes séchées n'ont pas la pureté des saveurs des fines herbes fraîches et elles possèdent un goût plus intense. Il convient donc d'en mettre trois fois moins. Ainsi, on remplacera 15 ml (1 c. à soupe) de fines herbes fraîches par 5 ml (1 c. à thé) de fines herbes séchées. Pour faire ressortir leur saveur, émiettez-les entre vos doigts ou utilisez un moulin à épices. Si aucune odeur ne se dégage des herbes sèches, il est temps de les remplacer.

La plupart des fines herbes séchées se conservent jusqu'à un an. Si vous utilisez rarement une des variétés d'herbe aromatique, achetez-en une petite quantité en vrac. Ne conservez pas les fines herbes séchées au-dessus du four, car l'exposition à la chaleur et à la lumière pourrait leur faire perdre de la saveur. Conservez-les plutôt dans un endroit sec, frais, et à l'abri de la lumière.

Eileen Campbell

Vous ne serez plus tenté par le poisson frit après avoir dégusté cette version allégée du traditionnel poisson pané.

CONSEILS

Essayez cette recette avec des filets de tilapia, de sole, d'églefin ou d'hoplostète orange.

Si vous ne trouvez pas de chapelure assaisonnée pour le poisson, assaisonnez de la chapelure nature avec du sel, du poivre de citron et du persil séché.

Poisson pané au four

- **Temps de préparation : 10 minutes**
- **Temps de cuisson : 10 minutes**
- *Four préchauffé à 180 °C (350 °F)*
- *Plaque de cuisson, graissée*

1	œuf	1
125 ml	lait	½ tasse
125 ml	farine tout usage	½ tasse
1	sachet de 57 g (2 oz) de chapelure assaisonnée pour le poisson (voir Conseils, à gauche)	1
4	filets minces de poisson blanc (au total 750 g/1 ½ lb) enduit végétal en vaporisateur	4

1. Dans un bol peu profond, battre l'œuf avec le lait. Déposer la farine dans une assiette et la chapelure dans une autre.
2. Enfariner de toutes parts les filets de poisson et les plonger dans le mélange d'œuf et de lait. Rouler ensuite dans la chapelure. Déposer les filets panés sur la plaque de cuisson et les vaporiser légèrement d'enduit végétal. Jeter l'excédent de farine, de mélange d'œuf et de chapelure.
3. Cuire au four préchauffé 10 minutes, ou jusqu'à ce que la chair soit opaque et qu'elle s'effeuille à la fourchette.

✓ **UN FAVORI DES ENFANTS**

SUGGESTION D'ACCOMPAGNEMENT : Garnissez de tranches de citron et servez avec les Pommes de terre rôties au four (p. 271) et la Salade de chou aux fruits (p. 147). Terminez le repas par la Panna cotta au citron et aux bleuets (p. 299).

Équivalents par portion pour les personnes diabétiques	
1	glucides
4	viandes et substituts

VALEUR NUTRITIVE par portion

Calories : 262	Glucides : 18,6 g	Calcium : 78 mg
Matières grasses : 4,4 g	Fibres : 1 g	Fer : 1,9 mg
Sodium : 368 mg	Protéines : 34,3 g	

Teneur très élevée en : niacine, acide folique, vitamine B_{12} et magnésium
Teneur élevée en : thiamine, riboflavine et vitamine B_6

Poisson grillé classique

4 PORTIONS

Eileen Campbell

- *Temps de préparation : 5 minutes*
- *Temps de cuisson : 5 à 10 minutes*
- *Gril du four préchauffé*
- *Plaque à pâtisserie avec un rebord, légèrement graissée*

15 ml	persil frais, haché	1 c. à soupe
15 ml	beurre, fondu	1 c. à soupe
	jus de 1 citron	
4	filets d'hoplostète orange	4
	(au total 875 g/1 ¾ lb)	

1. Dans un petit bol, mélanger le persil, le beurre et le jus de citron.
2. Déposer les filets sur la plaque de cuisson et les badigeonner du mélange des deux côtés.
3. Cuire sous le gril de 5 à 10 minutes, ou jusqu'à ce que la chair soit opaque et qu'elle s'effeuille à la fourchette.

✓ UN FAVORI DES ENFANTS

SUGGESTION D'ACCOMPAGNEMENT : Servez ce plat avec la sauce de votre choix : Salsa à l'ananas (p. 105), Salsa aux haricots noirs (p. 106) ou la Mojo à la mangue et à la menthe (p. 109) et accompagnez-le de la Salade de quinoa aux légumes (p. 153) et des Asperges exquises (p. 256).

Les meilleurs plats ne sont pas toujours les plus compliqués, en voici un excellent exemple. Servez-le avec des brocolis et des petits pains de grains entiers pour un repas nutritif prêt en un éclair.

VARIANTE

Remplacez l'hoplostète orange par du tilipia, de la sole, de l'églefin ou du flétan.

Planifiez des extras

Utilisez les surplus dans la préparation des Galettes de poisson (page 205).

VALEUR NUTRITIVE par portion		
Calories : 170	Glucides : 1,1 g	Calcium : 63 mg
Matières grasses : 4,3 g	Fibres : 0,1 g	Fer : 0,4 mg
Sodium : 150 mg	Protéines : 30,1 g	

Teneur très élevée en : niacine, vitamine B_6, vitamine B_{12} et magnésium

Teneur élevée en : thiamine, riboflavine et zinc

Équivalents par portion pour les personnes diabétiques

3	viandes et substitutt

Eileen Campbell

La pâte tandoori fait une excellente marinade pour les poissons blancs. Ce plat d'inspiration indienne se prépare en un éclair.

CONSEIL

La plupart des supermarchés vendent de la pâte tandoori au rayon des produits indiens et asiatiques.

VARIANTE

Cette recette est délicieuse avec la plupart des poissons blancs, comme le flétan ou l'hoplostète orange. Nous l'avons aussi testée avec du saumon et nous avons obtenu un plat absolument délicieux. Modifiez le temps de cuisson selon l'épaisseur des filets.

Aiglefin tandoori

- *Temps de préparation : 5 minutes*
- *Temps à prévoir pour mariner le poisson : 20 à 30 minutes*
- *Temps de cuisson : 10 minutes*
- *Plaque à pâtisserie avec un rebord, légèrement graissée*

60 ml	pâte tandoori (voir Conseil, à gauche)	¼ tasse
60 ml	yogourt nature faible en gras	¼ tasse
15 ml	jus de citron frais	1 c. à soupe
4	filets d'aiglefin (au total 420 g/14 oz)	4

1. Dans un plat peu profond, mélanger la pâte tandoori, le yogourt et le jus de citron. Déposer les filets dans le plat et bien les enduire. Couvrir et réfrigérer de 20 à 30 minutes. Pendant ce temps, positionner la grille du four à 10 cm (4 po) de l'élément supérieur et préchauffer le four à gril.
2. Déposer les filets sur la plaque de cuisson et cuire sous le gril 10 minutes ou jusqu'à ce que la chair du poisson soit opaque, qu'elle s'effeuille à la fourchette et qu'elle soit légèrement dorée.

> **SUGGESTION D'ACCOMPAGNEMENT :** Pour un repas équilibré, servez avec le Riz pilaf (p. 275) et des pois Sugar Snap cuits à la vapeur.

Équivalents par portion pour les personnes diabétiques

3	viandes et substituts

VALEUR NUTRITIVE par portion		
Calories : 113	Glucides : 4,3 g	Calcium : 65 mg
Matières grasses : 1,2 g	Fibres : 0,3 g	Fer : 1,2 mg
Sodium : 538 mg	Protéines : 20,2 g	

Teneur très élevée en : niacine et vitamine B$_{12}$
Teneur élevée en : vitamine B$_6$ et magnésium

Galettes de poisson

4 PORTIONS

Eileen Campbell

- *Temps de préparation : 10 minutes*
- *Temps de réfrigération : 30 minutes*
- *Temps de cuisson : 4 minutes*

1	boîte de 213 g (7 ½ oz) de saumon, sans la peau et sans les grosses arêtes, égoutté ou 175 g (6 oz) de saumon frais, cuit	1
250 ml	purée de pommes de terre	1 tasse
60 ml	oignons verts, hachés finement	¼ tasse
60 ml	poivron rouge, en petits dés	¼ tasse
45 ml	aneth frais, haché	3 c. à soupe
45 ml	lait	3 c. à soupe
	sel et poivre noir, fraîchement moulu	
1	œuf, battu	1
	enduit végétal en vaporisateur	

Un moyen très agréable d'utiliser les restes de saumon cuit et de purée de pommes de terre, mais ces galettes sont tout aussi délicieuses avec du saumon en conserve.

1. Dans un bol moyen, mélanger le saumon, la purée de pommes de terre, les oignons verts, le poivron rouge, l'aneth et le lait. Saler et poivrer au goût. Incorporer l'œuf. Façonner la préparation en galettes de 1,5 cm (¾ po) d'épaisseur. Couvrir et réfrigérer au moins 30 minutes ou toute la nuit pour permettre aux saveurs de se développer.
2. Chauffer une grande poêle antiadhésive à feu moyen et la vaporiser d'enduit végétal. Cuire les galettes de poisson environ 2 minutes par côté, ou jusqu'à ce qu'elles soient dorées et bien chaudes.

CONSEILS
Omettez le lait et le beurre dans votre purée de pommes de terre.

Préparez les galettes la veille et faites-les cuire le lendemain.

VARIANTE
Optez pour 175 g (6 oz) d'églefin ou de crabe, cuits, ou encore de crevettes cuites, en dés, au lieu du saumon. Harmonisez les fines herbes avec votre choix de poisson ou de fruit de mer.

✓ UN FAVORI DES ENFANTS

SUGGESTION D'ACCOMPAGNEMENT :
Accompagnez-les de la Salade de pois mange-tout et de poivrons (p. 140), d'un légume vert ou d'une salade verte accompagnée de quartiers de citron. Pour clore le repas sur une note fruitée, servez le Pouding au pain à la rhubarbe (p. 303).

VALEUR NUTRITIVE par portion		
Calories : 149	Glucides : 12,2 g	Calcium : 125 mg
Matières grasses : 5,1 g	Fibres : 1 g	Fer : 0,8 mg
Sodium : 179 mg	Protéines : 13,1 g	

Teneur très élevée en : niacine et vitamine B$_{12}$
Teneur élevée en : vitamine C

Équivalents par portion pour les personnes diabétiques	
½	glucides
2	viandes et substituts

Eileen Campbell

Vous ne cuisinez pas de poisson parce que vous n'aimez pas l'odeur laissée dans la cuisine ? Le poisson en papillote est fait pour vous : il n'en produit aucune.

CONSEIL

Cuisson du poisson : en règle générale, comptez 10 minutes de cuisson par 2,5 cm (1 po) d'épaisseur.

Planifiez des extras

Préparez davantage de ce saumon et utilisez les surplus pour préparer des Galettes de poisson (p. 205).

Saumon en papillote

- **Temps de préparation : 5 minutes**
- **Temps de cuisson : 20 minutes**
- *Four préchauffé à 230 °C (450 °F)*
- *Plaque à pâtisserie avec un rebord*

4	filets de saumon (au total 500 g/1 lb)	4
1	citron, tranché finement	1
125 ml	aneth frais, haché	½ tasse
15 ml	huile d'olive	1 c. à soupe

1. Découper 4 morceaux de papier d'aluminium d'un format suffisamment grand pour envelopper un filet. Déposer chaque filet au centre du papier d'aluminium. Sur chacun des filets, déposer des tranches de citron, saupoudrer l'aneth et arroser d'huile d'olive. Plier les extrémités du papier d'aluminium au centre et fermer en papillote. Déposer les papillotes sur la plaque de cuisson.
2. Cuire au four préchauffé environ 20 minutes, ou jusqu'à ce que la chair soit opaque et qu'elle s'effeuille à la fourchette.

SUGGESTION D'ACCOMPAGNEMENT : Servez avec des brocolis cuits à la vapeur ou le Risotto primavera au four (p. 277).

Équivalents par portion pour les personnes diabétiques

3	viandes et substituts

VALEUR NUTRITIVE par portion

Calories : 218	Glucides : 3 g	Calcium : 32 mg
Matières grasses : 14,4 g	Fibres : 1,3 g	Fer : 0,6 mg
Sodium : 56 g	Protéines : 19,9 g	

Teneur très élevée en : niacine, vitamine B_6 et vitamine B_{12}
Teneur élevée en : vitamine C, thiamine et acide folique

Saumon grillé à la coriandre et au gingembre

6 PORTIONS

Eileen Campbell

- *Temps de préparation : 10 minutes*
- *Temps à prévoir pour mariner le poisson : 30 minutes*
- *Temps de cuisson : 7 à 10 minutes*
- *Plaque à pâtisserie avec un rebord, graissée*

3	gousses d'ail, hachées grossièrement	3
30 ml	gingembre frais, râpé	2 c. à soupe
2 ml	sel	½ c. à thé
125 ml	coriandre fraîche, hachée	½ tasse
30 ml	huile d'olive	2 c. à soupe
2 ml	poivre noir, fraîchement moulu	½ c. à thé
	le zeste de 2 limes, râpé	
6	filets de saumon (au total 1,125 kg/2 ¼ lb)	6

1. Avec un mortier et un pilon (ou au robot culinaire), former une pâte avec l'ail, le gingembre et le sel. Incorporer la coriandre, l'huile d'olive, le poivre et le zeste de lime.
2. Déposer le saumon dans une assiette et bien l'enrober de la préparation de coriandre et de gingembre. Couvrir et réfrigérer de 30 minutes à 2 heures. Positionner la grille du four à 10 cm (4 po) de l'élément supérieur et préchauffer le gril du four.
3. Déposer le saumon sur la plaque de cuisson et laisser griller de 7 à 10 minutes (sans le retourner), jusqu'à ce que la chair soit opaque et qu'elle s'effeuille à la fourchette.

✓ **UN FAVORI DES ENFANTS**

SUGGESTION D'ACCOMPAGNEMENT : Servez avec la Salsa aux haricots noirs (p. 106), les Légumes vapeur à l'orientale (p. 263) et du quinoa.

Ce plat a remporté un vif succès auprès de notre groupe de dégustation. La chair du poisson grillé d'un seul côté est moelleuse, et sa saveur est exquise.

CONSEIL

La cuisson au barbecue (sur un barbecue qui possède au moins deux brûleurs) convient parfaitement à cette recette. Préchauffez un côté du barbecue à feu moyen, déposez le saumon de l'autre côté et fermez le couvercle. La chaleur indirecte est idéale pour la chair délicate du poisson. N'étant pas soumis à la flamme, le poisson ne risque pas de brûler et sa chair est alors moelleuse.

Planifiez des extras

Le saumon froid est excellent en salade.

VALEUR NUTRITIVE par portion		
Calories : 327	Glucides : 1,3 g	Calcium : 26 mg
Matières grasses : 21,4 g	Fibres : 0,2 g	Fer : 0,6 mg
Sodium : 276 mg	Protéines : 30,4 g	

Teneur très élevée en : thiamine, niacine, vitamine B$_6$ et vitamine B$_{12}$
Teneur élevée en : acide folique et magnésium

Équivalents par portion pour les personnes diabétiques

4 ½ viandes et substituts

Donna Bottrell,
diététiste, Ontario

Ce plat aux parfums d'Orient est tout simple et se prépare dans le temps de le dire !

CONSEIL

Utilisez le reste du concentré de jus d'orange surgelé pour faire du jus d'orange ou pour préparer les Barres de yogourt glacé (p. 327), ou encore pour arroser la Salade d'épinards aux fraises (p. 142).

Saumon à l'orange
et à la sauce hoisin

- *Temps de préparation : 5 minutes*
- *Temps de cuisson : 7 à 10 minutes*
- *Gril du four préchauffé avec grille placée à 10 cm (4 po) du gril*
- *Plaque à pâtisserie avec un rebord, légèrement graissée*

30 ml	sauce hoisin	2 c. à soupe
15 ml	jus d'orange concentré et surgelé	1 c. à soupe
10 ml	zeste d'orange, râpé	2 c. à thé
10 ml	miel	2 c. à thé
une pincée	sel	une pincée
une pincée	poivre noir, fraîchement moulu	une pincée
4	filets de saumon (au total 750 g/1 ½ lb)	4
	enduit végétal en vaporisateur	

1. Dans un petit bol, mélanger la sauce hoisin, le jus d'orange concentré, le zeste d'orange et le miel.
2. Déposer le saumon sur la plaque de cuisson et le badigeonner du mélange de sauce hoisin des deux côtés. Saler et poivrer.
3. Cuire sous le gril du four de 7 à 10 minutes, ou jusqu'à ce que la chair soit opaque et qu'elle s'effeuille à la fourchette.

✓UN FAVORI DES ENFANTS

SUGGESTION D'ACCOMPAGNEMENT : Servez avec le Riz à l'ananas et aux légumes (p. 274) et une salade verte.

Équivalents par portion pour les personnes diabétiques

½	glucides
4	viandes et substituts

VALEUR NUTRITIVE par portion		
Calories : 314	Glucides : 8,4 g	Calcium : 26 mg
Matières grasses : 17,1 g	Fibres : 0,4 g	Fer : 0,6 mg
Sodium : 210 mg	Protéines : 29,7 g	

Teneur très élevée en : thiamine, niacine, vitamine B_6 et vitamine B_{12}
Teneur élevée en : acide folique et magnésium

Matelote de fruits de mer à l'italienne

8 PORTIONS

Eileen Campbell

- *Temps de préparation : 15 minutes*
- *Temps de cuisson : 15 à 20 minutes*

Un plat qui séduira vos invités sans pour autant vous confiner dans la cuisine pour la journée.

½	bulbe de fenouil	½
30 ml	huile d'olive	2 c. à soupe
2	gousses d'ail, écrasées	2
1	gros oignon, en dés	1
1	poivron rouge, en dés	1
1 l	Sauce tomate de base (p. 232) ou sauce marinara de bonne qualité le jus de 1 citron	4 tasses
750 g	grosses crevettes, décortiquées et déveinées	1 ½ lb
250 g	moules, dans leur coquille	8 oz
500 g	filets de flétan, sans la peau et coupés en morceaux	1 lb
15 ml	sauce au piment (facultatif)	1 c. à soupe
30 ml	persil frais, haché	2 c. à soupe

VARIANTE
Si vous ne trouvez pas de fenouil ou si vous n'aimez pas le fenouil, remplacez-le par 3 branches de céleri émincées. Hachez quelques feuilles de céleri et utilisez-les comme garniture.

1. Couper les tiges, retirer la base et le cœur du fenouil (conserver le feuillage). Hacher le bulbe du fenouil en morceaux de 2,5 cm (1 po). Hacher 30 ml (2 c. à soupe) de feuillage et réserver.
2. Dans une grande casserole, chauffer l'huile à feu moyen. Faire revenir les morceaux de bulbe de fenouil, l'ail, l'oignon et le poivron rouge jusqu'à ce que l'oignon soit légèrement doré, environ 5 minutes. Verser la sauce tomate et porter à ébullition. Baisser le feu, couvrir et laisser mijoter 5 minutes. Incorporer le jus de citron. Ajouter les crevettes, les moules et le flétan ; couvrir et laisser mijoter de 5 à 10 minutes, ou jusqu'à ce que les crevettes soient roses, les moules, ouvertes, et la chair du flétan, opaque. Jeter toutes les moules dont la coquille ne s'est pas ouverte. Ajouter la sauce au piment.
3. Verser la préparation dans des bols à l'aide d'une louche ; garnir de persil et de feuilles de fenouil haché.

> **SUGGESTION D'ACCOMPAGNEMENT :** Servez avec du pain italien croûté. Terminez le repas par des biscottis accompagnés d'un *caffè latte*.

VALEUR NUTRITIVE par portion

Calories : 214	Glucides : 10,7 g	Calcium : 110 mg
Matières grasses : 7,4 g	Fibres : 2,1 g	Fer : 3,6 mg
Sodium : 360 mg	Protéines : 26,4 g	

Teneur très élevée en : fer, vitamine C, riboflavine, niacine, vitamine B_{12} et magnésium • **Teneur élevée en :** vitamine B_6
Source de : fibres alimentaires

Équivalents par portion pour les personnes diabétiques

3 ½ viandes et substituts

**Heather Barnes,
diététiste, Ontario**

*Comme elles sont peu
épicées, ces crevettes
plaisent aux enfants.*

CONSEILS

Pour un plat plus relevé,
ajoutez 15 ml (1 c. à
soupe) supplémentaires de
pâte de cari.

Retirez le plat du feu dès
que les crevettes virent au
rose pour éviter de trop les
cuire.

La sauce de poisson

La sauce de poisson est
une sauce de couleur
brun clair qui est obtenue
par la fermentation de
petits poissons salés
comme les anchois. Ce
condiment est utilisé en
cuisine asiatique,
notamment dans la
cuisine thaïlandaise. Son
odeur est plutôt forte,
mais elle s'estompe en
cours de cuisson et sa
saveur est très délicate.
Aucune sauce ne saurait
la remplacer, mais si vous
n'en trouvez pas, utilisez
de la sauce soja.

Crevettes au cari

- *Temps de préparation : 15 minutes*
- *Temps de cuisson : 15 minutes*

Sauce

250 ml	lait de coco allégé	1 tasse
15 ml	cassonade, bien tassée	1 c. à soupe
15 ml	sauce de poisson ou sauce soja à teneur réduite en sodium	1 c. à soupe
10 ml	fécule de maïs	2 c. à thé
	enduit végétal en vaporisateur	
¼	oignon rouge	¼
2	poivrons (couleur au choix), hachés	2
5 ml	pâte de cari rouge (ou au goût)	1 c. à thé
250 g	crevettes, décortiquées et déveinées	8 oz

1. Préparer la sauce dans un petit bol en battant ensemble le lait de coco, la cassonade, la sauce soja et la fécule de maïs.
2. Chauffer une grande poêle à feu moyen et la vaporiser d'enduit végétal. Faire revenir l'oignon jusqu'à ce qu'il soit tendre, environ 5 minutes. Ajouter les poivrons et la pâte de cari ; cuire jusqu'à ce que les poivrons soient légèrement tendres, environ 5 minutes. Ajouter la sauce et les crevettes ; porter à ébullition. Baisser le feu, couvrir et laisser mijoter doucement pendant 5 minutes, ou jusqu'à ce que les crevettes soient roses et opaques.

✓ **UN FAVORI DES ENFANTS**

SUGGESTION D'ACCOMPAGNEMENT : Servez avec du riz brun et terminez le repas par les Pommes farcies au mélange granola (p. 296) accompagnées d'un verre de lait.

Équivalents par portion pour les personnes diabétiques

1 ½	glucides
2	viandes et substituts

VALEUR NUTRITIVE par portion

Calories : 275	Glucides : 28 g	Calcium : 71 g
Matières grasses : 9,9 g	Fibres : 2,4 g	Fer : 3,1 mg
Sodium : 474 mg	Protéines : 19,9 g	

Teneur très élevée en : vitamine A, vitamine C, niacine et vitamine B$_{12}$ • **Teneur élevée en :** fer, vitamine B$_6$ et magnésium
Source de : fibres alimentaires

Sauté de pétoncles, sauce au cari

- **Temps de préparation : 10 minutes**
- **Temps de cuisson : 10 minutes**

30 ml	poudre de cari (ou 10 ml/2 c. à thé de pâte de cari douce)	2 c. à soupe
15 ml	huile d'olive (en deux parts égales)	1 c. à soupe
une pincée	sel	une pincée
1	poivron rouge, en julienne	1
1	poivron vert, en julienne	1
1	poivron jaune, en julienne	1
500 g	pétoncles, coupés en deux horizontalement	1 lb
125 ml	vin blanc, jus de pomme ou eau	½ tasse
5 ml	huile de sésame grillé	1 c. à thé
15 ml	coriandre fraîche, hachée	1 c. à soupe

1. Dans un grand bol, mélanger la poudre de cari, 5 ml (1 c. à thé) d'huile et le sel. Ajouter les pétoncles et mélanger délicatement pour bien les enrober.
2. Dans un wok ou une grande poêle, chauffer le reste de l'huile à feu moyen vif. Faire revenir les pétoncles pendant 1 minute. Ajouter tous les poivrons et faire revenir 1 minute. Verser le vin et cuire de 3 à 4 minutes en remuant constamment ou jusqu'à ce que la chair des pétoncles soit ferme et opaque. Incorporer l'huile de sésame.
3. À l'aide d'une écumoire, retirer les pétoncles et les légumes ; déposer dans un bol de service. Porter la sauce à ébullition, à découvert, de 3 à 5 minutes, ou jusqu'à épaississement. Goûter et ajuster l'assaisonnement au besoin.
4. Verser la sauce sur les légumes et les pétoncles, et garnir de coriandre hachée. Servir immédiatement.

SUGGESTION D'ACCOMPAGNEMENT : Servez sur des pâtes fines (vermicelles ou spaghettinis). Une salade de fruits et un verre de lait compléteront votre repas en beauté.

4 PORTIONS

Edie Shaw-Ewald, diététiste, Nouvelle-Écosse

Voici un plat élégant qui requiert peu d'ingrédients. Edie a l'habitude de le servir lorsqu'elle reçoit, en prenant soin de diminuer la quantité de cari pour plaire à ses invités qui n'aiment pas les plats relevés. Assurez-vous de ne pas trop cuire la chair délicate des pétoncles.

VALEUR NUTRITIVE par portion

Calories : 201	Glucides : 10,8 g	Calcium : 74 mg
Matières grasses : 7,3 g	Fibres : 2,3 g	Fer : 2,4 mg
Sodium : 601 mg	Protéines : 20,4 g	

Teneur très élevée en : vitamine C, vitamine B_{12} et magnésium
Teneur élevée en : fer, niacine, vitamine B_6 et zinc
Source de : fibres alimentaires

Équivalents par portion pour les personnes diabétiques

3	viandes et substituts

Plats principaux végétariens

Même les plus grands mangeurs de viande aiment savourer un mets végétarien de temps en temps. Rien de mieux pour apporter un peu de variété à votre alimentation. Bon nombre de plats végétariens offrent un meilleur apport en fibres alimentaires que les plats à base de viande. Les repas végétariens, en plus d'être économiques, vous permettent d'initier votre famille à de nouvelles saveurs.

Encore plus de légumineuses

La famille des légumineuses (ou légumes secs) comprend les pois secs, les haricots et les lentilles. Elles conviennent parfaitement à une saine alimentation, car, en plus d'être faibles en gras, elles renferment des glucides (dont des fibres alimentaires), des protéines de qualité, et plusieurs autres nutriments essentiels.

Voici quelques suggestions pour ajouter des légumineuses à vos repas.

- Faites de la purée de lentilles ou de haricots cuits, et ajoutez-la aux sauces à base de tomates pour servir sur les pâtes ou dans les tacos.
- Ajoutez des lentilles et des pois cassés à vos soupes et à vos plats en cocotte.
- Utilisez des lentilles brunes cuites au lieu du bœuf haché dans les mets comme la lasagne, la sauce à spaghetti et le pâté chinois.

- Garnissez vos pizzas avec des lentilles ou des pois chiches cuits.
- Faites de la purée de légumineuses et ajoutez-la à vos boulettes (de viande ou végétariennes) pour faire des hamburgers.
- Préparez des Pâtes aux tomates et aux haricots blancs (p. 235), un mets italien classique.
- Agrémentez le Riz pilaf de lentilles cuites (Lentilles à la méditerranéenne, p. 155).
- Savourez une salade de légumineuses accompagnée de vinaigrette en collation ou pour un repas rapide et nutritif.
- Ajoutez des haricots ou des lentilles à vos salades pour obtenir plus de fibres.
- Utilisez des pois chiches, des haricots noirs ou d'autres types de haricots pour faire des trempettes, comme le Hoummos épicé (p. 104).
- Ajoutez des haricots noirs à la salsa et utilisez-la comme garniture pour les pommes de terre ou les poissons au four (Salsa aux haricots noirs, p. 106).

Les problèmes de ballonnement

Certaines personnes évitent de manger des légumineuses en raison des gaz potentiellement embarrassants qu'elles peuvent provoquer. Il existe plusieurs solutions pour remédier à ce problème. Assurez-vous d'abord de bien rincer les légumineuses en conserve à l'eau froide avant de les apprêter. Si vous utilisez des légumineuses sèches, jetez l'eau de trempage et faites-les cuire dans de l'eau fraîche. L'ajout graduel de légumineuses à votre alimentation peut aussi vous aider à surmonter ce problème.

Qu'en est-il du soja?

Le soja constitue une source de protéines de haute qualité et il fournit des vitamines, des minéraux et des fibres. Il contient des phytonutriments appelés isoflavones. Ces substances, semblables à l'œstrogène, sont étudiées pour leurs bienfaits sur la santé. Étant donné leur teneur en isoflavones, les aliments contenant du soja ne sont pas recommandés pour les femmes ayant souffert d'un cancer du sein, bien que des études plus poussées soient nécessaires pour confirmer ces hypothèses. Néanmoins, pour la plupart des gens, les produits à base de soja représentent une bonne façon d'ajouter de la variété à leur alimentation. Essayez la Salade d'edamame (p. 160) ou les Brochettes de tofu épicé (p. 229).

La cuisson des légumineuses sèches

Pour des raisons de commodité, vous pouvez acheter des légumineuses en conserve. Toutefois, si vous avez le temps, il serait plus économique de les préparer vous-même. Voici comment y parvenir. (Ces directives n'apparaissent qu'à titre indicatif; en cas de doute, consultez les instructions sur l'emballage).

Trempage

Les pois chiches et les haricots secs doivent tremper avant d'être cuits afin de récupérer l'eau perdue durant leur séchage. En règle générale, on utilise 750 ml (3 tasses) d'eau pour 250 ml (1 tasse) de légumineuses. Une fois le trempage terminé, jetez l'eau; rincez les légumineuses et faites-les cuire dans de l'eau fraîche (cela permet de réduire la quantité de la substance gazogène). Il n'est pas nécessaire de faire tremper les lentilles avant de les faire cuire.

- **Trempage pendant la nuit :** Laissez tremper les légumineuses au réfrigérateur durant la nuit. Égouttez. (Les légumineuses cuisent plus rapidement et gardent davantage leur forme avec cette méthode.)
- **Trempage rapide :** Dans une grande casserole, amenez l'eau et les légumineuses à ébullition. Couvrez et laissez bouillir pendant 2 minutes. Retirez du feu et laissez reposer 1 heure. Égouttez.
- **Trempage au four à micro-ondes :** Versez de l'eau chaude et les haricots secs dans un récipient destiné au four à micro-ondes. Couvrez et faites cuire à intensité élevée pendant 15 minutes, ou jusqu'à ébullition. Laissez reposer 1 heure. Égouttez.

Cuisson

Pour faire cuire les légumineuses qui ont trempé, utilisez 750 ml (3 tasses) d'eau pour 250 ml (1 tasse) de légumineuses et suivez l'une des méthodes de cuisson proposées ci-dessous. Plus la durée de conservation des légumineuses est longue, plus les grains sèchent, et plus leur temps de cuisson augmente. N'ajoutez pas de sel ou d'assaisonnement avant que les légumineuses soient tendres; sinon la peau durcira et les grains ne s'attendriront jamais.

- **Cuisson traditionnelle :** Versez l'eau et les légumineuses dans une grande casserole. Couvrez et amenez à ébullition. Réduisez le feu et laissez mijoter pendant 45 à 60 minutes, ou jusqu'à ce qu'elles soient tendres.
- **Cuisson au four à micro-ondes :** Versez l'eau et les légumineuses dans un récipient destiné au four à micro-ondes. Couvrez et faites cuire à intensité élevée pendant 10 à 15 minutes, ou jusqu'à ébullition. Remuez, et faites cuire à intensité moyenne (50 %) pendant 15 minutes. Remuez de nouveau, et faites cuire à intensité moyenne (50 %) pendant 10 à 20 minutes, ou jusqu'à ce qu'elles soient tendres.

**Nicole Fetterly,
Colombie-Britannique**

*Une façon inusitée
d'apprêter les légumes
feuilles. Ce plat
principal végétarien est
délicieux avec des
pommes de terre au
four. De plus, il fait un
merveilleux
accompagnement pour
des plats de viande.*

CONSEIL

Prenez de l'avance en
préparant le plat jusqu'à
l'étape 4. Couvrez et
réfrigérez pendant 8 heures
au maximum et reprenez à
l'étape 5. Il est probable
que vous deviez augmenter
le temps de cuisson d'une
dizaine de minutes ; pour le
savoir, vérifiez après
30 minutes.

Gratin de légumes feuilles et de céréales

- *Temps de préparation : 20 minutes*
- *Temps de repos : 15 minutes*
- *Temps de cuisson : 40 minutes*
- *Four préchauffé à 180 °C (350 °F)*
- *Poêle allant au four*

75 ml	boulghour	⅓ tasse
75 ml	millet (ou boulghour)	⅓ tasse
325 ml	eau bouillante	1 ⅓ tasse
1	botte de légumes feuilles	1
	(épinards, bettes à carde, chou vert frisé)	
20 ml	huile d'olive (une part de 15 ml/	4 c. à thé
	1 c. à soupe et une part de 5 ml/1 c. à thé)	
6	gousses d'ail, émincées	6
	sel et poivre noir, fraîchement moulu	
500 ml	cheddar, râpé (en deux parts égales)	2 tasses
60 ml	chapelure	¼ tasse
60 ml	noix ou amandes hachées finement	¼ tasse
30 ml	persil italien, haché	2 c. à soupe

1. Dans un bol résistant à la chaleur, mélanger le boulghour et le millet. Verser l'eau bouillante, couvrir et laisser reposer 15 minutes. Égoutter.
2. Laver les légumes feuilles et les déchiqueter en petits morceaux.
3. Dans une poêle allant au four, chauffer 15 ml (1 c. à soupe) d'huile d'olive à feu moyen doux. Y faire revenir l'ail jusqu'à ce qu'il soit doré, environ 2 minutes. Ajouter le boulghour, le millet et les légumes feuilles, faire revenir jusqu'à ce que les céréales soient légèrement dorées et que les légumes feuilles tombent, environ 5 minutes. Saler et poivrer. Retirer du feu. Réserver la moitié de la préparation dans un bol.
4. Étendre le reste de la préparation dans la poêle et la parsemer de la moitié du fromage râpé. Couvrir le tout de l'autre moitié de la préparation.
5. Dans un petit bol, mélanger le reste de l'huile, soit 5 ml (1 c. à thé), le reste du fromage, soit 250 ml (1 tasse), la chapelure, les noix et le persil. Étendre sur le dessus du plat.
6. Cuire au four préchauffé durant 30 minutes, ou jusqu'à ce que le dessus soit bien doré et que le fromage soit fondu.

Équivalents par portion pour les personnes diabétiques	
1	glucides
1 ½	viandes et substituts
2	matières grasses

VALEUR NUTRITIVE par portion		
Calories : 308	Glucides : 21,9 g	Calcium : 377 mg
Matières grasses : 15 g	Fibres : 4 g	Fer : 3,2 mg
Sodium : 309 mg	Protéines : 15 g	

Teneur très élevée en : vitamine A, calcium, acide folique, magnésium et zinc • **Teneur élevée en :** fibres alimentaires, fer, riboflavine, niacine, vitamine B_6 et vitamine B_{12}

Vermicelles de riz teriyaki aux légumes et aux haricots

- *Temps de préparation : 8 minutes*
- *Temps de cuisson : 25 minutes*

500 ml	vermicelles de riz	2 tasses
15 ml	huile d'olive	1 c. à soupe
1	petit oignon, en dés	1
250 ml	carottes, hachées	1 tasse
250 ml	céleri, haché	1 tasse
2	gousses d'ail, hachées	2
500 ml	brocoli, coupé en bouquets	2 tasses
125 ml	sauce teriyaki à teneur réduite en sodium	½ tasse
un trait	sauce au piment	un trait
1	boîte de 540 ml (19 oz) de haricots assortis, rincés et égouttés (environ 500 ml/2 tasses)	1

1. Cuire les vermicelles de riz en suivant les instructions sur l'emballage. Égoutter et réserver.
2. Dans une grande poêle, chauffer l'huile à feu moyen. Y faire revenir l'oignon, les carottes et le céleri jusqu'à ce que l'oignon soit tendre, environ 5 minutes. Ajouter l'ail et le brocoli, couvrir et cuire 5 minutes. Ajouter la sauce teriyaki, la sauce au piment, les haricots et les vermicelles de riz, couvrir et cuire 5 minutes.

✓ **UN FAVORI DES ENFANTS**

8 PORTIONS

Krystal Taylor, diététiste, Ontario

Une variante du pad-thaï dans laquelle les crevettes et le poulet ont été remplacés par des haricots. Les enfants apprécient ici la saveur légèrement sucrée de la sauce teriyaki.

CONSEIL
Krystal apprécie les plats qui ont du piquant. Pour une saveur plus douce, n'ajoutez pas la sauce au piment.

VARIANTE
Pour un plat différent, remplacez les vermicelles par du couscous.

Planifiez des extras
Ce plat est fabuleux réchauffé, n'hésitez donc pas à en faire davantage, vous pourrez en emporter dans la boîte à lunch.

VALEUR NUTRITIVE par portion		
Calories : 264	Glucides : 51,7 g	Calcium : 32 mg
Matières grasses : 2,6 g	Fibres : 5,1 g	Fer : 0,8 mg
Sodium : 616 mg	Protéines : 7,7 g	

Teneur très élevée en : vitamine A
Teneur élevée en : fibres alimentaires

Équivalents par portion pour les personnes diabétiques	
3	glucides
½	matières grasses

**Lindsay Mandryk,
diététiste,
Colombie-Britannique**

Lorsqu'elle était à l'université, Lindsay préparait une grosse casserole de ce chili, qu'elle congelait ensuite en portions individuelles. Ainsi, durant les périodes d'examen, elle avait facilement et rapidement un repas sain et nourissant à se mettre sous la dent!

CONSEILS

La préparation «sans viande hachée» est vendue dans la plupart des supermarchés au rayon des fruits et légumes, dans un comptoir réfrigéré.

Confectionnez une tourte mexicaine : versez le chili dans un plat allant au four et recouvrez de pâte à Muffins au cheddar et aux graines de citrouille (p. 292). Faites cuire au four à 180 °C (350 °F) de 35 à 45 minutes, ou jusqu'à ce qu'un cure-dent inséré au centre de la pâte en ressorte propre.

VARIANTE

Remplacez les carottes par une boîte de 341 ml (12 oz) de maïs en grains égoutté.

Chili végétarien

- *Temps de préparation : 10 minutes*
- *Temps de cuisson : 20 minutes*

15 ml	huile végétale	1 c. à soupe
2	gousses d'ail, hachées	2
125 ml	oignon rouge, en dés	½ tasse
1	paquet de 340 g (12 oz) de «sans viande hachée» (mexicain)	1
250 ml	poivrons verts, en dés	1 tasse
2	boîtes de 540 ml (19 oz) de tomates en dés (environ 1 175 ml/4 ¾ tasses)	2
1	boîte de 540 ml (19 oz) de haricots rouges, rincés et égouttés (environ 500 ml/2 tasses)	1
250 ml	carottes, râpées	1 tasse
15 ml	persil séché	1 c. à soupe
5 ml	sauce au piment	1 c. à thé
	poivre noir, fraîchement moulu	
125 ml	cheddar, râpé	½ tasse

1. Dans une grande poêle, chauffer l'huile à feu moyen. Y faire revenir l'ail et l'oignon rouge dans l'huile jusqu'à ce que l'oignon soit tendre, environ 5 minutes. Ajouter la préparation «sans viande hachée» et faire revenir de 2 à 3 minutes, jusqu'à ce qu'elle soit bien chaude, en défaisant les morceaux agglutinés avec une cuillère. Ajouter les poivrons verts et les faire revenir de 2 à 3 minutes. Ajouter les tomates, les haricots, les carottes, le persil et la sauce au piment. Poivrer au goût. Cuire 10 minutes en remuant de temps en temps, ou jusqu'à ce que les haricots soient bien chauds.
2. Verser à la louche dans des bols et garnir de fromage râpé.

❄ **SE CONGÈLE BIEN**
✓ **UN FAVORI DES ENFANTS**

SUGGESTION D'ACCOMPAGNEMENT : Servez avec un demi-bagel et un verre de lait.

Équivalents par portion pour les personnes diabétiques	
½	glucides
2	viandes et substituts

VALEUR NUTRITIVE par portion		
Calories : 194	Glucides : 20,3 g	Calcium : 156 mg
Matières grasses : 6,4 g	Fibres : 6,8 g	Fer : 4,1 mg
Sodium : 587 mg	Protéines : 14,6 g	

Teneur très élevée en : fibres alimentaires, vitamine A, thiamine, riboflavine, niacine, vitamine B_{12} et fer • **Teneur élevée en :** vitamine C, acide folique et vitamine B_6

Lentilles à la bolognaise

- *Temps de préparation : 10 minutes*
- *Temps de cuisson : 70 minutes*

250 ml	lentilles rouges ou brunes	1 tasse
500 ml	eau	2 tasses
1	feuille de laurier	1
30 ml	huile d'olive	2 c. à soupe
2	gousses d'ail, écrasées	2
1	oignon, en dés	1
250 ml	champignons, tranchés	1 tasse
250 ml	tomates en conserve, hachées	1 tasse
1	boîte de 156 ml (5 ½ oz) de pâte de tomate	1
1	pomme, en dés	1
125 ml	vinaigre de cidre	½ tasse
5 ml	origan séché	1 c. à thé
	le jus de 1 citron	

1. Dans une casserole moyenne, porter à ébullition, à feu vif, les lentilles, l'eau et la feuille de laurier. Baisser le feu à moyen et cuire environ 20 minutes, ou jusqu'à ce que les lentilles soient cuites. Rincer les lentilles et les égoutter ; jeter la feuille de laurier. Réserver.
2. Dans une grande casserole, chauffer l'huile à feu moyen. Y faire revenir l'ail, l'oignon et les champignons jusqu'à ce qu'ils soient tendres, environ 5 minutes. Ajouter les lentilles cuites, les tomates, la pâte de tomate, la pomme, le vinaigre, l'origan et le jus de citron ; porter à ébullition. Baisser le feu et laisser mijoter 45 minutes.

❄ SE CONGÈLE BIEN

SUGGESTION D'ACCOMPAGNEMENT : Servez sur des spaghettis de blé entier et garnissez de parmesan fraîchement râpé.

8 PORTIONS

Elaine Bass, Ontario

Ce classique italien revisité, préparé ici avec une sauce végétarienne, est un délice.

VALEUR NUTRITIVE par portion

Calories : 153	Glucides : 24,7 g	Calcium : 37 mg
Matières grasses : 3,9 g	Fibres : 4,9 g	Fer : 3,5 mg
Sodium : 48 mg	Protéines : 7,8 g	

Teneur très élevée en : fer et acide folique
Teneur élevée en : fibres alimentaires et magnésium

Équivalents par portion pour les personnes diabétiques

1	glucides
½	viandes et substituts

Tajine de légumes à la marocaine

Donna Bottrell,
diététiste, Ontario

Un plat coloré aux parfums de safran et de citron. Accompagnez-le de couscous ou de riz brun.

CONSEILS

Rien ne saurait remplacer la saveur du safran, mais sa belle couleur jaune orangée peut être obtenue en ajoutant 2 ml (½ c. à thé) de curcuma.

Il y a environ 575 ml (2 ⅓ tasses) de tomates en dés dans une boîte de 540 ml (19 oz) et environ 500 ml (2 tasses) de pois chiches dans une boîte de 540 ml (19 oz).

SUGGESTION D'ACCOMPAGNEMENT : Servez avec du couscous de blé entier et terminez le repas par du yogourt nature ou du fromage avec des fruits frais.

- **Temps de préparation : 20 minutes**
- **Temps de cuisson : 45 minutes**

15 ml	huile d'olive	1 c. à soupe
2	oignons, hachés	2
2	gousses d'ail, hachées finement	2
2	pommes de terre à chair jaune, pelées et coupées en cubes	2
2	grosses carottes, coupées en bâtonnets	2
½	grosse patate douce, pelée et coupée en bâtonnets	½
15 ml	gingembre frais, râpé	1 c. à soupe
5 ml	cumin moulu	1 c. à thé
5 ml	cannelle moulue	1 c. à thé
1	boîte de 540 ml (19 oz) de tomates en dés	1
1	boîte de 540 ml (19 oz) de pois chiches, rincés et égouttés (environ 500 ml/2 tasses)	1
1 l	bouillon de légumes	4 tasses
une pincée	safran (facultatif)	une pincée
60 ml	persil frais, haché	¼ tasse
	le jus de 1 citron	
	sel et poivre noir, fraîchement moulu	
30 ml	sauce au piment (facultatif)	2 c. à soupe

1. Dans une grande poêle, chauffer l'huile à feu moyen vif. Y faire revenir les oignons, l'ail, les pommes de terre, les carottes, les patates douces, le gingembre, le cumin et la cannelle pendant 10 minutes. Ajouter les tomates et cuire 2 minutes. Incorporer les pois chiches, le bouillon et le safran ; porter à ébullition. Baisser le feu, couvrir et laisser mijoter 30 minutes, ou jusqu'à ce que les légumes soient tendres. Ajouter le persil et le jus de citron. Saler et poivrer au goût. Ajouter la sauce au piment.

❄ SE CONGÈLE BIEN
✔ UN FAVORI DES ENFANTS

Équivalents par portion pour les personnes diabétiques

1 ½	glucides
½	matières grasses

VALEUR NUTRITIVE par portion

Calories : 175	Glucides : 34,3 g	Calcium : 63 mg
Matières grasses : 2,6 g	Fibres : 5,3 g	Fer : 2,2 mg
Sodium : 712 mg	Protéines : 4,8 g	

Teneur très élevée en : vitamine A et vitamine B_6
Teneur élevée en : fibres alimentaires, vitamine C, fer, acide folique et magnésium

Cari de pois chiches

6 PORTIONS

Lindsay Mandryk, diététiste, Colombie-Britannique

- *Temps de préparation : 10 minutes*
- *Temps de cuisson : 30 minutes*

30 ml	huile végétale	2 c. à soupe
175 ml	oignon, en dés	¾ tasse
15 ml	poudre de cari	1 c. à soupe
15 à 30 ml	farine tout usage (ou 15 ml/ 1 c. à soupe de fécule de maïs)	1 à 2 c. à soupe
250 ml	eau (plus ou moins)	1 tasse
150 ml	poivron rouge, en dés	⅔ tasse
150 ml	poivron jaune, en dés	⅔ tasse
250 ml	courgette en dés	1 tasse
175 ml	courge musquée, en dés	¾ tasse
1	boîte de 540 ml (19 oz) de pois chiches, rincés et égouttés (environ 500 ml/2 tasses)	1
125 ml	bouillon de légumes	½ tasse
125 ml	pois mange-tout (facultatif)	½ tasse
60 ml	persil frais, haché finement	¼ tasse

Lindsay a créé ce plat de légumes légèrement épicé et coloré alors qu'elle complétait le volet « service alimentaire » de son programme d'internat et de formation en Australie. Ses camarades de classe en avaient raffolé, servi avec des pappadams, ces petits pains plats indiens !

1. Dans une grande poêle, chauffer l'huile à feu moyen. Y faire revenir l'oignon jusqu'à ce qu'il soit tendre, environ 5 minutes. Incorporer la poudre de cari. Saupoudrer 15 ml (1 c. à soupe) de farine sur l'oignon et verser l'eau en remuant constamment pour prévenir la formation de grumeaux. Ajouter les poivrons rouge et jaune, la courgette et la courge ; porter à ébullition. Cuire en remuant constamment pendant 10 minutes en ajoutant un peu d'eau si la sauce devient trop épaisse. (Dans le cas ou la sauce serait trop claire, l'épaissir en ajoutant le reste de la farine délayée dans un peu d'eau.) Incorporer les pois chiches au bouillon et laisser mijoter à feu moyen-doux pendant 10 minutes. Ajouter les pois mange-tout et le persil juste avant de servir.

❄ SE CONGÈLE BIEN

✓ UN FAVORI DES ENFANTS

SUGGESTION D'ACCOMPAGNEMENT : Ce cari de pois chiches est délicieux en sandwich, dans un pain pita de blé entier.

VALEUR NUTRITIVE par portion

Calories : 169	Glucides : 26,3 g	Calcium : 47 mg
Matières grasses : 5,6 g	Fibres : 4,9 g	Fer : 1,7 mg
Sodium : 273 mg	Protéines : 4,7 g	

Teneur très élevée en : vitamine A, vitamine C et acide folique
Teneur élevée en : fibres alimentaires, vitamine B$_6$ et magnésium

Équivalents par portion pour les personnes diabétiques

1	glucides
1	matières grasses

Haricots noirs épicés

**Chantal Saad Haddad,
diététiste, Québec**

*Vous ne savez pas quoi
faire pour souper et
vous êtes pressé ? Ce
plat est votre solution.
Une petite halte au
supermarché en
rentrant à la maison et
le tour sera joué. Si
vous avez le temps,
faites cuire les haricots
au lieu de les acheter
en conserve.*

CONSEIL
Si vous n'aimez pas la
cuisine relevée, omettez le
piment chipotle.

Planifiez des extras
Utilisez les surplus pour
garnir des tortillas avec un
peu de riz brun.

- *Temps de préparation : 10 minutes*
- *Temps de cuisson : 25 minutes*

5 ml	huile végétale	1 c. à thé
1	petit oignon, haché	1
1	boîte de 540 ml (19 oz) de haricots noirs, rincés et égouttés (environ 500 ml/2 tasses)	1
375 ml	eau	1 ½ tasse
125 ml	pâte de tomate	½ tasse
1	piment chipotle dans de la sauce adobo	1
1	feuille de laurier	1
5 ml	cumin moulu	1 c. à thé
30 ml	coriandre fraîche hachée (facultatif)	2 c. à soupe

1. Dans une grande poêle, chauffer l'huile à feu moyen. Y faire revenir l'oignon jusqu'à ce qu'il soit tendre, environ 5 minutes. Incorporer les haricots noirs, l'eau, la pâte de tomate, le piment chipotle, la feuille de laurier et le cumin ; porter à ébullition. Baisser le feu et laisser mijoter jusqu'à épaississement de la sauce, environ 15 minutes. Jeter le piment chipotle (sinon le plat deviendrait trop relevé) et la feuille de laurier.
2. Verser à la louche dans des bols et garnir de coriandre fraîche.

 ❄ SE CONGÈLE BIEN

SUGGESTION D'ACCOMPAGNEMENT : Servez avec le Sauté de chou vert frisé (page 260) et le Riz pilaf (p. 275).

Équivalents par portion pour les personnes diabétiques

1	glucides
1	viandes et substituts

VALEUR NUTRITIVE par portion

Calories : 145	Glucides : 26 g	Calcium : 56 mg
Matières grasses : 1,8 g	Fibres : 9,2 g	Fer : 3,2 mg
Sodium : 412 mg	Protéines : 8,2 g	

Teneur très élevée en : fibres alimentaires et acide folique
Teneur élevée en : fer et magnésium

Quesadillas végétariennes

- *Temps de préparation : 10 minutes*
- *Temps de cuisson : 25 minutes*

8	tortillas de blé entier de 15 cm (6 po)	8
375 ml	fromage à nacho, râpé	1 ½ tasse
250 ml	brocoli, haché finement	1 tasse
250 ml	poivron rouge, haché finement	1 tasse
250 ml	carotte, râpée	1 tasse
75 ml	oignons verts, hachés	⅓ tasse

1. Chauffer une petite poêle à feu moyen et réchauffer les tortillas une à une, pendant environ 30 secondes.
2. Répartir la moitié du fromage sur quatre des tortillas. Y partager ensuite le brocoli, le poivron rouge, la carotte et les oignons verts. Parsemer le reste du fromage sur les légumes et recouvrir avec les 4 tortillas qui restent.
3. Dans la même poêle, à feu moyen, cuire les quesadillas, une à la fois, environ 2 minutes par côté ou jusqu'à ce qu'elles soient croustillantes et que le fromage soit fondu. Les placer ensuite au four, à réchaud, dans une assiette, jusqu'à ce qu'elles aient toutes été cuites dans la poêle.
4. Couper chaque quesadilla en 4 pointes et servir.

✓ **UN FAVORI DES ENFANTS**

4 PORTIONS

Eileen Campbell

Les légumes crus ajoutent une touche croquante à ce sandwich très riche en nutriments.

VALEUR NUTRITIVE par portion

Calories : 316	Glucides : 44,1 g	Calcium : 328 mg
Matières grasses : 13,9 g	Fibres : 5,4 g	Fer : 2 mg
Sodium : 632 mg	Protéines : 16,4 g	

Teneur très élevée en : vitamine A, vitamine C, calcium et acide folique • **Teneur élevée en :** fibres alimentaires, thiamine, riboflavine, niacine, vitamine B_6 et magnésium

Équivalents par portion pour les personnes diabétiques

2	glucides
1	viandes et substituts
2	matières grasses

Burritos aux haricots

8 PORTIONS

Lorraine Van Heteren, Ontario

Un plat favori des enfants, qui raffolent de cet heureux mélange de salsa, de haricots et de fromage.

CONSEIL
Améliorez la valeur nutritive de ce plat en le préparant avec des tortillas de blé entier ou multigrains.

- *Temps de préparation : 10 minutes*
- *Temps de cuisson : 20 minutes*
- *Four préchauffé à 180 °C (350 °F)*
- *Plat allant au four de 3 litres (13 x 9 po), légèrement graissé*

8	tortillas de 25 cm (10 po)	8
375 ml	salsa (en trois parts égales)	1 ½ tasse
2	boîte de 398 ml (14 oz) de haricots noirs, rincés et égouttés (environ 750 ml/3 tasses)	2
1	boîte de 113 g (4 oz) de piments forts verts, égouttés	1
½	oignon epagnol, haché sel et poivre noir, fraîchement moulu	½
375 ml	cheddar ou fromage à nacho, râpés en deux parts	1 ½ tasse

1. Chauffer les tortillas au four à micro-ondes à haute intensité de 1 à 2 minutes, ou jusqu'à ce qu'elles soient suffisamment souples pour être aisément roulées.
2. Étendre 125 ml (½ tasse) de salsa au fond du plat allant au four.
3. Dans un grand bol, mélanger les haricots, les piments, l'oignon et 125 ml (½ tasse) de salsa.
4. Répartir la préparation de haricots sur les quatre tortillas et l'étendre du centre jusqu'à 1 cm (½ po) du bord. Répartir 250 ml (1 tasse) de fromage râpé sur les quatre tortillas. Rouler les tortillas et les déposer, sur le raccord, dans le plat allant au four. Verser le reste de la salsa sur les burritos et parsemer du reste du fromage râpé.
5. Cuire au four préchauffé 20 minutes, ou jusqu'à ce que les burritos soient bien chauds.

❄ SE CONGÈLE BIEN
✓ UN FAVORI DES ENFANTS

SUGGESTION D'ACCOMPAGNEMENT : Servez avec la Salade printanière (p. 139).

Équivalents par portion pour les personnes diabétiques

3	glucides
1	viandes et substituts
1 ½	matières grasses

VALEUR NUTRITIVE par portion

Calories : 415	Glucides : 59 g	Calcium : 226 mg
Matières grasses : 12,5 g	Fibres : 9,1 g	Fer : 4,2 mg
Sodium : 1,068 mg	Protéines : 9,4 g	

Teneur très élevée en : fibres alimentaires, fer, thiamine, riboflavine, niacine et acide folique
Teneur élevée en : calcium, magnésium et zinc

Tortillas aux haricots sautés et au fromage

- **Temps de préparation : 5 minutes**
- **Temps de cuisson : 5 à 10 minutes**
- *Four préchauffé à 220 °C (425 °F), avec une grille placée au centre*
- *Plaque à pâtisserie*

4	tortillas de 25 cm (10 po)	4
1	boîte de 398 ml (14 oz) de haricots sautés	1
125 ml	salsa	½ tasse
250 ml	cheddar, râpé	1 tasse
60 ml	piments jalapeños marinés, hachés (ou au goût)	¼ tasse
	crème sure et salsa, pour garnir (facultatif)	

1. Déposer les tortillas sur une plaque à pâtisserie et les tartiner généreusement de haricots sautés, puis de salsa. Répartir le fromage et les piments jalapeños sur les tortillas.
2. Cuire au four préchauffé de 5 à 10 minutes, ou jusqu'à ce que le fromage soit bien doré.
3. Couper en pointes et servir avec de la crème sure et de la salsa en garniture.

✓ UN FAVORI DES ENFANTS

> **SUGGESTION D'ACCOMPAGNEMENT :** Servez avec une salade verte arrosée de Vinaigrette maison (p. 134) et d'une touche de jus de lime.

4 PORTIONS

Chantal Sigouin, diététiste, Ontario

Une autre succulente spécialité Tex-Mex qui plaira à toute la famille. Elle se prépare en un rien de temps !

CONSEIL

Pour un plat encore plus sain, préparez-le avec des tortillas de blé entier, des haricots sautés à faible teneur en gras et du fromage faible en gras.

VARIANTE

Utilisez vos surplus de viande : réduisez la quantité de haricots sautés et ajoutez du poulet cuit en cubes ou de la viande hachée cuite. Garnissez avec des oignons verts hachés ou des poivrons en dés.

VALEUR NUTRITIVE par portion		
Calories : 386	Glucides : 47,1 g	Calcium : 270 mg
Matières grasses : 14,2 g	Fibres : 7,9 g	Fer : 3,8 mg
Sodium : 996 mg	Protéines : 17,8 g	

Teneur très élevée en : fibres alimentaires, calcium, fer, niacine, acide folique, magnésium et zinc • **Teneur élevée en :** vitamine C, thiamine, riboflavine et vitamine B_6.

Équivalents par portion pour les personnes diabétiques

2 ½	glucides
1 ½	viandes et substituts
1 ½	matières grasses

Tofu 101

4 PORTIONS

Nicole Fetterly,
Colombie-Britannique

Vous ne savez pas comment apprêter le tofu ? Cette recette est pour vous. Délicieuse et facile à réaliser, elle est pratiquement impossible à rater. Chaud ou froid, nature ou avec un plat de légumes, en salade, dans un sauté ou dans une sauce tomate, ce tofu assaisonné saura vous plaire.

CONSEILS

Utilisez les herbes de votre choix ou préparez un mélange de coriandre, de romarin ou de persil italien.

Mettez votre touche personnelle à l'assaisonnement. Vous pouvez, par exemple, ajouter un peu de jalapeño haché pour donner du piquant à votre tofu !

- *Temps de préparation : 5 minutes*
- *Temps de cuisson : 30 minutes*
- *Four préchauffé à 200 °C (400 °F)*
- *Plat carré allant au four de 2 litres (8 x 8 po), légèrement graissé*

30 ml	herbes fraîches, hachées (voir Conseils, à gauche)	2 c. à soupe
125 ml	eau	½ tasse
30 ml	huile végétale	2 c. à soupe
30 ml	sauce soja	2 c. à soupe
	le jus de 1 citron ou de 1 lime	
2 ml	poivre noir, fraîchement moulu	½ c. à thé
1	paquet de 375 g (12 oz) de tofu ferme ou extra-ferme	1

1. Dans le plat allant au four, bien mélanger les herbes, l'eau, l'huile, la sauce soja, le jus de citron et le poivre.
2. Couper le bloc de tofu en cubes de 1 cm (½ po). Déposer les cubes dans le plat allant au four en une seule couche et bien les enduire du mélange liquide.
3. Cuire au four préchauffé 15 minutes. Retourner les cubes de tofu et cuire 15 minutes supplémentaires, ou jusqu'à ce que le liquide soit presque entièrement absorbé.

> **SUGGESTION D'ACCOMPAGNEMENT :** Ajoutez ces cubes de tofu au Sauté de légumes orientaux (p. 259) et servez sur des spaghettis de blé entier.

Équivalents par portion pour les personnes diabétiques	
1	viandes et substituts
1	matières grasses

VALEUR NUTRITIVE par portion		
Calories : 130	Glucides : 3,4 g	Calcium : 182 mg
Matières grasses : 10,5 g	Fibres : 1,1 g	Fer : 1,7 mg
Sodium : 463 mg	Protéines : 7,8 g	
Teneur élevée en : calcium et magnésium		

Galettes de tofu

- *Temps de préparation : 5 minutes*
- *Temps de cuisson : 20 à 25 minutes*
- *Four préchauffé à 160 °C (325 °F)*
- *Plat carré allant au four de 2,5 litres (9 x 9 po), légèrement graissé*

300 g	tofu ferme, écrasé	10 oz
175 ml	flocons d'avoine à cuisson rapide	¾ tasse
30 ml	sauce soja	2 c. à soupe
2 ml	basilic séché	½ c. à thé
2 ml	origan séché	½ c. à thé
2 ml	poudre d'ail	½ c. à thé
2 ml	poudre d'oignon	½ c. à thé
	sel et poivre noir, fraîchement moulu	

1. Dans un bol moyen, mélanger le tofu, les flocons d'avoine, la sauce soja, le basilic, l'origan, la poudre d'ail et la poudre d'oignon. Saler et poivrer au goût. Pétrir le mélange quelques minutes et façonner en galettes de 2,5 cm (1 po) d'épaisseur. Disposer les galettes dans le plat allant au four.
2. Cuire au four préchauffé de 20 à 25 minutes, ou jusqu'à ce que les galettes soient légèrement dorées.

> **SUGGESTION D'ACCOMPAGNEMENT :** Servez dans des petits pains multigrains et garnissez de tranches de tomate, de feuilles de laitue et de votre moutarde ou salsa préférée.

**Sue Minicucci,
diététiste, Ontario**

Les enfants raffolent des hamburgers. Aussi, déposez une galette de tofu dans des petits pains à hamburger et ajoutez les condiments qu'ils préfèrent.

CONSEIL

Optez pour un tofu qui contient du calcium. Pour ce faire, recherchez dans la liste des ingrédients les mots « sulfate de calcium » ou « chlorure de calcium ».

VALEUR NUTRITIVE par portion		
Calories : 83	Glucides : 9,5 g	Calcium : 105 mg
Matières grasses : 2,7 g	Fibres : 1,6 g	Fer : 1,5 mg
Sodium : 308 mg	Protéines : 6,1 g	
Teneur élevée en : magnésium		

Équivalents par portion pour les personnes diabétiques	
½	glucides
½	viandes et substituts

Sauté de tofu à la sauce chili

Eileen Campbell

Les sautés ont non seulement l'avantage d'être faciles à préparer, mais ils sont aussi faibles en gras. Composé de légumes et de protéines faibles en gras, ce mets savoureux constitue un excellent moyen d'initier votre famille au tofu.

- **Temps de préparation : 15 minutes**
- **Temps de cuisson : 12 minutes**

	huile végétale en vaporisateur	
150 g	tofu ferme, coupé en fines lanières	5 oz
175 ml	oignon espagnol, tranché	¾ tasse
250 ml	bouquets de brocoli	1 tasse
250 ml	carottes miniatures, coupées en morceaux de la taille d'une bouchée	1 tasse
175 ml	pois Sugar Snap	¾ tasse
125 ml	poivron rouge, en julienne	½ tasse
125 ml	bouillon de légumes ou eau	½ tasse
60 ml	sauce chili	¼ tasse
5 ml	zeste d'orange, râpé	1 c. à thé
15 ml	coriandre fraîche, hachée (facultatif)	1 c. à soupe

1. Chauffer un wok ou une grande poêle à feu moyen vif et y vaporiser de l'huile végétale. Faire dorer le tofu de tous les côtés, retirer du wok et réserver.
2. Ajouter l'oignon et faire revenir 1 minute. Ajouter le brocoli, les carottes, les pois Sugar Snap et le poivron ; faire revenir les légumes jusqu'à ce qu'ils soient tendres, mais encore croquants, environ 5 minutes. Remettre le tofu dans le wok et y verser le bouillon et la sauce chili. Ajouter le zeste d'orange. Réchauffer jusqu'à petite ébullition.
3. Déposer le sauté dans un plat de service et garnir de coriandre.

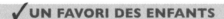
✓ UN FAVORI DES ENFANTS

SUGGESTION D'ACCOMPAGNEMENT : Servez avec du riz brun et un verre de Lassi à la mangue (p. 85).

Équivalents par portion pour les personnes diabétiques

½	glucides
½	viandes et substituts

VALEUR NUTRITIVE par portion

Calories : 115	Glucides : 17,1 g	Calcium : 118 mg
Matières grasses : 2,6 g	Fibres : 3 g	Fer : 1,7 mg
Sodium : 265 mg	Protéines : 6 g	

Teneur très élevée en : vitamine A et vitamine C
Teneur élevée en : acide folique et magnésium
Source de : fibres alimentaires

Sauté de tofu aux légumes verts et aux amandes

- *Temps de préparation : 20 minutes*
- *Temps de cuisson : 30 minutes*

15 ml	huile végétale	1 c. à soupe
250 g	tofu ferme, en cubes	8 oz
1	poivron vert, tranché finement	1
375 ml	haricots verts	1 ½ tasse
2 ml	sel	½ c. à thé
4	gousses d'ail, émincées	4
1	oignon, haché	1
1	tomate, hachée	1
60 ml	amandes, grossièrement moulues	¼ tasse
125 ml	eau (en deux parts égales)	½ tasse
2 ml	sucre granulé	½ c. à thé
2 ml	curcuma moulu	½ c. à thé
2 ml	cumin moulu	½ c. à thé
2 ml	coriandre moulue	½ c. à thé

1. Dans une grande poêle, chauffer l'huile à feu moyen. Y faire dorer le tofu de tous les côtés. Retirer le tofu de la poêle et réserver.
2. Ajouter le poivron vert, les haricots verts et le sel ; faire revenir les légumes jusqu'à ce qu'ils soient tendres, mais encore croquants. Ajouter l'ail, l'oignon et la tomate ; faire revenir 5 minutes. Remettre le tofu dans la poêle, ajouter les amandes, 60 ml (¼ tasse) d'eau et le sucre. Baisser le feu et laisser mijoter doucement 5 minutes. Incorporer le curcuma, le cumin, la coriandre et le reste de l'eau, soit 60 ml (¼ tasse). (Si la préparation est trop épaisse, l'éclaircir avec un peu plus d'eau.)

✓ UN FAVORI DES ENFANTS

SUGGESTION D'ACCOMPAGNEMENT : Servez avec du riz au jasmin ou des nouilles.

4 PORTIONS

Colleen Joice,
diététiste,
Nouvelle-Écosse

Un plat épicé dont la saveur s'apparente à celle d'un satay. Il ravira les végétariens comme les carnivores !

CONSEIL
Le tofu qui a été congelé a une texture qui s'apparente à celle du poulet. Aussi, si vous en avez le temps, mettez vos cubes de tofu à congeler avant de préparer cette recette.

VALEUR NUTRITIVE par portion

Calories : 149	Glucides : 13,6 g	Calcium : 117 mg
Matières grasses : 8,9 g	Fibres : 3,8 g	Fer : 1,8 mg
Sodium : 297 mg	Protéines : 6,8 g	

Teneur très élevée en : vitamine C
Teneur élevée en : acide folique et magnésium
Source de : fibres alimentaires

Équivalents par portion pour les personnes diabétiques

1	viandes et substituts
1	matières grasses

Pilaf au tofu et aux légumes

Shefali Raja, diététiste, Colombie-Britannique

Servez ce plat économique et nutritif avec du yogourt nature.

- *Temps de préparation : 15 minutes*
- *Temps de cuisson : 20 à 25 minutes*

30 ml	beurre ou huile végétale	2 c. à soupe
3 ou 4	bâtons de cannelle	3 ou 4
3 ou 4	gousses de cardamome	3 ou 4
2 ml	curcuma moulu	½ c. à thé
2	grosses pommes de terre, pelées et coupées en petits cubes	2
1	carotte, en dés	1
150 g	tofu ferme, en dés	5 oz
250 ml	petits pois surgelés, décongelés	1 tasse
30 ml	gingembre frais, râpé	2 c. à soupe
	sel	
750 ml	eau (plus ou moins)	3 tasses
375 ml	riz basmati, bien rincé	1 ½ tasse

1. Dans une grande casserole, faire fondre le beurre à feu moyen et y déposer les bâtons de cannelle, les gousses de cardamome et le curcuma. Ajouter les pommes de terre, la carotte, le tofu, les pois et le gingembre. Saler au goût. Faire revenir le tout de 3 à 4 minutes, ou jusqu'à ce que le tofu commence à dorer. Ajouter l'eau et le riz ; porter à ébullition. Baisser le feu, couvrir et cuire à feu doux 10 minutes. Vérifier de temps à autre que le riz ne colle pas, et mélanger. (Ne pas hésiter à ajouter de l'eau en cours de cuisson si le riz s'assèche.) Couvrir et poursuivre la cuisson de 5 à 10 minutes, ou jusqu'à ce que toute l'eau soit absorbée et que le riz soit tendre. Jeter les gousses de cardamome et les bâtons de cannelle, et aérer le riz à la fourchette avant de servir.

✓ UN FAVORI DES ENFANTS

Équivalents par portion pour les personnes diabétiques

3 ½	glucides
1	matières grasses

VALEUR NUTRITIVE par portion

Calories : 325	Glucides : 59,8 g	Calcium : 92 mg
Matières grasses : 5,6 g	Fibres : 3,5 g	Fer : 1,5 mg
Sodium : 62 mg	Protéines : 8,7 g	

Teneur très élevée en : vitamine A
Teneur élevée en : thiamine, niacine, vitamine B$_6$, acide folique et magnésium • **Source de :** fibres alimentaires

Brochettes de tofu épicé

- *Temps de préparation : 15 minutes*
- *Temps de cuisson : 10 minutes*
- Barbecue préchauffé à moyen
- Brochettes de bois de 20 cm (8 po), ayant trempé dans l'eau

Mélange épicé

30 ml	sucre granulé	2 c. à soupe
15 ml	cannelle moulue	1 c. à soupe
15 ml	muscade moulue	1 c. à soupe
10 ml	sel	2 c. à thé
10 ml	piment de Cayenne (ou au goût)	2 c. à thé
10 ml	poudre d'oignon	2 c. à thé
10 ml	thym séché	2 c. à thé
5 ml	poivre noir, fraîchement moulu	1 c. à thé
60 ml	huile d'olive (en deux parts égales)	¼ tasse
45 ml	vinaigre balsamique	3 c. à soupe
15 ml	sauce soja	1 c. à soupe
300 g	tofu ferme, coupé en gros cubes	10 oz
1	grosse courgette	1
1	gros poivron orange	1
1	gros poivron jaune	1
16	tomates cerises	16

1. Préparer le mélange épicé en réunissant, dans un petit bol, le sucre, la cannelle, la muscade, le sel, le piment de Cayenne, la poudre d'oignon, le thym et le poivre noir. Remuer et réserver.
2. Dans un grand bol, mélanger 30 ml (2 c. à soupe) d'huile d'olive, le vinaigre balsamique et la sauce soja. Ajouter le tofu et laisser mariner.
3. Couper en gros morceaux la courgette et les poivrons. Dans un bol moyen, mélanger la courgette, les poivrons et les tomates cerises. Ajouter le mélange d'épices et le reste de l'huile d'olive, soit 30 ml (2 c. à soupe) ; bien enrober les légumes de la préparation.
4. Enfiler les morceaux de courgette et de poivron, les tomates et les cubes de tofu sur les brochettes. Déposer sur la grille du barbecue et cuire environ 10 minutes, ou jusqu'à ce que le tofu soit doré. Retourner au moins une fois en cours de cuisson.

Sara Duchene-Milne, diététiste, Ontario

Une touche de piment et un parfum envoûtant, voilà qui confère à ce plat de tofu un petit quelque chose qui ne laissera personne indifférent. La liste des ingrédients peut sembler un peu longue, mais ne craignez rien, il s'agit d'ingrédients usuels.

CONSEILS

Les surplus de légumes cuits au barbecue sont excellents sur la pizza.

Si vous en avez le temps, faites mariner le tofu toute la nuit.

VARIANTE

Créez votre propre version en préparant les brochettes avec du tofu aux herbes ou des cubes de poulet ou de bœuf cuit. Remplacez les poivrons ou la courgette par des patates douces, des oignons et même des ananas.

SUGGESTION D'ACCOMPA-GNEMENT : Servez les brochettes sur du riz, des pâtes ou des feuilles de laitue.

VALEUR NUTRITIVE par portion

Calories : 144	Glucides : 13 g	Calcium : 124 mg
Matières grasses : 9,2 g	Fibres : 2,7 g	Fer : 2,1 mg
Sodium : 696 mg	Protéines : 4,9 g	

Teneur très élevée en : vitamine C
Teneur élevée en : fer et magnésium
Source de : fibres alimentaires

Équivalents par portion pour les personnes diabétiques

½	glucides
½	viandes et substituts
1 ½	matières grasses

Pâtes et pizzas

Les pâtes et les pizzas font partie des mets de prédilection des familles. Inutile d'aller au restaurant ou de commander de la pizza lorsque vous pouvez vous-même en préparer d'excellentes à la maison.

La conservation des pâtes cuites

Lorsque vous préparez des pâtes, faites-en un peu plus. Vous pourrez ainsi conserver les restes et les utiliser pour une autre recette. Quelques trucs pour les conserver.

- Ajoutez 5 à 15 ml (1 à 3 c. à thé) d'huile végétale avant que les pâtes ne refroidissent. (Cela les empêchera de coller entre elles.)

- Mettez les pâtes au réfrigérateur dans un sac à glissière ouvert. Une fois qu'elles ont refroidi, scellez le sac et retournez-le à quelques reprises de manière que les pâtes ne collent pas ensemble.

- Utilisez des pâtes froides avec certaines recettes. Vous pouvez réchauffer les pâtes en les plongeant pendant 30 à 60 secondes dans l'eau bouillante. Ne les laissez pas plus d'une minute afin d'éviter qu'elles ne deviennent pâteuses.

Se convertir aux pâtes de blé entier

Pour obtenir plus de nutriments et de fibres, mangez des pâtes de blé entier au lieu des pâtes blanches. Si votre famille commence à peine à découvrir les pâtes de blé entier, mélangez-les aux pâtes blanches. Augmentez la proportion graduellement jusqu'à ce qu'il n'y ait que des pâtes de blé entier. Essayez aussi différentes marques, car il se peut qu'il y en ait une qui plaise davantage à votre famille. Les pâtes de blé entier conviennent à toutes les recettes proposées ici.

Des pâtes réussies à tout coup !

Pour préparer un repas pour quatre personnes, calculez 500 ml (2 tasses) de pâtes courtes comme des macaronis ou des pennes ; ou un paquet de 2,5 cm (1 po) de diamètre de pâtes longues, comme des spaghettis ou des fettuccinis. Notez qu'une portion de 500 g (1 lb) équivaut à environ 1,3 l (5 ¼ tasses) de pâtes courtes. Utilisez une casserole de 8 à 10 litres (8 à 10 pintes) avec un couvercle. Faites bouillir un minimum de 4 l (16 tasses) d'eau fraîche pour chaque 500 g (1 lb) de pâtes. Une quantité abondante d'eau empêche les pâtes de s'agglutiner et assure une cuisson uniforme. N'ajoutez ni sel, ni huile. L'huile contient des calories supplémentaires et empêche la sauce de coller aux pâtes. Le sel n'est pas nécessaire, car la sauce devrait contenir tous les assaisonnements nécessaires.

- Assurez-vous d'amener l'eau à forte ébullition et immergez les pâtes ; l'eau devrait se remettre à frémir à gros bouillons en moins de 30 secondes. Immergez les pâtes et remuez avec une cuillère pour les séparer.
- Faites bouillir les pâtes sèches pendant 5 à 12 minutes, et les pâtes fraîches pendant 1 à 4 minutes. Les pâtes devraient être servies *al dente* : tendres à l'extérieur et légèrement croquantes à l'intérieur. En cas de doute, consultez les instructions sur l'emballage.
- Aussitôt que les pâtes sont cuites, égouttez-les dans une passoire au-dessus de l'évier. Elles deviendront molles si vous les laissez dans l'eau. Secouez la passoire pour enlever l'excédent d'eau. *Ne rincez pas avec de l'eau et n'ajoutez pas d'huile.* Le rinçage enlève l'amidon de la surface des pâtes et l'huile crée une barrière entre les pâtes et la sauce. Ces deux opérations empêchent la sauce de bien adhérer aux pâtes. (Si elles sont destinées à faire une salade de pâtes, vous pouvez les rincer pour les refroidir.) Ajoutez la sauce immédiatement pour qu'elle enrobe les pâtes. Lorsque vous utilisez une sauce à la crème, il importe de bien remuer le mélange pour que la sauce se répartisse uniformément.

Faire une pizza

Les seules limites à respecter lorsque vous préparez une pizza sont celles de votre imagination. Presque n'importe quel ingrédient peut servir de garniture : soyez créatif ! Laissez vos enfants préparer et garnir la pizza. Commencez par 125 ml (½ tasse) de sauce, puis ajoutez 500 à 750 ml (2 à 3 tasses) de légumes, ou 60 à 125 g (2 à 4 oz) de viande, ou une autre source de protéines. Saupoudrez 15 à 30 ml (1 à 2 c. à soupe) de fines herbes fraîches, ou 5 à 10 ml (1 à 2 c. à thé) de fines herbes sèches. Terminez avec 250 à 500 ml (1 à 2 tasses) de vos fromages favoris.

Voici quelques suggestions pour bien réussir vos pizzas.

- **Sauces :** Sauce à pizza, sauce tomate aux fines herbes, salsa aux tomates, ou votre soupe favorite en conserve (la crème de champignons s'avère idéale pour la pizza aux champignons et au fromage ; la crème de poulet convient parfaitement à la pizza au poulet, aux poivrons et au fromage).
- **Légumes :** Tomate, olives, courgette, aubergine, oignon, champignon, poivron rôti, piment fort, brocoli, ail.
- **Viandes et substituts :** Bacon, bœuf haché cuit, saucisse, languette de poulet cuit, jambon, crevettes, saumon, tofu, haricots, lentilles.
- **Fines herbes et épices :** Basilic, origan, thym, persil, romarin, aneth, poudre d'ail, poudre d'oignon.
- **Fromages :** Mozzarella, cheddar, suisse, asiago, parmesan, feta, fromage de chèvre, fromage bleu.

Améliorer les sauces commerciales

Si, pour des raisons pratiques, vous utilisez de la sauce tomate du commerce, rehaussez-la en y ajoutant des poivrons, du brocoli, des champignons et des oignons. Râpez-les dans la sauce à l'insu de vos enfants, s'ils sont dans une période où ils « détestent » les légumes.

Eileen Campbell

Cette sauce tomate vous permettra de préparer rapidement de nombreux plats de viande, de poisson ou de pâtes. Elle est facile à préparer et se congèle sans problème.

Conseils

Sur la cuisinière : faites revenir l'oignon et l'ail dans une grande casserole. Ajoutez les autres ingrédients et portez à ébullition. Baissez le feu, couvrez et laissez mijoter doucement en remuant de temps en temps, pendant environ 4 heures, jusqu'à ce que les saveurs se mélangent.

Si vous préférez une sauce plus épaisse, passez-la au mélangeur pour la réduire grossièrement en purée.

Planifiez des extras

Préparez la sauce durant la fin de semaine et conservez-en une partie au réfrigérateur pour l'utiliser durant la semaine. Divisez le reste en portions de 500 ml (2 tasses) ou de 750 ml (3 tasses) et congelez-les. Cette sauce tomate entre dans la préparation de nombreux plats. Servez-la nature sur des pâtes ou utilisez-la dans les plats de haricots, les plats mijotés et les soupes.

Sauce tomate de base (recette double)

- ● *Temps de préparation : 15 minutes*
- ● *Temps de cuisson : 5 minutes*
- ● *Temps de cuisson à la mijoteuse : 8 heures*
- ● *Grande mijoteuse (au moins 6 litres)*

45 ml	huile d'olive	3 c. à soupe
6	gousses d'ail, émincées	6
1	gros oignon espagnol, haché finement	1
5 ml	sel (en deux parts égales)	1 c. à thé
4	boîtes de 796 ml (28 oz) de tomates italiennes entières avec leur jus, hachées	4
4	brins de basilic frais (en deux parts égales)	4
5 ml	origan séché	1 c. à thé
2 ml	poivre noir, fraîchement moulu	½ c. à thé
	sucre granulé (facultatif)	

1. Dans une grande poêle, chauffer l'huile à feu moyen vif. Y faire revenir l'ail et l'oignon jusqu'à ce qu'ils soient légèrement dorés, environ 5 minutes. Saler avec la moitié du sel.
2. Transvider les légumes sautés dans la mijoteuse. Incorporer les tomates, 3 brins de basilic, l'origan et le reste du sel et du poivre. Couvrir et laisser mijoter à feu doux pendant 8 heures, le temps que les saveurs se mélangent. En fin de cuisson, si la sauce n'a pas épaissi suffisamment, retirer le couvercle et cuire à feu vif pour que le liquide s'évapore. Retirer les brins de basilic.
3. Hacher le reste du basilic et l'ajouter à la sauce. Goûter et assaisonner au goût. Ajouter un peu de sucre si la sauce est trop acide.

○ **SE PRÉPARE À LA MIJOTEUSE**
❄ **SE CONGÈLE BIEN**
✓ **UN FAVORI DES ENFANTS**

Équivalents par portion pour les personnes diabétiques

½	matières grasses

VALEUR NUTRITIVE par portion		
Calories : 34	Glucides : 5,3 g	Calcium : 36 mg
Matières grasses : 1,4 g	Fibres : 1 g	Fer : 1,1 mg
Sodium : 201 mg	Protéines : 1 g	

Sauce à spaghetti

1,25 LITRE (5 TASSES) OU 10 PORTIONS

Judy Jenkins, diététiste, Nouvelle-Écosse

- *Temps de préparation : 10 minutes*
- *Temps de cuisson : 35 à 45 minutes*

375 g	bœuf haché maigre	12 oz
1	petit oignon, haché	1
1	gousse d'ail, émincée	1
1	boîte de 540 ml (19 oz) de tomates dans leur jus, hachées	1
1	boîte de 156 ml (5 ½ oz) de pâte de tomate	1
60 ml	poivron vert haché	¼ tasse
15 ml	basilic séché	1 c. à soupe
2 ml	graines de fenouil, écrasées	½ c. à thé
une pincée	poivre noir, fraîchement moulu	une pincée

1. Dans une grande poêle, faire revenir le bœuf haché à feu moyen en brisant les morceaux agglutinés. Ajouter l'oignon, l'ail, les tomates, la pâte de tomate, le poivron, le basilic, les graines de fenouil et le poivre ; porter à ébullition. Baisser le feu et laisser mijoter, en remuant de temps en temps, de 20 à 30 minutes, ou jusqu'à ce que les légumes soient tendres et que les saveurs se mélangent.

❄ SE CONGÈLE BIEN
✓ UN FAVORI DES ENFANTS

Vous n'avez toujours pas votre propre recette de sauce à spaghetti ? Essayez celle-ci, elle vous plaira sans aucun doute.

VALEUR NUTRITIVE par portion		
Calories : 114	Glucides : 8 g	Calcium : 37 mg
Matières grasses : 4,9 g	Fibres : 1,7 g	Fer : 2,1 mg
Sodium : 168 mg	Protéines : 8,1 g	

Teneur très élevée en : vitamine B_{12}
Teneur élevée en : fer, niacine et zinc

Équivalents par portion pour les personnes diabétiques	
1	viandes et substituts

Tina Coutts, Ontario

Cette sauce qui regorge de gros morceaux de légumes est un excellent moyen de consommer plusieurs légumes en un seul plat.

VARIANTE
Ajoutez des tomates fraîches hachées en fin de cuisson.

Planifiez des extras
Utilisez les surplus de sauce pour préparer une soupe aux légumes.

Sauce tomate aux légumes

- *Temps de préparation : 10 minutes*
- *Temps de cuisson : 45 minutes*

	huile végétale en vaporisateur	
2	carottes, hachées	2
2	petites courgettes, hachées	2
1	petit oignon, haché	1
1	poivron vert, haché	1
250 g	champignons, hachés	8 oz
1 ou 2	gousses d'ail, émincées	1 ou 2
1	boîte de 540 ml (19 oz) de sauce tomate à teneur réduite en sodium	1
	assaisonnement à l'italienne (au goût)	
	origan séché (au goût)	

1. Chauffer une grande poêle à feu moyen et la vaporiser d'huile végétale. Y faire revenir les carottes, les courgettes, l'oignon, le poivron, les champignons et l'ail jusqu'à ce qu'ils soient légèrement dorés, environ 5 minutes. Incorporer la sauce tomate, l'assaisonnement à l'italienne et l'origan ; porter à ébullition. Baisser le feu et laisser mijoter à feu doux en remuant de temps en temps pendant environ 30 minutes, ou jusqu'à ce que les légumes soient tendres et que les saveurs se mélangent.

✓ **UN FAVORI DES ENFANTS**

SUGGESTION D'ACCOMPAGNEMENT : Servez sur des pâtes de blé entier. Pour une sauce plus nourrissante encore, incorporez, en fin de cuisson, du bœuf haché extra maigre cuit, du soja haché ou du tofu émietté. Au moment de servir, garnissez de parmesan ou de mozzarella râpés. Terminez le repas avec un verre de lait, des abricots secs et des noix.

Équivalents par portion pour les personnes diabétiques

½	glucides
1	matières grasses

VALEUR NUTRITIVE par portion		
Calories : 101	Glucides : 16,2 g	Calcium : 32 mg
Matières grasses : 3,8 g	Fibres : 3,6 g	Fer : 1 mg
Sodium : 33 mg	Protéines : 2,2 g	

Teneur très élevée en : vitamine A
Teneur élevée en : vitamine C et vitamine B$_6$
Source de : fibres alimentaires

Pâtes aux tomates et aux haricots blancs

- **Temps de préparation : 3 minutes**
- **Temps de cuisson : 20 minutes**

750 ml	Sauce tomate de base (p. 232)	3 tasses
1	boîte de 540 ml (19 oz) de haricots blancs, rincés et égouttés (environ 500 ml/2 tasses)	1
500 g	pâtes courtes (pennes, rigatonis, rotinis ou coquillettes)	1 lb
30 ml	persil, basilic ou ciboulette, frais, hachés	2 c. à soupe
	parmesan, fraîchement râpé (facultatif)	

1. Dans une grande casserole, chauffer la sauce tomate à feu moyen jusqu'à petite ébullition. Incorporer les haricots, baisser le feu et laisser mijoter 20 minutes, ou jusqu'à ce que la sauce soit bien chaude et qu'elle ait épaissi.
2. Pendant ce temps, cuire les pâtes dans une grande casserole d'eau bouillante jusqu'à ce qu'elles soient *al dente*. Égoutter.
3. Déposer les pâtes dans un bol de service, arroser de sauce et garnir de persil. Déposer le parmesan râpé dans un petit bol pour que les invités se servent.

✓ UN FAVORI DES ENFANTS

SUGGESTIONS D'ACCOMPAGNEMENT : Servez ce plat sain et léger avec un verre de lait ou terminez le repas par un yogourt avec des fruits.

Pour un repas complet rapide à préparer, servez avec une salade de légumes et des tranches décongelées de Gâteau aux carottes (p. 305).

10 PORTIONS

Eileen Campbell

Une variante de la Sauce tomate de base (p. 232). Elle demande peu d'ingrédients et se prépare rapidement.

CONSEIL
Si vous n'avez pas de Sauce tomate de base, au congélateur ou au réfrigérateur, remplacez-la par une boîte de sauce tomate de 796 ml (28 oz).

VALEUR NUTRITIVE par portion

Calories : 290	Glucides : 53,7 g	Calcium : 63 mg
Matières grasses : 3,8 g	Fibres : 6 g	Fer : 3,6 mg
Sodium : 661 mg	Protéines : 10,4 g	

Teneur très élevée en : fibres alimentaires, fer, niacine et acide folique
Teneur élevée en : thiamine, magnésium et zinc

Équivalents par portion pour les personnes diabétiques

3	glucides
1	matières grasses

Eileen Campbell

Ce plat est réconfortant et se prépare en 15 petites minutes.

CONSEIL

Si vous préférez les pâtes en sauce, ajoutez les tomates en même temps que les champignons et les oignons verts. Elles fondront légèrement et les pâtes baigneront dans leur jus.

SUGGESTION D'ACCOMPAGNEMENT : Pour un plat de pâtes avec des protéines, garnissez-les de lanières de porc, de bœuf ou de poulet grillé. Les végétariens pourront les garnir de haricots rouges.

Pâtes de blé entier au rapini, aux tomates cerises et aux champignons

- **Temps de préparation : 5 minutes**
- **Temps de cuisson : 10 minutes**

500 ml	pâtes courtes de blé entier	2 tasses
1	rapini (ou brocoli), en morceaux de 7,5 cm (3 po) de longueur	1
30 ml	huile d'olive extra vierge	2 c. à soupe
2	oignons verts, hachés finement	2
500 ml	champignons, tranchés	2 tasses
250 ml	tomates cerises, coupées en deux	1 tasse
60 ml	parmesan, fraîchement râpé	¼ tasse
30 ml	basilic frais, persil ou ciboulette, frais, hachés (facultatif)	2 c. à soupe

1. Cuire les pâtes en suivant les instructions sur l'emballage. Environ 3 minutes avant la fin de la cuisson des pâtes, ajouter le rapini dans l'eau chaude. Poursuivre la cuisson des pâtes jusqu'à ce qu'elles soient *al dente*. Égoutter.
2. Pendant ce temps, dans une grande poêle, chauffer l'huile d'olive à feu moyen vif. Y faire revenir les oignons verts et les champignons 4 minutes. Incorporer les pâtes et le rapini. Réchauffer les pâtes en remuant constamment. Incorporer les tomates cerises.
3. Garnir de parmesan râpé et de basilic.

Le rapini

Le rapini est apprécié pour sa saveur puissante parfois teintée d'une légère amertume, ce qui en fait un compagnon du riz, des pâtes, de la polenta et des champignons. Utilisé dans la cuisine italienne, on le sert braisé ou poêlé, ou encore dans les pizzas, les plats de pâtes et les soupes. Il est riche en vitamines A et C. Il constitue également une source de fer et de calcium. Comme les autres membres de la famille des crucifères, il contient des composés phytochimiques qui pourraient jouer un rôle dans la prévention du cancer. Essayez de manger des légumes feuillus verts tous les jours.

Équivalents par portion pour les personnes diabétiques

1 ½	glucides
1	viandes et substituts
1	matières grasses

VALEUR NUTRITIVE par portion		
Calories : 287	Glucides : 39,3 g	Calcium : 386 mg
Matières grasses : 9,8 g	Fibres : 7,3 g	Fer : 3,8 mg
Sodium : 259 mg	Protéines : 13,9 g	

Teneur très élevée en : fibres alimentaires, vitamine A, vitamine C, calcium, fer, niacine et magnésium
Teneur élevée en : thiamine et zinc

Fettuccinis aux tomates, au basilic et au prosciutto

6 PORTIONS

Mary Lee McCormick, Ontario

- *Temps de préparation : 15 minutes*
- *Temps de cuisson : 25 minutes*

300 g	fettuccinis de blé entier ou fettuccinis au poivre concassé	10 oz
30 ml	huile d'olive	2 c. à soupe
150 g	prosciutto italien, tranché finement et haché	5 oz
250 ml	champignons, tranchés	1 tasse
250 g	fromage à la crème faible en gras, coupé en morceaux	8 oz
175 ml	lait	¾ tasse
	poivre noir, fraîchement moulu	
5	tomates italiennes, hachées	5
30 ml	basilic frais, haché	2 c. à soupe

1. Cuire les fettuccinis *al dente* en suivant les instructions sur l'emballage. Égoutter.
2. Pendant ce temps, dans une grande poêle, chauffer l'huile à feu moyen. Y faire revenir le prosciutto et les champignons jusqu'à ce qu'ils soient tendres, environ 5 minutes. Baisser le feu, ajouter le fromage à la crème et le lait en remuant constamment jusqu'à consistance crémeuse. Poivrer au goût. Cuire à feu doux en remuant de temps en temps pendant 15 minutes, en évitant de faire bouillir. Incorporer les tomates et le basilic. Retirer du feu, ajouter les fettuccinis, mélanger et servir immédiatement.

✓ **UN FAVORI DES ENFANTS**

SUGGESTION D'ACCOMPAGNEMENT : Servez du rapini cuit en accompagnement. Terminez le repas par un bol de petits fruits frais.

Certains membres de notre groupe de dégustation ont retrouvé dans ce plat de pâtes riche et crémeux des saveurs de leur enfance. Ces fettuccinis se préparent à l'avance, ce qui est très pratique lorsque l'on reçoit. Le prosciutto étant très salé, nous n'avons pas ajouté de sel.

CONSEIL
Ajoutez un peu de lait à la sauce pour réchauffer les restes.

VALEUR NUTRITIVE par portion		
Calories : 317	Glucides : 32,1 g	Calcium : 105 mg
Matières grasses : 15,1 g	Fibres : 3,8 g	Fer : 2,2 mg
Sodium : 537 mg	Protéines : 15,3 g	

Teneur très élevée en : thiamine et niacine
Teneur élevée en : fer, riboflavine, vitamine B_{12}, magnésium et zinc • **Source de :** fibres alimentaires

Équivalents par portion pour les personnes diabétiques	
2	glucides
1	viandes et substituts
2	matières grasses

Suzanne Giroux,
diététiste,
Saskatchewan

Une version améliorée d'un classique très apprécié. Les pâtes de blé entier passeront totalement inaperçues.

CONSEILS

Optez pour une margarine non hydrogénée pour limiter votre consommation de gras trans.

Pour gagner du temps, préparez les deux premières étapes une journée à l'avance. Conservez ensuite les macaronis dans un contenant hermétique, au réfrigérateur. Au moment voulu, poursuivez la préparation à l'étape 3. Le temps de cuisson au four sera par contre de 30 à 40 minutes.

SUGGESTION D'ACCOMPA-GNEMENT : Servez avec une salade verte garnie de légumes et des restes de jambon pour un plat avec des protéines.

Macaronis de blé entier au fromage

- *Temps de préparation : 20 minutes*
- *Temps de cuisson : 30 minutes*
- *Four préchauffé à 180 °C (350 °F)*
- *Plat allant au four de 2 litres (11 x 7 po), graissé*

375 ml	macaronis de blé entier	1 ½ tasse
45 ml	margarine	3 c. à soupe
45 ml	farine tout usage	3 c. à soupe
4 ml	sel	¾ c. à thé
500 ml	lait écrémé (plus ou moins)	2 tasses
15 ml	oignons déshydratés émincés	1 c. à soupe
	poivre noir, fraîchement moulu	
500 ml	cheddar, râpé (moyen ou fort)	2 tasses
60 ml	chapelure de blé entier	¼ tasse
10 ml	persil séché	2 c. à thé

1. Cuire les macaronis en suivant les instructions sur l'emballage, jusqu'à ce qu'ils soient *al dente*. Égoutter.
2. Pendant ce temps, dans une grande poêle, faire fondre la margarine à feu moyen. Incorporer la farine et le sel avec un fouet jusqu'à l'obtention d'une pâte souple. Verser 125 ml (½ tasse) de lait à la fois en fouettant. Cuire en remuant fréquemment jusqu'à ce que la sauce ait épaissi, environ 5 minutes. (Ajouter davantage de lait si la sauce est trop épaisse.) Retirer du feu et ajouter les oignons ; poivrer. Incorporer le fromage et remuer jusqu'à ce qu'il fonde. Ajouter les macaronis et bien mélanger.
3. Étendre le mélange dans un plat allant au four. Saupoudrer de chapelure et de persil.
4. Cuire au four préchauffé environ 15 minutes, ou jusqu'à ce que le dessus soit doré.

❄ **SE CONGÈLE BIEN**
✓ **UN FAVORI DES ENFANTS**

Équivalents par portion pour les personnes diabétiques

2	glucides
1	viandes et substituts
3	matières grasses

VALEUR NUTRITIVE par portion		
Calories : 357	Glucides : 31,2 g	Calcium : 397 mg
Matières grasses : 19 g	Fibres : 3,1 g	Fer : 1,6 mg
Sodium : 746 mg	Protéines : 17,3 g	

Teneur très élevée en : calcium, vitamine B$_{12}$ et zinc
Teneur élevée en : vitamine A, riboflavine, niacine et magnésium
Source de : fibres alimentaires

Macaronis aux épinards et au fromage

- *Temps de préparation : 5 minutes*
- *Temps de cuisson : 10 minutes*

1	sac de pousses d'épinards (300g/10 oz)	1
30 ml	jus de citron frais	2 c. à soupe
15 ml	huile d'olive extra vierge	1 c. à soupe
375 g	macaronis de blé entier	12 oz
250 ml	cheddar, râpé	1 tasse
125 ml	amandes en julienne, rôties	½ tasse
	poivre noir, fraîchement moulu	

1. Au robot culinaire, réduire en une purée grossière les épinards, le jus de citron et l'huile d'olive, environ 15 secondes.
2. Cuire les macaronis en suivant les instructions sur l'emballage, jusqu'à ce qu'ils soient *al dente*. Égoutter et remettre dans la casserole. Ajouter la purée d'épinards et bien mélanger. Incorporer le fromage et les amandes. Saler et poivrer au goût.

✓ UN FAVORI DES ENFANTS

SUGGESTION D'ACCOMPAGNEMENT : Les enfants l'apprécieront avec des bâtonnets de carotte. Si vous le servez à des adultes, essayez-le avec la Salade de roquette aux betteraves rôties et aux noix (p. 143). Pour un plat plus nutritif, ajoutez des restes de bifteck ou de poulet, ou encore du tofu émietté.

---

5 PORTIONS

Jody MacLean, Nouvelle-Écosse

Jody a l'habitude de servir ces macaronis à ses deux enfants. Ceux-ci ont du mal à mastiquer et à avaler les épinards lorsqu'ils sont entiers, mais ils y arrivent sans peine lorsqu'ils sont en purée.

VARIANTES

Remplacez le cheddar par 125 ml (½ tasse) de parmesan râpé. La quantité est moindre parce que la saveur de ce fromage est très marquée.

Remplacez le cheddar par 500 g (1 lb) de fromage cottage.

Les adultes l'apprécieront avec une touche d'aneth haché, un peu plus de poivre et des pennes, des rotinis ou des fusillis au lieu des macaronis.

Planifiez des extras

Conservez les surplus au réfrigérateur et réchauffez-les le lendemain.

VALEUR NUTRITIVE par portion		
Calories : 429	Glucides : 55,6 g	Calcium : 290 mg
Matières grasses : 16,9 g	Fibres : 8,6 g	Fer : 4,6 mg
Sodium : 378 mg	Protéines : 19,8 g	

Teneur très élevée en : fibres alimentaires, vitamine A, calcium, fer, niacine, acide folique, magnésium et zinc • **Teneur élevée en :** thiamine, riboflavine et vitamine B_6

Équivalents par portion pour les personnes diabétiques	
3	glucides
1	viandes et substituts
2 ½	matières grasse

Macaronis à la viande

Linda Smith, Alberta

Linda a créé ce plat alors qu'elle était sur l'assistance emploi et qu'elle élevait seule ses trois enfants. À ce moment, elle le préparait avec des macaronis ordinaires et de la soupe aux tomates. Aujourd'hui, elle utilise des macaronis de blé entier, auxquels elle ajoute quelques fines herbes. Ses enfants participent à la préparation.

CONSEIL

Garnissez les pâtes de mozzarella écrémée pour ajouter un produit laitier à votre repas.

- *Temps de préparation : 15 minutes*
- *Temps de cuisson : 25 minutes*

375 g	macaronis de blé entier	12 oz
3	branches de céleri, coupées en tranches de 0,5 cm (¼ po) d'épaisseur	3
2	gousses d'ail, hachées finement	2
½	gros oignon, coupé en morceaux de 0,5 cm (¼ po)	½
½	poivron rouge, coupé en morceaux de 0,5 cm (¼ po)	½
¼	jalapeño, épépiné et haché finement	¼
500 g	bœuf haché maigre	1 lb
2 ml	poivre noir, fraîchement moulu	½ c. à thé
2 ml	basilic séché	½ c. à thé
2 ml	origan séché	½ c. à thé
2	boîte de 284 ml (10 oz) de soupe aux tomates, non diluée	2

1. Cuire les macaronis en suivant les instructions sur l'emballage, jusqu'à ce qu'ils soient *al dente*.
2. Pendant ce temps, dans une grande casserole, à feu moyen, faire revenir le céleri, l'ail, l'oignon, le poivron rouge, le jalapeño, le bœuf haché, le basilic et l'origan pendant environ 10 minutes, ou jusqu'à ce que le bœuf soit cuit. (En cours de cuisson, briser les morceaux de viande agglutinés à la cuillère.) Retirer et jeter le gras. Incorporer la soupe aux tomates et porter à ébullition. Ajouter les pâtes et bien mélanger.

❄ **SE CONGÈLE BIEN**
✓ **UN FAVORI DES ENFANTS**

SUGGESTION D'ACCOMPAGNEMENT : Servez les macaronis avec des crudités en entrée. Les enfants seront ravis de terminer le repas par un verre de lait et des Biscuits tendres aux pommes et à la cannelle (p. 316).

Équivalents par portion pour les personnes diabétiques

2 ½	glucides
1 ½	viandes et substituts

VALEUR NUTRITIVE par portion

Calories : 338	Glucides : 44,6 g	Calcium : 47 mg
Matières grasses : 8,9 g	Fibres : 5,2 g	Fer : 3,4 mg
Sodium : 603 mg	Protéines : 19,1 g	

Teneur très élevée en : niacine, vitamine B_{12}, magnésium et zinc
Teneur élevée en : fibres alimentaires, fer, thiamine, riboflavine et vitamine B_6

Linguines aux crevettes piquantes

- *Temps de préparation : 10 minutes*
- *Temps de cuisson : 15 minutes*

250 g	linguines	8 oz
15 ml	huile d'olive	1 c. à soupe
2	gousses d'ail, émincées	2
½	poivron rouge, haché	½
14 à 16	crevettes, décortiquées et déveinées	14 à 16
½	petit piment rouge, épépiné et haché finement (ou une pincée de flocons de piment)	½
30 ml	beurre	2 c. à soupe
15 ml	jus de citron	1 c. à soupe
	une poignée de roquette	

1. Cuire les linguines en suivant les instructions sur l'emballage, jusqu'à ce qu'elles soient *al dente*.
2. Pendant ce temps, dans une grande poêle, faire chauffer l'huile d'olive à feu moyen. Y faire revenir l'ail pendant quelques secondes. Ajouter le poivron rouge et le faire revenir jusqu'à ce qu'il soit tendre, environ 2 minutes. Ajouter les crevettes et le piment rouge ; cuire de 1 à 2 minutes, ou jusqu'à ce que les crevettes soient roses et opaques. Retirer du feu, ajouter le beurre et les linguines ; bien mélanger.
3. Arroser chaque portion de jus de citron, garnir de roquette et servir immédiatement.

✓ **UN FAVORI DES ENFANTS**

SUGGESTION D'ACCOMPAGNEMENT : Pour une autre portion de légumes, servez avec les Légumes vapeur à l'orientale (p. 263) et terminez le repas sur une note exotique avec un Lassi à la mangue (p. 85).

4 PORTIONS

Samantha Thiessen, diététiste, Ontario

Les enfants tout autant que les adultes de notre groupe de dégustation ont beaucoup apprécié ce plat de pâtes. En quelques minutes, il n'en restait plus !

CONSEIL
Plus les piments cuisent longtemps et moins ils sont forts. Les piments épépinés sont beaucoup moins forts, car une bonne partie de la saveur piquante du piment se trouve dans les graines.

VARIANTE
Si vous ne trouvez pas de roquette, remplacez-la par des pousses d'épinards.

VALEUR NUTRITIVE par portion		
Calories : 335	Glucides : 44,5 g	Calcium : 35 mg
Matières grasses : 10,8 g	Fibres : 2,8 g	Fer : 3 mg
Sodium : 243 mg	Protéines : 14,4 g	

Teneur très élevée en : vitamine C, thiamine, niacine et acide folique • **Teneur élevée en :** fer, vitamine B_{12} et magnésium
Source de : fibres alimentaires

Équivalents par portion pour les personnes diabétiques

2 ½	glucides
1	viandes et substituts
1 ½	matières grasses

Karen Boyd, diététiste, Alberta

Tous les participants de notre groupe de dégustation ont aimé cet authentique plat thaï.

CONSEIL

Il est possible que vous ne trouviez pas aisément tous les ingrédients qui composent ce plat. Voici quelques solutions de rechange : remplacez les nouilles de riz par des fettucinis ou des linguines, la sauce de poisson par de la sauce soja, la sauce hoisin par un mélange de sauce soja et de sauce aux prunes, la sauce chili à l'ail par de la sauce au piment et la coriandre fraîche par de la menthe ou du persil.

SUGGESTION D'ACCOMPA-GNEMENT :

Terminez le repas par un dessert simple et frugal, comme des fruits nappés d'un peu de crème anglaise.

Nouilles aux crevettes à l'orientale

- *Temps de préparation : 30 minutes*
- *Temps de trempage : 30 minutes*
- *Temps de cuisson : 4 à 8 minutes*

90 g	nouilles de riz larges, non cuites	3 oz
30 ml	sucre granulé	2 c. à soupe
30 ml	sauce de poisson	2 c. à soupe
15 ml	sauce soja	1 c. à soupe
5 ml	sauce hoisin	1 c. à thé
5 ml	sauce chili à l'ail	1 c. à thé
15 ml	huile végétale	1 c. à soupe
2	gousses d'ail, émincées	2
175 g	crevettes, décortiquées et déveinées	6 oz
375 ml	germes de haricots	1 ½ tasse
10	feuilles de menthe fraîche, hachées	10
60 ml	coriandre fraîche, hachée grossièrement	¼ tasse
45 ml	arachides non salées, rôties à sec, grossièrement écrasées	3 c. à soupe
1	lime, coupée en quartiers	1

1. Faire tremper les nouilles dans un bol d'eau très chaude jusqu'à ce qu'elles soient souples mais encore fermes, environ 30 minutes. Égoutter.
2. Dans un petit bol, mélanger le sucre, le sauce de poisson, la sauce soja, la sauce hoisin et la sauce chili à l'ail.
3. Chauffer un wok ou une grande poêle à feu moyen vif. Ajouter l'huile et bien l'étaler en inclinant le wok. Faire revenir l'ail et les crevettes de 2 à 3 minutes, ou jusqu'à ce que les crevettes soient roses et opaques. Verser le mélange de sauces et ajouter les nouilles. Faire sauter les nouilles de 1 à 2 minutes, ou jusqu'à ce qu'elles soient tendres et que le liquide soit évaporé. (Si les nouilles ne sont pas suffisamment cuites après cette étape, ajouter 15 ml/1 c. à soupe d'eau et cuire 1 minute.) Ajouter les germes de haricots et faire sauter de 1 à 2 minutes, ou jusqu'à ce qu'ils soient tendres.
4. Servir immédiatement, garnir de menthe, de coriandre, d'arachides et de quartiers de lime.

Équivalents par portion pour les personnes diabétiques

2	glucides
1	viandes et substituts
1	matières grasses

VALEUR NUTRITIVE par portion		
Calories : 227	Glucides : 30,5 g	Calcium : 43 mg
Matières grasses : 7,3 g	Fibres : 1,8 g	Fer : 1,7 mg
Sodium : 1 014 mg	Protéines : 10,9 g	

Teneur élevée en : niacine, vitamine B$_6$, vitamine B$_{12}$, acide folique et magnésium

Pâtes de blé entier aux crevettes et aux légumes

- **Temps de préparation : 15 minutes**
- **Temps de cuisson : 10 à 12 minutes**

1 l	pâtes de blé entier (pâtes courtes : pennes, fusillis, etc.)	4 tasses
15 ml	huile d'olive	1 c. à soupe
3	gousses d'ail, émincées	3
1	tête de brocoli, hachée	1
1	poivron rouge, tranché	1
500 ml	tomates cerises, coupées en deux	2 tasses
375 g	crevettes, décortiquées, déveinées et coupées en deux	12 oz
5 ml	assaisonnement à l'italienne	1 c. à thé
2 ml	sel	½ c. à thé
2 ml	poivre noir, fraîchement moulu	½ c. à thé

1. Cuire les pâtes en suivant les instructions sur l'emballage, jusqu'à ce qu'elles soient *al dente*. Égoutter.
2. Pendant ce temps, chauffer une grande poêle à feu moyen vif. Ajouter l'huile et bien l'étaler en inclinant la poêle. Faire sauter l'ail 1 minute en prenant soin de ne pas le faire brûler. Ajouter le brocoli, le poivron rouge et les tomates ; faire sauter les légumes de 5 à 7 minutes, ou jusqu'à ce qu'ils soient à la fois tendres et croquants. Ajouter les crevettes et les cuire, en retournant une fois, jusqu'à ce qu'elles soient roses et opaques, environ 4 minutes. Incorporer les pâtes, l'assaisonnement à l'italienne, le sel et le poivre.

✓ UN FAVORI DES ENFANTS

SUGGESTION D'ACCOMPAGNEMENT : Pour clore votre repas sur une note festive, essayez la Fondue au chocolat (p. 311) avec des fruits. Pour un dessert plus simple, servez du fromage faible en gras avec des tranches de melon et des raisins.

6 PORTIONS

Beth Gould, diététiste, Ontario

Voici un repas complet dans un seul plat coloré et élégant. Il satisfera autant vos yeux que vos papilles, et il a l'avantage non négligeable de combiner plusieurs légumes en un seul plat.

VARIANTES
Remplacez le brocoli par des pois Sugar Snap, des pois mange-tout ou des épinards. Remplacez le poivron rouge par un poivron jaune ou des carottes. Pour gagner du temps, utilisez des légumes surgelés assortis.

Si vous préférez les pâtes en sauce (il y a peu de sauce dans ce plat), ajoutez un peu de pesto ou de sauce tomate. Si vous la préparez avec du pesto, omettez l'assaisonnement à l'italienne.

VALEUR NUTRITIVE par portion		
Calories : 223	Glucides : 34,2 g	Calcium : 78 mg
Matières grasses : 3,9 g	Fibres : 5,8 g	Fer : 2,9 mg
Sodium : 382 mg	Protéines : 16,1 g	

Teneur très élevée en : vitamine C, niacine, acide folique et magnésium • **Teneur élevée en :** fibres alimentaires, vitamine A, fer, thiamine, vitamine B_6, vitamine B_{12} et zinc

Équivalents par portion pour les personnes diabétiques	
1 ½	glucides
1	viandes et substituts

Lasagne au poulet

Judy Jenkins, diététiste,
Nouvelle-Écosse

Voici un plat qui a un petit goût de revenez-y. Prévoyez deux heures pour la préparation de cette lasagne, ou préparez-la la veille, si vous disposez de plus de temps.

CONSEIL

La mozzarella faible en gras, l'emmental, le gruyère, le cheddar et le gouda sont des fromages à pâte ferme qui conviennent bien à la préparation de cette lasagne.

Planifiez des extras

Préparez la lasagne à l'avance, il suffira de la réchauffer au four au moment voulu.

- **Temps de préparation : 20 minutes**
- **Temps de cuisson : 75 à 80 minutes**
- *Four préchauffé à 180 °C (350 °F)*
- *Plat de 3 litres (13 x 9 po) allant au four, légèrement graissé*

9	lasagnes	9
30 ml	huile végétale	2 c. à soupe
3	branches de céleri, hachées	3
2	gros oignons blancs, hachés	2
2	gros champignons, tranchés	2
2	gousses d'ail, émincées	2
1 ½	poivron vert, haché	1 ½
250 ml	vin blanc	1 tasse
1 kg	poitrines de poulet désossées et sans la peau, coupées en cubes de 2,5 cm (1 po)	2 lb
2	cubes de bouillon de poulet	2
250 ml	crème sure	1 tasse
30 ml	farine tout usage	2 c. à soupe
15 ml	persil frais, haché	1 c. à soupe
	sel et poivre noir, fraîchement moulu	
750 ml	fromage à pâte ferme, râpé (voir Conseil, à gauche)	3 tasses

1. Cuire les lasagnes en suivant les instructions sur l'emballage, jusqu'à ce qu'elles soient *al dente*. Égoutter, plonger dans l'eau froide et réserver.
2. Dans une grande casserole, chauffer l'huile à feu moyen. Y faire revenir le céleri, les oignons, les champignons, l'ail et le poivron vert jusqu'à ce qu'ils soient tendres, environ 5 minutes. Verser le vin blanc et ajouter le poulet et les cubes de bouillon. Cuire jusqu'à ce que la chair du poulet prenne une coloration blanchâtre et que les cubes de bouillon soient dissous, environ 8 minutes. À l'aide d'une écumoire, retirer le poulet et les légumes du bouillon et réserver.

3. Incorporer la crème sure, la farine et le persil dans le liquide qui reste dans la casserole. Saler et poivrer au goût. Cuire de 5 à 8 minutes en remuant constamment, ou jusqu'à ce que la sauce ait épaissi. Remettre le poulet et les légumes dans la sauce et mélanger.

4. Tapisser le fond du plat graissé de 3 lasagnes. Étendre un tiers de la sauce au poulet et aux légumes sur les lasagnes. Parsemer la sauce de 250 ml (1 tasse) de fromage. Monter deux autres couches de lasagnes, de sauce et de fromage, en terminant par le fromage.

5. Couvrir de papier d'aluminium et cuire 35 minutes au four préchauffé. Retirer le papier d'aluminium et cuire 10 minutes supplémentaires, jusqu'à ce que la lasagne soit bien chaude et que le fromage soit doré.

❄ SE CONGÈLE BIEN

✓ UN FAVORI DES ENFANTS

SUGGESTION D'ACCOMPAGNEMENT : Pour un repas qui se démarque, servez cette lasagne avec la Salade d'épinards aux fraises (p. 142).

Nettoyer et conserver les champignons

On nettoie les champignons en les frottant avec un linge propre. Ne les plongez pas dans l'eau, car ils sont très poreux et ils boiraient l'eau comme une éponge. Ils se conservent une semaine au réfrigérateur, dans un sac de papier. Évitez de les conserver dans des sacs en plastique, ils y deviendraient humides et visqueux.

VALEUR NUTRITIVE par portion		
Calories : 405	Glucides : 29,3 g	Calcium : 344 mg
Matières grasses : 15,6 g	Fibres : 2,9 g	Fer : 1,9 mg
Sodium : 571 mg	Protéines : 35,1 g	

Teneur très élevée en : calcium, niacine, vitamine B_6, vitamine B_{12}, acide folique, magnésium et zinc • **Teneur élevée en :** vitamine C, thiamine et riboflavine • **Source de :** fibres alimentaires

Équivalents par portion pour les personnes diabétiques	
1 ½	glucides
3 ½	viandes et substituts

6 PORTIONS

Judy Jenkins, diététiste,
Nouvelle-Écosse

Une façon agréable et rapide d'apprêter les surplus de spaghetti et de sauce. Mieux encore, cette tarte a l'avantage de bien se conserver au congélateur. Vous aurez besoin de quelques ingrédients, d'un reste de spaghetti et d'un four à micro-ondes.

CONSEILS

Optez pour une margarine non hydrogénée afin de réduire votre consommation de gras trans.

Si vous n'avez pas de reste de sauce à spaghetti et que vous n'avez pas le temps d'en préparer, utilisez une sauce tomate à la viande du commerce.

VARIANTE

Si vous ne trouvez pas de provolone, remplacez-le par un fromage doux, fumé ou non, à pâte ferme.

- **Temps de préparation : 10 minutes**
- **Temps de cuisson : 10 à 14 minutes**
- *Plat à tarte de 25 cm (10 po) allant au four à micro-ondes, légèrement graissé*

1	œuf, battu	1
75 ml	parmesan, fraîchement râpé	⅓ tasse
30 ml	margarine ou beurre, fondus	2 c. à soupe
175 g	spaghettis, cuits (environ 375 ml/1 ½ tasse)	6 oz
500 ml	mozzarella, râpée	2 tasses
750 ml	Sauce à spaghetti (p. 233)	3 tasses
90 g	provolone (environ 5 tranches, coupées en pointes)	3 oz

1. Dans un bol moyen, mélanger l'œuf, le parmesan et la margarine. Ajouter les spaghettis et mélanger.
2. Déposer les spaghettis dans le plat à tarte et bien les presser contre le fond et le rebord pour former une croûte. Recouvrir de papier sulfurisé ou ciré (pratiquer quelques incisions dans le papier). Cuire au four à micro-ondes à intensité moyenne (50 %) de 5 à 7 minutes, ou jusqu'à ce que les pâtes soient légèrement croustillantes. Laisser refroidir 3 minutes.
3. Saupoudrer la croûte de parmesan et verser la sauce. Remettre le papier sulfurisé et cuire au four à micro-ondes à intensité moyenne (50 %) de 5 à 7 minutes, ou jusqu'à ce que le tout soit bien chaud.
4. Étendre le provolone sur le dessus du plat et laisser reposer 5 minutes, le temps que le fromage fonde légèrement. Couper en six pointes et servir.

❄ **SE CONGÈLE BIEN**
✓ **UN FAVORI DES ENFANTS**

SUGGESTION D'ACCOMPAGNEMENT : Servez avec une salade verte arrosée de Vinaigrette maison (p. 134) et des fraises fraîches au dessert.

Équivalents par portion pour les personnes diabétiques

1 ½	glucides
2	viandes et substituts
3	matières grasses

VALEUR NUTRITIVE par portion

Calories : 427	Glucides : 29,4 g	Calcium : 357 mg
Matières grasses : 24,1 g	Fibres : 1,3 g	Fer : 1,3 mg
Sodium : 1 320 mg	Protéines : 22,4 g	

Teneur très élevée en : calcium, acide folique et vitamine B_{12}
Teneur élevée en : riboflavine, niacine et zinc

Pâte à pizza de blé entier (recette double)

- *Temps de préparation : 10 minutes*
- *Temps de levée : 2 heures*
- *Mélangeur électrique avec un crochet pétrisseur*

2 CROÛTES À PIZZA DE 30 À 38 CM (12 À 15 PO)

Eileen Campbell

2	sachets de 7 g (¼ oz) de levure instantanée	2
500 ml	farine de blé entier	2 tasses
250 ml	farine tout usage	1 tasse
5 ml	sel	1 c. à thé
2 ml	sucre granulé	½ c. à thé
375 ml	eau tiède	1 ½ tasse
2 ml	huile d'olive	½ c. à thé

Une croûte maison a non seulement l'avantage d'être meilleure, mais elle est aussi plus nutritive. Essayez cette pâte avec votre recette de pizza préférée ou avec l'une de nos recettes.

1. Dans le bol du mélangeur, déposer la levure, la farine de blé entier, la farine tout usage, le sel et le sucre. Fixer le crochet pétrisseur et mettre le bol en place. À basse vitesse, en versant graduellement l'eau ; pétrir la pâte jusqu'à consistance souple et élastique, environ 10 minutes. Éteindre le mélangeur et verser l'huile en le faisant couler le long du bol. À basse vitesse, mélanger environ 15 secondes afin que l'huile recouvre les parois du bol et qu'elle se dépose sur la pâte. Retirer le bol de la base du mélangeur et le couvrir lâchement d'une pellicule plastique.
2. Placer le bol dans un endroit tiède et à l'abri des courants d'air jusqu'à ce que la pâte ait doublé de volume, soit pendant environ 2 heures.
3. Donner un coup de poing au centre de la pâte, la couper en deux et en façonner deux boules. À ce point de la recette, chaque boule de pâte peut être placée dans un sac à congélation et être conservée au congélateur jusqu'à trois mois, ou être utilisée immédiatement.
4. Déposer une boule de pâte sur une surface de travail enfarinée. Avec un rouleau à pâte, abaisser la pâte en un cercle de 30 à 38 cm (12 à 15 po). Inciser la pâte avec une fourchette avant de la garnir.

CONSEIL

Si vous n'avez pas de mélangeur muni d'un crochet pétrisseur, pétrissez la pâte au robot culinaire ou à la main. Pour le pétrissage à la main, mélangez les ingrédients secs dans un grand bol. Creusez un puits au centre et versez-y graduellement l'eau en mélangeant jusqu'à la formation d'une pâte grossière. Pétrissez la pâte dans le bol, en ajoutant un peu de farine si la pâte est trop collante, jusqu'à la formation d'une boule de pâte. Déposez ensuite la pâte sur une surface de travail enfarinée et pétrissez jusqu'à ce qu'elle soit souple et élastique, environ 10 minutes. Formez une boule de pâte et enduisez la surface d'huile d'olive. Déposez la pâte dans un bol propre et huilé. Couvrez lâchement d'une pellicule plastique. Poursuivez la recette à l'étape 2.

❄ SE CONGÈLE BIEN

VALEUR NUTRITIVE par portion		
Calories : 129	Glucides : 27 g	Calcium : 12 mg
Matières grasses : 0,8 g	Fibres : 3,6 g	Fer : 1,6 mg
Sodium : 194 mg	Protéines : 5 g	
Source de : fibres alimentaires		

Équivalents par portion pour les personnes diabétiques

1 ½ glucides

Pizza aux artichauts

Eileen Campbell

Pourquoi commander une pizza lorsqu'il est possible d'en concocter une digne des plus fins palais en moins de 20 minutes ?

CONSEIL

Si vous n'avez pas le temps de préparer la pâte, utilisez une croûte du commerce.

- *Temps de préparation : 10 minutes*
- *Temps de cuisson : 10 à 12 minutes*
- *Four préchauffé à 190 °C (375 °F)*
- *Plaque à pizza de 30 cm (12 po), légèrement graissée*

½	recette de Pâte à pizza de blé entier (p. 247)	½
½	boîte de 213 ml (7 ½ oz) de sauce à pizza	½
3	tomates italiennes, tranchées finement	3
1	boîte de 398 ml (14 oz) de cœurs d'artichauts, égouttés et coupés en deux	1
250 ml	fromage asiago, râpé	1 tasse

1. Abaisser la pâte en un cercle de 30 cm (12 po) de diamètre et la mettre en place sur la plaque. Étendre la sauce à pizza sur la pâte jusqu'à 1 cm (½ po) du bord. Disposer ensuite les tranches de tomates et les artichauts et garnir de fromage.
2. Cuire au four préchauffé de 10 à 12 minutes, ou jusqu'à ce que le fromage soit doré et que la croûte soit dorée et croustillante.

❄ **SE CONGÈLE BIEN**

La pierre à pizza

La cuisson de la pizza sur une pierre spécialement conçue à cet effet permet une distribution plus uniforme de la chaleur. La pierre absorbe l'humidité, ce qui donne une croûte plus croustillante. Faites chauffer la plaque pendant 1 heure dans un four préchauffé (placez la grille dans le bas du four). Vaporisez la pierre d'huile végétale avant d'y déposer la pizza.

Équivalents par portion pour les personnes diabétiques

1 ½	glucides
½	viandes et substituts
1	matières grasses

VALEUR NUTRITIVE par portion

Calories : 239	Glucides : 35,6 g	Calcium : 177 mg
Matières grasses : 7 g	Fibres : 5,7 g	Fer : 2,4 mg
Sodium : 502 mg	Protéines : 10,9 g	

Teneur très élevée en : acide folique et magnésium
Teneur élevée en : fibres alimentaires, calcium, fer, thiamine, riboflavine, niacine et zinc

Pizza aux légumes grillés

12 PORTIONS

Janis Evans, diététiste, Ontario

- *Temps de préparation : 12 à 15 minutes*
- *Temps de cuisson : 18 à 20 minutes*
- *Barbecue préchauffé à feu moyen*
- *2 assiettes à pizza de 35 cm (14 po), légèrement graissées*

2	petites aubergines	2
1	courgette	1
	huile d'olive	
15 ml	vinaigre balsamique	1 c. à soupe
1	recette de Pâte à pâte à pizza de blé entier (p. 247)	1
125 ml	sauce à pizza	½ tasse
10 ml	assaisonnement à l'italienne	2 c. à thé
12	olives vertes farcies, coupées en deux	12
375 ml	mozzarella, râpée	1 ½ tasse
375 ml	cheddar, râpé	1 ½ tasse

1. Couper en diagonale les aubergines et la courgette, en tranches de 0,5 cm (¼ po) d'épaisseur, et les badigeonner légèrement d'huile d'olive. Déposer sur la grille du barbecue préchauffé et griller en retournant les tranches une fois, jusqu'à ce qu'elles soient dorées, environ 4 minutes par côté.

2. Déposer les légumes dans un plat, en plusieurs couches, en arrosant chaque couche avec le vinaigre balsamique. Couvrir et réfrigérer jusqu'à 4 heures, ou jusqu'au moment de préparer la pizza.

3. Préchauffer le four à 190 °C (375 °F). Abaisser chaque boule de pâte en deux cercles de 35 cm (14 po) de diamètre ; déposer les croûtes dans les assiettes. Étendre 60 ml (¼ tasse) de sauce à pizza sur chacune des croûtes jusqu'à 1 cm (½ po) du bord. Saupoudrer de 5 ml (1 c. à thé) d'assaisonnement à l'italienne sur chacune des croûtes. Répartir les tranches d'aubergine et de courgette sur les deux croûtes, sans les superposer. Déposer les olives entre les tranches d'aubergine et de courgette. Parsemer chaque croûte de la moitié de la mozzarella et de la moitié du cheddar.

4. Cuire au four préchauffé de 10 à 12 minutes, ou jusqu'à ce que le fromage soit doré et la croûte, dorée et croustillante.

❄ **SE CONGÈLE BIEN**

Une pizza toute simple qui met totalement en valeur la saveur des légumes grillés.

CONSEILS

Faites griller les légumes la veille ou, mieux encore, profitez d'un souper barbecue pour faire griller vos légumes pour le lendemain. Couvrez et réfrigérez.

Si vous n'avez pas le temps de préparer la pâte maison, utilisez une croûte du commerce.

Pour une croûte encore plus savoureuse, faites-la griller quelques minutes dans une plaque à pizza sur le barbecue ou dans une poêle avant de la garnir.

Si vous n'avez pas d'assaisonnement à l'italienne, remplacez-le par un mélange de basilic, d'origan, de romarin et de thym séché, ou par une combinaison de deux de ces herbes.

SUGGESTION D'ACCOMPA-GNEMENT : Pour une portion de légumes supplémentaire, servez-la avec la Salade de pois mange-tout et de poivrons (p. 140).

VALEUR NUTRITIVE par portion		
Calories : 281	Glucides : 33,9 g	Calcium : 22 mg
Matières grasses : 12 g	Fibres : 6,1 g	Fer : 2,2 mg
Sodium : 579 mg	Protéines : 12,5 g	

Teneur très élevée en : fibres alimentaires et acide folique
Teneur élevée en : calcium, fer, thiamine, niacine et magnésium

Équivalents par portion pour les personnes diabétiques

1 ½	glucides
1	viandes et substituts
1 ½	matières grasses

**Jocelyne Jones,
diététiste, Québec**

*Voici un excellent
moyen d'apprêter les
légumes. Les enfants
adorent cette pizza et
ils prendront grand
plaisir à la préparer
avec vous, surtout
qu'elle est rapide et
facile à réaliser.*

CONSEILS

Si vous n'avez pas le temps
de préparer la pâte à pizza,
utilisez une croûte du
commerce.

En optant pour de la feta et
de la mozzarella faible en
gras, vous réduirez de 4 g
la quantité de gras par
portion.

Pizza végétarienne aux trois fromages

- *Temps de préparation : 30 minutes*
- *Temps de cuisson : 25 à 30 minutes*
- *Four préchauffé à 200 °C (400 °F)*
- *Plaque à pizza de 30 cm (12 po), légèrement graissée*

½	recette de Pâte à pizza de blé entier (p. 247)	½
175 ml	salsa douce	¾ tasse
30 ml	huile d'olive	2 c. à soupe
3	oignons verts, hachés	3
1	oignon rouge, en dés	1
1	petit poivron vert, tranché	1
1	petit poivron rouge, tranché	1
250 ml	brocoli, coupé en petits bouquets	1 tasse
1	boîte de 284 ml (10 oz) de champignons tranchés, rincés et égouttés	1
1	boîte de 284 ml (10 oz) de châtaignes d'eau, rincées et égouttées	1
125 ml	olives noires tranchées	½ tasse
5 ml	origan séché	1 c. à thé
5 ml	basilic séché	1 c. à thé
5 ml	poivre noir, fraîchement moulu	1 c. à thé
500 ml	mozzarella, râpée	2 tasses
125 ml	parmesan, fraîchement râpé	½ tasse
125 ml	feta, émietté	½ tasse

1. Abaisser la pâte à pizza en un cercle de 30 cm (12 po) de diamètre et la déposer sur la plaque. Étendre la salsa sur la croûte jusqu'à 1 cm (½ po) du bord. Réserver.
2. Chauffer une poêle moyenne à feu moyen. Ajouter l'huile et bien l'étaler en inclinant la poêle. Faire sauter les oignons verts, l'oignon rouge, le poivron vert, le poivron rouge et les bouquets de brocoli pendant 10 minutes, ou jusqu'à ce que les légumes soient tendres, mais encore croquants. Ajouter les champignons, les châtaignes d'eau et les olives, et cuire 5 minutes supplémentaires. Retirer du feu et incorporer l'origan, le basilic et le poivre.

3. Étendre les légumes sur la croûte. Parsemer de mozzarella, de parmesan et de feta.
4. Cuire au centre du four préchauffé de 12 à 15 minutes ou jusqu'à ce que le fromage commence à dorer et que la croûte soit dorée et croustillante.

❄ SE CONGÈLE BIEN
✓ UN FAVORI DES ENFANTS

> **SUGGESTION D'ACCOMPAGNEMENT :** Pour obtenir une portion de légumes supplémentaire, accompagnez-la d'une salade verte ou d'un verre de jus de légumes.

Poivrons

Tous les poivrons regorgent de vitamines et leur saveur se marie bien à celle de l'aubergine, de la tomate, des courges d'été, des oignons, de l'ail, du maïs, du basilic et de la marjolaine. Le vinaigre, les câpres, les olives, la mozzarella, le fromage de chèvre et le parmesan font également bon ménage avec eux. Les enfants apprécieront les poivrons crus avec une trempette.

Pour couper un poivron évidé, plantez la lame du couteau dans la chair, pour qu'elle ne glisse pas sur la peau, ce qui pourrait vous blesser. Retirez toujours les graines et la tige avant de le couper.

CONSEIL
Préparez-la avec les légumes préférés de votre famille, ou profitez-en pour vider votre frigo en utilisant ceux que vous avez sous la main.

VALEUR NUTRITIVE par portion		
Calories : 288	Glucides : 25 g	Calcium : 338 mg
Matières grasses : 15,8 g	Fibres : 4,5 g	Fer : 2,2 mg
Sodium : 728 mg	Protéines : 14,4 g	

Teneur très élevée en : vitamine C, calcium et acide folique • **Teneur élevée en :** fibres alimentaires, vitamine A, fer, riboflavine, niacine, vitamine B_6, vitamine B_{12}, magnésium et zinc

Équivalents par portion pour les personnes diabétiques	
1	glucides
1 ½	viandes et substituts
1 ½	matières grasses

**Groupe Compass
du Canada**

*La sauce jerk confère à
cette pizza à la fois une
touche épicée et un
parfum des Caraïbes.*

CONSEIL
Si vous n'avez pas le temps
de préparer la pâte à pizza,
utilisez une croûte du
commerce.

**SUGGESTION
D'ACCOMPA-
GNEMENT :** Servez
avec des crudités, de
l'Hoummos épicé
(p. 104) et le Panaché
tropical (p. 83) pour
un repas inspiré de la
cuisine des Antilles.

Pizza des Antilles au poulet et à l'ananas

- *Temps de préparation : 15 minutes*
- *Temps de cuisson : 15 à 17 minutes*
- *Four préchauffé à 200 °C (400 °F)*
- *Plaque à pizza de 30 cm (12 po), légèrement graissée*

125 g	poitrines de poulet désossées, cuites et coupées en lanières	4 oz
30 ml	sauce à la jerk des Antilles (une part de 22 ml/1 ½ c. à soupe et une part de 8 ml/1 ½ c. à thé)	2 c. à soupe
60 ml	oignon rouge, tranché finement huile végétale en vaporisateur	¼ tasse
125 ml	sauce à pizza	½ tasse
½	recette de Pâte à pizza de blé entier (p. 247)	½
500 ml	mélange de fromages à pizza (en deux parts égales)	2 tasses
250 ml	ananas frais, en morceaux	1 tasse
15 ml	piments bananes marinés, tranchés (facultatif)	1 c. à soupe

1. Badigeonner légèrement les lanières de poulet de 22 ml (1 ½ c. à soupe) de sauce à la jerk.
2. Chauffer une petite poêle antiadhésive à feu moyen et la vaporiser d'huile végétale. Faire revenir l'oignon 5 minutes, ou jusqu'à ce qu'il soit tendre. Réserver.
3. Dans un petit bol, mélanger la sauce à pizza et le reste de la sauce à la jerk.
4. Abaisser la pâte à pizza en un cercle de 30 cm (12 po) de diamètre et la déposer sur la plaque. Étendre le mélange de sauce à pizza et de sauce à la jerk jusqu'à 1 cm (½ po) du bord. Étaler les oignons, la moitié du fromage, les lanières de poulet, les ananas et les piments bananes sur la croûte. Parsemer le dessus de la pizza du reste du fromage.
5. Cuire au four préchauffé de 10 à 12 minutes, ou jusqu'à ce que le fromage commence à dorer et que la croûte soit dorée et croustillante.

❄ **SE CONGÈLE BIEN**
✓ **UN FAVORI DES ENFANTS**

**Équivalents par portion
pour les personnes
diabétiques**

1	glucides
2	viandes et substituts

VALEUR NUTRITIVE par portion		
Calories : 253	Glucides : 23,4 g	Calcium : 275 mg
Matières grasses : 10,5 g	Fibres : 2,8 g	Fer : 1,5 mg
Sodium : 617 mg	Protéines : 17,7 g	

Teneur très élevée en : calcium
Teneur élevée en : niacine et acide folique
Source de : fibres alimentaires

Pizza au jambon et à l'ananas

- *Temps de préparation : 10 minutes*
- *Temps de cuisson : 10 à 12 minutes*
- *Four préchauffé à 190 °C (375 °F)*
- *Plaque à pizza de 30 cm (12 po), légèrement graissée*

½	recette de Pâte à pizza de blé entier (p. 247)	½
½	boîte de 213 ml (7 ½ oz) de sauce à pizza	½
125 ml	jambon maigre, en dés	½ tasse
125 ml	ananas frais, en dés	½ tasse
250 ml	mozzarella faible en gras, râpée	1 tasse

1. Abaisser la pâte à pizza en un cercle de 30 cm (12 po) de diamètre et la déposer sur la plaque. Étendre la sauce à pizza jusqu'à 1 cm (½ po) du bord. Étaler le jambon et l'ananas sur la croûte et parsemer du fromage râpé.
2. Cuire au four préchauffé de 10 à 12 minutes, ou jusqu'à ce que le fromage commence à dorer et que la croûte soit dorée et croustillante.

❋ **SE CONGÈLE BIEN**
✓ **UN FAVORI DES ENFANTS**

6 PORTIONS

Donna Bottrell, diététiste, Ontario

La famille de Donna raffole de la pizza à l'hawaïenne. La douce saveur de l'ananas séduit petits et grands à coup sûr !

CONSEIL
Si vous n'avez pas le temps de préparer la pâte à pizza, utilisez une croûte du commerce.

VARIANTE
Toujours sur le thème du sucré-salé, remplacez les ananas par des mangues et le jambon par du poulet cuit.

VALEUR NUTRITIVE par portion		
Calories : 154	Glucides : 23 g	Calcium : 202 mg
Matières grasses : 1,5 g	Fibres : 3,5 g	Fer : 1,6 mg
Sodium : 467 mg	Protéines : 12,9 g	

Teneur très élevée en : calcium, thiamine, niacine, acide folique, magnésium et zinc
Source de : fibres alimentaires

Équivalents par portion pour les personnes diabétiques

1	glucides
1 ½	viandes et substituts

Plats et légumes d'accompagnement

Laissez tomber les bons vieux légumes nature et adoptez l'une des délicieuses recettes que nous vous proposons ! Améliorez le goût de vos plats en assaisonnant les légumes et les produits céréaliers. Les mets d'accompagnement qui suivent vous permettront, en plus d'être bons pour la santé, d'initier votre famille à de nouvelles saveurs et textures.

Quelques suggestions pour manger plus de légumes

- Préparez des brochettes aux légumes en faisant griller des tomates cerises, des courgettes, des oignons rouges, des petites pommes de terre et des morceaux de poivron rouge.
- Préparez des « frites » : enduisez d'une mince couche d'huile des pommes de terre ou des patates douces tranchées et faites cuire au four.
- Ayez toujours au congélateur des pois, des haricots, du maïs ou de la macédoine de légumes pour un accompagnement vite fait.
- Faites votre salsa à l'aide de tomates, de poivrons, d'oignons rouges et de coriandre fraîche finement hachés. Ajoutez des jalapeños en cubes, si vous aimez les mets épicés.
- Essayez l'une de nos soupes aux légumes, comme la Soupe aux légumes à la mexicaine (p. 120) ou le Bortsch de ma mère (p. 120).

Aidez vos enfants à aimer les légumes

- Faites de la purée avec des légumes cuits, comme des poivrons rouges, des carottes ou même du brocoli, et ajoutez-la à vos sauces pour pâtes.
- Servez des crudités lorsque vos enfants ont un faim (ce qui ne survient pas toujours à l'heure du repas).
- Demandez à vos enfants quels sont leurs légumes préférés. Offrez deux variétés de légumes et laissez-les choisir.
- Camouflez les légumes dans vos mets : mettez des carottes ou des courgettes râpées dans un gâteau ou un pain.
- Rendez les légumes plus amusants. Ajoutez-en à des tortillas, des pitas, une soupe, du chili ou de la pizza aux légumes.
- Les enfants observent ! Donnez-leur l'exemple en mangeant vous-même beaucoup de légumes.

Que faire pour que mon ado mange mieux?

Les adolescents ont besoin d'une grande quantité de calories et de nutriments, par conséquent, ils ont beaucoup d'appétit et mangent constamment. Aider vos ados à faire des choix équilibrés peut représenter tout un défi, mais les efforts en valent la peine. N'oubliez pas que les adolescents aussi vous surveillent ; adoptez donc de saines habitudes alimentaires !

Voici quelques trucs pour aider vos ados à mieux manger. Pour faire des choix alimentaires éclairés, consultez le *Guide alimentaire canadien* (**www.hc-sc.gc.ca/fn-an/food-guide-aliment/index_f.html**).

- Gardez toujours des fruits et des légumes dans votre réfrigérateur. Achetez plus souvent des légumes vert foncé ou orange, et des fruits orange, bourrés de nutriments.
- Achetez des yogourts et des poudings en portions individuelles.
- Recherchez les grignotines cuites au four au lieu des grignotines frites.
- Achetez des graines de soja rôties ou des mélanges de noix.
- Choisissez des barres de céréales de grain entier. Consultez le tableau de la valeur nutritive.
- Préparez du Hoummos épicé (p. 104) ou des Kebabs de légumes à la grecque (p. 100).
- Organisez votre cuisine de manière que les aliments sains soient les plus accessibles. Gardez les aliments moins sains hors de portée.

- Ayez toujours un bol de fruits frais sur la table de la cuisine.
- Assurez-vous de toujours avoir des légumes coupés, lavés et prêts à emporter.
- Gardez des craquelins de grain entier et du fromage à portée de la main.
- Ayez toujours du lait et du jus pur à 100 %.
- Faites vous-même votre maïs soufflé et aromatisez-le avec l'épice favorite de votre ado.
- Apprenez à votre ado quelques recettes rapides et faciles pour les collations après l'école. Essayez les Tortillas aux haricots sautés et au fromage (p. 223), la Tortilla aux fruits (p. 72), le Pain grillé à l'hawaïenne (p. 78) ou la Gelée rose à la fraise (p. 325).

Pour inculquer de bonnes habitudes alimentaires aux adolescents, il est essentiel de leur imposer des limites.

- Servez les repas à des heures régulières et encouragez-les à s'y présenter. S'ils ne peuvent pas être présents, préparez-leur des assiettes qu'ils pourront réchauffer à leur retour à la maison.
- Si vos enfants aiment les grignotines riches en gras, en sel ou en sucre, prenez le temps de leur proposer d'autres options saines. Parlez de leurs habitudes alimentaires lorsqu'ils mangent à l'extérieur. Discutez de la nourriture qui sera servie lorsqu'ils inviteront des amis à souper.
- Instaurez de nouvelles habitudes familiales. Par exemple, commencez chaque repas avec de la salade ou avec un plat de crudités.

Les légumes au barbecue?
Manger sainement n'a jamais eu si bon goût !

De nombreux légumes, dont l'aubergine, la courgette, la courge, la tomate, l'asperge et la pomme de terre, peuvent être cuits au barbecue. Lorsque vous en faites cuire plus d'une variété à la fois, choisissez des légumes qui nécessitent le même temps de cuisson (par exemple, des aubergines avec des courgettes, des champignons et des poivrons, ou des pommes de terre avec de la courge et des carottes). Apprêtez séparément les légumes tendres comme les asperges, car ils cuisent rapidement, sur le gril.

Pour faire griller des légumes, coupez-les, badigeonnez-les d'une légère couche d'huile et ajoutez quelques pincées de vos fines herbes et épices préférées. S'ils sont coupés en petits morceaux, utilisez un panier à légumes spécialement conçu pour les barbecues afin de les empêcher de tomber entre les grilles. Après la cuisson, aspergez-les avec un peu de vinaigre balsamique.

Asperges exquises

4 PORTIONS

Roberta Lowcay,
diététiste,
Colombie-Britannique

*Le titre ne ment pas !
Les petits et les grands
en redemanderont.*

- ***Temps de préparation : 2 minutes***
- ***Temps de cuisson : 5 minutes***

15 ml	beurre	1 c. à soupe
1	botte d'asperges (extrémités coupées)	1
1	gousse d'ail, émincée	1
15 ml	parmesan, fraîchement râpé	1 c. à soupe

1. Dans une poêle moyenne, faire fondre le beurre à feu moyen. Y faire revenir les asperges et l'ail en remuant constamment, jusqu'à ce qu'elles soient tendres, environ 5 minutes. Saupoudrer le parmesan sur les asperges et le laisser fondre avant de servir.

✓ **UN FAVORI DES ENFANTS**

SUGGESTION D'ACCOMPAGNEMENT : Ces asperges accompagnent agréablement les plats de saumon (p. 206, 207 et 208).

Les asperges

Choisissez des asperges dont les tiges sont d'un beau vert brillant et dont les pointes sont compactes. Cassez l'extrémité dure de l'asperge (elle cède lorsqu'on la plie) avant de les cuire.

Équivalents par portion pour les personnes diabétiques	
½	matières grasses

VALEUR NUTRITIVE par portion		
Calories : 51	Glucides : 3,6 g	Calcium : 42 mg
Matières grasses : 3,5 g	Fibres : 1,6 g	Fer : 0,7 mg
Sodium : 61 mg	Protéines : 2,6 g	

Teneur très élevée en : acide folique

Pâtes de blé entier aux crevettes
et aux légumes (page 243)

Pizza végétarienne aux trois fromages (page 250)

Sauté de légumes orientaux (page 259)

Risotto primavera au four (page 277)

Muffins au cheddar
et aux graines de citrouille (page 292)

Gaspacho aux fruits (page 301)

Biscottis santé (page 319)

Barres de céréales au caramel (page 322), Barres de céréales à la noix de coco et aux abricots (page 323) et Barres au fromage et aux petits fruits (page 324)

Carottes au gingembre

- *Temps de préparation : 10 minutes*
- *Temps de cuisson : 20 minutes*

1 l	carottes, hachées	4 tasses
125 ml	bouillon de légumes ou de poulet	½ tasse
10 ml	gingembre frais, émincé	2 c. à thé
5 ml	ail, émincé	1 c. à thé
5 ml	cassonade, bien tassée	1 c. à thé
1 ml	jus de citron frais	¼ c. à thé

1. Dans une grande casserole, mélanger les carottes, le bouillon, le gingembre, l'ail, la cassonade et le jus de citron. Porter à ébullition, baisser le feu, couvrir et laisser mijoter environ 20 minutes, ou jusqu'à ce que les carottes soient tendres mais encore croquantes et qu'il ne reste plus de liquide dans la casserole.

✓ UN FAVORI DES ENFANTS

Le gingembre frais

Utilisez le côté d'une cuillère pour gratter la pelure qui recouvre le gingembre avant de le râper.

Le gingembre frais se conserve jusqu'à trois mois au congélateur. Râpez-le sans le décongeler et remettez le reste au congélateur.

4 À 6 PORTIONS

Roberta Lowcay, diététiste, Colombie-Britannique

Ces carottes sont tout simplement divines. Les petits comme les grands émettront des Mmmmmmm !

VALEUR NUTRITIVE par portion		
Calories : 34	Glucides : 7,9 g	Calcium : 25 mg
Matières grasses : 0,2 g	Fibres : 2,2 g	Fer : 0,3 mg
Sodium : 128 mg	Protéines : 0,7 g	

Teneur très élevée en : vitamine A
Source de : fibres alimentaires

Équivalents par portion pour les personnes diabétiques

1	extra

Julie Bourdua, Québec

Un plat succulent qui se prépare en un rien de temps.

CONSEIL

S'il n'y a pas suffisamment de crème de chou-fleur pour la quantité de légumes, ajoutez un peu d'eau.

VARIANTE

Cette recette est également délicieuse avec du broccoli.

Gratin de chou-fleur

- *Temps de préparation : 10 minutes*
- *Temps de cuisson : 30 minutes*
- *Four préchauffé à 180 °C (350 °F)*
- *Plat allant au four de 2,5 litres (9 x 9 po) avec un couvercle, légèrement graissé*

1	gros chou-fleur, coupé en bouquets	1
1	oignon vert, haché finement	1
1	boîte de 284 ml (10 oz) de crème de brocoli à faible teneur en matières grasses, non diluée	1
250 ml	mozzarella faible en gras, râpée	1 tasse

1. Porter à ébullition 1,5 litre (6 tasses) d'eau. Plonger les bouquets de chou-fleur dans l'eau bouillante et les cuire 2 minutes. Bien égoutter.
2. Déposer les bouquets dans le plat allant au four et les parsemer d'oignons verts émincés. Verser la crème de brocoli, mélanger et garnir de fromage râpé.
3. Couvrir et cuire 20 minutes au four préchauffé, ou jusqu'à ce que le chou-fleur soit tendre et que le fromage soit fondu. Découvrir et faire gratiner sous le gril.

✓ **UN FAVORI DES ENFANTS**

Équivalents par portion pour les personnes diabétiques

½	viandes et substituts

VALEUR NUTRITIVE par portion

Calories : 70	Glucides : 8,4 g	Calcium : 165 mg
Matières grasses : 1,2 g	Fibres : 3,4 g	Fer : 0,6 mg
Sodium : 389 mg	Protéines : 7,2 g	

Teneur très élevée en : vitamine C
Teneur élevée en : calcium et acide folique
Source de : fibres alimentaires

Sauté de légumes orientaux

6 PORTIONS

Eileen Campbell

- *Temps de préparation : 10 minutes*
- *Temps de cuisson : 10 minutes*

15 ml	huile végétale	1 c. à soupe
1	oignon espagnol, coupé en rondelles épaisses	1
1	poivron vert, en julienne	1
1	pak choï, coupé en morceaux (environ 1 1/4 tasses), feuilles vertes et tiges blanches séparées	1
250 ml	brocoli, coupé en petits bouquets	1 tasse
125 ml	eau	½ tasse
15 ml	sauce hoisin ou autre sauce de type oriental (au choix) pour plats sautés	1 c. à soupe
10 ml	sauce soja à teneur réduite en sodium	2 c. à thé
2 ml	huile de sésame	½ c. à thé
15 ml	graines de sésame	1 c. à soupe

Voici un plat facile à préparer qui se marie bien avec le poisson et le poulet grillé. Pour gagner du temps, lavez et coupez les légumes la veille.

1. Chauffer un wok ou une grande poêle à feu moyen. Ajouter l'huile et bien l'étaler en inclinant le wok. Lorsque l'huile est bien chaude, sans être fumante, faire revenir l'oignon 3 minutes. Ajouter le poivron et le faire revenir 2 minutes. Ajouter les tiges blanches de pak choï et le brocoli ; faire revenir 2 minutes. Ajouter les feuilles de pak choï, l'eau, la sauce hoisin et la sauce soja. Couvrir et cuire 3 minutes, ou jusqu'à ce que le brocoli soit tendre, mais encore croquant.
2. Déposer dans une assiette de service, arroser d'huile de sésame, parsemer des graines de sésame sur le plat et servir.

✓ **UN FAVORI DES ENFANTS**

SUGGESTION D'ACCOMPAGNEMENT : Servez avec le Tofu 101 (p. 224) sur un lit de riz brun.

VALEUR NUTRITIVE par portion		
Calories : 75	Glucides : 9,2 g	Calcium : 68 mg
Matières grasses : 3,8 g	Fibres : 1,9 g	Fer : 1 mg
Sodium : 125 mg	Protéines : 2,5 g	

Teneur très élevée en : vitamine A et vitamine C
Teneur élevée en : acide folique

Équivalents par portion pour les personnes diabétiques

1	matières grasses

Sauté de chou vert frisé

Gerry Kasten, diététiste, Colombie-Britannique

Voici un excellent moyen de mettre des légumes verts au menu. Gerry l'a préparé à l'occasion d'un cours de cuisine destiné à des étudiants en diététique. Tous les élèves l'ont grandement apprécié.

CONSEILS

Le tahini, ou beurre de sésame, est fait de graines de sésame moulues. Utilisé dans la cuisine du Moyen-Orient, il entre dans la préparation de l'hoummos et confère aux plats une saveur de noix très agréable.

Si vous n'appréciez pas les plats relevés, omettez la sauce au piment.

- *Temps de préparation : 10 minutes*
- *Temps de cuisson : 3 à 5 minutes*

15 ml	huile végétale	1 c. à soupe
5 ml	huile de sésame	1 c. à thé
1 l	chou vert frisé en julienne (retirer le cœur avant de le tailler)	4 tasses
2	poireaux (parties blanche et vert tendre seulement), en julienne	2
15 ml	tahini (beurre de sésame)	1 c. à soupe
10 ml	sauce au piment	2 c. à thé
10 ml	sauce soja	2 c. à thé
	poivre noir ou blanc, fraîchement moulu	

1. Dans un wok ou une grande poêle, chauffer l'huile végétale et l'huile de sésame à feu vif. Faire revenir le chou et les poireaux de 3 à 5 minutes, ou jusqu'à ce qu'ils soient tendres.
2. Dans un petit bol, mélanger le tahini, la sauce au piment et la sauce soja ; verser dans le wok. Poivrer au goût et servir chaud.

Équivalents par portion pour les personnes diabétiques

1 ½ matières grasses

VALEUR NUTRITIVE par portion

Calories : 116	Glucides : 12,2 g	Calcium : 125 mg
Matières grasses : 7,2 g	Fibres : 2,6 g	Fer : 2,2 mg
Sodium : 204 mg	Protéines : 3,5 g	

Teneur très élevée en : vitamine A et vitamine C
Teneur élevée en : fer et acide folique
Source de : fibres alimentaires

Courgettes farcies

4 PORTIONS

Laurie Evans, diététiste, Manitoba

Un plat d'accompagnement original qui séduira vos invités.

- *Temps de préparation : 10 minutes*
- *Temps de cuisson : 15 minutes*
- *Four préchauffé à 180 °C (350 °F)*
- *Plaque à pâtisserie*

175 ml	bouillon de légumes à teneur réduite en sodium	¾ tasse
2	petites courgettes, non pelées, coupées en deux dans le sens de la longueur	2
2	oignons verts, hachés	2
2	gousses d'ail, émincées	2
1	tomate, en dés	1
2 ml	basilic séché	½ c. à thé
2 ml	thym séché	½ c. à thé
1 ml	sauce au piment	¼ c. à thé
175 ml	cheddar, râpé	¾ tasse

1. Dans une grande casserole, porter le bouillon de légumes à ébullition à feu moyen vif. Baisser le feu à moyen et déposer les courgettes dans le bouillon, côté peau sur le dessus. Cuire de 2 à 3 minutes, ou jusqu'à ce qu'elles soient tendres. Retirer les courgettes du bouillon et laisser tiédir.
2. Avec une cuillère, vider les courgettes de leur chair en prenant soin de ne pas abîmer la peau. Hacher la chair des courgettes. Dans un grand bol, mélanger la chair des courgettes, les oignons verts, l'ail, la tomate, le basilic, le thym et la sauce au piment. Farcir les courgettes avec cette préparation et garnir de fromage râpé. Déposer les courgettes farcies sur la plaque à pâtisserie.
3. Cuire 10 minutes au four préchauffé, ou jusqu'à ce qu'elles soient bien chaudes et que le fromage soit fondu.

VALEUR NUTRITIVE par portion		
Calories : 107	Glucides : 5,2 g	Calcium : 175 mg
Matières grasses : 7,1 g	Fibres : 1,4 g	Fer : 0,7 mg
Sodium : 275 mg	Protéines : 6,1 g	

Teneur élevée en : vitamine A et calcium

Équivalents par portion pour les personnes diabétiques

1	viandes et substituts
1	matières grasses

Courgettes à la texane

Jo-Anne Palmer, Ontario

Ces courgettes se préparent en un clin d'œil et font merveille avec le poulet et le poisson. On peut les cuire au four, au barbecue ou à la poêle.

CONSEILS

Cuisson au four :
préchauffez le four à 190 °C (375 °F). Dans un petit plat allant au four, mélangez les courgettes, le maïs et la salsa. Saupoudrez le parmesan râpé et la poudre d'ail sur le dessus. Faites cuire 30 minutes au four préchauffé ou jusqu'à ce que les courgettes soient tendres.

Cuisson au barbecue :
Préchauffez le barbecue à feu moyen doux. Dans un bol moyen, mélangez les courgettes, le maïs, la salsa, le parmesan et la poudre d'ail. Déposez la préparation sur une feuille de papier d'aluminium pliée en deux et refermez en papillote. Déposez sur la grille du barbecue et laissez cuire environ 20 minutes en retournant une fois au bout de 10 minutes.

- **Temps de préparation : 5 minutes**
- **Temps de cuisson : 20 à 30 minutes**

2	petites courgettes, en cubes	2
250 ml	maïs en grains surgelé	1 tasse
250 ml	salsa avec de gros morceaux	1 tasse
30 ml	parmesan, fraîchement râpé (facultatif)	2 c. à soupe
2 ml	poudre d'ail (facultatif)	½ c. à thé

1. Dans une petite casserole, à feu moyen vif, porter à ébullition 125 ml (½ tasse) d'eau. Ajouter les courgettes et le maïs ; cuire de 5 à 7 minutes, jusqu'à ce que les courgettes soient tendres, mais encore croquantes. Égoutter (jeter l'eau), remettre dans la casserole et ajouter la salsa, le parmesan et la poudre d'ail. Baisser le feu et cuire à feu doux de 15 à 20 minutes, ou jusqu'à ce que les courgettes soient tendres.

✓ **UN FAVORI DES ENFANTS**

Équivalents par portion pour les personnes diabétiques

½	glucides

VALEUR NUTRITIVE par portion

Calories : 58	Glucides : 13,7 g	Calcium : 26 mg
Matières grasses : 0,4 g	Fibres : 2,5 g	Fer : 0,7 mg
Sodium : 398 mg	Protéines : 2,3 g	

Source de : fibres alimentaires

Légumes vapeur à l'orientale

QUANTITÉ
VARIABLE

Eileen Campbell

- *Temps de préparation : 10 minutes*
- *Temps de cuisson : 5 à 10 minutes, selon la quantité*

Légumes verts : pois Sugar Snap,
pois mange-tout, pak choï haché, épinards hachés
Légumes jaunes ou oranges : épis de maïs
miniatures, poivrons rouges et jaunes en julienne,
courgettes jaunes en tranches, carottes en tranches
Légumes rouges : poivron rouge en julienne,
tomates cerises, radis
Légumes blancs : germes de haricot, châtaignes
d'eau, navets en julienne

Huile de sésame
Sauce soja
Graines de sésame grillées (facultatif)

1. Dans une casserole moyenne, porter à ébullition 250 ml
   (1 tasse) d'eau. Placer un panier de cuisson à la vapeur sur
   la casserole et y déposer les légumes. Arroser d'un peu
   d'huile de sésame et de sauce soja. Couvrir et cuire jusqu'à
   ce que les légumes soient tendres, mais encore croquants.
2. Disposer les légumes dans un plat de service et les
   parsemer de quelques graines de sésame rôties (facultatif).

✓ **UN FAVORI DES ENFANTS**

Ces légumes cuits à la vapeur s'imprègnent légèrement de la saveur de la sauce soja et de l'huile de sésame. Choisissez des légumes de couleurs variées pour un plat aux saveurs et aux couleurs contrastées. La recette donne 175 ml (¾ tasse) de légumes par personne. Servez ce joli plat de légumes dans un grand plat et laissez les convives se servir.

VALEUR NUTRITIVE par portion		
Calculé à partir d'une portion de 175 ml (¾ tasse) d'un mélange de pois mange-tout, de carottes, de poivrons rouges et de châtaignes d'eau, sans huile de sésame et sans sauce soja)		
Calories : 41	Glucides : 9,2 g	Calcium : 16 mg
Matières grasses : 0,1 g	Fibres : 2,7 g	Fer : 0,7 mg
Sodium : 15 mg	Protéines : 1,5 g	
Teneur très élevée en : vitamine A et vitamine C		
Source de : fibres alimentaires		

Équivalents par portion pour les personnes diabétiques
1   extra

Légumes rôtis

Dianna Bihun,
diététiste,
Colombie-Britannique

Un plat parfait pour recevoir : préparez tous les légumes à l'avance et enfournez-les lorsque les invités arrivent. Disposez les légumes grillés dans un joli plat de service ou autour d'un poulet grillé, d'un rôti de bœuf ou de filets de saumon.

CONSEILS

Ces légumes rôtis sont délicieux lorsqu'on les prépare avec un mélange de thym, d'origan, de basilic, d'aneth, de persil, de ciboulette et de romarin. N'hésitez pas toutefois à les préparer avec le mélange de votre choix.

Gagnez du temps en vous procurant au supermarché des légumes en sac déjà coupés et prêts à être cuisinés. Préparez aussi le mélange d'huile et d'herbes la veille et conservez-le au réfrigérateur.

Cuisson au barbecue : faites rôtir les légumes sur le barbecue à feu moyen dans un panier à légumes légèrement graissé. Laissez cuire environ 10 minutes en les retournant une fois en cours de cuisson ou jusqu'à ce qu'ils soient tendres.

- *Temps de préparation : 30 minutes*
- *Temps de cuisson : 30 à 40 minutes*
- *Four préchauffé à 160 °C (325 °F)*
- *Lèchefrite de 3 litres (13 x 9 po) ou plat peu profond allant au four, légèrement graissée*

2	poivrons (couleurs au choix)	2
2	panais, pelés	2
2	carottes, pelées	2
2	pommes de terre non pelées	2
1	oignon	1
1	courgette	1
1	bulbe de fenouil	1
3	gousses d'ail	3
30 ml	huile végétale	2 c. à soupe
30 ml	sirop d'érable ou miel	2 c. à soupe
15 ml	moutarde de Dijon	1 c. à soupe
30 ml	fines herbes fraîches	2 c. à soupe
	(ou 10 ml/2 c. à thé d'herbes séchées)	
	(voir Conseils, à gauche)	
	poivre noir, fraîchement moulu	

1. Couper les poivrons, les panais, les carottes, les pommes de terre, l'oignon, la courgette et le bulbe de fenouil en morceaux de la taille d'une bouchée. Étaler les légumes et les gousses d'ail au fond de la lèchefrite.
2. Dans un bol moyen, mélanger l'huile, le sirop d'érable, la moutarde et les herbes. Verser sur les légumes et mélanger délicatement pour bien enduire les légumes de la préparation. Poivrer au goût.
3. Rôtir les légumes au four préchauffé de 30 à 40 minutes, ou jusqu'à ce qu'ils soient tendres sous la fourchette et dorés, en les remuant une fois en cours de cuisson.

> **SUGGESTION D'ACCOMPAGNEMENT :** Pour un vrai festin, servez avec le Poulet au thym et au citron (p. 164).

Équivalents par portion pour les personnes diabétiques

1	glucides
1	matières grasses

VALEUR NUTRITIVE par portion

Calories : 150	Glucides : 27,9 g	Calcium : 64 mg
Matières grasses : 4 g	Fibres : 4,8 g	Fer : 1,6 mg
Sodium : 62 mg	Protéines : 2,9 g	

Teneur très élevée en : vitamine A, vitamine C et acide folique
Teneur élevée en : fibres alimentaires, vitamine B$_6$ et magnésium

Légumes rôtis dans un sac

8 PORTIONS

**Susanna Herczeg,
Ontario**

- *Temps de préparation : 15 minutes*
- *Temps de cuisson : 17 à 20 minutes*
- *Barbecue préchauffé à feu moyen*
- *Sac à rôtir, légèrement graissé*
- *Panier à légumes pour le barbecue*

250 ml	carottes, pelées, en morceaux	1 tasse
250 ml	panais, pelés, en morceaux	1 tasse
250 ml	pommes de terre, pelées, en morceaux	1 tasse
250 ml	poivrons rouges, en morceaux	1 tasse
250 ml	chou-fleur, en bouquets	1 tasse
250 ml	oignons, grossièrement hachés	1 tasse
15 ml	huile végétale	1 c. à soupe
30 ml	assaisonnements (voir Conseils, à droite)	2 c. à soupe

1. Dans un grand bol, mélanger les carottes, les panais, les pommes de terre, les poivrons rouges, le chou-fleur, les oignons, l'huile et les assaisonnements. Déposer les légumes dans le sac à rôtir et replier l'ouverture du sac deux fois pour éviter qu'il ne s'ouvre.

2. Déposer le sac à rôtir dans un panier à légumes et cuire au barbecue préchauffé de 17 à 20 minutes en le retournant à quelques reprises, ou jusqu'à ce que les légumes soient tendres.

Une recette idéale pour le barbecue estival. Mais ne vous en privez pas pour autant durant les jours froids. Préparez-la au four !

CONSEILS

Les sacs à rôtir sont des sacs en plastique résistant à la chaleur. Ils sont vendus au rayon des viandes des supermarchés. Ils préviennent les éclaboussures dans le four. Essayez-les pour cuire le poulet rôti ou le porc.

Préparez les légumes de votre choix en suivant la même méthode, il suffit de les couper en morceaux de la taille d'une bouchée.

Essayez les assaisonnements suivants : basilic séché, romarin séché, thym séché, persil séché, sel, poivre et poudre d'ail.

Remplacez l'huile végétale par du bouillon de poulet pour réduire la quantité de matières grasses.

Cuisson au four : faites cuire les légumes au four préchauffé à 180 °C (350 °F) dans le sac à rôtir. Laissez-les griller de 30 à 40 minutes, ou jusqu'à ce qu'ils soient tendres.

VALEUR NUTRITIVE par portion		
Calories : 64	Glucides : 11,4 g	Calcium : 28 mg
Matières grasses : 2 g	Fibres : 2,3 g	Fer : 0,7 mg
Sodium : 158 mg	Protéines : 1,3 g	

Teneur très élevée en : vitamine A et vitamine C
Source de : fibres alimentaires

Équivalents par portion pour les personnes diabétiques

½	matières grasses

Eileen Campbell

La ratatouille est un plat méditerranéen qui se compose d'aubergines, de tomates, d'oignons, de poivrons, de courgettes, d'ail et d'herbes. Tous ces ingrédients mijotent doucement sur la cuisinière. La cuisson au four lui confère la riche saveur des légumes grillés. Profitez-en pour la préparer lorsque les légumes sont de saison.

VARIANTE

Si vous préparez la ratatouille en hiver, utilisez des tomates en conserve. Durant la saison froide, elles sont souvent meilleures que les tomates fraîches.

Planifiez des extras

Utilisez les restes de ratatouille pour préparer un plat de Légumes rôtis et couscous au fromage de chèvre (p. 151) ou une lasagne aux légumes.

Ratatouille au four (recette double)

- *Temps de préparation : 20 minutes*
- *Temps de cuisson : 30 minutes*
- *Four préchauffé à 230 °C (450 °F)*
- *Lèchefrite de 40 x 30 cm (16 x 12 po) allant au four*

4	tomates, hachées	4
4	gousses d'ail, hachées	4
3	petites aubergines italiennes, tranchées en rondelles de 1 cm (½ po)	3
2	grosses courgettes, tranchées en rondelles de 1 cm (½ po)	2
1	poivron rouge, coupé en morceaux	1
1	poivron jaune, coupé en morceaux	1
1	gros oignon rouge, coupé en morceaux	1
45 ml	huile d'olive	3 c. à soupe
	sel et poivre noir, fraîchement moulu	
1	petite botte de basilic frais, feuilles grossièrement rompues à la main	1
125 ml	parmesan, fraîchement râpé	½ tasse

1. Dans un grand bol, mélanger les tomates, l'ail, les aubergines, les courgettes, le poivron rouge, le poivron jaune et l'oignon rouge. Ajouter l'huile d'olive et mélanger. Transvider les légumes dans la lèchefrite ; saler et poivrer au goût.
2. Placer la grille du four le plus près possible de l'élément supérieur et y placer la lèchefrite. Laisser rôtir 15 minutes, ou jusqu'à ce que les légumes soient tendres et légèrement dorés, en remuant de temps en temps.
3. Déposer les légumes dans un bol de service et ajouter le basilic. Garnir avec le parmesan râpé.

SUGGESTION D'ACCOMPAGNEMENT : Servir chaud sur du spaghetti de blé entier et garnir de parmesan râpé.

Équivalents par portion pour les personnes diabétiques	
1	matières grasses

VALEUR NUTRITIVE par portion		
Calories : 97	Glucides : 11,7 g	Calcium : 81 mg
Matières grasses : 4,9 g	Fibres : 2,9 g	Fer : 0,6 mg
Sodium : 83 mg	Protéines : 3,4 g	

Teneur très élevée en : vitamine C
Source de : fibres alimentaires

Beignets de maïs

**16 BEIGNETS
(2 PAR PORTION)**

Eileen Campbell

- *Temps de préparation : 5 minutes*
- *Temps de cuisson : 10 minutes*

250 ml	farine tout usage	1 tasse
10 ml	sucre granulé	2 c. à thé
2 ml	bicarbonate de soude	½ c. à thé
5 ml	sel	1 c. à thé
2	œufs	2
250 ml	babeurre	1 tasse
30 ml	huile végétale	2 c. à soupe
250 ml	maïs en grains surgelé, décongelé	1 tasse

Ces beignets accompagnent agréablement le poulet ou le porc. Les enfants les apprécieront natures ou trempés dans de la compote de pommes.

1. Dans un grand bol, mélanger la farine, le sucre, le bicarbonate de soude et le sel.
2. Dans un petit bol, battre les œufs avec le babeurre et l'huile. Incorporer la farine et mélanger jusqu'à l'obtention d'un mélange lisse. Incorporer le maïs en grains.
3. Chauffer une plaque en fonte ou une poêle à feu moyen. Verser 60 ml (¼ tasse) de pâte sur la plaque. Cuire jusqu'à ce que des bulles apparaissent à la surface du beignet et que le dessous soit doré. Retourner le beignet et cuire jusqu'à ce qu'il soit doré de l'autre côté (environ 2 minutes par côté). Cuire le reste de la pâte, 3 ou 4 beignets à la fois. Gardez les beignets cuits au four, à réchaud.

✓ **UN FAVORI DES ENFANTS**

SUGGESTION D'ACCOMPAGNEMENT : Servir avec le Poulet Maryland au four (p. 168) ou votre plat de poulet préféré, accompagné d'une salade verte.

VALEUR NUTRITIVE par portion		
Calories : 137	Glucides : 18,3 g	Calcium : 45 mg
Matières grasses : 5,2 g	Fibres : 0,9 g	Fer : 1 mg
Sodium : 413 mg	Protéines : 4,7 g	
Teneur élevée en : acide folique		

Équivalents par portion pour les personnes diabétiques

1	glucides
1	matières grasses

Charissa McKay,
diététiste, Alberta

Voici un amusant plat de pommes de terre. Les patates douces donnent à ces galettes une jolie couleur orangée.

CONSEIL

Faites toujours cuire plus de pommes de terre que vous en avez réellement besoin. Vous pourrez ainsi les utiliser dans cette recette, ou encore les rissoler, pour le petit-déjeuner, ou même les ajouter à vos soupes.

VARIANTE

Préparez-les avec le fromage (ou un mélange de fromages) de votre choix. Pour une touche spéciale, ajoutez de la ciboulette, des poivrons ou des champignons dans la préparation.

Galettes de pommes de terre et feta

- ***Temps de préparation : 10 minutes***
- ***Temps de cuisson : 30 minutes***

1	œuf, battu	1
250 ml	purée de pommes de terre	1 tasse
250 ml	purée de patates douces	1 tasse
125 ml	feta, émietté	½ tasse
	huile végétale en vaporisateur	

1. Dans un bol moyen, mélanger l'œuf avec la purée de pommes de terre et la purée de patates douces jusqu'à consistance lisse. Incorporer le fromage feta.
2. Chauffer une poêle à feu moyen et la vaporiser d'huile végétale. Avec une cuillère, déposer 125 ml (½ tasse) du mélange dans la poêle et cuire jusqu'à ce que le fond de la galette soit doré. Retourner et cuire jusqu'à ce que l'autre côté soit également doré. Retirer de la poêle et répéter l'opération avec le reste de la préparation. Au besoin, vaporiser à nouveau la poêle d'huile végétale avant de cuire les galettes.

✓ UN FAVORI DES ENFANTS

Équivalents par portion pour les personnes diabétiques

1	glucides
1	matières grasses

VALEUR NUTRITIVE par portion

Calories : 119	Glucides : 17,2 g	Calcium : 83 mg
Matières grasses : 4 g	Fibres : 1,9 g	Fer : 0,7 mg
Sodium : 166 mg	Protéines : 4,2 g	

Teneur très élevée en : vitamine A
Teneur élevée en : vitamine B$_{12}$

Pommes de terre rôties au citron

6 PORTIONS

**Patti Thomson,
diététiste, Manitoba**

- *Temps de préparation : 10 minutes*
- *Temps de cuisson : 1 heure*
- *Four préchauffé à 200 °C (400 °F)*
- *Grande lèchefrite peu profonde*

750 g	pommes de terre, pelées et coupées en morceaux	1 ½ lb
45 ml	huile d'olive	3 c. à soupe
	le jus de 1 citron	
2 ml	origan séché	½ c. à thé
1 ml	poivre noir, fraîchement moulu	¼ c. à thé
	sel	
375 ml	bouillon de poulet (plus ou moins)	1 ½ tasse

1. Étaler les pommes de terre en une seule couche dans la lèchefrite. Arroser d'huile d'olive et du jus de citron ; assaisonner avec l'origan, le poivre et le sel, au goût. Mélanger. Verser juste assez de bouillon pour couvrir à moitié les pommes de terre.
2. Cuire au four préchauffé pendant environ 1 heure, ou jusqu'à ce que les pommes de terre soient tendres et qu'elles soient dorées et croustillantes en surface.

✓ UN FAVORI DES ENFANTS

SUGGESTION D'ACCOMPAGNEMENT : Servez avec le Gigot d'agneau à la Marrakech (p. 197) ou le Rôti de porc farci (p. 194), accompagnés de légumes verts à la vapeur.

Vous aimez les pommes de terre rôties servies dans les restaurants grecs ? Cette recette est pour vous !

VALEUR NUTRITIVE par portion		
Calories : 131	Glucides : 17,5 g	Calcium : 13 mg
Matières grasses : 6,1 g	Fibres : 1,3 g	Fer : 0,5 mg
Sodium : 230 mg	Protéines : 1,9 g	

Équivalents par portion pour les personnes diabétiques	
1	glucides
1	matières grasses

Pommes de terre boulangères

**Helen Haresign,
diététiste, Ontario**

Ces pommes de terre accompagnent agréablement le jambon au four ou le rôti de porc. Il s'agit d'une version allégée du gratin de pommes de terre traditionnel.

- *Temps de préparation : 20 minutes*
- *Temps de cuisson : 30 minutes*
- *Four préchauffé à 230 °C (450 °F)*
- *Plat allant au four de 2 litres (11 x 7 po), légèrement graissé*

1 kg	pommes de terre, pelées et tranchées	2 lb
1	gousse d'ail, hachée	1
1	oignon, tranché finement	1
15 ml	romarin frais, haché	1 c. à soupe
375 ml	bouillon de bœuf	1 ½ tasse

1. Disposer les pommes de terre, l'ail et les oignons en couches dans le plat allant au four. Arroser de bouillon de bœuf.
2. Couvrir et cuire 25 minutes au four préchauffé. Découvrir et poursuivre la cuisson 5 minutes supplémentaires, ou jusqu'à ce que les pommes de terre soient tendres et dorées en surface.

✓ **UN FAVORI DES ENFANTS**

SUGGESTION D'ACCOMPAGNEMENT : Elles sont délicieuses avec le jambon cuit au four, les Courgettes farcies (p. 261) et la Salsa à la pêche (variante, p. 105).

Équivalents par portion pour les personnes diabétiques

1 ½ glucides

VALEUR NUTRITIVE par portion		
Calories : 107	Glucides : 24,2 g	Calcium : 17 mg
Matières grasses : 0,2 g	Fibres : 1,9 g	Fer : 0,5 mg
Sodium : 234 mg	Protéines : 2,8 g	

Teneur élevée en : vitamine B_6

Pommes de terre rôties au four

6 PORTIONS

Wendy Benson,
diététiste, Alberta

- *Temps de préparation : 10 minutes*
- *Temps de cuisson : 15 à 20 minutes*
- *Four préchauffé à 230 °C (450 °F)*
- *Plaque à pâtisserie, légèrement graissée*

30 ml	huile végétale	2 c. à soupe
2 ml	sel	½ c. à thé
5 ml	romarin séché	1 c. à thé
2 ml	romarin séché	½ c. à thé
2	pommes de terre Russet non pelées, coupées en cubes de 1 cm (½ po)	2
1	patate douce non pelée, coupée en cubes de 1 cm (½ po)	1

1. Dans un grand bol, mélanger l'huile, le sel, le romarin et le thym. Ajouter les pommes de terre et les patates douces, et mélanger. Étaler sur la plaque à pâtisserie.
2. Cuire au four préchauffé de 15 à 20 minutes, ou jusqu'à ce que les patates et les pommes de terre soient tendres et dorées, en retournant de temps en temps.

✓ **UN FAVORI DES ENFANTS**

Elles sont moins grasses et moins salées que les pommes de terre rôties servies habituellement au restaurant. Mieux encore, elles sont aromatisées aux herbes.

CONSEIL

En ne pelant pas les pommes de terre, non seulement vous gagnez du temps, mais en plus, vous augmentez l'apport en fibres de ce plat. Il vous suffit de bien brosser la pelure sous l'eau du robinet. Les pommes de terre Russet sont idéales pour la cuisson au four.

VARIANTES

Pour des pommes de terre épicées, ajoutez un peu de sel ainsi que 30 ml (2 c. à soupe) d'assaisonnement au chili.

Pour un plat coloré, ajoutez-leur une pomme de terre bleue.

VALEUR NUTRITIVE par portion		
Calories : 124	Glucides : 18,7 g	Calcium : 26 mg
Matières grasses : 4,7 g	Fibres : 2,4 g	Fer : 1,7 mg
Sodium : 207 mg	Protéines : 2,1 g	

Teneur très élevée en : vitamine A
Teneur élevée en : vitamine B_6
Source de : fibres alimentaires

Équivalents par portion pour les personnes diabétiques

1	glucides
1	matières grasses

Spaghettinis aux épinards

Carla Reid, diététiste, Nouvelle-Écosse

Carla et son mari voulaient créer un plat sain, délicieux et rapide à préparer, et ils ont concocté ces spaghettinis qui répondent à tous leurs critères.

CONSEILS

Pour gagner du temps, faites cuire les pâtes pendant que vous préparez les autres ingrédients ou, mieux encore, utilisez un restant de pâtes cuites.

Si vous raffolez des épinards, n'hésitez pas à augmenter la quantité demandée.

Si vous préparez ce plat pour des enfants, assurez-vous qu'ils aiment les flocons de piment avant de les ajouter.

- *Temps de préparation : 10 minutes*
- *Temps de cuisson : 10 minutes*

30 ml	huile d'olive	2 c. à soupe
125 ml	champignons, tranchés	½ tasse
2	gousses d'ail, hachées	2
une pincée	sel	une pincée
une pincée	flocons de piment (facultatif)	une pincée
250 ml	épinards, hachés	1 tasse
500 ml	spaghettinis de blé entier, cuits	2 tasses
30 ml	parmesan, fraîchement râpé	2 c. à soupe

1. Dans une casserole moyenne, chauffer l'huile à feu moyen doux. Y faire revenir les champignons, l'ail, le sel et les flocons de piment jusqu'à ce que les champignons soient tendres, environ 5 minutes. Ajouter les épinards et les faire revenir jusqu'à ce qu'ils aient ramolli, environ 5 minutes. Ajouter les spaghettinis et mélanger jusqu'à ce que le tout soit bien chaud.
2. Transvider le tout dans un bol de service et saupoudrer de parmesan.

✓ UN FAVORI DES ENFANTS

Équivalents par portion pour les personnes diabétiques

1	glucides
1 ½	matières grasses

VALEUR NUTRITIVE par portion

Calories : 166	Glucides : 19,8 g	Calcium : 66 mg
Matières grasses : 8,1 g	Fibres : 2,6 g	Fer : 1,2 mg
Sodium : 136 mg	Protéines : 5,5 g	

Source de : fibres alimentaires

Couscous aux raisins de Corinthe et aux carottes

- *Temps de préparation : 5 minutes*
- *Temps de cuisson : 20 minutes*

500 ml	bouillon de poulet	2 tasses
1	carotte, en dés	1
60 ml	huile d'olive	¼ tasse
15 ml	gingembre frais, râpé	1 c. à soupe
1 ml	curcuma moulu	¼ c. à thé
1 ml	cannelle moulue	¼ c. à thé
1 ml	cumin moulu	¼ c. à thé
250 ml	couscous	1 tasse
125 ml	raisins de Corinthe	½ tasse

1. Dans une casserole moyenne, porter le bouillon à ébullition à feu moyen vif. Ajouter la carotte, l'huile, le gingembre, le curcuma, la cannelle et le cumin. Laisser bouillir jusqu'à ce que les carottes soient tendres mais encore croquantes, environ 4 minutes. Retirer du feu et ajouter le couscous et les raisins de Corinthe. Couvrir et laisser reposer 10 minutes, ou jusqu'à ce que l'eau soit complètement absorbée. Aérez les grains à la fourchette.

❄ SE CONGÈLE BIEN
✓ UN FAVORI DES ENFANTS

---

6 PORTIONS

Corilee Watters, diététiste, Colombie-Britannique

Ce plat accompagne à merveille le Tajine de légumes à la marocaine (p. 218) et le Tajine d'agneau à la marocaine (p. 198).

CONSEILS

Le gingembre frais se conserve au congélateur pendant trois mois. Râpez la racine congelée et remettez le reste au congélateur.

Pour augmenter l'apport en fibres de ce plat, utilisez du couscous de blé entier.

VALEUR NUTRITIVE par portion		
Calories : 225	Glucides : 31 g	Calcium : 28 mg
Matières grasses : 9,3 g	Fibres : 2,1 g	Fer : 1,1 mg
Sodium : 320 mg	Protéines : 4,6 g	

Teneur très élevée en : vitamine A
Source de : fibres alimentaires

Équivalents par portion pour les personnes diabétiques	
2	glucides
2	matières grasses

Eileen Campbell

Une variante du riz thaïlandais, à ceci près que cette version ne contient ni poulet ni crevettes. Les enfants raffolent de la douce saveur des ananas dans le riz.

CONSEILS

Pour obtenir 750 ml (3 tasses) de riz brun cuit, faites cuire 250 ml (1 tasse) de riz dans 500 ml (2 tasses) d'eau.

Lorsque vous faites cuire du riz brun, augmentez un peu la quantité. Ainsi vous pourrez préparer plus tard un plat de viande et de légumes sautés en un éclair.

VARIANTE

Transformez ce riz en plat principal en ajoutant des surplus de poulet cuit, des crevettes cuites ou du Tofu 101 (p. 224).

Riz à l'ananas et aux légumes

- *Temps de préparation : 15 minutes*
- *Temps de cuisson : 50 minutes*
- *Four préchauffé à 180 °C (350 °F)*
- *Poêle allant au four*

30 ml	huile végétale	2 c. à soupe
1	gousse d'ail, émincée	1
125 ml	oignon jaune, haché	½ tasse
125 ml	carottes, en dés	½ tasse
125 ml	poivron rouge, en dés	½ tasse
750 ml	riz brun, cuit (voir Conseils, à gauche)	3 tasses
250 ml	ananas en morceaux, frais ou en conserve	1 tasse
125 ml	noix de cajou non salées, brisées en morceaux	½ tasse
60 ml	canneberges séchées	¼ tasse
45 ml	sauce soja à teneur réduite en sodium	3 c. à soupe
15 ml	sucre granulé	1 c. à soupe
125 ml	petits pois surgelés, décongelés	½ tasse
1	oignon vert, haché	1
30 ml	coriandre fraîche, hachée	2 c. à soupe

1. Dans la poêle allant au four, chauffer l'huile à feu moyen. Y faire revenir l'ail et l'oignon jusqu'à ce qu'ils soient tendres, environ 5 minutes. Ajouter les carottes et le poivron rouge, et faire revenir jusqu'à ce qu'ils soient tendres, environ 5 minutes. Incorporer le riz cuit, les ananas, les noix de cajou, les canneberges, la sauce soja et le sucre.
2. Cuire au four préchauffé 30 minutes. Retirer du four et ajouter les petits pois. Cuire 10 minutes supplémentaires, le temps que les pois soient chauds.
3. Transvider le riz dans un bol de service et le parsemer d'oignon vert et de coriandre.

✓ **UN FAVORI DES ENFANTS**

Équivalents par portion pour les personnes diabétiques	
1	glucides
1	matières grasses

VALEUR NUTRITIVE par portion		
Calories : 138	Glucides : 20,6 g	Calcium : 16 mg
Matières grasses : 5,5 g	Fibres : 1,8 g	Fer : 0,9 mg
Sodium : 161 mg	Protéines : 2,9 g	
Teneur élevée en : magnésium		

Riz pilaf

- *Temps de préparation : 10 minutes*
- *Temps de trempage : 15 minutes*
- *Temps de cuisson : 17 minutes*
- *Plat allant au four à micro-ondes de 2 litres (8 tasses)*

250 ml	riz basmati	1 tasse
125 ml	amandes hachées, légèrement rôties (voir Conseil, à droite)	½ tasse
125 ml	raisins secs dorés	½ tasse
10 ml	margarine ou beurre	2 c. à thé
1 ml	graines de cumin	¼ c. à thé
6	gousses de cardamome	6
2	clous de girofle	2
1	bâton de cannelle	1
125 ml	carottes, râpées	½ tasse
125 ml	petits pois surgelés, décongelés	½ tasse
125 ml	coriandre fraîche, hachée (facultatif)	½ tasse

1. Rincer le riz dans l'eau froide, l'égoutter et répéter l'opération à quatre ou cinq reprises. Couvrir le riz d'eau et le laisser tremper 15 minutes. Laver de nouveau le riz à plusieurs reprises, jusqu'à ce que l'eau soit claire. Égoutter.
2. Dans un plat allant au four à micro-ondes, mélanger le riz, 375 ml (1 ½ tasse) d'eau, les amandes, les raisins, la margarine, le cumin, la cardamome, les clous de girofle et le bâton de cannelle. Couvrir et cuire au four à micro-ondes à intensité maximale pendant 10 minutes. Si le riz n'est pas suffisamment cuit, le remettre au four à micro-ondes à intensité maximale pendant 5 minutes ou moins, jusqu'à ce que les grains soient tendres (ajouter de l'eau au besoin). Incorporer les carottes et les pois. Cuire à intensité maximale pendant 2 minutes. Retirer et jeter les gousses de cardamome, les clous de girofle et le bâton de cannelle.
3. Aérer le riz à la fourchette et le garnir de coriandre.

6 PORTIONS

Eileen Campbell

N'hésitez pas à cuire ce riz au four à micro-ondes. Non seulement vous ne verrez pas la différence, mais en plus, vous aurez moins de vaisselle à laver !

CONSEIL
Faites rôtir les amandes dans une poêle à feu moyen sans aucun corps gras, jusqu'à ce qu'elles soient légèrement dorées et odorantes, soit environ 3 minutes.

VARIANTE
Si vous n'appréciez pas les plats épicés, omettez tout simplement les épices. Salez et poivrez au goût.

VALEUR NUTRITIVE par portion		
Calories : 224	Glucides : 38 g	Calcium : 41 mg
Matières grasses : 6,2 g	Fibres : 2,5 g	Fer : 1 mg
Sodium : 27 mg	Protéines : 5,4 g	

Teneur élevée en : vitamine A et magnésium
Source de : fibres alimentaires

Équivalents par portion pour les personnes diabétiques

2	glucides
1	matières grasses

Risotto au four aux champignons

8 PORTIONS

Eileen Campbell

Le risotto est un plat qui demande beaucoup d'attention. Cette version au four est beaucoup moins exigeante, et elle est tout aussi savoureuse.

VARIANTE
Remplacer les champignons par le ou les légumes de votre choix.

Planifiez des extras
Les restes de risotto sont délicieux en galettes. Façonnez les restes de risotto en galettes et faites-les dorer (environ 3 minutes par côté) à feu moyen vif dans une poêle vaporisée d'huile végétale. Servez les galettes de riz avec de la sauce tomate, les Poitrines de poulet grillées à l'ail et au gingembre (p. 166) et une salade verte.

SUGGESTION D'ACCOMPAGNE MENT : Servez avec le Poulet au thym et au citron (p. 164) et la Salade d'épinards du jardin (p. 141).

- *Temps de préparation : 5 minutes*
- *Temps de trempage : 30 minutes*
- *Temps de cuisson : 40 minutes*
- *Four préchauffé à 180 °C (350 °F)*
- *Cocotte de 3 litres (12 tasses) avec son couvercle*
- *Plaque à pâtisserie*

250 ml	champignons déshydratés assortis	1 tasse
500 ml	eau bouillante	2 tasses
30 ml	huile d'olive	2 c. à soupe
250 g	champignons frais, hachés	8 oz
1	oignon, haché	1
250 ml	riz arborio	1 tasse
125 ml	vin blanc sec (facultatif)	½ tasse
	sel et poivre noir, fraîchement moulu	
30 ml	parmesan, fraîchement râpé	2 c. à soupe
15 ml	beurre	1 c. à soupe

1. Faire tremper les champignons déshydratés dans de l'eau bouillante pendant 30 minutes. Égoutter et conserver le liquide de trempage. Émincer les champignons.
2. Dans une poêle moyenne, chauffer l'huile à feu moyen. Y faire revenir les champignons frais, l'oignon et les champignons réhydratés jusqu'à ce qu'ils soient légèrement dorés, environ 10 minutes. Incorporer le riz. Transvider dans la cocotte.
3. Verser le vin blanc dans l'eau de trempage des champignons et assez d'eau pour obtenir 750 ml (3 tasses) de liquide. Verser le tout dans la cocotte. Saler et poivrer au goût. Couvrir et déposer la cocotte sur la plaque à pâtisserie.
4. Cuire au four préchauffé 20 minutes. Sortir du four et incorporer le fromage et le beurre. Couvrir et cuire 10 minutes supplémentaires, ou jusqu'à ce que le riz soit *al dente* et que le liquide soit presque complètement absorbé.

✓UN FAVORI DES ENFANTS

Équivalents par portion pour les personnes diabétiques	
2	glucides
1	matières grasses

VALEUR NUTRITIVE par portion		
Calories : 204	Glucides : 36,2 g	Calcium : 31 mg
Matières grasses : 5,7 g	Fibres : 3 g	Fer : 1 mg
Sodium : 45 mg	Protéines : 4,4 g	

Teneur élevée en : riboflavine, niacine et zinc
Source de : fibres alimentaires

Risotto primavera au four

- *Temps de préparation : 15 minutes*
- *Temps de cuisson : 40 minutes*
- *Four préchauffé à 180 °C (350 °F)*
- *Cocotte de 3 litres (12 tasses) avec son couvercle*
- *Plaque à pâtisserie*

15 ml	huile d'olive	1 c. à soupe
1	petit oignon, en dés	1
1	gousse d'ail, émincée	1
250 ml	riz arborio	1 tasse
750 ml	bouillon de poulet chaud (une part de 500 ml/2 tasses et une part de 250 ml/1 tasse)	3 tasses
2 ml	sel (au goût)	½ c. à thé
10	pointes d'asperges fines, coupées en courts tronçons	10
1	poivron rouge, coupé en lanières	1
60 ml	parmesan, fraîchement râpé	¼ tasse
60 ml	persil frais, haché finement poivre noir, fraîchement moulu	¼ tasse

1. Dans une casserole moyenne, chauffer l'huile à feu moyen. Y faire revenir l'oignon et l'ail 5 minutes, ou jusqu'à ce qu'ils soient tendres. Ajouter le riz et le faire revenir jusqu'à ce que les grains soient bien enrobés d'huile, environ 1 minute. Verser 500 ml (2 tasses) de bouillon et saler ; laisser mijoter. Transvider dans la cocotte, couvrir et déposer la cocotte sur la plaque à pâtisserie.
2. Cuire au four préchauffé 15 minutes. Sortir du four et incorporer le reste du bouillon, les asperges et le poivron rouge. Couvrir et cuire 15 minutes supplémentaires, ou jusqu'à ce que les grains soient *al dente* et que le liquide soit presque complètement absorbé.
3. Servir à la louche dans des bols et garnir de parmesan et de persil. Poivrer au goût.

✓ **UN FAVORI DES ENFANTS**

SUGGESTION D'ACCOMPAGNEMENT : Préparez une salade de laitue romaine avec des mandarines et des amandes rôties pour accompagner votre risotto. Voilà qui complétera agréablement un plat de Poisson grillé classique (p. 203).

Andrea Holmes, diététiste, Colombie-Britannique

Réduisez le temps passé aux fourneaux : il suffit de préparer ce risotto et de le mettre au four. Il cuira pendant que vous vaquez à vos activités.

VARIANTES

Au premier ajout de bouillon, remplacez 125 ml de bouillon par une même quantité de vin blanc sec.

Essayez-le avec des champignons portobellos, des légumes de votre choix ou, en automne, avec de la courge musquée.

VALEUR NUTRITIVE par portion

Calories : 138	Glucides : 22,8 g	Calcium : 59 mg
Matières grasses : 2,9 g	Fibres : 1,1 g	Fer : 0,7 mg
Sodium : 551 mg	Protéines : 4,3 g	

Teneur élevée en : vitamine C et acide folique

Équivalents par portion pour les personnes diabétiques

1	glucides
½	matières grasses

Pains et muffins

Rien de mieux que des pains et des muffins pour consommer l'apport quotidien en produits céréaliers dont vous avez besoin. Pour ajouter de la variété et des nutriments à votre menu, essayez quelques-unes de nos délicieuses recettes, comme le Pain épicé aux noix et à la citrouille (p. 283) ou les Muffins aux bananes et aux bleuets (p. 285).

Comment rendre les pains rapides plus sains

- Remplacez la moitié de la farine tout usage par des flocons d'avoine à cuisson rapide ou de la farine de blé entier.
- Remplacez 60 ml (¼ tasse) de farine d'une recette par du germe de blé ou du son.
- Remplacez une partie des matières grasses par une quantité égale de purée de fruits. La purée de pêches convient très bien aux muffins et au gâteau aux épices ; la purée de pruneaux s'avère excellente avec les desserts à base de chocolat ; pour les pains rapides et les gâteaux danois, utilisez de la purée de poires ou de bananes ; et finalement, la compote de pommes sans sucre s'agence bien avec presque tous les produits de boulangerie.
- Ajoutez des carottes, des courgettes et des patates douces râpées pour obtenir plus de nutriments.
- Remplacez les brisures de chocolat ou les noix par des fruits séchés.
- Incorporez à vos pains des graines de tournesol, de citrouille, de sésame ou de lin, pour ajouter du croquant et pour augmenter la valeur nutritive.

La conservation de la farine de blé entier

Le son, l'endosperme et le germe – les trois composantes nutritives du grain de blé, puisqu'elles sont riches en nutriments – se retrouvent dans la farine de blé entier. Celle-ci contient plus de fibres que la farine tout usage. Toutefois, les nombreuses huiles saines qu'elle contient rancissent rapidement. Conservez les sacs de farine de blé entier non entamés jusqu'à un mois à la température de la pièce. Une fois le sac ouvert, conservez la farine jusqu'à huit mois au réfrigérateur. Si vous ne l'utilisez pas dans un bref délai, la meilleure option demeure la conservation au réfrigérateur dans un contenant hermétique.

Les graines de lin

Les graines de lin constituent une excellente source de fibres et d'autres nutriments. Vous pouvez facilement les incorporer dans votre alimentation. Vous n'avez qu'à en ajouter aux céréales, au yogourt et aux plats en cocotte. Les graines de lin entières donnent du goût et du croquant aux produits de boulangerie comme les pains et les muffins.

Les graines de lin moulues sont devenues l'un des ingrédients de prédilection des membres de notre groupe de dégustation. Elles ajoutent une saveur de noix et un supplément de fibres aux recettes sans en changer le goût ou la qualité. Utilisez des graines de lin pour réduire la teneur en gras et pour augmenter la valeur nutritive de vos produits de boulangerie.

- **Substitution des matières grasses :** Remplacez les matières grasses par des graines de lin dans une proportion de 3 pour 1. Par exemple, utilisez 45 ml (3 c. à soupe) de graines de lin moulues au lieu de 15 ml (1 c. à soupe) de beurre, de margarine, de graisse végétale ou d'huile végétale.
- **Substitution des œufs :** Pour chaque œuf remplacé, mélangez 15 ml (1 c. à soupe) de graines de lin moulues avec 45 ml (3 c. à soupe) d'eau dans un petit bol. Laissez reposer 1 ou 2 minutes, ou jusqu'à ce que le mélange prenne une consistance de gelée. Ajoutez ensuite ce mélange à votre recette, plutôt qu'un œuf.

Les graines de lin entières se conservent jusqu'à un an à la température de la pièce. Conservez les graines de lin moulues au réfrigérateur dans un contenant hermétique jusqu'à trois mois. Étant donné que les graines de lin s'avèrent difficiles à moudre à la maison, achetez-en déjà moulues si vous en avez besoin pour une recette. Vous pouvez en trouver dans la section des aliments naturels de votre épicerie ou dans les boutiques d'aliments naturels.

Les grains anciens pour le goût et les bienfaits des grains entiers

Les grains anciens comme le kamut, l'épeautre, l'amarante, le quinoa et le millet, sont revenus à la mode. Plusieurs se vendent en vrac. Ces grains constituent tous d'excellentes sources d'éléments nutritifs et ne coûtent pas cher. Il suffit d'ajouter de l'eau et de laisser mijoter pour les faire cuire. Certains grains comme l'épeautre doivent tremper durant la nuit et prennent assez de temps à cuire, soit environ 45 minutes. D'autres grains, comme le quinoa, ne nécessitent qu'un rinçage en profondeur avant d'être cuits pendant une quinzaine de minutes. Les grains les plus anciens possèdent une texture caoutchouteuse et un léger goût de noix.

Déterminer la taille des muffins

Pour une cuisson uniforme, vous devez utiliser une même quantité de pâte. Au lieu d'utiliser une cuillère ordinaire, prenez une cuillère à mesurer. Vous les trouverez dans les boutiques de cuisine. Elles sont identifiées par des numéros qui indiquent la taille des différentes portions : n° 30 pour les muffins miniatures (portion de 30 g/1 oz) ; n° 16 pour les muffins de taille moyenne (portion de 60 g/2 oz) ; et n° 12 pour les gros muffins (portion de 90 g/3 oz). Nous utilisons la cuillère n° 16 pour toutes nos recettes de muffins. Si vous souhaitez faire des muffins miniatures, réduisez le temps de cuisson de moitié et faites les vérifications de cuisson habituelles.

Diane May, diététiste,
Saskatchewan

*Une des participantes
de notre groupe de
dégustation a
tellement aimé ces
pains multigrains
qu'elle nous a suggéré
de les mettre en vente !
Le temps de levée est
un peu long, mais la
préparation est plutôt
rapide, étant donné
que la recette donne
5 pains.*

CONSEILS

Pour préparer un seul pain,
divisez par cinq toutes les
mesures.

Les céréales 9 grains sont
souvent vendues au rayon
des produits en vrac des
magasins d'aliments
naturels.

Assurez-vous d'avoir de la
levure à levée rapide, c'est-
à-dire une levure qui
s'ajoute (sans dissolution)
aux ingrédients secs.

Si vous ne disposez pas
d'un bol assez grand pour
contenir la pâte levée,
séparez-la en deux et faites-
la lever dans deux bols. À
l'étape 4, après avoir donné
quelques coups dans la
pâte, réunissez les deux
morceaux de pâte.

Si vous n'avez pas un bol
suffisamment grand, utilisez
un plat à vaisselle très
propre.

Fournée de pains multigrains

- *Temps de préparation : 20 minutes*
- *Temps de levée : 105 à 110 minutes*
- *Temps de cuisson : 40 minutes*
- *5 moules à pain de 2 litres (9 x 5 po), fond graissé*

250 ml	son de blé nature	1 tasse
250 ml	céréales 9 grains (par exemple : Red River)	1 tasse
250 ml	sucre granulé	1 tasse
45 ml	levure à levée rapide	3 c. à soupe
15 ml	sel	1 c. à soupe
3	œufs, battus	3
1,25 l	eau tiède	5 tasses
250 ml	huile végétale	1 tasse
60 ml	mélasse	¼ tasse
2 à 2,5 l	farine tout usage (plus ou moins)	8 à 10 tasses
1 à 1,25 l	farine de blé entier (plus ou moins)	4 à 5 tasses

1. Dans un très grand bol, mélanger le son, les céréales 9 grains, le sucre, la levure et le sel.
2. Dans un grand bol, mélanger les œufs, l'eau, l'huile et la mélasse. Incorporer graduellement dans le premier mélange (étape 1) ; bien mélanger. Incorporer graduellement la farine tout usage et 250 ml (1 tasse) à la fois de farine de blé, jusqu'à la formation d'une pâte ferme. (Il se peut que la farine ne soit pas nécessaire en totalité. La quantité nécessaire varie selon la chaleur et l'humidité ambiante.)
3. Sur une surface enfarinée, pétrir la pâte jusqu'à ce qu'elle soit souple et élastique. Déposer la pâte dans un grand bol propre et légèrement huilé (voir Conseil, à gauche), couvrir d'un linge et laisser lever jusqu'à ce que la pâte double de volume, environ 1 heure.
4. Donner plusieurs coups au centre de la pâte pour en faire sortir l'air. Couper en cinq parts égales et façonner en forme de pain. Déposer dans les moules, couvrir d'un linge et laisser lever de 45 à 50 minutes, ou jusqu'à ce que la pâte rejoigne presque le bord du moule. Pendant ce temps, préchauffer le four à 180 °C (350 °F).

5. Cuire au four 40 minutes, ou jusqu'à ce que les pains soient dorés en surface et fermes au toucher. Déplacer les moules à l'intérieur du four à mi-cuisson, pour une cuisson plus uniforme. Laisser tiédir dans les moules pendant 10 minutes, démouler et laisser refroidir complètement sur une grille.

❄ SE CONGÈLE BIEN
✓ UN FAVORI DES ENFANTS

Les sucres naturels liquides

- Le **miel** est un sucre liquide produit par les abeilles. Il est plus sucré que le sucre granulé et possède une saveur distincte. Les pâtisseries contenant du miel en remplacement du sucre blanc sont plus tendres, plus denses et elles dorent plus rapidement. Sachez que 125 ml (½ tasse) de miel équivaut à 250 ml (1 tasse) de sucre granulé. Si la recette ne comporte pas de crème sure ou de babeurre, ajoutez une pincée de bicarbonate de soude pour neutraliser l'acidité du miel.

- La **mélasse** est un sous-produit du raffinage du sucre. Elle contient de petites quantités de vitamine B, de calcium et de fer. La mélasse communique sa saveur puissante et sa couleur aux plats cuisinés, mais elle n'est pas aussi sucrée que le sucre raffiné : 325 ml (1 ⅓ tasse) de mélasse équivaut à 250 ml (1 tasse) de sucre. Lorsque vous substituez le sucre par de la mélasse dans une recette, réduisez la quantité de liquide de 75 ml (5 c. à soupe) par tasse de sucre remplacée. La mélasse étant plus acide que le sucre, ajoutez 2 ml (½ c. à thé) de bicarbonate de soude par 250 ml (1 tasse) de mélasse. Ne remplacez jamais plus de la moitié du sucre par de la mélasse dans une recette.

- Le **sirop d'érable** est fait avec la sève des érables. Il accompagne agréablement les crêpes et les gaufres, et il est délicieux dans les biscuits, les tartes et les gâteaux. Comme le miel, il est plus sucré que le sucre : 175 ml (¾ tasse) de sirop d'érable équivaut à 250 ml (1 tasse) de sucre. Lorsque vous substituez le sucre par du sirop d'érable, réduisez la quantité de liquide de 45 ml (3 c. à soupe) par 250 ml (1 tasse) de sucre remplacée.

- Le **sirop de riz brun** est un sirop ambré dont la saveur rappelle le miel, mais qui n'est pas aussi sucré. Une quantité de 250 ml (1 tasse) de sirop de riz brun équivaut à 250 ml (1 tasse) de sucre granulé. Lorsque vous substituez le sucre par du sirop de riz brun, réduisez la quantité de liquide de 60 ml (¼ tasse) par tasse de sirop de riz brun.

VALEUR NUTRITIVE par portion		
Calories : 193	Glucides : 30,8 g	Calcium : 59 mg
Matières grasses : 6,9 g	Fibres : 3,6 g	Fer : 1,1 mg
Sodium : 157 mg	Protéines : 5,5 g	
Teneur élevée en : magnésium **Source de :** fibres alimentaires		

Équivalents par portion pour les personnes diabétiques	
2	glucides
1 ½	matières grasses

**Melanie Faust,
diététiste, Alberta**

*Un pain appétissant à
déguster au petit-
déjeuner, en collation
ou au dessert.*

CONSEIL

Optez pour une margarine
non hydrogénée afin de
réduire votre
consommation de gras
trans.

VARIANTE

Pour un pain plus nutritif,
ajoutez 125 ml (½ tasse)
de noix dans la pâte.

Pain au son d'avoine
et aux bananes

- *Temps de préparation : 15 minutes*
- *Temps de cuisson : 50 à 60 minutes*
- *Four préchauffé à 160 °C (325 °F)*
- *Moule à pain de 2 litres (9 x 5 po), légèrement graissé*

375 ml	farine de blé entier	1 ½ tasse
125 ml	son d'avoine	½ tasse
75 ml	graines de lin, moulues	⅓ tasse
5 ml	poudre à pâte	1 c. à thé
5 ml	bicarbonate de soude	1 c. à thé
2	blancs d'œuf	2
1	œuf entier	1
125 ml	sucre granulé	½ tasse
60 ml	huile végétale ou margarine	¼ tasse
5 ml	extrait de vanille	1 c. à thé
175 ml	yogourt nature faible en gras	¾ tasse
3	bananes mûres, écrasées (environ 325 ml/1 ⅓ tasse)	3
30 ml	graines de lin entières (facultatif)	2 c. à soupe

1. Dans un bol moyen, mélanger la farine, le son d'avoine, les graines de lin moulues, la poudre à pâte et le bicarbonate de soude.
2. Dans un grand bol, battre les blancs d'œuf, l'œuf entier, le sucre, l'huile et l'extrait de vanille de 3 à 4 minutes, ou jusqu'à consistance crémeuse. Incorporer le yogourt et bien mélanger. Ajouter les bananes. Incorporer graduellement les ingrédients secs.
3. Verser la pâte dans le moule à pain et lisser le dessus. Saupoudrer les graines de lin entières sur la pâte.
4. Cuire au four préchauffé de 50 à 60 minutes, ou jusqu'à ce que le dessus du pain soit ferme au toucher et qu'un cure-dent inséré au centre en ressorte propre. Laisser tiédir 10 minutes avant de démouler, puis laisser refroidir complètement sur une grille.

❄ SE CONGÈLE BIEN
✓ UN FAVORI DES ENFANTS

Équivalents par portion pour les personnes diabétiques	
2	glucides
1 ½	matières grasses

VALEUR NUTRITIVE par portion		
Calories : 193	Glucides : 30,8 g	Calcium : 59 mg
Matières grasses : 6,9 g	Fibres : 3,6 g	Fer : 1,1 mg
Sodium : 157 mg	Protéines : 5,5 g	

Teneur élevée en : magnésium
Source de : fibres alimentaires

Pain épicé aux noix et à la citrouille

12 PORTIONS

Natalie Carrier,
diététiste,
Nouveau-Brunswick

- *Temps de préparation : 20 minutes*
- *Temps de cuisson : 50 à 60 minutes*
- *Four préchauffé à 180 °C (350 °F)*
- *Moule à pain de 2 litres (9 x 5 po), légèrement graissé*

Un petit délice plein de bonnes choses !

VARIANTE
Préparez 12 petits pains individuels. Faites-les cuire à la même température pendant 25 minutes, ou jusqu'à ce qu'un cure-dent inséré au centre en ressorte propre. Ces petits pains sont délicieux à l'heure du midi ou pour la collation.

250 ml	farine tout usage	1 tasse
175 ml	farine de blé entier	¾ tasse
10 ml	piment de la Jamaïque	2 c. à thé
7 ml	poudre à pâte	1 ½ c. à thé
5 ml	bicarbonate de soude	1 c. à thé
2 ml	sel	½ c. à thé
5 ml	cannelle moulue	1 c. à thé
2 ml	muscade moulue	½ c. à thé
2 ml	gingembre moulu	½ c. à thé
250 ml	purée de citrouille en conserve (ne pas confondre avec la garniture à tarte)	1 tasse
175 ml	cassonade, bien tassée	¾ tasse
125 ml	huile végétale	½ tasse
2	œufs, légèrement battus	2
5 ml	extrait de vanille	1 c. à thé
75 ml	eau (plus ou moins) (en deux parts égales)	⅓ tasse
125 ml	pacanes ou noix, hachées	½ tasse

1. Dans un petit bol, mélanger la farine tout usage, la farine de blé entier, le piment de la Jamaïque, la poudre à pâte, le bicarbonate de soude, le sel, la cannelle, la muscade et le gingembre.
2. Dans un grand bol, battre ensemble la purée de citrouille, la cassonade et l'huile. Incorporer les œufs, l'extrait de vanille et la moitié de l'eau. Incorporer les ingrédients secs en évitant de trop mélanger. Si la pâte est trop épaisse, ajouter graduellement le reste de l'eau. Incorporer les pacanes.
3. Verser la pâte dans le moule à pain et lisser le dessus.
4. Cuire au four préchauffé de 50 à 60 minutes, ou jusqu'à ce que le dessus du pain soit ferme au toucher et qu'un cure-dent inséré au centre en ressorte propre. Laisser tiédir 10 minutes avant de démouler, puis laisser refroidir complètement sur une grille.

❄ SE CONGÈLE BIEN
✓ UN FAVORI DES ENFANTS

VALEUR NUTRITIVE par portion		
Calories : 249	Glucides : 29,8 g	Calcium : 50 mg
Matières grasses : 13,5 g	Fibres : 2,5 g	Fer : 1,7 mg
Sodium : 256 mg	Protéines : 3,8 g	

Teneur très élevée en : vitamine A
Source de : fibres alimentaires

Équivalents par portion pour les personnes diabétiques

2	glucides
2 ½	matières grasses

Bannik

Diane May, diététiste, Saskatchewan

Ce pain traditionnel des autochtones d'Amérique accompagne à merveille le ragoût ou la soupe. Le goût de la bannik rappelle celui des biscuits pour le thé, mais en plus savoureux. Les enfants de notre groupe de dégustation l'ont beaucoup aimé, même sans confiture.

CONSEILS

Optez pour une margarine non hydrogénée afin de réduire votre consommation de gras trans.

Vos surplus de purée de pommes de terre comprenant lait et beurre conviennent parfaitement à cette recette.

Avec la pointe d'un couteau, incisez légèrement le dessus de la pâte non cuite de façon à tracer 12 tranches. La bannik cuite sera ainsi plus facile à couper.

- *Temps de préparation : 20 minutes*
- *Temps de cuisson : 20 minutes*
- *Four préchauffé à 180 °C (350 °)*
- *Plaque à pâtisserie, légèrement graissée*

375 ml	farine tout usage	1 ½ tasse
250 ml	farine de blé entier	1 tasse
45 ml	sucre granulé	3 c. à soupe
30 ml	poudre à pâte	2 c. à soupe
5 ml	sel	1 c. à thé
30 ml	margarine	2 c. à soupe
250 ml	purée de pommes de terre	1 tasse
250 ml	lait	1 tasse

1. Dans un grand bol, mélanger la farine tout usage, la farine de blé entier, le sucre, la poudre à pâte et le sel. Avec un coupe-pâte ou avec deux couteaux, couper la margarine dans le mélange de farines jusqu'à consistance granuleuse. Incorporer la purée de pommes de terre et le lait ; mélanger jusqu'à la formation d'une pâte humide.
2. Pétrir la pâte sur une surface enfarinée jusqu'à ce qu'elle soit souple et élastique. En façonner un cercle de 4 cm (1 ½ po) d'épaisseur et la déposer sur la plaque à pâtisserie. Piquer le dessus de la pâte avec une fourchette.
3. Cuire au four 20 minutes, ou jusqu'à ce que le dessus soit doré et qu'un cure-dent inséré au centre en ressorte propre. Laisser tiédir 10 minutes avant de démouler, puis laisser refroidir complètement sur une grille.

❄ SE CONGÈLE BIEN
✓ UN FAVORI DES ENFANTS

SUGGESTION D'ACCOMPAGNEMENT : Servez avec de la margarine ou du beurre, de la confiture de baies de Saskatoon (une confiture typique de l'Ouest canadien) et une tranche de fromage. Un vrai délice !

Équivalents par portion pour les personnes diabétiques

1 ½	glucides
½	matières grasses

VALEUR NUTRITIVE par portion

Calories : 148	Glucides : 27,6 g	Calcium : 99 mg
Matières grasses : 2,7 g	Fibres : 1,9 g	Fer : 1,3 mg
Sodium : 378 mg	Protéines : 4 g	

Teneur élevée en : acide folique

Muffins aux bananes et aux bleuets

**24 MUFFINS
(1 PAR PORTION)**

Jacqueline O'Keefe,
Nouvelle-Écosse

- *Temps de préparation : 20 minutes*
- *Temps de cuisson : 20 minutes*
- *Four préchauffé à 180 °C (350 °F)*
- *2 moules pour 12 muffins en métal, légèrement graissés
  ou tapissés de moules en papier*

750 ml	farine de blé entier	3 tasses
750 ml	graines de lin, moulues	3 tasses
500 ml	cassonade, légèrement tassée	2 tasses
15 ml	poudre à pâte	1 c. à soupe
15 ml	bicarbonate de soude	1 c. à soupe
une pincée	sel	une pincée
3	œufs	3
3	bananes mûres, écrasées (environ 325 ml/1 ⅓ tasse)	3
1	pot de purée de prunes pour bébé de 128 ml (4 ½ oz) ou compote de pommes	1
150 ml	huile végétale	⅔ tasse
10 ml	extrait de vanille	2 c. à thé
500 ml	bleuets frais ou surgelés	2 tasses

1. Dans un grand bol, mélanger la fariner, les graines de lin, la cassonade, la poudre à pâte, le bicarbonate de soude et le sel.
2. Dans un très grand bol, mélanger les œufs, les bananes, la purée de prunes, l'huile et l'extrait de vanille. Incorporer graduellement les ingrédients secs pour obtenir un mélange homogène. Ajouter les bleuets.
3. Verser la pâte dans les moules.
4. Cuire 20 minutes au four préchauffé, ou jusqu'à ce que les muffins soient fermes au toucher et qu'un cure-dent inséré au centre en ressorte propre. (Faire pivoter le moule à muffins à mi-cuisson pour une cuisson plus uniforme.) Laisser tiédir 10 minutes avant de démouler, puis laisser refroidir complètement sur une grille.

❄ SE CONGÈLE BIEN
✓ UN FAVORI DES ENFANTS

Vous ne savez que faire des bananes très mûres ? Voici une délicieuse façon de les utiliser.

CONSEIL
Les bananes mûres, pelées ou entières, se conservent bien au congélateur. Décongelez-les avant de le réduire en purée pour les utiliser dans les pains et les muffins. Mieux encore, réduisez-les en purée avant de les mettre à congeler.

VARIANTE
Remplacez les graines de lin par du germe de blé ou du son de blé, et les bleuets par des brisures de chocolat.

VALEUR NUTRITIVE par portion		
Calories : 226	Glucides : 31,4 g	Calcium : 72 mg
Matières grasses : 10,3 g	Fibres : 5,2 g	Fer : 1,4 mg
Sodium : 172 mg	Protéines : 4,7 g	

Teneur très élevée en : magnésium
Teneur élevée en : acide folique et fibres alimentaires

Équivalents par portion pour les personnes diabétiques	
2	glucides
2	matières grasses

Glenyss Turner, Ontario

Glenyss a l'habitude de manger un muffin à l'heure de la collation, mais elle souhaitait que ses muffins soient faits de blé entier et qu'ils contiennent peu de matières grasses. C'est dans cet esprit qu'elle a créé cette recette.

Muffins aux bananes et à la compote de pommes

- ***Temps de préparation : 10 minutes***
- ***Temps de cuisson : 15 à 20 minutes***
- *Four préchauffé à 200 °C (400 °F)*
- *Moule pour 12 muffins en métal, légèrement graissé ou tapissé de moules en papier*

500 ml	farine de blé	2 tasses
15 ml	poudre à pâte	1 c. à soupe
5 ml	bicarbonate de soude	1 c. à thé
2 ml	sel	½ c. à thé
3	bananes mûres, écrasées (environ 325 ml/1 ⅓ tasse)	3
1	œuf, légèrement battu	1
250 ml	compote de pommes non sucrée	1 tasse
125 ml	sucre granulé	½ tasse
60 ml	huile végétale	¼ tasse

1. Dans un grand bol, mélanger la farine, la poudre à pâte, le bicarbonate de soude et le sel.
2. Dans un bol moyen, mélanger les bananes, l'œuf, la compote de pommes, le sucre et l'huile. Incorporer graduellement ce mélange aux ingrédients secs en mélangeant jusqu'à consistance homogène.
3. Verser dans les moules à muffins.
4. Cuire au four préchauffé de 15 à 20 minutes, ou jusqu'à ce que les muffins soient fermes au toucher et qu'un cure-dent inséré au centre en ressorte propre. Laisser tiédir 10 minutes avant de démouler, puis laisser refroidir complètement sur une grille.

❄ **SE CONGÈLE BIEN**
✓ **UN FAVORI DES ENFANTS**

Équivalents par portion pour les personnes diabétiques	
2	glucides
1	matières grasses

VALEUR NUTRITIVE par portion		
Calories : 183	Glucides : 32,3 g	Calcium : 45 mg
Matières grasses : 5,4 g	Fibres : 3,2 g	Fer : 1 mg
Sodium : 283 mg	Protéines : 3,6 g	

Teneur élevée en : magnésium
Source de : fibres alimentaires

Muffins au son,
aux bananes et aux bleuets

12 MUFFINS (1 PAR PORTION)

Barbara Kajifasz,
Ontario

Ces muffins « tout ce qu'il y a de plus sain » sont parfaits au petit-déjeuner ou à la collation du matin.

- *Temps de préparation : 20 minutes*
- *Temps de cuisson : 20 à 25 minutes*
- *Four préchauffé à 200 °C (400 °F)*
- *Moule pour 12 muffins en métal, légèrement graissé ou tapissé de moules en papier*

250 ml	farine de blé entier	1 tasse
250 ml	son de blé ou son d'avoine	1 tasse
250 ml	bleuets frais ou surgelés	1 tasse
5 ml	bicarbonate de soude	1 c. à thé
5 ml	poudre à pâte	1 c. à thé
2	bananes mûres, écrasées (environ 250 ml/1 tasse)	2
1	œuf, légèrement battu	1
125 ml	sucre granulé	½ tasse
125 ml	lait	½ tasse
60 ml	huile végétale	¼ tasse
5 ml	extrait de vanille	1 c. à thé

1. Dans un bol moyen, mélanger la farine, le son de blé, les bleuets, le bicarbonate de soude et la poudre à pâte.
2. Dans un grand bol, mélanger les bananes, l'œuf, le sucre, le lait, l'huile et l'extrait de vanille. Incorporer graduellement les ingrédients secs en mélangeant jusqu'à consistance homogène.
3. Verser dans les moules en les remplissant jusqu'aux deux tiers.
4. Cuire de 20 à 25 minutes au four préchauffé, ou jusqu'à ce que les muffins soient fermes au toucher et qu'un cure-dent inséré au centre en ressorte propre. Laisser tiédir 10 minutes avant de démouler, puis laisser refroidir complètement sur une grille.

 SE CONGÈLE BIEN

VALEUR NUTRITIVE par portion		
Calories : 152	Glucides : 25,6 g	Calcium : 34 mg
Matières grasses : 5,6 g	Fibres : 3,9 g	Fer : 1,1 mg
Sodium : 141 mg	Protéines : 3,3 g	

Teneur élevée en : magnésium
Source de : fibres alimentaires

Équivalents par portion pour les personnes diabétiques

1 ½	glucides
1	matières grasses

**Lisa Vance, diététiste,
Saskatchewan**

Les enfants de Lisa raffolent de ces muffins. La pâte peut être préparée à l'avance et conservée au réfrigérateur. Ainsi, en un éclair, vous pouvez mettre à cuire une fournée de délicieux muffins.

CONSEILS

Dans les recettes de pains, de muffins ou de gâteaux, remplacez le babeurre par un mélange proportionnel de 250 ml (1 tasse) de lait et de 15 ml (1 c. à soupe) de vinaigre ou de jus de citron. Laissez reposer 10 minutes avant utilisation.

Remplacez les céréales de son par du son de blé nature.

Conservez une partie de la pâte au réfrigérateur (elle se conserve jusqu'à une semaine) et faites-la cuire plus tard au cours de la semaine.

Si vous n'avez pas de restes de citrouille cuite, utilisez de la purée de citrouille du commerce. Mais attention, ne la confondez pas avec la garniture pour tarte à la citrouille.

Muffins au son et à la citrouille (recette double)

- ● *Temps de préparation : 20 minutes*
- ● *Temps de cuisson : 15 à 20 minutes*
- ● *Four préchauffé à 200 °C (400 °F)*
- ● *Moule pour 12 muffins en métal, légèrement graissé ou tapissés de moules en papier*

500 ml	céréales de son	2 tasses
310 ml	farine tout usage	1 ¼ tasse
310 ml	farine de blé entier	1 ¼ tasse
250 ml	raisins secs	1 tasse
125 ml	graines de sésame	½ tasse
125 ml	graines de lin, moulues	½ tasse
60 ml	germe de blé	¼ tasse
12 ml	bicarbonate de soude	2 ½ c. à thé
2 ml	sel	½ c. à thé
2	œufs, légèrement battus	2
500 ml	babeurre ou lait sur	2 tasses
375 ml	cassonade, légèrement tassée	1 ½ tasse
250 ml	purée de citrouille	1 tasse
125 ml	huile végétale	½ tasse

1. Dans un grand bol, mélanger les céréales de son, la farine tout usage, la farine de blé entier, les raisins, les graines de sésame, les graines de lin, le germe de blé, le bicarbonate de soude et le sel.
2. Dans un très grand bol, mélanger les œufs, le babeurre, la cassonade, la purée de citrouille et l'huile. Incorporer graduellement les ingrédients secs en mélangeant jusqu'à consistance homogène. Cuire immédiatement ou couvrir et conserver jusqu'à une semaine au réfrigérateur.
3. Déposer 75 ml (⅓ tasse) de pâte dans chaque moule.
4. Cuire de 15 à 20 minutes, ou jusqu'à ce que les muffins soient fermes au toucher et qu'un cure-dent inséré au centre en ressorte propre. Laisser tiédir 10 minutes avant de démouler, puis laisser refroidir complètement sur une grille.

❄ **SE CONGÈLE BIEN**
✓ **UN FAVORI DES ENFANTS**

Équivalents par portion pour les personnes diabétiques

2	glucides
1 ½	matières grasses

VALEUR NUTRITIVE par portion

Calories : 216	Glucides : 33,3 g	Calcium : 60 mg
Matières grasses : 8,2 g	Fibres : 3,1 g	Fer : 1,9 mg
Sodium : 237 mg	Protéines : 4,7 g	

Teneur élevée en : vitamine A, acide folique et magnésium
Source de : fibres alimentaires

Muffins aux patates douces et à l'avoine

**12 MUFFINS
(1 PAR PORTION)**

Eileen Campbell

Commencez la journée du bon pied avec ces muffins délicieux.

CONSEIL
Les raisins secs, les bleuets séchés, de même que les cerises et les canneberges séchées sont des fruits secs qui conviennent parfaitement à cette recette.

- *Temps de préparation : 15 minutes*
- *Temps de cuisson : 20 minutes*
- *Four préchauffé à 200 °C (400 °F)*
- *Moule pour 12 muffins en métal, légèrement graissé ou tapissé de moules en papier*

250 ml	flocons d'avoine à cuisson rapide	1 tasse
250 ml	babeurre (plus ou moins)	1 tasse
125 ml	farine tout usage	½ tasse
125 ml	farine de blé entier	½ tasse
60 ml	sucre granulé	¼ tasse
15 ml	germe de blé	1 c. à soupe
15 ml	poudre à pâte	1 c. à soupe
5 ml	sel	1 c. à thé
2 ml	bicarbonate de soude	½ c. à thé
250 ml	fruits secs assortis	1 tasse
1	œuf, battu	1
125 ml	patates douces, râpées	½ tasse
60 ml	cassonade, légèrement tassée	¼ tasse
60 ml	huile végétale	¼ tasse
5 ml	zeste d'orange, râpé	1 c. à thé

1. Déposer les flocons d'avoine dans un grand bol et verser le babeurre ; mélanger. Couvrir et laisser reposer 10 minutes.
2. Dans un petit bol, mélanger la farine tout usage, la farine de blé entier, le sucre granulé, le germe de blé, la poudre à pâte, le sel et le bicarbonate de soude. Incorporer les fruits secs.
3. Dans un autre bol, mélanger l'œuf, les patates douces, la cassonade, l'huile et le zeste d'orange. Ajouter ce mélange dans le grand bol contenant les flocons d'avoine. Incorporer graduellement le mélange de farines dans la préparation jusqu'à l'obtention d'une pâte humide. Si la pâte est trop sèche, ajouter un peu de babeurre.
4. Déposer la pâte dans les moules (les remplir jusqu'au bord).
5. Cuire au four préchauffé 20 minutes, ou jusqu'à ce que les muffins soient fermes au toucher. Laisser tiédir 10 minutes avant de démouler, puis laisser refroidir complètement.

❄️ **SE CONGÈLE BIEN**

VALEUR NUTRITIVE par portion

Calories : 194	Glucides : 32,7 g	Calcium : 88 mg
Matières grasses : 6 g	Fibres : 2,4 g	Fer : 1,2 mg
Sodium : 352 mg	Protéines : 4,1 g	

Source de : fibres alimentaires

Équivalents par portion pour les personnes diabétiques

2	glucides
1	matières grasses

Donna Suerich, Ontario

Les enfants de notre groupe de dégustation les ont adorés avec les brisures de chocolat, mais les adultes les préféreront sans doute avec des fruits séchés.

CONSEILS

En les préparant avec des fruits sechés au lieu des brisures de chocolat, vos muffins seront plus riches en fibres et en nutriments.

Ces muffins sont délicieux avec des noix, des pacanes et des amandes.

Muffins aux brisures de chocolat et à l'avoine

- *Temps de préparation : 10 minutes*
- *Temps de cuisson : 15 à 20 minutes*
- *Four préchauffé à 200 °C (400 °F)*
- *Moule pour 12 muffins en métal, légèrement graissé ou tapissé de moules en papier*

375 ml	farine de blé entier	1 ½ tasse
125 ml	flocons d'avoine à cuisson rapide	½ tasse
60 ml	graines de lin, moulues	¼ tasse
60 ml	sucre granulé	¼ tasse
10 ml	poudre à pâte	2 c. à thé
2 ml	bicarbonate de soude	½ c. à thé
2 ml	sel	½ c. à thé
1	œuf	1
250 ml	lait	1 tasse
60 ml	huile végétale	¼ tasse
60 ml	miel	¼ tasse
125 ml	brisures de chocolat ou fruits séchés	½ tasse
125 ml	noix hachées (facultatif)	½ tasse

1. Dans un bol, mélanger la farine, les flocons d'avoine, les graines de lin, le sucre, la poudre à pâte, le bicarbonate de soude et le sel.
2. Dans un petit bol, battre ensemble l'œuf, le lait, l'huile et le miel. Ajouter graduellement ces ingrédients liquides dans les ingrédients secs. Incorporer les brisures de chocolat et les noix.
3. Déposer dans les moules à muffins.
4. Cuire au four préchauffé de 15 à 20 minutes, ou jusqu'à ce que les muffins soient fermes au toucher et qu'un cure-dent inséré au centre en ressorte propre. Laisser tiédir 10 minutes avant de démouler, puis laisser refroidir complètement sur une grille.

❄ SE CONGÈLE BIEN

✓ UN FAVORI DES ENFANTS

Équivalents par portion pour les personnes diabétiques

2	glucides
1 ½	matières grasses

VALEUR NUTRITIVE par portion

Calories : 210	Glucides : 30 g	Calcium : 66 mg
Matières grasses : 8,7 g	Fibres : 3,3 g	Fer : 1,2 mg
Sodium : 214 mg	Protéines : 4,6 g	

Teneur élevée en : magnésium
Source de : fibres alimentaires

Muffins à l'orange et aux canneberges

- *Temps de préparation : 15 minutes*
- *Temps de cuisson : 20 à 25 minutes*
- *Four préchauffé à 190 °C (375 °F)*
- *Moule pour 12 muffins en métal, légèrement graissé ou tapissé de moules en papier*

375 ml	farine tout usage	1 ½ tasse
175 ml	sucre granulé	¾ tasse
10 ml	poudre à pâte	2 c. à thé
5 ml	bicarbonate de soude	1 c. à thé
1	orange navel	1
1	œuf	1
125 ml	lait	½ tasse
75 ml	huile végétale	⅓ tasse
250 ml	canneberges fraîches ou surgelées, décongelées	1 tasse

1. Dans un grand bol, mélanger la farine, le sucre, la poudre à pâte et le bicarbonate de soude.
2. Retrancher les deux extrémités de l'orange et la couper en quartiers, sans la peler. Retirer les pépins.
3. Au robot culinaire, bien pulvériser les quartiers d'orange (avec l'écorce), l'œuf, le lait et l'huile. Incorporer cette préparation dans le mélange de farine et bien remuer. Ajouter les canneberges avec soin.
4. Verser la pâte dans les moules à muffins.
5. Cuire au four préchauffé de 20 à 25 minutes, ou jusqu'à ce que les muffins soient fermes au toucher et qu'un cure-dent inséré au centre en ressorte propre. Laisser tiédir 10 minutes avant de démouler, puis laisser refroidir complètement sur une grille.

 **SE CONGÈLE BIEN**

12 MUFFINS (1 PAR PORTION)

Helen Haresign, diététiste, Ontario

Avec une tasse de thé durant la pause de l'après-midi, ces muffins aux fruits sont absolument fabuleux. Tout moelleux et parfumés qu'ils sont, rien n'est plus parfait en guise de collation pour le temps des fêtes.

VARIANTE
Remplacez les canneberges par des bleuets frais ou surgelés.

VALEUR NUTRITIVE par portion		
Calories : 180	Glucides : 28,2 g	Calcium : 49 mg
Matières grasses : 6,9 g	Fibres : 1,4 g	Fer : 0,9 mg
Sodium : 165 mg	Protéines : 2,7 g	
Teneur élevée en : acide folique		

Équivalents par portion pour les personnes diabétiques	
2	glucides
1	matières grasses

**Lisa Diamond,
diététiste,
Colombie-Britannique**

Accompagnez ces muffins d'une soupe ou d'une salade et vous aurez un délicieux dîner ou un souper léger. Faites-les congeler pour en avoir toujours sous la main. Vous n'aurez ainsi qu'à les sortir le matin pour qu'ils soient décongelés à l'heure du midi.

CONSEIL

Utilisez cette pâte pour confectionner une tourte mexicaine. Déposez votre chili préféré dans une cocotte et recouvrez de cuillerées de pâte à muffins. Faites cuire au four à 180 °C (350 °F) de 35 à 45 minutes, ou jusqu'à ce qu'un cure-dent inséré au centre en ressorte propre.

Muffins au cheddar et aux graines de citrouille

- *Temps de préparation : 10 minutes*
- *Temps de cuisson : 25 à 30 minutes*
- *Four préchauffé à 190 °C (375 °F)*
- *Moule pour 12 muffins en métal, légèrement graissé ou tapissé de moules en papier*

250 ml	semoule de maïs	1 tasse
250 ml	farine de blé entier	1 tasse
250 ml	cheddar fort, râpé	1 tasse
5 ml	sel	1 c. à thé
5 ml	poivre noir, fraîchement moulu	1 c. à thé
2 ml	bicarbonate de soude	½ c. à thé
3	œufs	3
1	boîte de maïs en crème de 284 ml (10 oz)	1
250 ml	yogourt nature ou babeurre	1 tasse
60 ml	huile végétale	¼ tasse
125 ml	graines de citrouille nature ou graines de tournesol	½ tasse
30 ml	persil frais, haché	2 c. à soupe

1. Dans un bol moyen, mélanger la semoule de maïs, la farine, le fromage, le sel, le poivre et le bicarbonate de soude.
2. Dans un grand bol, battre ensemble les œufs, le maïs en crème, le yogourt et l'huile. Incorporer graduellement le mélange de farines en évitant de trop mélanger. Ajouter les graines de citrouille et le persil.
3. Déposer la pâte dans les moules à muffins.
4. Cuire au four préchauffé de 25 à 30 minutes, ou jusqu'à ce que les muffins soient fermes au toucher et qu'un cure-dent inséré au centre en ressorte propre. Laisser tiédir 10 minutes avant de démouler, puis laisser refroidir complètement sur une grille.

❄ SE CONGÈLE BIEN

SUGGESTION D'ACCOMPAGNEMENT : Plongez un muffin dans un bol de Soupe aux légumes à la mexicaine (p. 120).

Équivalents par portion pour les personnes diabétiques

1 ½	glucides
1	viandes et substituts
2	matières grasses

VALEUR NUTRITIVE par portion

Calories : 236	Glucides : 23,8 g	Calcium : 121 mg
Matières grasses : 12,4 g	Fibres : 2,7 g	Fer : 1,8 mg
Sodium : 410 mg	Protéines : 9,2 g	

Teneur très élevée en : magnésium
Teneur élevée en : acide folique et zinc
Source de : fibres alimentaires

Muffins au bacon et au fromage

12 MUFFINS (1 PAR PORTION)

Groupe Compass du Canada

- *Temps de préparation : 10 minutes*
- *Temps de cuisson : 18 minutes*
- *Four préchauffé à 190 °C (375 °F)*
- *Moule pour 12 muffins en métal, légèrement graissé ou tapissé de moules en papier*

Ces muffins salés sont excellents au petit-déjeuner.

CONSEIL

Le bacon ordinaire contient sept fois plus de gras et trois fois plus de calories que le bacon de dos, sans compter qu'il est plus salé. Pour réduire la quantité de sodium de vos plats, préparez-les avec du bacon ou du jambon à teneur réduite en sodium.

500 ml	farine de blé entier	2 tasses
250 ml	farine tout usage	1 tasse
15 ml	poudre à pâte	1 c. à soupe
2 ml	bicarbonate de soude	½ c. à thé
2 ml	poivre noir, fraîchement moulu	½ c. à thé
2 ml	sel	½ c. à thé
500 ml	babeurre	2 tasses
250 ml	blancs d'œuf ou succédané d'œuf (ou 2 œufs entiers)	1 tasse
45 ml	huile végétale	3 c. à soupe
500 ml	mélange de fromages râpés pour nachos	2 tasses
250 ml	oignons verts, émincés	1 tasse
250 ml	bacon de dos, haché	1 tasse
125 ml	poivron rouge, en dés	½ tasse

1. Dans un très grand bol, mélanger la farine de blé entier, la farine tout usage, la poudre à pâte, le bicarbonate de soude, le poivre et le sel.
2. Dans un grand bol, battre ensemble le babeurre, les blancs d'œuf et l'huile. Incorporer le fromage, les oignons verts, le bacon et le poivron rouge. Verser le tout dans le mélange de farines et mélanger jusqu'à l'obtention d'une pâte.
3. Déposer la pâte jusqu'à ras bord dans les moules à muffins.
4. Cuire 18 minutes au four préchauffé, ou jusqu'à ce que les muffins soient fermes au toucher et qu'un cure-dent inséré au centre en ressorte propre. Laisser tiédir 10 minutes avant de démouler. Servir chaud.

 **SE CONGÈLE BIEN**

VALEUR NUTRITIVE par portion		
Calories : 271	Glucides : 26,9 g	Calcium : 230 mg
Matières grasses : 11,8 g	Fibres : 3,1 g	Fer : 1,8 mg
Sodium : 624 mg	Protéines : 15,7 g	

Teneur très élevée en : niacine
Teneur élevée en : calcium, thiamine, riboflavine, acide folique et magnésium • **Source de :** fibres alimentaires

Équivalents par portion pour les personnes diabétiques

1 ½	glucides
1 ½	viandes et substituts
1	matières grasses

Desserts

Nous aimons souvent nous mettre quelque chose de sucré sous la dent pour terminer un repas ou pour accompagner un thé ou un café en après-midi. Les desserts ne doivent pas nécessairement être des gâteaux, des biscuits ou des barres riches en calories. Les desserts proposés dans ce livre, qu'il s'agisse de l'onctueuse et légère Panna cotta au citron et aux bleuets (p. 299) ou des Biscuits exquis au chocolat (p. 314), ont tous un petit côté santé.

D'autres idées de desserts

Si vous n'avez pas le temps de cuisiner l'un de nos succulents desserts, voici quelques suggestions pour terminer le repas en beauté.

- Gâteau des anges avec petits fruits.
- Coupe de fruits frais.
- Compote de pommes.
- Sucette glacée au jus.
- Parfait de yogourt avec fruits frais.
- Brochette de fruits grillés.
- Morceau de cantaloup avec glace aux fruits.
- Biscuit faible en gras.
- Biscuit aux figues.
- Pouding à base de lait à faible teneur en gras.

Encore plus de fruits !

En plus de constituer de sains et délicieux desserts, les fruits représentent d'excellents suppléments nutritionnels à toute heure du jour. Voici quelques suggestions pour ajouter des fruits à votre alimentation.

- Préparez des cocktails avec deux ou trois fruits différents. Mélangez des bananes et des petits fruits avec des pêches ou des poires. Consultez nos recettes de boissons frappées pour plus d'idées (p. 86 à 88).
- Rappelez-vous qu'un verre de 125 ml (½ tasse) de jus de fruits pur à 100 % équivaut à une portion de fruit.
- Ajoutez des fruits séchés aux recettes de muffins, de biscuits et d'autres produits de boulangerie.
- Préparez de la salade de fruits une fois par semaine avec au moins trois fruits différents. Conservez-la au réfrigérateur pour des collations ou pour accompagner votre petit-déjeuner.
- Ajoutez une poignée de petits fruits aux céréales de grain entier, à une salade verte, à une préparation pour muffins ou crêpes.
- Préparez des sauces aux fruits pour accompagner les viandes, les poissons et les volailles. Essayez notre Mojo à la mangue et à la menthe (p. 109) ou notre Salsa à l'ananas (p. 105).
- Ajoutez des fruits dans vos repas pour emporter. Pelez-les, coupez-les d'avance et serrez-les dans un sac ou dans un contenant de plastique.

Le positionnement des grilles du four

Le positionnement des grilles du four est important pour que vos produits ne cuisent pas trop sur le dessus (s'ils se trouvent sur la grille supérieure) ou au dessous (s'ils se trouvent sur la grille inférieure). Le milieu du four s'avère généralement le meilleur endroit. Si vous devez faire cuire plusieurs plats à la fois, il serait judicieux d'effectuer la rotation d'une grille à l'autre à la mi-cuisson, afin que tous les produits cuisent uniformément.

Sucrez-vous le bec… modérément !

Bien que vous n'ayez pas à vous priver totalement de sucre, prenez garde de ne pas abuser des aliments sucrés, car ils pourraient réduire votre appétit et vous priver d'aliments plus nutritifs. Manger trop de calories contribue au gain de poids alors que la consommation excessive de glucides sous forme de sucre peut compliquer la tâche des personnes diabétiques qui doivent surveiller leur glycémie (taux de sucre dans le sang). De plus, la consommation de sucre contribue au développement de la carie dentaire. Ceci revêt une grande importance lorsqu'il s'agit des enfants. Pour déterminer la quantité de sucre que vous et votre famille consommez, consultez le tableau de la valeur nutritive des aliments. Faites de même avec la liste d'ingrédients lors de la préparation d'une recette.

Le chocolat est-il bon pour la santé ?

Des études ont révélé que les graines de cacao contiennent des flavonoïdes, une classe de phytonutriments pouvant avoir un effet bénéfique sur notre santé. Le chocolat noir possède la plus haute teneur en flavonoïdes. Le problème reste que nous ne savons pas exactement quelle quantité de chocolat est nécessaire pour que nous puissions profiter de ses bienfaits. Les fanatiques du chocolat devront attendre la réponse à cette importante question tout en reconnaissant que la plupart des plats qui contiennent du chocolat sont riches en calories, en gras et en sucre, et que mieux vaut en jouir avec modération. Assouvissez sainement votre envie de chocolat : ajoutez-en quelques brisures à une préparation pour muffins ou faites fondre un petit carré de chocolat noir pour accompagner de petits fruits frais. La poudre de cacao non sucrée ne contient aucun gras ou sucre ; ajoutez-en un peu dans du lait.

Eileen Campbell

Un dessert qui se prépare en un clin d'œil et qui cuit pendant que vous cuisinez le plat principal.

CONSEILS

Les meilleures pommes à cuire sont les Spartan, les Empire, les Jaunes délicieuses et les Cortland parce qu'elles gardent leur forme.

Optez pour une margarine non hydrogénée afin de réduire votre consommation de gras trans.

Ce dessert est idéal lorsque vous utilisez déjà le four pour cuire une autre recette, notamment le plat de résistance.

VARIANTES

Préparez-les au four à micro-ondes : déposez les pommes dans une assiette allant au four à micro-ondes et couvrez d'une pellicule plastique pour le four à micro-ondes. Faites cuire à intensité maximale de 2 à 3 minutes, ou jusqu'à ce que les pommes soient tendres.

Remplacez les pommes par des poires.

Pommes farcies au mélange granola

- *Temps de préparation : 2 minutes*
- *Temps de cuisson : 30 minutes*
- *Four préchauffé à 180 °C (350 °F)*
- *Plat à tarte de 23 cm (9 po), non graissé*

4	pommes	4
175 ml	mélange granola faible en gras	3/4 tasse
10 ml	margarine	2 c. à thé
125 ml	yogourt nature faible en gras	½ tasse
15 ml	sirop d'érable	1 c. à soupe

1. Retirer les cœurs des pommes et creuser un grand trou au centre. Garnir les pommes avec le mélange granola et déposer une noix de margarine sur le dessus du mélange. Déposer les pommes dans le plat à tarte.
2. Cuire au four préchauffé à découvert pendant 30 minutes, ou jusqu'à ce que les pommes soient tendres.
3. Pendant ce temps, dans un petit bol, mélanger le yogourt et le sirop d'érable ; réserver.
4. Déposer chaque pomme dans un plat à dessert et garnir de yogourt à l'érable.

✓ UN FAVORI DES ENFANTS

Équivalents par portion pour les personnes diabétiques

2	glucides
1	matières grasses

VALEUR NUTRITIVE par portion

Calories : 192	Glucides : 36,9 g	Calcium : 88 mg
Matières grasses : 4,1 g	Fibres : 3,6 g	Fer : 0,8 mg
Sodium : 82 mg	Protéines : 3,8 g	

Source de : fibres alimentaires

Sauce aux fraises aromatisée au vinaigre balsamique

8 PORTIONS

Eileen Campbell

- *Temps de préparation : 5 minutes*
- *Temps de cuisson : 4 minutes*

1 l	fraises équeutées et tranchées	4 tasses
45 ml	sucre granulé	3 c. à soupe
60 ml	vinaigre balsamique	¼ tasse

1. Dans une casserole moyenne, faire cuire les fraises et le sucre à feu moyen pendant environ 2 minutes, ou jusqu'à ce que le sucre soit fondu et que la sauce prenne forme. Ajouter le vinaigre balsamique et cuire 2 minutes. Retirer du feu.
2. Servir chaud ou couvrir et réfrigérer.

✓ **UN FAVORI DES ENFANTS**

Les fruits grillés

Les fruits grillés au barbecue sont excellents et très faciles à préparer. Après la cuisson du plat principal, nettoyez bien la grille du barbecue. Coupez les fruits en larges lanières ou en morceaux et enfilez-les sur des brochettes. Grillez quelques minutes de chaque côté, ou jusqu'à ce que les fruits soient bien chauds. Arrosez d'un peu de miel et de votre sauce dessert préférée et accompagnez-les de yogourt glacé. L'ananas, la mangue, le melon d'eau, la pomme et la poire grillés remportent toujours un vif succès.

Une sauce extrêmement facile à préparer. Elle est tout aussi délicieuse avec des fruits très mûrs qu'avec des fruits qui manquent de maturité, de couleur et de goût. Un pur délice ! Vous ne pourrez pas en laisser une seule goutte dans votre assiette. Servez-la chaude sur du yogourt glacé ou froide sur du yogourt.

VARIANTE

Cette sauce italienne classique est habituellement servie avec du poivre noir. Elle se prépare également sans cuisson : une heure avant de servir, mélangez les fraises et le sucre. Au moment de servir, versez le vinaigre balsamique.

VALEUR NUTRITIVE par portion		
Calories : 53	Glucides : 13,1 g	Calcium : 13 mg
Matières grasses : 0,2 g	Fibres : 1,9 g	Fer : 0,3 mg
Sodium : 1 mg	Protéines : 0,6 g	
Teneur très élevée en : vitamine C et riboflavine		

Équivalents par portion pour les personnes diabétiques	
1	glucides

Eileen Campbell

Il n'y a pas de dessert plus simple que ces poires en sauce. Servez-les telles quelles ou avec du yogourt glacé.

CONSEIL

Un dessert élégant qui peut se servir directement dans le plat de cuisson ; utilisez un plat en verre plutôt qu'en métal.

VARIANTE

Remplacez les poires par un mélange de pêches et de framboises surgelées. Servez avec un sorbet à la mangue.

Poires à la toscane

- *Temps de préparation : 10 minutes*
- *Temps de cuisson : 20 minutes*
- *Four préchauffé à 180 °C (350 °F)*
- *Plat carré allant au four de 2 litres (8 x 8 po), non graissé*

125 ml	amandes émincées	½ tasse
75 ml	cassonade, bien tassée	⅓ tasse
75 ml	lait	⅓ tasse
30 ml	beurre non salé	2 c. à soupe
15 ml	farine tout usage	1 c. à soupe
5 ml	extrait de vanille	1 c. à thé
1	boîte de 796 ml (28 oz) de poires, coupées en deux, égouttées	1

1. Dans une petite casserole, chauffer à feu moyen les amandes, la cassonade, le lait, le beurre, la farine et l'extrait de vanille. Porter à ébullition et cuire jusqu'à épaississement, environ 5 minutes.
2. Déposer les poires dans le plat allant au four et verser la sauce sur les poires.
3. Cuire au four préchauffé jusqu'à ce que les poires soient dorées, environ 15 minutes.

✓ **UN FAVORI DES ENFANTS**

Équivalents par portion pour les personnes diabétiques	
1 ½	glucides
1 ½	matières grasses

VALEUR NUTRITIVE par portion		
Calories : 177	Glucides : 25,3 g	Calcium : 52 mg
Matières grasses : 8,2 g	Fibres : 2,1 g	Fer : 0,8 mg
Sodium : 16 mg	Protéines : 2,6 g	

Source de : fibres alimentaires

Panna cotta au citron et aux bleuets

- *Temps de préparation : 5 minutes*
- *Temps de repos : 10 minutes*
- *Temps de cuisson : 5 minutes*
- *Temps de refroidissement : 4 heures*
- *8 moules ou ramequins de 175 ml (¾ tasse), vaporisés d'huile végétale*

250 ml	lait	1 tasse
22 ml	gélatine sans saveur	1 ½ c. à soupe
175 ml	sucre granulé	¾ tasse
750 ml	lait évaporé	3 tasses
5 ml	zeste de citron, râpé	1 c. à thé
500 ml	bleuets frais	2 tasses
	(en 16 parts de 30 ml/2 c. à soupe)	

1. Dans une petite casserole, verser le lait et y saupoudrer la gélatine ; laisser reposer 10 minutes. Cuire à feu moyen doux en brassant au fouet jusqu'à ce que la gélatine soit dissoute, environ 2 minutes. Hausser le feu à moyen, ajouter le sucre et brasser au fouet jusqu'à ce que le sucre soit dissous, environ 2 minutes. Retirer du feu. Incorporer le lait évaporé et le zeste de citron ; bien mélanger.
2. Verser la préparation dans les moules et garnir chaque dessert de 30 ml (2 c. à soupe) de bleuets. Couvrir et réfrigérer pendant au moins 4 heures ou toute une nuit.
3. Glisser la lame d'un couteau le long de la paroi intérieure du moule pour en détacher la panna cotta. Renverser les moules sur une assiette à dessert et déposer 30 ml (2 c. à soupe) de bleuets dans chaque assiette.

✓ UN FAVORI DES ENFANTS

8 PORTIONS

Eileen Campbell

L'expression « panna cotta » signifie crème cuite. La version originale de ce dessert classique se compose de crème 35 % ; celle qui est utilisée ici est plus légère, mais la texture du dessert est tout aussi crémeuse. La panna cotta se prépare à l'avance et se conserve plusieurs jours au réfrigérateur.

VARIANTE
Préparez la panna cotta avec les petits fruits de saison et variez les parfums : framboises et zeste d'orange, fraises en tranches et vanille, mangues en dés et gingembre ou votre fruit préféré.

VALEUR NUTRITIVE par portion		
Calories : 219	Glucides : 35,9 g	Calcium : 299 mg
Matières grasses : 4,8 g	Fibres : 1 g	Fer : 0,4 mg
Sodium : 120 mg	Protéines : 9,4 g	

Teneur très élevée en : calcium
Teneur élevée en : riboflavine

Équivalents par portion pour les personnes diabétiques	
2	glucides
½	matières grasses

Nachos aux fruits

8 PORTIONS

Eileen Campbell

Un dessert festif qui fera la joie des enfants. Ces nachos garnis au yogourt, à la salsa aux fruits et à la cannelle s'envoleront comme de petits pains chauds. Un succulent moyen de mettre au menu des fruits, du yogourt et des grains entiers.

CONSEIL

Salsa : Préparez-la avec les fruits de votre choix. Les ananas frais ou en conserve, les mangues fraîches ou surgelées, les fraises fraîches, les kiwis, le melon et le melon d'eau sont excellents en salsa. Coupez les fruits en petits dés jusqu'à en obtenir 1 l (4 tasses) ; mélangez-les dans un bol.

- **Temps de préparation : 20 minutes**
- **Temps de cuisson : 4 à 5 minutes par fournée**
- *Four préchauffé à 230 °C (450 °F)*
- *Plaques à pâtisserie, légèrement graissées*

125 ml	sucre granulé	½ tasse
45 ml	cannelle moulue	3 c. à soupe
4	tortillas de 25 cm (10 po) de blé entier	4
1 l	salsa aux fruits frais (voir Conseil, à gauche)	4 tasses
500 ml	yogourt aux fruits faible en gras	2 tasses

1. Sur une surface propre et plate, mélanger le sucre et la cannelle. Plonger chacune des tortillas dans l'eau et les secouer pour retirer l'excédent d'eau. Déposer les tortillas dans le mélange de sucre et les en enrober d'un seul côté. Empiler les tortillas et couper ensuite la pile en 8 pointes.
2. Étendre les pointes de tortillas en une seule couche (sans qu'elles se touchent) sur des plaques à pâtisserie et cuire (en plusieurs fournées) de 4 à 5 minutes par fournée, ou jusqu'à ce que les tortillas soient dorées et croustillantes.
3. Déposer les nachos dans un grand plat de service avec un bol de salsa aux fruits et un bol de yogourt.

✓ **UN FAVORI DES ENFANTS**

Équivalents par portion pour les personnes diabétiques

3	glucides

VALEUR NUTRITIVE par portion		
Calories : 213	Glucides : 50,8 g	Calcium : 126 mg
Matières grasses : 1,6 g	Fibres : 4,3 g	Fer : 1,8 mg
Sodium : 173 mg	Protéines : 5,5 g	

Teneur très élevée en : vitamine C
Teneur élevée en : fibres alimentaires et magnésium

Gaspacho aux fruits

- *Temps de préparation : 15 minutes*
- *Temps de réfrigération : 1 heure*

750 ml	fruits au choix, en petits dés	3 tasses
1,5 l	jus de fruits tropicaux	6 tasses
6	petites boules de sorbet aux fruits	6
	(mangue, framboise ou orange)	
6	brins de menthe fraîche (facultatif)	6

1. Dans un grand bol, mélanger les fruits en dés et le jus de fruits. Couvrir et réfrigérer pendant au moins 1 heure, le temps que les arômes du gaspacho se marient.
2. Verser le gaspacho dans six bols peu profonds. Garnir chaque bol d'une boule de sorbet aux fruits et d'un brin de menthe.

✓ **UN FAVORI DES ENFANTS**

6 PORTIONS

Eileen Campbell

Ce dessert estival rafraîchissant mettra de la couleur sur votre table et ravira les petits et les grands. Un dessert sain qui regorge de saveurs..

CONSEIL
Préparez le gaspacho avec les fruits de votre choix : la mangue, l'ananas, les fraises, les bleuets, le melon d'eau et les kiwis sont excellents. Évitez les fruits qui ont tendance à brunir, comme les pommes, les poires et les bananes.

VALEUR NUTRITIVE par portion		
Calories : 186	Glucides : 44,9 g	Calcium : 33 mg
Matières grasses : 0,2 g	Fibres : 1,6 g	Fer : 0,3 mg
Sodium : 12 mg	Protéines : 0,6 g	

Teneur très élevée en : vitamine C
Teneur élevée en : acide folique

Équivalents par portion pour les personnes diabétiques

3	glucides

Patricia Chuey,
diététiste,
Colombie-Britannique

Elle est absolument délicieuse, au sortir du four, avec une boule de crème glacée ou de yogourt glacé à la vanille. La croustade est non seulement un excellent dessert, mais elle réunit en un même plat des fruits et des céréales. Toutefois, cette croustade étant assez riche en matières grasses, il vaut mieux la réserver à des occasions spéciales.

CONSEIL

En saison, remplacez les canneberges séchées par des canneberges fraîches.

VARIANTE

Les restes de croustade se conservent trois jours au réfrigérateur et trois mois au congélateur, dans un contenant hermétique.

Croustade aux pommes, aux poires et aux canneberges

- *Temps de préparation : 15 minutes*
- *Temps de cuisson : 30 à 45 minutes*
- *Four préchauffé à 200 °C (400 °F)*
- *Plat carré allant au four de 2 litres (8 x 8 po), légèrement graissé*

Garniture

175 ml	farine tout usage	¾ tasse
175 ml	cassonade, bien tassée	¾ tasse
125 ml	flocons d'avoine à l'ancienne	½ tasse
125 ml	beurre froid	½ tasse
3	pommes, sans le cœur, pelées et tranchées	3
2	poires, sans le cœur, pelées et tranchées	2
60 ml	canneberges séchées	¼ tasse
15 ml	farine tout usage	1 c. à soupe
15 ml	cassonade, bien tassée	1 c. à soupe

1. Préparer la garniture en mélangeant, dans un bol moyen, la farine, la cassonade et les flocons d'avoine. Couper le beurre dans le mélange jusqu'à l'obtention d'une texture sablonneuse.
2. Déposer les tranches de pommes et de poires, ainsi que les canneberges, dans le plat allant au four. Saupoudrer la farine et le sucre sur les fruits et mélanger pour bien les enrober. Étendre le mélange de farine et de flocons d'avoine sur les fruits.
3. Cuire au four préchauffé de 30 à 45 minutes, ou jusqu'à ce que le dessus de la croustade soit doré et que les fruits soient tendres. Laisser reposer 5 minutes avant de servir.

❄ **SE CONGÈLE BIEN**
✓ **UN FAVORI DES ENFANTS**

Équivalents par portion pour les personnes diabétiques

3	glucides
2 ½	matières grasses

VALEUR NUTRITIVE par portion

Calories : 310	Glucides : 50,1 g	Calcium : 33 mg
Matières grasses : 12,2 g	Fibres : 2,8 g	Fer : 1,4 mg
Sodium : 92 mg	Protéines : 2,6 g	

Source de : fibres alimentaires

Pouding au pain à la rhubarbe

- **Temps de préparation : 20 minutes**
- **Temps de repos : 10 minutes**
- **Temps de cuisson : 40 à 45 minutes**
- *Four préchauffé à 180 °C (350 °F)*
- *Plat carré allant au four de 2 litres (8 x 8 po)*

500 ml	rhubarbe hachée, fraîche ou surgelée, décongelée	2 tasses
750 ml	pain blanc et pain de blé entier, rassis, en morceaux	3 tasses
1	boîte de 385 ml (14 oz) de lait évaporé	1
2	œufs	2
60 ml	sucre granulé	¼ tasse
5 ml	extrait de vanille	1 c. à thé
5 ml	cannelle moulue	1 c. à thé
	zeste râpé d'une orange	

1. Déposer la rhubarbe dans le plat allant au four et la couvrir avec les morceaux de pain.
2. Dans un bol moyen, battre le lait évaporé avec les œufs, le sucre, l'extrait de vanille, la cannelle et le zeste d'orange. Verser sur les morceaux de pain. Laisser reposer 10 minutes.
3. Cuire de 40 à 45 minutes au four préchauffé, ou jusqu'à ce qu'un cure-dent inséré au centre en ressorte propre. Servir chaud.

 **SE CONGÈLE BIEN**

6 PORTIONS

Helen Haresign, diététiste, Ontario

Un classique revisité pour notre plus grand plaisir. Les restes froids sont délicieux.

CONSEIL
Ce pouding se conserve trois jours au réfrigérateur dans un contenant hermétique, et trois mois au congélateur.

VARIANTE
Préparez ce pouding avec un autre fruit, comme des petits fruits surgelés ou des pêches.

VALEUR NUTRITIVE par portion		
Calories : 175	Glucides : 27,0 g	Calcium : 297 mg
Matières grasses : 3,8 g	Fibres : 1,9 g	Fer : 1,1 mg
Sodium : 184 mg	Protéines : 9,0 g	

Teneur très élevée en : calcium
Teneur élevée en : riboflavine

Équivalents par portion pour les personnes diabétiques

1 ½	glucides
½	viandes et substituts

Eileen Campbell

Le pouding au riz est un classique indémodable. Cette version se compose de riz brun, d'épices, de fruits séchés et de noix.

CONSEILS

Pour obtenir 250 ml (1 tasse) de riz brun cuit, mettez 75 ml (⅓ tasse) de riz brun à cuire dans 150 ml (⅔ tasse) d'eau.

L'arôme de la muscade fraîchement moulue est plus odorant que celui de la muscade déjà moulue. Si vous n'avez que de la muscade moulue, utilisez-la, mais goûtez au moins une fois à de la muscade que vous viendrez de moudre ou de râper. Vous ne voudrez plus jamais de mouscade achetée moulue.

Pouding au riz à l'indienne

- *Temps de préparation : 10 minutes*
- *Temps de cuisson : 1 heure*
- *Four préchauffé à 180 °C (350 °F)*
- *Plat en pyrex muni d'un couvercle*
- *Plaque à pâtisserie*

250 ml	riz brun, cuit	1 tasse
1	boîte de 398 ml (14 oz) de lait de coco allégé	1
750 ml	lait	3 tasses
125 ml	raisins secs	½ tasse
60 ml	amandes hachées finement	¼ tasse
60 ml	noix de coco râpée, non sucrée	¼ tasse
60 ml	sucre granulé	¼ tasse
2 ml	cardamome moulue	½ c. à thé
1	bâton de cannelle	1
2 ml	muscade râpée (voir Conseils, à gauche)	½ c. à thé

1. Étendre le riz dans le plat en pyrex. Verser le lait de coco et le lait. Ajouter les raisins secs, les amandes, la noix de coco, le sucre, la cardamome et le bâton de cannelle. Couvrir, déposer le plat sur la plaque à pâtisserie et cuire 1 heure au four préchauffé, ou jusqu'à épaississement de la sauce.
2. Servir chaud ou froid et garnir de muscade.

✓ UN FAVORI DES ENFANTS

Équivalents par portion pour les personnes diabétiques	
2	glucides
1 ½	matières grasses

VALEUR NUTRITIVE par portion		
Calories : 208	Glucides : 28,2 g	Calcium : 124 mg
Matières grasses : 9,1 g	Fibres : 1,6 g	Fer : 0,6 mg
Sodium : 64 mg	Protéines : 5,2 g	

Gâteau aux carottes

- *Temps de préparation : 15 minutes*
- *Temps de cuisson : 30 à 35 minutes*
- *Four préchauffé à 180 °C (350 °F)*
- *Moule à gâteau de 3 litres (13 x 9 po), légèrement graissé*

175 ml	farine tout usage	¾ tasse
125 ml	farine de blé entier	½ tasse
6 ml	poudre à pâte	1 ¼ c. à thé
6 ml	bicarbonate de soude	1 ¼ c. à thé
5 ml	cannelle moulue	1 c. à thé
2 ml	sel	½ c. à thé
3	œufs	3
125 ml	huile végétale	½ tasse
250 ml	cassonade, légèrement tassée	1 tasse
10 ml	extrait de vanille	2 c. à thé
500 ml	carottes, râpées	2 tasses

1. Dans un petit bol, mélanger la farine tout usage, la farine de blé entier, la poudre à pâte, le bicarbonate de soude, la cannelle et le sel.
2. Dans un grand bol, battre les œufs, l'huile, la cassonade et la vanille jusqu'à l'obtention d'une texture homogène. Incorporer graduellement les ingrédients secs. Ajouter les carottes en remuant. Verser la pâte dans le moule à gâteau.
3. Cuire de 30 à 35 minutes au four préchauffé, ou jusqu'à ce qu'un cure-dent inséré au centre en ressorte propre. Laisser refroidir complètement sur une grille. Couper les tranches directement dans le moule et les retirer du moule à l'aide d'une spatule fine.

❄ **SE CONGÈLE BIEN**

✓ **UN FAVORI DES ENFANTS**

SUGGESTION D'ACCOMPAGNEMENT : Pour une jolie présentation, saupoudrez chaque tranche de sucre à glacer, directement au-dessus de l'assiette.

Shefali Raja, diététiste, Colombie-Britannique

Les enfants raffolent du gâteau aux carottes, avec ou sans glaçage. Ce dessert est idéal pour la boîte à lunch des enfants, d'autant plus qu'il ajoute des légumes au menu !

VARIANTE
Remplacez une partie des carottes par des pommes râpées ou, pour obtenir un gâteau aux pommes, remplacez toutes les carottes par des pommes râpées.

VALEUR NUTRITIVE par portion		
Calories : 125	Glucides : 15,8 g	Calcium : 26 mg
Matières grasses : 6,3 g	Fibres : 0,8 g	Fer : 0,7 mg
Sodium : 174 mg	Protéines : 1,9 g	
Teneur élevée en : vitamine A		

Équivalents par portion pour les personnes diabétiques

1	glucides
1	matières grasses

12 PORTIONS

Janie Zwicker-Stolf,
Ontario

*Une collation de choix
pour la pause-café.*

CONSEIL
Optez pour une margarine
non hydrogénée afin de
réduire votre
consommation de gras
trans.

Gâteau strudel
au café et à la cannelle

- *Temps de préparation : 20 minutes*
- *Temps de cuisson : 40 à 50 minutes*
- *Four préchauffé à 180 °C (350 °F)*
- *Moule à cheminée de 4 litres (10 po)*
  ou moule Bundt de 3 litres (10 po), légèrement graissé

Strudel

125 ml	cassonade, légèrement tassée	½ tasse
125 ml	pacanes, hachées finement (facultatif)	½ tasse
15 ml	cannelle moulue	1 c. à soupe

Gâteau

250 ml	farine tout usage	1 tasse
250 ml	farine de blé entier	1 tasse
5 ml	poudre à pâte	1 c. à thé
1 ml	sel	¼ c. à thé
250 ml	yogourt nature, faible en gras	1 tasse
	ou sans gras	
5 ml	bicarbonate de soude	1 c. à thé
175 ml	sucre granulé	¾ tasse
175 ml	compote de pommes non sucrée	¾ tasse
60 ml	margarine	¼ tasse
2	œufs	2
5 ml	extrait de vanille	1 c. à thé

1. Préparer le strudel en mélangeant, dans un petit bol, la cassonade, les pacanes et la cannelle. Réserver.
2. Pour préparer le gâteau, dans un bol moyen, mélanger la farine tout usage, la farine de blé entier, la poudre à pâte et le sel. Réserver.
3. Dans un autre bol, combiner le yogourt et le bicarbonate de soude (ce qui fera mousser le yogourt).
4. Dans un grand bol, au batteur électrique, battre en crème le sucre, la compote de pommes et la margarine ; bien mélanger (le mélange peut être grumeleux). Ajouter les œufs un à la fois, en battant, puis l'extrait de vanille. Incorporer ensuite les ingrédients secs en alternance avec les ingrédients liquides, à raison de 3 ajouts de farine pour 2 ajouts du mélange de yogourt.

5. Verser la moitié de la pâte dans le moule à cheminée. À la cuillère, saupoudrer les trois quarts du mélange de strudel sur la pâte. Verser le reste de la pâte et saupoudrer le reste du mélange de strudel. Avec le dos d'une cuillère, tapoter légèrement la surface de la pâte pour y faire légèrement pénétrer le mélange de strudel (pour éviter que le gâteau ne s'affaisse lors du démoulage).

6. Cuire de 40 à 50 minutes au four préchauffé, ou jusqu'à ce qu'un cure-dent inséré au centre en ressorte propre. Laisser tiédir sur une grille. Démouler sur la grille et laisser refroidir.

❄ **SE CONGÈLE BIEN**

Les sucres

- Le **sucre granulé** (sucre blanc) est le sucre le plus communément utilisé dans les recettes. Il se conserve indéfiniment dans un contenant hermétique rangé dans un lieu sec et frais.

- La texture du **sucre super fin**, ou sucre semoule (fructose), est plus légère que celle du sucre granulé. Comme il se dissout très rapidement, il est idéal dans les meringues, les gâteaux, les mousses et les boissons. On peut également le saupoudrer sur les pâtisseries, comme le sucre à glacer. Les gâteaux préparés avec du sucre de fruit ont une texture plus fine et plus légère.

- Le **sucre à glacer** contient 3 % de fécule de maïs. On l'utilise dans la confection des bonbons et pour sucrer la crème fouettée. On en saupoudre les beignets et les pâtisseries pour leur donner un joli coup d'œil.

- La **cassonade** se compose de sucre cristallisé enrobé de mélasse. La cassonade blonde entre dans la préparation des pâtisseries, des condiments et des glaçages, tandis que la cassonade foncée, plus goûteuse, est utilisée dans le pain d'épice, le mincemeat et les fèves au lard. Dans certaines recettes, il est possible de remplacer le sucre par de la cassonade (ne pas remplacer le sucre blanc par de la cassonade dans les gâteaux blancs) : 250 ml (1 tasse) de cassonade légèrement tassée équivaut à 250 ml (1 tasse) de sucre granulé. La cassonade ayant tendance à durcir, placez-la dans un contenant hermétique et conservez-la dans un lieu sec et frais. Une tranche de pomme ou de pain frais dans la cassonade prévient son durcissement.

- Le **sucre turbinado**, ou sucre *demerara*, est un sucre cristallisé brun doré qui se dissout lentement. Il est utilisé en pâtisserie et pour sucrer les boissons chaudes.

VALEUR NUTRITIVE par portion		
Calories : 217	Glucides : 39 g	Calcium : 73 mg
Matières grasses : 5,3 g	Fibres : 2 g	Fer : 1,4 mg
Sodium : 258 mg	Protéines : 4,6 g	
Source de : fibres alimentaires		

Équivalents par portion pour les personnes diabétiques

2 ½	glucides
1	matières grasses

Beth Gould, diététiste, Ontario

Ce gâteau est considérablement faible en matières grasses parce qu'il contient moins de beurre que la plupart des gâteaux du même type, mais aussi parce qu'une partie des œufs entiers a été remplacée par des blancs d'œufs et de la crème sure légère ou du yogourt nature. Les enfants de Beth ne voient pas la différence. Mieux encore, il s'agit de leur gâteau préféré ! Il est un peu long à préparer, mais vos efforts seront largement récompensés. Servez-le avec de petits fruits frais, vos convives seront enchantés !

Gâteau génois
au chocolat et au café

- ● *Temps de préparation : 30 minutes*
- ● *Temps de cuisson : 60 à 65 minutes*
- ● *Four préchauffé à 180 °C (350 °F)*
- ● *Moule à cheminée de 4 litres (10 po)*
  ou moule Bundt de 3 litres (10 po), légèrement graissé et enfariné

500 ml	farine tout usage	2 tasses
250 ml	farine de blé entier	1 tasse
7 ml	poudre à pâte	1 ½ c. à thé
1 ml	sel	¼ c. à thé
500 ml	yogourt nature ou crème sure légère	2 tasses
5 ml	bicarbonate de soude	1 c. à thé
60 g	chocolat mi-sucré	2 oz
60 g	chocolat blanc	2 oz
310 ml	sucre granulé	1 ¼ tasse
125 ml	beurre non salé, à la température ambiante	½ tasse
2	blancs d'œuf	2
2	œufs entiers	2
10 ml	extrait de vanille	2 c. à thé
75 ml	cacao en poudre non sucré	⅓ tasse
60 ml	eau	¼ tasse

1. Dans un grand bol, mélanger à la fourchette, la farine tout usage, la farine de blé entier, la poudre à pâte et le sel, jusqu'à l'obtention d'un mélange homogène. Réserver.
2. Dans un bol moyen, mélanger le yogourt et le bicarbonate de soude (ce qui fera mousser le yogourt). Réserver.
3. Hacher grossièrement le chocolat mi-sucré pour obtenir des morceaux de la taille des brisures de chocolat. Répéter la même opération avec le chocolat blanc (ne pas mélanger les deux chocolats). Réserver.
4. Pour préparer la pâte blanche, battre en crème, dans un grand bol, le beurre avec le sucre en utilisant un batteur électrique. Ajouter les blancs d'œuf et les œufs, un à la fois, en battant bien après chaque addition. Incorporer l'extrait de vanille. Incorporer les ingrédients secs en alternance avec les ingrédients liquides, à raison de 3 ajouts du mélange de farine pour 2 ajouts du mélange de yogourt.

5. Pour préparer la pâte au chocolat, tamiser la poudre de cacao au dessus d'un bol moyen. Incorporer l'eau et mélanger jusqu'à la formation d'une pâte lisse. Incorporer un tiers de la pâte blanche dans la préparation.

6. Incorporer le chocolat blanc dans la pâte au chocolat et le chocolat mi-sucré dans la pâte blanche.

7. Verser la pâte blanche au fond du moule. Verser la pâte au chocolat par-dessus. Plonger une spatule dans le moule et la déplacer dans la pâte de façon à y créer un effet de rubans entrelacés de pâte blanche et de pâte au chocolat.

8. Cuire de 60 à 65 minutes au four préchauffé ou jusqu'à ce qu'un cure-dent inséré au centre en ressorte propre. Laisser tiédir sur une grille pendant 10 minutes. Démouler sur la grille et laisser refroidir complètement.

❄ SE CONGÈLE BIEN
✓ UN FAVORI DES ENFANTS

Glaçage au yogourt et à la crème fouettée
Barbara Selley, diététiste, Ontario

Un glaçage qui se marie bien à la plupart des gâteaux

Battre 125 ml (½ tasse) de crème à fouetter (35 %) jusqu'à épaississement. Ajouter 15 ml (1 c. à soupe) de sucre granulé et 2 ml (½ c. à thé) d'extrait de vanille. Battre jusqu'à la formation de pics fermes. Incorporer délicatement 125 ml (½ tasse) de yogourt nature faible en gras jusqu'à consistance homogène. Donne 375 ml (1 ½ tasse).

Contient 88 calories et 7,4 g de matières grasses par portion de 60 ml (¼ tasse). La même quantité de crème fouettée seule contient 103 calories et 11 g de matières grasses.

VALEUR NUTRITIVE par portion		
Calories : 239	Glucides : 36,2 g	Calcium : 73 mg
Matières grasses : 8,7 g	Fibres : 1,9 g	Fer : 1,3 mg
Sodium : 161 mg	Protéines : 5,4 g	
Teneur élevée en : acide folique		

Équivalents par portion pour les personnes diabétiques	
2	glucides
2	matières grasses

Eileen Campbell

Voici un gâteau au chocolat avec une exquise touche mexicaine. Le cacao en poudre lui confère une riche saveur de chocolat. Pour les grandes occasions, recouvrir de crème fouettée et saupoudrez un peu de cannelle moulue sur la crème ou préparez le Glaçage au yogourt et à la crème fouettée (p. 309).

CONSEILS

Si vous n'avez pas de farine préparée, mélangez 250 ml de farine tout usage, 7 ml (1 ½ c. à thé) de poudre à pâte et 2 ml (½ c. à thé) de sel.

Si vous préférez utiliser des blancs d'œuf liquides, sachez que 6 blancs d'œuf équivalent à 175 ml (¾ tasse) du produit du commerce.

Gâteau aux courgettes et au chocolat

- *Temps de préparation : 10 minutes*
- *Temps de cuisson : 30 à 40 minutes*
- *Four préchauffé à 180 °C (350 °F)*
- *Plat carré allant au four de 2 litres (8 x 8 po), légèrement graissé*

250 ml	farine préparée (farine avec poudre à pâte), tamisée	1 tasse
75 ml	cacao en poudre non sucré	⅓ tasse
5 ml	bicarbonate de soude	1 c. à thé
5 ml	cannelle moulue	1 c. à thé
6	blancs d'œuf	6
325 ml	cassonade, bien tassée	1 ⅓ tasse
250 ml	babeurre	1 tasse
10 ml	extrait de vanille	2 c. à thé
1 ml	extrait d'amande	¼ c. à thé
500 ml	courgettes, râpées	2 tasses
	sucre à glacer (facultatif)	

1. Dans un petit bol, mélanger la farine, le cacao en poudre, le bicarbonate de soude et la cannelle.
2. Dans un grand bol, battre les blancs d'œuf avec la cassonade, le babeurre, l'extrait de vanille et l'extrait d'amande jusqu'à consistance homogène. Incorporer le mélange de farine et de cacao jusqu'à consistance homogène. Ajouter les courgettes et verser dans le plat.
3. Cuire de 30 à 40 minutes au four préchauffé, ou jusqu'à ce que le dessus du gâteau reprenne sa forme après une légère pression des doigts et qu'un cure-dent inséré au centre en ressorte propre. Laisser tiédir 10 minutes sur une grille avant de démouler. Démouler sur la grille et laisser refroidir complètement. Juste avant de servir, saupoudrer de sucre à glacer.

❄ SE CONGÈLE BIEN
✓ UN FAVORI DES ENFANTS

Équivalents par portion pour les personnes diabétiques	
2	glucides

VALEUR NUTRITIVE par portion		
Calories : 154	Glucides : 34,8 g	Calcium : 88 mg
Matières grasses : 0,6 g	Fibres : 1,5 g	Fer : 1,5 mg
Sodium : 295 mg	Protéines : 3,9 g	

Fondue au chocolat

- *Temps de préparation : 3 minutes*
- *Temps de cuisson : 5 minutes*
- *Plat à fondue au chocolat*

250 g	chocolat mi-sucré, haché	8 oz
125 ml	lait évaporé ou crème à fouetter	½ tasse
	assortiment de fruits coupés en bouchées (bananes, fraises, pommes, poires, etc.)	

1. Déposer le chocolat dans le plat à fondue, puis verser le lait évaporé. Faire fondre à feu doux en remuant constamment avec une cuillère de bois, environ 5 minutes. Mettre le plat sur la base du brûleur.
2. Disposer les fruits dans un plat de service et servir avec la fondue.

6 PORTIONS

Les producteurs laitiers du Canada

Un grand classique qui vous vaudra de larges sourires de la part de vos invités !

CONSEILS
Comptez 125 ml (½ tasse) de fruits et 60 ml (¼ tasse) de sauce au chocolat par portion.

Ce plat contient un peu plus de matières grasses que la plupart de nos recettes, il vaut donc mieux le réserver pour des occasions spéciales.

VARIANTE
Si vous n'aimez pas le chocolat noir, préparez la fondue avec du chocolat au lait.

VALEUR NUTRITIVE par portion		
Calories : 258	Glucides : 38,3 g	Calcium : 77 mg
Matières grasses : 10,5 g	Fibres : 4,2 g	Fer : 1,3 mg
Sodium : 25 mg	Protéines : 3,7 g	

Teneur très élevée en : riboflavine • **Teneur élevée en :** fibres alimentaires et magnésium

Équivalents par portion pour les personnes diabétiques

2	glucides
2	matières grasses

Eileen Campbell

Garnissez ces crêpes avec des fruits frais ou surgelés de votre choix. Notre groupe de dégustation les a préférées avec des fraises et du yogourt glacé à la vanille. Un vrai délice !

CONSEIL

Préparez les crêpes la veille, enveloppez-les de pellicule plastique et conservez-les au réfrigérateur.

Crêpes au chocolat

- *Temps de préparation : 10 minutes*
- *Temps de cuisson : 15 minutes*
- *16 carrés de papier sulfurisé ou de papier ciré de 15 cm (6 po)*

375 ml	farine tout usage	1 ½ tasse
125 ml	cacao en poudre non sucré	½ tasse
90 ml	sucre à glacer	6 c. à soupe
une pincée	sel	une pincée
2	œufs	2
500 ml	lait	2 tasses
30 ml	huile végétale	2 c. à soupe
2 ml	extrait de vanille	½ c. à thé

1. Dans un grand bol, mélanger la farine, la poudre de cacao, le sucre et le sel.
2. Dans un bol moyen, battre les œufs avec le lait, l'huile et l'extrait de vanille ; bien mélanger. Incorporer graduellement ce mélange dans le mélange de farine et de cacao en veillant à bien dissoudre les grumeaux. Couvrir et réfrigérer 1 heure.
3. Chauffer une petite poêle à feu moyen et la vaporiser légèrement d'huile végétale. Retirer la poêle chaude du feu et verser 60 ml (¼ tasse) de pâte. Incliner la poêle afin de bien étendre la pâte. Remettre la poêle sur le feu et cuire de 30 à 40 secondes, ou jusqu'à ce que le fond de la crêpe soit légèrement doré. Retourner la crêpe et cuire environ 15 secondes, ou jusqu'à ce que le fond soit quelque peu doré. Répéter l'opération jusqu'à ce qu'il ne reste plus de pâte. Empiler les crêpes en déposant un carré de papier sulfurisé entre chacune pour les empêcher de coller ensemble.

❄ **SE CONGÈLE BIEN**
✓ **UN FAVORI DES ENFANTS**

Équivalents par portion pour les personnes diabétiques	
1	glucides
1	matières grasses

VALEUR NUTRITIVE par portion		
Calories : 107	Glucides : 14,7 g	Calcium : 44 mg
Matières grasses : 4,3 g	Fibres : 1,2 g	Fer : 1 mg
Sodium : 21 mg	Protéines : 3,5 g	

Biscuits au gingembre

- *Temps de préparation : 20 à 30 minutes*
- *Temps de cuisson : 10 à 12 minutes*
- *Four préchauffé à 180 °C (350 °F)*
- *Plaques à pâtisserie, légèrement graissées
  ou tapissées de papier sulfurisé*

**Phyllis Levesque,
diététiste, Ontario**

*Des biscuits croquants
et épicés qui plairont
aux amateurs de pain
d'épice.*

425 ml	farine tout usage	1 ¾ tasse
7 ml	poudre à pâte	1 ½ c. à thé
5 ml	gingembre moulu	1 c. à thé
5 ml	cannelle moulue	1 c. à thé
2 ml	bicarbonate de soude	½ c. à thé
2 ml	sel	½ c. à thé
1 ml	clou de girofle moulu	¼ c. à thé
1	œuf	1
125 ml	sucre granulé	½ tasse
125 ml	huile végétale	½ tasse
125 ml	mélasse	½ tasse

1. Dans un petit bol, mélanger la farine, la poudre à pâte, le gingembre, la cannelle, le sel et le clou de girofle.
2. Dans un bol moyen, battre l'œuf avec le sucre, l'huile et la mélasse jusqu'à consistance homogène. Incorporer les ingrédients secs ; mélanger jusqu'à la formation d'une pâte humide.
3. Façonner la pâte en boules (15 ml/1 c. à soupe de pâte par boule) et les déposer sur les plaques en laissant un espace de 5 cm (2 po) entre chacune.
4. Cuire au four préchauffé de 10 à 12 minutes, ou jusqu'à ce que les biscuits soient légèrement dorés et croustillants. Déposer les plaques sur une grille et laisser tiédir 5 minutes, puis transférer les biscuits sur la grille et les laisser refroidir complètement.

VALEUR NUTRITIVE par portion		
Calories : 91	Glucides : 13,3 g	Calcium : 21 mg
Matières grasses : 3,9 g	Fibres : 0,3 g	Fer : 0,7 mg
Sodium : 79 mg	Protéines : 1 g	

**Équivalents par portion
pour les personnes
diabétiques**

1	glucides
1	matières grasses

General Mills

Nul ne saura que ces biscuits croustillants à l'exquise saveur chocolatée se composent de céréales au son.

CONSEIL

Optez pour une margarine non hydrogénée afin de réduire votre consommation de gras trans.

Biscuits exquis au chocolat

- *Temps de préparation : 15 minutes*
- *Temps de cuisson : 7 à 9 minutes*
- *Four préchauffé à 180 °C (350 °F)*
- *Plaques à pâtisserie, non graissées*

250 ml	farine tout usage	1 tasse
125 ml	cacao en poudre non sucré	½ tasse
5 ml	bicarbonate de soude	1 c. à thé
1 ml	sel	¼ c. à thé
2	œufs	2
250 ml	margarine ou beurre, ramollis	1 tasse
175 ml	cassonade, bien tassée	¾ tasse
375 ml	flocons d'avoine à cuisson rapide	1 ½ tasse
250 ml	céréales de son (pas en flocons)	1 tasse
175 ml	brisures de chocolat blanc	¾ tasse

1. Dans un petit bol, mélanger la farine, le cacao, le bicarbonate de soude et le sel.
2. Dans un grand bol, battre les œufs, la margarine et la cassonade. Incorporer dans les ingrédients secs. Ajouter en remuant les flocons d'avoine, les céréales de son et les brisures de chocolat.
3. Déposer la pâte sur les plaques à pâtisserie par cuillerée à soupe comble, en laissant un espace de 5 cm (2 po) entre chacune.
4. Cuire au four préchauffé de 7 à 9 minutes, ou jusqu'à ce que les biscuits soient croustillants. Déposer les plaques sur une grille et laisser tiédir 5 minutes, puis transférer les biscuits sur la grille et laisser refroidir complètement.

✓ **UN FAVORI DES ENFANTS**

Équivalents par portion pour les personnes diabétiques	
1	glucides
1	matières grasses

VÁLEUR NUTRITIVE par portion		
Calories : 103	Glucides : 11,8 g	Calcium : 20 mg
Matières grasses : 6 g	Fibres : 1,3 g	Fer : 0,7 mg
Sodium : 116 mg	Protéines : 1,6 g	

Biscuits aux bananes et aux graines de lin

- *Temps de préparation : 10 minutes*
- *Temps de cuisson : 10 minutes*
- *Four préchauffé à 180 °C (350 °F)*
- *Plaques à pâtisserie, légèrement graissées ou tapissées de papier sulfurisé*

500 ml	flocons d'avoine à l'ancienne	2 tasses
310 ml	farine de blé entier	1 ¼ tasse
250 ml	brisures de chocolat mi-sucré	1 tasse
250 ml	fruits séchés	1 tasse
175 ml	graines de lin, moulues	¾ tasse
5 ml	bicarbonate de soude	1 c. à thé
2 ml	sel	½ c. à thé
2	grosses bananes, écrasées	2
175 ml	miel	¾ tasse
125 ml	margarine	½ tasse

1. Dans un grand bol, mélanger les flocons d'avoine, la farine, les brisures de chocolat, les fruits séchés, les graines de lin, le bicarbonate de soude et le sel.
2. Dans un autre grand bol, mélanger les bananes, le miel et la margarine. Incorporer dans les ingrédients secs.
3. Déposer la pâte sur les plaques à pâtisserie par cuillerée à soupe comble, en laissant un espace de 5 cm (2 po) entre chacune. Aplatir les biscuits à la fourchette.
4. Cuire au four préchauffé environ 10 minutes, ou jusqu'à ce que les biscuits soient légèrement dorés. Déposer les plaques sur une grille et laisser tiédir 5 minutes, puis transférer les biscuits sur la grille et laisser refroidir complètement.

❄ SE CONGÈLE BIEN
✓ UN FAVORI DES ENFANTS

36 BISCUITS (1 PAR PORTION)

Eileen Campbell

Ces biscuits savoureux et nutritifs font une excellente collation à toute heure de la journée.

CONSEILS
Optez pour une margarine non hydrogénée afin de réduire votre consommation de gras trans.

Notre groupe de dégustation a goûté les biscuits avec différents fruits séchés (raisins, abricots, canneberges) et tous ont été aimés, même ceux qui ont été composés d'un mélange de fruits séchés.

VARIANTES
Ajoutez à la pâte des brisures de chocolat blanc ou des brisures au caramel plutôt que les brisures de chocolat mi-sucré. Ou omettez-les tout simplement, pour obtenir des biscuits aux fruits.

Remplacez le miel par du sirop de riz ou de la mélasse.

VALEUR NUTRITIVE par portion		
Calories : 133	Glucides : 20,8 g	Calcium : 17 mg
Matières grasses : 5,2 g	Fibres : 2,2 g	Fer : 0,8 mg
Sodium : 103 mg	Protéines : 2,3 g	
Source de : fibres alimentaires		

Équivalents par portion pour les personnes diabétiques	
1	glucides
1	matières grasses

Patricia Chuey,
diététiste, Colombie-
Britannique

*Ces biscuits moelleux
font une collation
délicieuse et nutritive.*

Biscuits tendres aux pommes et à la cannelle

- *Temps de préparation : 15 minutes*
- *Temps de cuisson : 8 à 10 minutes*
- *Four préchauffé à 200 °C (400 °F)*
- *Plaques à pâtisserie, légèrement graissées
  ou tapissées de papier sulfurisé*

500 ml	farine tout usage	2 tasses
15 ml	cannelle moulue	1 c. à soupe
5 ml	poudre à pâte	1 c. à thé
2 ml	bicarbonate de soude	½ c. à thé
2 ml	sel	½ c. à thé
3	grosses pommes (non pelées), râpées	3
150 ml	beurre	⅔ tasse
250 ml	cassonade, bien tassée	1 tasse
2	œufs	2
125 ml	lait sur ou babeurre	½ tasse
500 ml	flocons d'avoine à cuisson rapide	2 tasses

1. Dans un petit bol, tamiser ensemble la farine, la cannelle, la poudre à pâte, le bicarbonate de soude et le sel.
2. Saupoudrer 125 ml (½ tasse) du mélange de farine sur les pommes râpées.
3. Dans un grand bol, battre en crème le beurre avec la cassonade. Ajouter les œufs, un à la fois, en battant bien après chaque addition. Ajouter le lait et les flocons d'avoine ; bien battre. Incorporer le reste du mélange de farine dans la préparation. Ajouter les pommes.
4. Déposer la pâte sur les plaques à pâtisserie par cuillerée à soupe comble, en laissant un espace de 5 cm (2 po) entre chacune.
5. Cuire au four préchauffé de 8 à 10 minutes, ou jusqu'à ce que les biscuits soient légèrement dorés. Déposer les plaques sur une grille et laisser tiédir 5 minutes, puis transférer les biscuits sur la grille et laisser refroidir complètement.

❄ **SE CONGÈLE BIEN**
✓ **UN FAVORI DES ENFANTS**

**Équivalents par portion
pour les personnes
diabétiques**

1	glucides
½	matières grasses

VALEUR NUTRITIVE par portion		
Calories : 85	Glucides : 12,9 g	Calcium : 16 mg
Matières grasses : 3,1 g	Fibres : 0,7 g	Fer : 0,6 mg
Sodium : 67 mg	Protéines : 1,5 g	

Biscuits au beurre d'arachide et aux graines de lin

**28 BISCUITS
(1 PAR PORTION)**

Patricia Chuey,
diététiste,
Colombie-Britannique

- *Temps de préparation : 15 minutes*
- *Temps de cuisson : 8 à 10 minutes*
- *Four préchauffé à 180 °C (350 °F)*
- *Plaques à pâtisserie, légèrement graissées ou tapissées de papier sulfurisé*

310 ml	farine tout usage	1 ¼ tasse
125 ml	graines de lin, moulues	½ tasse
5 ml	bicarbonate de soude	1 c. à thé
une pincée	sel	une pincée
125 ml	beurre, ramolli	½ tasse
125 ml	sucre granulé	½ tasse
125 ml	cassonade, bien tassée	½ tasse
1	œuf	1
5 ml	extrait de vanille	1 c. à thé
125 ml	beurre d'arachide crémeux	½ tasse

1. Dans un petit bol, mélanger la farine, les graines de lin, le bicarbonate de soude et le sel.
2. Dans un grand bol, battre en crème le beurre, le sucre et la cassonade. Incorporer l'œuf et l'extrait de vanille ; battre. Ajouter le beurre d'arachide et battre jusqu'à consistance homogène. Incorporer graduellement le mélange de farine en remuant.
3. Déposer la pâte sur les plaques à pâtisserie par cuillerée à soupe comble, en laissant un espace de 5 cm (2 po) entre chacune. Aplatir les biscuits à la fourchette, de manière à laisser une empreinte en forme de croix sur chaque biscuit.
4. Cuire au four préchauffé de 8 à 10 minutes, ou jusqu'à ce que les biscuits soient légèrement dorés. Déposer les plaques sur une grille et laisser tiédir 5 minutes, puis transférer les biscuits sur la grille et laisser refroidir complètement.

Vous ne voudrez plus acheter de biscuits au beurre d'arachide. Non seulement ceux-ci sont-ils délicieux, mais ils sont faits d'ingrédients de qualité. Ils sont les meilleurs biscuits au beurre d'arachide, selon les participants à notre groupe de dégustation.

❄ SE CONGÈLE BIEN
✓ UN FAVORI DES ENFANTS

VALEUR NUTRITIVE par portion		
Calories : 118	Glucides : 13,2 g	Calcium : 15 mg
Matières grasses : 6,7 g	Fibres : 1 g	Fer : 0,5 mg
Sodium : 94 mg	Protéines : 2,4 g	

Équivalents par portion pour les personnes diabétiques

1	glucides
1 ½	matières grasses

**Kimberley Barber,
Alberta**

*Ces biscuits aux grains
entiers et aux carottes
sont riches en fibres et
contiennent peu de
sucre. Un participant de
notre groupe de
dégustation les a
tellement aimés qu'il
n'en a pas laissés pour
les autres !*

CONSEIL

Optez pour une margarine
non hydrogénée pour
limiter votre consommation
de gras trans.

Biscuits aux carottes

- *Temps de préparation : 10 minutes*
- *Temps de cuisson : 10 à 15 minutes*
- *Four préchauffé à 180 °C (350 °F)*
- *Plaques à pâtisserie, légèrement graissées*

250 ml	farine de blé entier	1 tasse
175 ml	flocons d'avoine à cuisson rapide	¾ tasse
125 ml	graines de lin, moulues	½ tasse
5 ml	cannelle moulue	1 c. à thé
2 ml	bicarbonate de soude	½ c. à thé
1	œuf	1
175 ml	cassonade, légèrement tassée	¾ tasse
125 ml	margarine	½ tasse
5 ml	extrait de vanille	1 c. à thé
250 ml	carottes, râpées	1 tasse

1. Dans un bol moyen, mélanger la farine, les flocons
   d'avoine, les graines de lin, la cannelle et le bicarbonate de
   soude.
2. Dans un grand bol, battre l'œuf, la cassonade, la margarine
   et l'extrait de vanille au batteur électrique jusqu'à
   consistance lisse. Incorporer graduellement le mélange de
   farine. Ajouter les carottes et bien mélanger.
3. Déposer la pâte sur les plaques à pâtisserie par cuillerée à
   soupe comble, en laissant un espace de 5 cm (2 po) entre
   chacune.
4. Cuire au four préchauffé de 10 à 15 minutes, ou jusqu'à ce
   que les biscuits soient légèrement dorés. Déposer les
   plaques sur une grille et laisser tiédir 5 minutes.

❄ **SE CONGÈLE BIEN**
✓ **UN FAVORI DES ENFANTS**

Équivalents par portion pour les personnes diabétiques	
1	glucides
1	matières grasses

VALEUR NUTRITIVE par portion		
Calories : 105	Glucides : 13,5 g	Calcium : 21 mg
Matières grasses : 5,3 g	Fibres : 1,7 g	Fer : 0,6 mg
Sodium : 86 mg	Protéines : 1,9 g	

Biscottis santé

- *Temps de préparation : 15 minutes*
- *Temps de cuisson : 60 à 65 minutes*
- *Four préchauffé à 180 °C (350 °F)*
- *Plaques à pâtisserie, légèrement graissées ou tapissées de papier sulfurisé*

General Mills

Les biscottis croquants sont des biscuits doublement cuits. Ils accompagnent agréablement le café, dans lequel ils s'amollissent lorsqu'on les y plonge. Cette version revisitée de biscottis contient du son, de l'avoine et des abricots secs, ce qui augmente considérablement leur teneur en fibres. Ils ont remporté un vif succès auprès de notre groupe de dégustation.

500 ml	céréales de son, écrasées (pas en flocons)	2 tasses
375 ml	farine tout usage	1 ½ tasse
250 ml	sucre granulé	1 tasse
175 ml	flocons d'avoine à cuisson rapide	¾ tasse
125 ml	amandes émincées	½ tasse
125 ml	abricots secs, hachés	½ tasse
10 ml	poudre à pâte	2 c. à thé
3	œufs, légèrement battus	3
15 ml	huile végétale	1 c. à soupe
10 ml	extrait d'amande	2 c. à thé
5 ml	extrait de vanille	1 c. à thé

1. Dans un grand bol, mélanger les céréales de son, la farine, le sucre, les flocons d'avoine, les amandes, les abricots et la poudre à pâte.
2. Dans un petit bol, battre les œufs avec l'huile, les extraits d'amande et de vanille. Incorporer le mélange de céréales et bien remuer (la pâte doit être sèche et grumeleuse).
3. Déposer la pâte sur une surface légèrement enfarinée et la pétrir de 10 à 15 reprises, ou jusqu'à la formation d'une boule ferme. Diviser en deux parts égales et façonner en deux cylindres d'environ 20 cm (8 po) de longueur et 7,5 cm (3 po) de diamètre. Déposer sur la plaque à pâtisserie.
4. Cuire 30 minutes au four préchauffé. Sortir du four et abaisser la température à 160 °C (325 °F). Déposer les cylindres sur une grille et les laisser refroidir 10 minutes.
5. Avec un couteau dentelé, couper les cylindres en tranches de 1 cm (½ po) d'épaisseur. Déposer les tranches sur les plaques à pâtisserie.
6. Cuire 15 minutes. Retourner les biscottis et poursuivre leur cuisson de 15 à 20 minutes, jusqu'à ce qu'ils soient légèrement dorés et croquants. Déposer la plaque sur une grille et laisser tiédir 5 minutes, puis transférer les biscottis sur la grille et laisser refroidir complètement.

VALEUR NUTRITIVE par portion		
Calories : 94	Glucides : 18 g	Calcium : 32 mg
Matières grasses : 2,1 g	Fibres : 2,5 g	Fer : 1,1 mg
Sodium : 44 mg	Protéines : 2,4 g	
Source de : fibres alimentaires		

Équivalents par portion pour les personnes diabétiques

1	glucides
½	matières grasses

Shefali Raja, diététiste, Colombie-Britannique

Shefali a l'habitude de préparer ses biscottis préférés durant le temps des fêtes. Les membres de sa famille en raffolent.

CONSEIL

Optez pour une margarine non hydrogénée afin de réduire votre consommation de gras trans.

VARIANTE

Remplacez le zeste d'orange par 22 ml (1 ½ c. à soupe) de cardamome moulue ou 30 ml (2 c. à soupe) de graines de fenouil rôties. Pour rôtir les graines, étalez-les sur une plaque à pâtisserie et mettez-les au four préchauffé à 180 °C (350 °F) jusqu'à ce qu'elles soient odorantes, environ 3 minutes.

Biscottis du temps des fêtes

- *Temps de préparation : 20 minutes*
- *Temps de cuisson : 50 à 55 minutes*
- *Four préchauffé à 160 °C (325 °F)*
- *Plaques à pâtisserie, tapissées de papier sulfurisé*

625 ml	farine tout usage	2 ½ tasses
250 ml	amandes (en julienne) ou pistaches	1 tasse
15 ml	zeste d'orange, râpé	1 c. à soupe
5 ml	poudre à pâte	1 c. à thé
2 ml	sel	½ c. à thé
2	œufs	2
175 ml	sucre granulé	¾ tasse
125 ml	margarine	½ tasse
10 ml	extrait de vanille	2 c. à thé

1. Dans un bol moyen, mélanger la farine, les amandes, le zeste d'orange, la poudre à pâte et le sel.
2. Dans un grand bol, battre les œufs, le sucre, la margarine et l'extrait de vanille jusqu'à consistance légère. Incorporer le mélange de farine.
3. Diviser en deux parts égales et façonner en deux cylindres d'environ 35 cm (14 po) de longueur et 5 cm (2 po) de diamètre. Déposer sur la plaque à pâtisserie. Lisser la surface avec les doigts.
4. Cuire 30 minutes au four préchauffé. Sortir du four et abaisser la température à 140 °C (275 °F). Déposer les cylindres sur une grille et les laisser refroidir 10 minutes.
5. Avec un couteau dentelé, couper les cylindres en tranches de 1 cm (½ po) d'épaisseur. Déposer les tranches sur les plaques à pâtisserie.
6. Cuire de 20 à 25 minutes, ou jusqu'à ce que les biscottis soient légèrement dorés et croquants. Déposer la plaque sur une grille et laisser tiédir 5 minutes, puis transférer les biscottis sur la grille et laisser refroidir complètement.

Équivalents par portion pour les personnes diabétiques	
½	glucides
1	matières grasses

VALEUR NUTRITIVE par portion		
Calories : 84	Glucides : 10,5 g	Calcium : 14 mg
Matières grasses : 4 g	Fibres : 0,6 g	Fer : 0,5 mg
Sodium : 70 mg	Protéines : 1,7 g	

Carrés de céréales aux amandes

- *Temps de préparation : 15 minutes*
- *Temps de repos : 30 minutes*
- *Plat carré de 2,5 litres (9 x 9 po), légèrement graissé*

125 ml	beurre d'amande croquant	½ tasse
125 ml	sirop de riz brun	½ tasse
125 ml	miel	½ tasse
5 ml	extrait de vanille	1 c. à thé
250 ml	abricots secs, hachés	1 tasse
125 ml	amandes tranchées	½ tasse
60 ml	graines de sésame	¼ tasse
60 ml	graines de lin, moulues	¼ tasse
60 ml	graines de tournesol	¼ tasse
625 ml	céréales riches en fibres (des flocons de son, par exemple)	2 ½ tasses
310 ml	flocons d'avoine à l'ancienne	1 ¼ tasse

1. Dans une grande casserole, à feu doux, faire fondre le beurre d'amande avec le sirop de riz, le miel et la vanille. Ajouter les abricots, les amandes, les graines de sésame, les graines de lin et les graines de tournesol ; bien mélanger. Ajouter les céréales et les flocons d'avoine ; bien mélanger.
2. Verser la préparation dans le moule. Presser avec les mains pour que la préparation se compacte bien. Laisser reposer 30 minutes, jusqu'à ce que la préparation soit ferme, et découper en carrés.

✓ **UN FAVORI DES ENFANTS**

16 CARRÉS (1 PAR PORTION)

Eileen Campbell

Ces carrés de céréales sont délicieux au petit-déjeuner ou à la collation.

CONSEIL
Le sirop de riz brun est vendu dans les magasins d'aliments naturels et dans la section des aliments biologiques de certains supermarchés. Si vous n'en trouvez pas, remplacez-le par de la mélasse.

VARIANTE
Remplacez les abricots par les fruits secs de votre choix : raisins, cerises, canneberges, dattes dénoyautées hachées et figues.

VALEUR NUTRITIVE par portion		
Calories : 234	Glucides : 34,5 g	Calcium : 53 mg
Matières grasses : 10,4 g	Fibres : 4 g	Fer : 2,1 mg
Sodium : 89 mg	Protéines : 5,7 g	

Teneur très élevée en : magnésium
Teneur élevée en : fibres alimentaires, fer et thiamine

Équivalents par portion pour les personnes diabétiques

2	glucides
½	viandes et substituts
1 ½	matières grasses

**Lisa Diamond,
diététiste,
Colombie-Britannique**

Cette recette se transmet de mère en fille, dans la famille de Lisa. La mère de Lisa démoulait toujours le caramel dans un certain affolement, de peur qu'il ne colle au fond du plat. Aujourd'hui, Lisa tapisse le moule de papier sulfurisé !

CONSEIL
Optez pour une margarine non hydrogénée afin de réduire votre consommation de gras trans.

VARIANTE
Remplacez les brisures de chocolat par des brisures de chocolat blanc, de caramel ou de beurre d'arachide, ou par des fruits secs.

Barres de céréales au caramel

- *Temps de préparation : 10 minutes*
- *Temps de cuisson : 25 minutes*
- *Four préchauffé à 180 °C (350 °F)*
- *Moule de 3 litres (13 x 9 po), tapissé de papier sulfurisé*

500 ml	flocons d'avoine à cuisson rapide	2 tasses
125 ml	cassonade, légèrement tassée	½ tasse
75 ml	beurre ou margarine, fondus	⅓ tasse
60 ml	miel ou sirop de maïs	¼ tasse
7 ml	extrait de vanille	1 ½ c. à thé
2 ml	sel	½ c. à thé
250 ml	brisures de chocolat mi-sucré	1 tasse
125 ml	noix, hachées finement (pacanes, noisettes, arachides, etc.) ou noix de coco râpée, non sucrée	½ tasse

1. Dans un grand bol, mélanger les flocons d'avoine, la cassonade, le beurre, le miel, l'extrait de vanille et le sel ; bien mélanger. Incorporer les brisures de chocolat et les noix jusqu'à consistance homogène.
2. Verser la préparation dans le moule. Bien compacter la préparation avec les mains mouillées.
3. Cuire 25 minutes au four préchauffé, ou jusqu'à ce que la préparation soit dorée et croustillante. Déposer le moule sur une grille et laisser refroidir 5 minutes. Démouler en soulevant le papier sulfurisé et transférer sur une planche à découper. Retirer le papier et découper en barres.

✔ **UN FAVORI DES ENFANTS**

Équivalents par portion pour les personnes diabétiques	
1 ½	glucides
2	matières grasses

VALEUR NUTRITIVE par portion		
Calories : 177	Glucides : 23,5 g	Calcium : 16 mg
Matières grasses : 8,7 g	Fibres : 1,8 g	Fer : 1 mg
Sodium : 92 mg	Protéines : 2,3 g	

Barres de céréales
à la noix de coco et aux abricots

**24 BARRES
(1 PAR PORTION)**

Lisa Diamond,
diététiste,
Colombie-Britannique

- *Temps de préparation : 20 minutes*
- *Temps de cuisson : 45 minutes*
- *Four préchauffé à 180 °C (350 °F)*
- *Plat allant au four de 3 litres (13 x 9 po), graissé*

500 ml	farine de blé entier	2 tasses
375 ml	flocons d'avoine à cuisson rapide	1 ½ tasse
325 ml	cassonade, légèrement tassée	1 ⅓ tasse
125 ml	son d'avoine	½ tasse
125 ml	son de blé	½ tasse
2 ml	bicarbonate de soude	½ c. à thé
125 ml	beurre ou margarine, ramolli	½ tasse
125 ml	huile végétale	½ tasse
375 ml	eau	1 ½ tasse
500 ml	abricots secs hachés	2 tasses
125 ml	sucre granulé	½ tasse
30 ml	farine tout usage	2 c. à soupe
250 ml	noix de coco râpée, non sucrée	1 tasse

Ces barres font une collation ou un dessert riche en fibres, mais n'en abusez pas pour autant !

CONSEIL
Optez pour une margarine non hydrogénée afin de réduire votre consommation de gras trans.

VARIANTE
Remplacez les abricots par le fruit sec de votre choix.

1. Dans un grand bol, mélanger la farine, les flocons d'avoine, la cassonade, le son d'avoine, le son de blé et le bicarbonate de soude.
2. Dans un petit bol, mélanger la margarine et l'huile. Incorporer dans le mélange de farine et mélanger jusqu'à consistance grumeleuse. Réserver 250 ml (1 tasse) de ce mélange. Presser le reste du mélange de céréales au fond du plat. Réserver.
3. Dans une grande casserole, à feu moyen vif, porter à ébullition l'eau et les abricots. Baisser le feu, couvrir et laisser mijoter 5 minutes, ou jusqu'à tendreté.
4. Pendant ce temps, mélanger le sucre et la farine, et ajouter aux abricots. Cuire en remuant environ 1 minute ou jusqu'à épaississement. Incorporer la noix de coco.
5. Étendre les abricots sur le mélange de céréales et recouvrir avec les céréales qui avaient été réservées.
6. Cuire 35 minutes au four préchauffé, ou jusqu'à ce que le dessus soit doré. Déposer le plat sur une grille et laisser refroidir complètement. Découper en barres.

❄ SE CONGÈLE BIEN
✓ UN FAVORI DES ENFANTS

VALEUR NUTRITIVE par portion		
Calories : 255	Glucides : 38 g	Calcium : 27 mg
Matières grasses : 11,6 g	Fibres : 3,9 g	Fer : 1,6 mg
Sodium : 86 mg	Protéines : 3,6 g	

Teneur élevée en : magnésium • **Source de :** fibres alimentaires

Équivalents par portion pour les personnes diabétiques	
2	glucides
2 ½	matières grasses

Eileen Campbell

Ces barres possèdent toute la saveur du gâteau au fromage, sans les calories ! À servir avec le thé de l'après-midi ou pour clore le souper en beauté.

CONSEILS

Pour faciliter le démoulage, tapissez le moule de façon que le papier d'aluminium remonte à 2,5 cm (1 po) des bords.

Ces barres se préparent aussi avec des framboises, des bleuets ou des baies mélangées.

VARIANTE

Remplacez l'extrait d'amande par de l'extrait de vanille et le zeste d'orange par du zeste de citron.

Barres au fromage et aux petits fruits

- *Temps de préparation : 20 minutes*
- *Temps de cuisson : 35 minutes*
- *Four préchauffé à 180 °C (350 °F)*
- *Moule de 3 l (13 x 9 po), tapissé de papier d'aluminium graissé*

Croûte

250 ml	farine tout usage	1 tasse
250 ml	cassonade, tassée	1 tasse
125 ml	amandes moulues	½ tasse
60 ml	beurre fondu	¼ tasse
30 ml	eau froide	2 c. à soupe

Garniture

2	œufs	2
1	blanc d'œuf	1
250 g	fromage à la crème léger, ramolli	8 oz
175 ml	sucre granulé	¾ tasse
125 ml	yogourt nature faible en gras	½ tasse
7 ml	extrait d'amande	1 ½ c. à thé
5 ml	zeste d'orange râpé	1 c. à thé
375 ml	petits fruits frais ou congelés	1 ½ tasse

1. Dans un grand bol, mélanger la farine, la cassonade, les amandes, le beurre fondu et l'eau.
2. Dans un autre bol, battre à grande vitesse les œufs, le blanc d'œuf, le fromage à la crème, le sucre, le yogourt, l'extrait d'amande et le zeste d'orange jusqu'à consistance légère.
3. Étendre et bien presser la moitié du mélange de farine au fond du moule tapissé. Verser la garniture et l'étaler. Étendre les fruits sur la garniture. Déposer le reste du mélange de farine par cuillerées à soupe (15 ml) sur les fruits.
4. Cuire au four préchauffé 35 minutes ou jusqu'à ce qu'un cure-dent inséré au centre en ressorte propre. Déposer le moule sur une grille et laisser refroidir complètement. Démouler en soulevant les bords du papier d'aluminium et déposer sur une planche à découper. Couper en barres.

❄ SE CONGÈLE BIEN
✓ UN FAVORI DES ENFANTS

Équivalents par portion pour les personnes diabétiques

2	glucides
1	matières grasses

VALEUR NUTRITIVE par portion		
Calories : 163	Glucides : 27,9 g	Calcium : 42 mg
Matières grasses : 4,3 g	Fibres : 0,9 g	Fer : 1 mg
Sodium : 152 mg	Protéines : 3,6 g	

Gelée rose à la fraise

- *Temps de préparation : 10 minutes*
- *Temps de réfrigération : 3 heures*
- *Plat carré de 2 litres (8 x 8 po)*

750 ml	jus de fruits rouge ou rose (par exemple : jus de pamplemousse rose, de canneberge ou de framboise)	3 tasses
4	sachets de 7 g (¼ oz) de gélatine sans saveur	4
30 ml	miel (facultatif)	2 c. à soupe
250 ml	yogourt sans gras (fraise ou framboise)	1 tasse

1. Dans une casserole moyenne, porter le jus à ébullition.
2. Dans un grand bol résistant à la chaleur, mélanger la gélatine et le miel (à défaut de mettre du miel, ajouter 15 ml/1 c. à soupe d'eau froide). En brassant, incorporer graduellement le jus bouillant. Brasser jusqu'à complète dissolution de la gélatine. Incorporer graduellement le yogourt et remuer jusqu'à consistance homogène. Verser dans le plat et réfrigérer environ 3 heures, ou jusqu'à ce que la gélatine soit prise.
3. Découper en carrés et servir.

✓ **UN FAVORI DES ENFANTS**

---

16 PORTIONS

**Marion French,
Île-du-Prince-Édouard**

Les enfants adorent cette gelée, et les adultes également ! Le simple fait d'entendre son nom donne envie de voir et de goûter ce dessert amusant.

CONSEIL
Utilisez des emporte-pièces pour découper la gelée. Les enfants seront enchantés !

VARIANTE
Composez votre propre gelée colorée avec le jus de fruits de votre choix et un yogourt assorti.

VALEUR NUTRITIVE par portion

Calories : 40	Glucides : 7,9 g	Calcium : 26 mg
Matières grasses : 0 g	Fibres : 0 g	Fer : 0,1 mg
Sodium : 21 mg	Protéines : 2,2 g	

Équivalents par portion pour les personnes diabétiques

| ½ | glucides |

Donna Suerich, Ontario

Les enfants aiment la saveur de ces sucettes glacées. En passant, ils n'ont pas besoin de savoir qu'elles contiennent de l'avocat !

Sucettes glacées mystères

- **Temps de préparation : 5 minutes**
- **Temps de congélation : 6 heures**
- *Moules à sucettes glacées*

1	gros avocat, pelé et dénoyauté	1
1	banane très mûre	1
125 ml	lait	½ tasse
30 ml	cacao en poudre non sucré	2 c. à soupe
15 ml	miel	1 c. à soupe
5 ml	extrait de vanille	1 c. à thé

1. Au mélangeur, à grande vitesse, mélanger l'avocat, la banane, le lait, le cacao en poudre, le miel et l'extrait de vanille jusqu'à consistance lisse.
2. Verser dans les moules et mettre à congeler environ 6 heures ou toute la nuit.

❄ **SE CONGÈLE BIEN**
✓ **UN FAVORI DES ENFANTS**

Sucettes de yogourt glacé
Doris Ouellet, Québec

Ces sucettes glacées sont bien meilleures que leur équivalent du commerce, et elles sont très rafraîchissantes. Faites votre propre combinaison de yogourt et de fruits. Tout le monde en redemandera !

Déposer quelques cuillerées de yogourt à la vanille au fond des moules. Ajouter de petits morceaux de fruits (fraises, bleuets, framboises, mangue, ananas, etc.). Remplir le reste du moule de yogourt et mettre à congeler environ 2 heures.

Équivalents par portion pour les personnes diabétiques

1	glucides
2 ½	matières grasses

VALEUR NUTRITIVE par portion

Calories : 187	Glucides : 19,8 g	Calcium : 49 mg
Matières grasses : 12,7 g	Fibres : 5,1 g	Fer : 1,3 mg
Sodium : 21 mg	Protéines : 3,3 g	

Teneur très élevée en : acide folique
Teneur élevée en : fibres alimentaires, vitamine B$_6$ et magnésium

Sucettes glacées fruitées

- *Temps de préparation : 10 minutes*
- *Temps de congélation : 6 heures*
- *Petits moules à sucettes glacées*

1	banane très mûre	1
375 ml	céréales de son ou flocons de son (céréales pour le petit-déjeuner)	1 ½ tasse
250 ml	fraises équeutées	1 tasse
300 g	tofu soyeux	10 oz
500 ml	yogourt nature faible en gras	2 tasses
175 ml	jus d'orange concentré surgelé (½ boîte)	¾ tasse

1. Au robot culinaire ou au mélangeur à basse vitesse, réduire en une purée lisse la banane, les céréales et les fraises. Incorporer le tofu, le yogourt et le jus d'orange concentré ; bien mélanger.
2. Verser dans les moules et mettre à congeler environ 6 heures, ou jusqu'à ce que les sucettes soient glacées.

❄ SE CONGÈLE BIEN
✓ UN FAVORI DES ENFANTS

16 PETITES SUCETTES GLACÉES (1 PAR PORTION)

Anne-Christine Giguère, Sabrina Tremblay et Cindy Martel, Québec

Un délice des jours de canicule. Ces sucettes glacées originales plairont à vos enfants et à leurs amis.

VARIANTE
Préparez-les avec des petits fruits assortis ou des fruits exotiques. Comptez environ 375 ml (1 ½ tasse) de fruits, au total. Vous pourriez également remplacer le tofu nature par du tofu aux amandes, à la pêche ou aux bananes, et remplacer les céréales de son par vos céréales préférées. N'ayez pas peur d'essayer de nouvelles combinaisons.

VALEUR NUTRITIVE par portion		
Calories : 76	Glucides : 13,9 g	Calcium : 70 mg
Matières grasses : 1,2 g	Fibres : 1,1 g	Fer : 0,9 mg
Sodium : 63 mg	Protéines : 3,5 g	

Teneur élevée en : vitamine C et acide folique

Équivalents par portion pour les personnes diabétiques	
1	glucides

À propos de l'analyse des éléments nutritifs

L'analyse des éléments nutritifs des recettes a été effectuée par Info Access (1988) Inc., Don Mills, Ontario, à l'aide de l'outil de comptabilisation nutritionnelle du système de gestion de menu du CBORD Group, Inc. On a utilisé le Fichier canadien sur les éléments nutritifs 2005 comme base de données des nutriments, lequel a été mis à jour, lorsque nécessaire, avec des données documentées provenant de sources fiables. L'analyse a été faite en se basant sur :

- les mesures et les poids du système impérial (sauf pour les aliments empaquetés et utilisés selon le système métrique) ;
- le plus grand nombre de portions lorsque différentes rations étaient proposées ;
- la plus petite quantité d'ingrédients lorsque différentes quantités étaient proposées ;
- le premier ingrédient de la liste lorsqu'il y avait un choix d'ingrédients.

À moins d'indications contraires, les recettes ont été testées avec de l'huile de canola, de la margarine non hydrogénée, du lait 2 % et du yogourt à 1 ou 2 %. Le calcul pour les recettes de viande et de volaille a été réalisé en supposant que seule la partie maigre, sans peau, était consommée. Le sel était inclus uniquement lorsqu'on faisait mention d'une quantité précise. Les garnitures et les ingrédients facultatifs donnés en quantité indéfinie n'étaient pas ajoutés à la recette.

Renseignements sur les éléments nutritifs des recettes

- Les données nutritionnelles ont été arrondies à une décimale, à l'exception des données sur le sodium et le calcium, qui ont été arrondies à l'unité.
- Les bonnes et les excellentes sources de vitamines (A, C, thiamine, riboflavine, niacine, B_6, acide folique et B_{12}) et de minéraux (calcium et fer) ont été identifiées selon les critères établis pour l'étiquetage nutritionnel (*Guide d'étiquetage et de publicité sur les aliments 2003* de l'Agence canadienne d'inspection des aliments).
- Une portion qui fournit 15 % de la valeur quotidienne (% VQ) recommandée d'une vitamine ou d'un minéral (30 % pour la vitamine C) est considérée comme une bonne source de ce nutriment. Une excellente source doit représenter un apport d'au moins 25 % de la valeur quotidienne recommandée (50 % pour la vitamine C).
- Une portion qui fournit au moins 2 g de fibres alimentaires est considérée comme une source moyenne. Les portions qui en contiennent 4 g représentent une source élevée, et celles qui en fournissent 6 g ou plus représentent une source très élevée (*Guide d'étiquetage et de publicité sur les aliments 2003*).

Valeurs des choix alimentaires pour les personnes diabétiques

Les valeurs des choix alimentaires pour les personnes diabétiques ont été assignées selon le système exposé dans le *Guide pratique : la planification de repas sains en vue de prévenir ou de traiter le diabète* de l'Association canadienne du diabète. Les choix de glucides supposaient que 15 g de glucides étaient utilisés pour chaque choix. Les recettes comprenant des légumes ne supposaient que l'utilisation de un légume par recette ; les glucides supplémentaires étaient compris dans l'attribution des choix de glucides. Les choix de viandes et substituts supposaient généralement 7 g de protéines et de 3 à 5 g de matières grasses par choix, quoique la taille des portions et les valeurs nutritives spécifiques des nutriments aient été également considérées. Les choix des matières grasses étaient basés sur 5 g de matières grasses par attribution. Puisqu'il existe une part de jugement dans l'attribution des choix, il pourrait y avoir plus d'un modèle raisonnable pour chaque recette.

Index

Cet ouvrage a été composé en Berkeley corps 10/12
et achevé d'imprimer au Canada en février 2007
sur les presses de Quebecor World Saint-Romuald.

Imprimé sur du papier Quebecor Enviro 100 % postconsommation,
traité sans chlore, accrédité Éco-Logo et fait à partir de biogaz.

certifié

procédé
sans
chlore

100 % post-
consommation

archives
permanentes

BIO GAZ
ÉNERGIE
énergie
biogaz